JN277772

スピリチュアル占星術

魂に秘められた運命の傾向と対策

ジャン・スピラー／カレン・マッコイ＝著　東川恭子＝訳

Spiritual Astrology

序文

本書は自己の内面に広がる世界を占星術から読み解く案内書です。誕生の瞬間にそれぞれの惑星が天空のどの星座、あるいはハウスに位置していたかを基準に分析を行うという手法で書かれています。巻末にある表から自分の誕生時の惑星の位置を見つけ、該当する解説文を読むという簡単なことですが、惑星のメッセージがもたらす知恵は、非常に深い示唆に富んでいます。誕生時の天空でこれらの惑星がどんな編隊を組んで運行していたかが教えてくれるのは、個人が持って生まれた才能や弱点などを仔細に記す人生の地図ともいうべき情報の宝庫です。このため自分の心の内面について、そしてあらかじめプログラムされた自分の運命について知りたいと願う人にとって、これほど手軽に入手できる貴重な情報源はないでしょう。

占星術について学んでいくにつれ、惑星が教えてくれることの膨大さがわかります。たとえば、惑星同士の数学的な法則（これをアスペクトと呼ぶ）を紐解く手法や、誕生時の惑星の位置と現在運行中の位置を比較する手法（トランジットと呼び、特定の時期に本人にどのような状況が起こるかを解読する）など、多岐にわたります。

占星術の魅力は、調べたい人の誕生時などの情報をもとにその人の調べたい状況や対象について正確に解読でき、その人を取り巻く環境や心理的影響まで読み取れることにあります。本書で解説している惑星、星座、ハウスは占星術の最も基本的な道具です。これらの基本的な原則が理解できれば、もっと詳しい占星術の知識を難なく解読できるようになるでしょう。天体の多様なコンビネーションを基本原則や確率に照らし、意味のある分析を導き出せるのです。その意味で本書は、占星術に関心を持つ人にとって、最良の入門書となるでしょう。

レイモンド・A・メリマン

感謝の言葉

いつでも私たちとともにあり、洞察とインスピレーションを与えてくれる霊的な存在に、そして私にこの本を書くための愛と力を授けてくださったたくさんの美しい心を持つ人々に本書を捧げます。

ジャン・スピラー

本書第二部を息子のジョン・マッコイに捧げます。ジャンと私が本書の執筆に専念できるよう、スープとツナの夕食を自分で作り、電話番と雑用を一手に引き受けてくれたあなたのサポートと忍耐に感謝を捧げます。心より愛を込めて。

ママ（カレン・マッコイ）より

本書の読み方

本書は占星術を用いて誰でも簡単に自分の深層を理解し、成長に向かえるように配慮して作られました。

本書はかなり厚い本に見えますが、すべてを読み通していただく必要はありません。10の惑星と日蝕・月蝕について、誕生年月日から星座・ハウスを割り出し、該当するセクションをお読みください。

本書は三部構成になっています。

第一部「惑星、星座、ハウス」では、人が誕生した瞬間に10の惑星が、どの星座、どのハウスにあったかが意味するものを解説しています。

第二部「誕生日直前の日蝕と月蝕」では、人が誕生する直前に日蝕・月蝕が起きたのは、どの星座、どのハウスであったかが意味するものを解説しています。

第三部「天体運行表」には、第一部、第二部の解説をお読みいただくのに必要なデータを、手に入れる方法とそのための情報が記してあります。

各部のはじめには、それぞれの部の使い方が記されています。こちらをよくお読みいただき、第三部の資料の中から必要なデータを見つけて、ご活用ください。

〈スピリチュアル占星術・目次〉

第一部　惑星、星座、ハウス

——ジャン・スピラー——

土星　社会的成功を勝ち取る　150

天王星　自立と自由を獲得する　172

海王星　感情の高揚と快感を得る　184

第二部　誕生日直前の日蝕と月蝕

人生のシナリオと魂の運命　――カレン・マッコイ&ジャン・スピラー――

第三部　天体運行表
——あなたの惑星と日蝕・月蝕がどの星座にあるかを調べる——

★

カバーデザイン　坂川事務所
カバーフォト　アマナ
本文・図版デザイン　浅田恵理子
イラスト　水崎真奈美
校正　麦秋アートセンター
編集協力・アドバイス　ムーン・フェアリー・ヒロコ

★

第一部

惑星、星座、ハウス

――ジャン・スピラー――

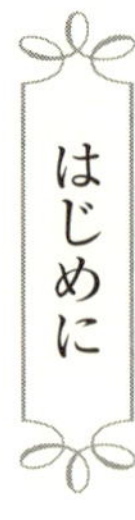

はじめに

あなたは世界でただ一人のユニークな存在です。
あなたとまったく同じバースチャート（誕生の瞬間の星の配置を示すチャート。一般にはホロスコープといわれる）が作られる確率は、少なくとも2万5000年に一度だといわれています。惑星はそれぞれ違った速さで太陽の周りを運行しているので、惑星の直列が起きるのは2万5000年に一度。つまりある特定の並び方が再び戻ってくるにはそれほどの年月を要するのです。あなたのバースチャートはそれほど他の誰とも似ていない、ただ一つの人格の特徴を表しているというわけです。占星術が示すのは、人やものごとの一般的な傾向ではなく、人の心の奥に眠っている無限の力の封印を解く鍵といえるでしょう。

占星術家なら誰もが使う基本的な要素として惑星、星座、そしてハウスが挙げられますが、占う人の数だけ、バースチャートの分析の仕方は異なります。それはバースチャートがそれぞれにユニークな内容を持ち、占星術家は独自のやり方でバースチャートという科学的なデータを解読していくからです。占星術家は独自の感性による解釈というフィルターを通してバースチャートに息を吹き込んでいくため、その過程で占星術家の持ついろいろな意思や考え方が加味されていくのです。したがって、心理カウンセリングや精神医学の診断などをはじめとした人間性を扱うすべての社会科学とまったく同様に、占星術によって語られたことがらの有効性や真偽について最終的な判断を下すのは、あなた自身だということを心に留めておいてください。

バースチャートを見たとき、目に留まる要素は占星術家によって違うものです。このためこれから本書を読まれる読者の方々が、あらかじめ私の基本的なものの考え方や傾向について知っておくことは、これから読まれる文章にどのようなフィルターがかかっているかを理解する意味で役に立つと考えました。同時に本書を書いた目的や、本書が読者にどのようなメリットをもたらすかについても触れておこうと思います。

占星術が表す知識は「生まれたときすでに確定しているのだから、自由意思の入る余地がない」と考える人が少なくありません。けれども実際はその逆です。

バースチャートから浮かび上がる人格はその人の心の肖像画であり、肉体がその人の外見を映しているのと何ら変わりはありません。

自由意思というものは何らかの枠があってはじめて存在しうるものです。何の枠も境界もないところでは自由も選択肢も意味をなしません。このため人はみなスタート地点としてある限界を持つ身体と心を持って生まれてきます。あなたのバースチャートに映し出された心の姿は、あなたが生まれたときにもらった身体同様、誕生と同時にもらった心の赤ちゃんなのです。身体は時とともに成長し、変化しますが、あなたの身体であることに変わりはなく、他のどの人とも違う、あなただけに属するたった一つの身体です。これとまったく同様に、占星術が扱うバースチャートは、あなたの内なる姿の肖像画で、他の誰とも違う、あなただけに属するたった一つの心を映しています。人の身体は見たり触れたりすることができますが、目に見えない人の心は数学的な方法によりバースチャートに表すことができるのです。

――たとえば身体について、私たちはどんな行為が苦痛をもたらすかを知っているので、苦痛を避けたいという「意思」が働き、そういう行為を避けるという「選択」をします。ところが目に見えない心の場合はそう簡単にはいきません。自分の正体すらはっきり見えないため、どうすれば苦痛を回避できるかも曖昧になってきます。ここで役に立つのがあなたの心のアイデンティティーを数学的正確さで表すバースチャートなのです。

たとえばあなたが車の運転をするとき、時速60キロ以上出して煉瓦の塀に突っ込めば、自分の身体がどんなことになるか容易に想像がつきます。よほどの偶然が重ならない限り、大事故を回避する可能性は物理的にはありません。

それでは心の分野ではどうでしょう。私たちは自らの心や精神を明らかに傷つけるとわかっているような行為を何度となく繰り返しています。この違いは、私たちが目に見える現実で起きる原因と結果のように、心の作用や反作用について理解していないことにあります。心に基づく行動を起こすとき、私たちは見えない煉瓦の塀に向かって全速力でぶつかっていくような自殺行為をしては「いったいどこが悪かったんだろう?」「どうして私の人生は失敗ばかりなんだろう?」

と嘆くのです。私は占星術から引き出される知恵を読み解き、自分や他人が煉瓦の塀にぶつからないための〝道路標識〟として活用しています。

私の一番の関心は、地球という惑星に生きている間に幸せな経験をたくさんすることです。つまり、私にとって占星術は目的ではなく、幸せになるための手段であり道具です。

人の幸せについて最初に思うことは、自分が幸せになれると信じている人がとても少ないこと。意識的・無意識的にかかわらず、多くの人は〝生きることはつらいものだ〟という前提の下に毎日を生きています。この前提があるために人は幸せを手に入れる代償として、常に何らかの妥協を強いられるのです。〝人生には苦しみがつきもの〟とばかりに自分自身や自分の財産を少しずつ手放し、最後には何も残らないほどの過酷な自己犠牲を受け入れているのです。私が地球に生きている理由はただ一つ。生を受けた喜びを満喫し、宇宙から届けられる愛情を受け止め、周りの人々とともに分かち合うことです。私の大きな課題は、幸せになれることを信じていない人々が暮らす地球という惑星で、人々に幸せを感じてもらうことです。

人々が幸せになるための現実的な方法は、人が幸せになる法則を知り、それに逆らわないようにすることです。幸せに関して一番大事なこと――それは、およそこの世にある幸福な体験というものは、その人の心という場所でしか感じられないということ。自分が幸せかどうかを決めるのも感じるのも心一つ。だから幸せを手に入れるために一番注意を払うべきものは心であり、心がすべての幸福の原点なのです。あなたの意識の焦点が心の中にあるとき、その副産物として人は幸せを感じます。なぜなら、意識はもともと心、つまり感性の領域に帰属しているからです。

私たちの誰もが親しんでいる、物質界での一時的な幸福体験の形がいくつかあります。その一つが恋愛です。恋したことのない人に説明するとしたら、こんなことかもしれません。恋に落ちる前のあなたの心は「もし○○が手に入れば、私は幸せになれる」「もし大好きなあの人が私に興味を持ってくれたら、私はすごくハッピーになるだろう」と叫び続けます。そして条件がそろうとあなたは恋に落ちていきます。理性の領域は本来、恋の経験を処理するように作られていません。このためあなたの意識の焦点は恋愛感情を処理できる感性の領域、心に移動します。意識が心の領域に留まっている間だけ、あなたは幸福でいられるのです。

恋をしているとき、あなたの心は天にも昇る快感を味わいます。現実に身の回りで何が起きても、すべてがうまくいっている感覚になるのです。スーパーマーケットであなたのカートに誰かがぶつかってきたとしても、まったく気になりません。互いにののしり合っている人を見かけても、そこに愛を感じます。仲裁に入ったとしてもあなたの心にある愛情に影が差すことはありません。それほど心が活動しているのに、日常の仕事や遊び、普段やっていることは全部きちんとこなせるのです。普段と違うのはすべてが魔法のように美しく、喜びに満ちているように見えることです。

人はみな、そういう幸福体験を手に入れる権利を持っています。そういう喜びの感覚とともに日々を過ごすのは自然なことで、人が本来あるべき姿なのです。

心の中で恋の喜びを味わうために、相手の協力は特に必要ないということに、もうお気づきですね。ところが恋の相手とあまり長い間一緒にいると、今度は理性がしゃしゃり出て、相手を自分の思い通りに変えたり、操ったりしようと行動を起こすのです。その瞬間、意識は心の外に出てしまうため、あなたは落ち着きがなくなり、満ち足りた感覚が消えていることに気づくのです。

物質界で一時的に幸福を感じる体験の例をもう一つ挙げてみましょう。目標の達成という幸福感です。たとえば「１００万ドルがほしい」という目標があったとしましょう。その場合、あなたは持てる頭脳とエネルギーのすべてをお金を増やすことに注ぎ込み、それと関係のないことをすべてやめます。こうしていれば遅かれ早かれあなたの手元には１００万ドルが入ってきます。ところが恋愛のときと同様、頭脳は成功という精神的価値に基づく情報を処理できません。このため１００万ドルを手に入れるという目標が達成されたとき、あなたの意識は理性の領域を出て、心の真ん中に飛び込んでいきます。

そしてしばらくの間、あなたは幸福感に浸ります。幸福感はあなたの理性がこう言うとき、終わりを告げるのです。「１００万ドル手に入れてこんなに幸せになったのなら、２００万ドル手に入れたとき、どんなに幸せになれるだろう？　この２倍くらい幸せを感じられるんじゃないのかな？」。こうしてあなたの意識は外に向けられ、せっせともう１００万ドル稼ごうと奔走を始めるのです。つまりここで起きているのは、意識が心を飛び出すと、幸福感が消えてしまうということです。何かが足りないという感覚が蘇り、再び幸福になるために何かをしなくてはならないという感覚に駆り立てられるのです。

その他に人が一時的に幸福を感じられるのは、美しい自然を見たときや、人が人に対して、何の見返りも求めずによいことをしてあげるとき。こういう光景を見た瞬間、意識は感性（心）の領域に戻ってきて、幸せな気分になれるのです。けれどもそれも長くは続かず、道を歩いていると飼い犬を蹴っ飛ばしている人を見かけ、あなたの意識は理性（頭）に飛び、それは正しい行動であるか否かと分析を始めます。こうして意識は再び心の領域からいなくなり、何となく満たされない感覚が蘇るのです。

要するに幸福であり続けるためには、意識を心の領域から外に出してはいけないということです。それさえできればもう何をやっても楽しいばかりです。ロマンチックな恋愛体験でもお金儲けでも、やりたいことを端からやってみるとゲームのような軽い感覚で楽しみながら実現するでしょう。その余裕がどこからくるかといえば、心の内なる幸福感がはじめからあなたとともにあるからです。

この内なる幸福感を、いつでも感じられるようになるために有効な方法が二つあります。一つは瞑想の習慣を持つこと。毎日瞑想をしていると、あなたの意識が世間のいろんなことに執着し、ぐるぐると意識をめぐらしていることに気づきます。瞑想を通じて、意識を心の内側に戻し、「大丈夫、ここにはいつでも幸せがあるよ。外界の出来事に翻弄されるのはやめようよ」と語りかけることができるからです。意識はすぐには変わりませんが、毎日これを続けているうちにものの見方がちょっとずつ変わっていきます。正しい瞑想の習慣を身につけると、一日20分程度の瞑想であなたの心の内なる現実が日に日にはっきりと見えてくるため、残りの23時間余りを喧騒と競争の現実の中で過ごしていても、心の中にあるゆるぎない平和と幸福の感覚を失わずに生きていけるようになります。

もう一つの方法（瞑想とこの方法を併用すれば効果絶大です）は、絶えず自分に問いかけること。「どうして意識はいつでも外に向かおうとするのだろう？」

「恋をすると、どうして相手を自分の思い通りに操ろうと思うんだろう?」「目標を達成すると、意識はどうしてすぐに次の目標に向かおうとするんだろう?」「瞑想をしていても、誰かの邪魔が入るとすぐに意識がそちらに向かうのはなぜだろう?」その答えは簡単ではありません。あなたの過去生での経験や、過去生を生きてきた魂の行動パターン、その過程で形成されたカルマなどによって、人の意識は何らかの不均衡を抱えているものだからです。

　そして一人ひとり異なる不均衡の状態について、また均衡を取り戻して幸福を感じる方法について、最もわかりやすく詳細に教えてくれるのが占星術。私が占星術を愛用する理由はそこにあるのです。

　一人ひとりの人格も人生もまったく異なるため、過去生で培ってきた不均衡に光を当て、均衡を取り戻して幸福になるためには、バースチャートに描かれたその人の人生全体の法則を眺める必要があります。あなたのバースチャートにちりばめられた惑星が、どの星座やどのハウスにあるかが示唆する不均衡を一つずつ知り、これらを解消していくことが、ゆるぎない幸福感とともに生きる近道なのです。一つひとつに光を当て、あなたの意識や行動パターンを修正していくと、あなたの精神は調和を取り戻し、心の中の葛藤(かっとう)が解消されていきます。

　これをわかりやすく示すため、惑星の解説には「素顔の魂」と「磨かれた魂」という項を作りました。「素顔の魂」の項では前世の習慣に基づく行動パターンや、心の内なる幸福感を疎外する、カルマに基づく反応について解説しました。「磨かれた魂」の項では、あなたがカルマに基づく不均衡を浄化し、あなたが幸福になることを自ら遠ざける、自己妨害的行為をやめるために必要な〝解毒剤〟を処方しています。

　本書をあなたの精神改造〝実験〟のカウンセリングワークショップとしてご活用ください。「磨かれた魂」に書かれたあなた自身を、毎日の行動の中に少しずつ取り入れていくと、あなたは不思議に外界のいろいろな刺激にいちいち翻弄されなくなっていき、心の内なる幸福感を意識できるようになっていきます。

　あなたが現代の地球に誕生したことは、偶然ではないと私は思っています。あなたのバースチャートは、あなたの誕生年月日、時刻、場所を基準として作られますが、これらはあなたの魂が非常に緻密(ちみつ)に計算した結果です。完璧（かんぺき）なその瞬間、その地点を厳密に選んで地球に送り届けられた命が、あなたというかけがえのない生命です。あなたという魂が人間となり地球上でどんな人生を送り、何を経験したいか、明確な意図を持って生まれ落ちた瞬間、その計画は記憶から失われてしまいます。人は身体を身にまとった途端に、魂のレベルでのことをすっかり忘れ、生まれる前にいろんな約束があったことに気づかずに生きていくのです。そこで、あなたの魂がこの人生でどこに向かおうとしていたのか、何を手に入れようとしていたのかを思い出すための最良の道具となるのがバースチャートです。それはあなたが今の人生経験を通じて磨かれ、幸せを手に入れることを願ったあなたの魂がどんなシナリオを描いていたのかを正確に示す、生まれる前に作られたあなたの人生の予定表なのです。

　人のバースチャートを見るとき、私はこの人の魂がどんな方向を目指しているかという点に注目します。魂の目的や志向というものはあなた自身、あるいは私がどう思うかに関わりなく、そこに明確に存在し、川のように流れています。あなたが、あなたの魂というエネルギーの流れに沿って生きている限り、恋もセックスもお金も人間関係も仕事も、すべてうまくいくでしょう。あなたの魂が作った川の流れに逆らって生きていると、逆らっている部分でことごとく衝突やトラブルが起こるでしょう。人生を幸福でスムーズなものにするためには、あなたという魂がもともと持っている自然な流れを知り、その川に身を委（ゆだ）ねることが不可欠なのです。

　本書が書かれた目的は、それぞれの星座に入った惑星が示す、幸せを約束された行動の選択肢を読者に伝えることに尽きます。ここに書かれた選択肢を心に留めて行動すれば、あなたは今いる場所でその日から変化を起こしていけるでしょう。本書ではそれぞれの惑星が掲げるチャレンジを示し、「○○をすれば、あなたは△△を経験し、幸福になれるでしょう。逆に××をすれば、あなたは▽▽を経験し、幸福から遠ざかるでしょう」という具体的なアドバイスをしています。

　バースチャートはあなたの心を客観的に映し出す鏡です。目に見えない心の素顔がはっきり見えれば、あなたがどうすれば幸福で充実した未来に向かってまっすぐ進んでいけるか、具体的なルートが見えてきます。人の精神という抽象的な対象を扱うのに科学的なよりどころがないと、それは多くの場合場当たり的で、妄信や迷信に囚われる危険を孕み、一時的な自己満足しか得られないでしょう。それは科学的根拠を欠き、現実にそぐわない方向性を持つものが多く、したがってあなたが長期的に満ち足りた人生を送るための指針とはなり得ません。

　バースチャートをよく見ていくと、その人が心の内なる幸福を感じるために、物質界でどんなことを実現する必要があるかがわかります。人は誰もが一様に幸福を望みますが、みんなが使える魔法の法則というものは存在せず、幸福に至る道は人によって千差万別です。たとえば月が蟹座にある人にとって、心の底から安心して満ち足りた気分になるためには、その人を取り巻く人間関係が心地よく調和していることが絶対条件です。けれども別の星座にある人にとって、この法則は当てはまりません。自分のための処方箋をバースチャートから紐解いていくことが一番の近道。人の個性の数だけ、幸福や満足の形があるように、本書にはたくさんの現実的な幸福への道が示されています。

　ここでお断りしておきたいのは、あなたが前世や魂の存在を信じるかどうかは、問題ではないということ。著者である私が輪廻転生を信じ、あなたが今この世に生きていることは偶然の産物ではないと信じていることを、本書の前提としてご承知いただければいいのです。不幸なバースチャートというものは存在せず、その犠牲になる人も存在しません。バースチャートが、その持ち主にとって制御不能の内容を持つこともありません。それぞれの星座やハウスに収まった惑星の配置はどれも完璧で、その人にとっての幸福を手に入れるという人生の目的に合わせて作られているのです。そしてあなたが幸福を手に入れるとき、霊的存在であるあなたの魂もまたこの上ない充足と成長を経験しているのです。

　どのバースチャートも完全無欠にできています。前世のあなたと言われてもぴんとこない人には、こんなたとえが役に立つかもしれません。あなたが生まれる前、あなたという魂は雲の上でこんなことをつぶやきました。

「今度地球に生まれたら、私は○○や△△や××について考え、取り組み、克服してみよう。これを上手に実現するにはこんな環境に生まれ、こんな運命をたどるのがいいかしら。ここをこうしておけばきっとうまくいく。そうそう、▽▽も大事なことだから、××をしている間にこういうシナリオを用意しておこう。オーケイ。これで準備は完璧！」

　そしてあなたはそばにいる友達の天使たちに向かってこう言いました。

「じゃあね！」


　あなたはこうして地球に舞い降り、人間となっておぎゃあと生まれたのです。あなたのバースチャートは、生まれる直前のあなたが自分で作った理想の人生のシナリオです。あなたが自ら演じる役割を描き、より洗練された魂となるための人柄を創造したものです。自らの魂を磨く過程で、人は周りにもよい影響を及ぼします。バースチャートに書かれた内容は、あなたが生まれる前に「私はこんな人になる」と宣言した人の姿で、本当にそれが実現したとき、あなたの人生はばら色の輝きを放つのです。幸せ、喜び、充実感など、あらゆるポジティブなものが現実となる……なぜなら、あなたは本来のあなた自身になったからです。あなたが生まれる前の約束を守り、本来のあなたになると、あなただけでなく周りの人も幸せにしていきます。そう、みんなが幸せになれるのです。

　自分を例に出すと、獅子座生まれ（太陽が獅子座にあるという配置）の私は勝つことが大好き。ものごとを勝ち負けというはっきりした過程で捉える傾向があります。獅子座の人々にとって「勝つ」という感覚は幸福や喜びをもたらし、エネルギーがむくむくと湧いてくる源となるのです。同様に「負ける」ことが彼らを満たされない気持ちに陥れ、エネルギーの低下を引き起こします。

　一言でいうと、本書は「素顔の魂」、つまりあなたが前世から現世に持ち込んだ、現世ではうまくいかないことになっているパターン、そして「磨かれた魂」、つまり現世で幸せになるために作られた「勝ちパターン」を端的に示すという構成で作りました。「勝ちパターン」と言っても、そこに負ける人がいるわけではありません。あえて言うならもう機能しなくなった前世でのやり方が負けて、幸福を導く新しいやり方にとって代わるということです。あなたが前世から持ち込んだいろんな自己妨害行為を見つけ、不安や恐れ、惰性という壁を乗り越えて「負けパターン」を克服したとき、あなたは幸せを自分のものにするという勝利をつかむだけでなく、あなたの周りの人々も同時に幸せになっていくのです。

いつでも幸福感に満たされている人は本当に素敵です。幸福感とは、その人の内なる自分自身（つまりあなたの魂）と一致している感覚をさします。わかりやすく言うと、あなたという人がいて、その中にあなたの魂が住んでいます。二人羽織りのように一つの身体を持って行動している二つの司令塔が、一致した行動をするとすべてがうまくいき、あなたの行動はいつでも思う通りの成果をもたらすのです。

あなたとあなたの魂との間には、大きく深い無意識が横たわっています。無意識に貯蔵されている情報は人によってまったく異なります。これを科学的かつ具体的に解読してくれるのが占星術であり、一人ひとりのバースチャートです。本書を読み進むうちに、あなたは自分の無意識がどんな情報を貯蔵しているかがわかってくるでしょう。無自覚な行動は、それを自覚した瞬間に浄化され、解放されるものです。あなたはこうして知らずにとっていた自己妨害のパターンを改善し、あなたのエネルギーが自然に流れる方向に沿う方法を習得していけるでしょう。

本書では「素顔の魂」という項目で解説しているのが、あなたの無意識の領域で、それはさながらあなたという構造物の中に、ひっそりと存在する暗室のようなもの。暗室に入り、光を当てると、そこにはもう得体の知れない暗闇の恐怖感はありません。無意識はちょうどこんな感じで、暗室にあるものを改めて整理したり、心理分析したりする必要はありません。あなたの心に光を当てるだけで、それは自然に解消するものなのです。消えてなくなれば、そのあとにはごく自然に新しい考えが流れ込んでいきます。

惑星が示すメッセージを読むにはまず、第三部にある表からあなたのバースチャートで各惑星がどの星座にあるかを調べてください。すでに自分のバースチャートをお持ちの方は、それをご参照ください。「素顔の魂」を読むと、あなたの心の暗室に光が当たり、それまで気づかれることのなかったあなた自身が浮かび上がってきます。あなたのことではないと感じるかもしれないし、ショックを受けて愕然（がくぜん）とするかもしれません。実際こういう反応はごく自然なことです。「素顔の魂」に書かれている今のあなたの無意識の姿をどれほど身近に受け止められるかによって、あなたの無意識に横たわる「負けパターン」の解消度が決まります。古い考えや思い込みを捨て去ることができれば、そのあとに続く「磨かれた魂」をすんなりと受け入れ、「勝ちパターン」を取り込んでいけるのです。

前世から受け継ぎ、無意識の中に根強く住み着いている古い考えを、一気に追い出すことは不可能です。いきなり大きな〝外科手術〟をしようとせず、少しずつ進化する緩やかな過程として取り入れてください。無意識があなたに与えてきた影響に気づき、それまでとは違ったやり方を試してみる。そして自分の言動を注意深く見守り、無意識の影響を一つひとつ明らかにしていく。……そんなことを繰り返しているうちにどんなことが起きるか、ゲーム感覚で、自分の人生を観察してみてください。一つずつ実験をする要領で、どんなやり方があなたを幸せに導くか、よりよい人間関係を築けるか、毎日の中で試行錯誤してください。

あなたの本質は不滅で、あなたの魂こそがあなた自身の真の姿です。他の誰でもないあなたにしか、あなたの本質たる魂の存在を見極めることはできません。その意味で、本書に書かれていることが正しいか、不足はないかなどについて、最終的にあなた自身の直感で判断してほしいのです。ある惑星のところでは「そう、そういうところがあると前から気づいていた」と感じ、別の惑星のところではぴんとこないかもしれません。あなたに当てはまるかどうかを決めるのはあなたです。あなたの生活環境で、経験的に学び取ってきた「勝ちパターン」があくまでも基準なのです。

ジャン・スピラー

第一部の使い方

バースチャートには、あなたが生まれた瞬間に各惑星が天空のどの位置にあったかが記されています。バースチャートの解読法は占星術家によって異なりますが、解読する際に誰もが注目する基本的な情報が三つあります。それが惑星、星座、そしてハウスです。

惑星

占星術で使われる惑星は全部で10あります。どの人のバースチャートにもこれら10種類の惑星が存在します。私たちは等しくこれらの10惑星の影響を受けていますが、各惑星が収まっている星座やハウスは人によって異なります。

各惑星はそれぞれ、すべての人間に共通する欲求の傾向を表しています。欲求の傾向とは、人の持つユニークな人格や個性のエネルギーを表現し、発散したいという欲求の領域をさしています。たとえるなら、あなたの人格という領土の中にいくつもの王国があり、10の惑星はそれぞれの王国の王様として君臨しています。王国をどのように治めるかは人それぞれですが、どの人も同じ10人の王様を抱えています。

例を挙げてみましょう。どの人のバースチャートを見ても、必ずどこかに火星があります。どの星座、どのハウスに収まっていても、火星は私たちの心にある積極的な行動力を促し、目標に向かわせるエネルギーを司（つかさど）ります。このように私たちの行動に深い影響を与える各惑星についての詳しい解説は、惑星のセクションのはじめに書かれています。

10惑星はそれぞれ、次のページのようなシンボル（絵文字）で表されます。あなたがバースチャートをお持ちなら、円の中に、これら10のシンボルが見つかるでしょう。お持ちでない方は、この項の最後にあるバースチャートの見本（29ページ）をごらんください。

惑星	シンボル
太陽	☉
月	☽
水星	☿
金星	♀
火星	♂
木星	♃
土星	♄
天王星	♅
海王星	♆
冥王星	♇

星座

人には多様な欲求があり、誰もが同じだけ持っています。ところがこれらの欲求の満たし方は人によって異なります。

あなたのバースチャートで惑星がどの星座に入っているかが表すのは、惑星が象徴する欲求を満たす際にあなたが経験する課題、あるいはハードルです。つまり惑星が司る欲求を満たす過程であなたが経験する気持ちや環境を、それぞれの星座が示しているのです。簡単に言うと、いろいろな欲求という志向性を持つエネルギーの主体である惑星が、星座というコスチュームをまとって、あなたの人生の中で欲求を満たそうとしているようなもの。つまり惑星の持つ基本的な欲求エネルギーは星座という12種類のうちのどれかのフィルターを通して顕現するのです。

星座はその人がその欲求を外に表現するときの表し方に関する欲求、そしてどのような形で満たしたいかというこだわりを司ります。惑星が表す欲求は、それが収まっている星座が示す範囲の中でしか実現しないという法則があるのです。

たとえば、金星という惑星は自分の存在価値を顕示、尊重したいという欲求を表します。これは人間なら誰もが感じる欲求ですが、金星が牡牛座にある人が自らの自尊心を満たす過程は、金星が双子座にある人とはまったく異なるのです。バースチャートで金星が牡牛座にある人にとって、自尊心（金星）は物質的官能的な過程を通じて形成されるのに対し、金星が双子座にある人の場合、自尊心（金星）はその人が社会でコミユニケーションを重ねる過程から育っていくものなのです。このような違いの詳細は、後でそれぞれのセクションで扱っていきましょう。

占星術では12の星座を扱いますが、これらの実在する星座が天空を12等分しています。各惑星が太陽の周りの軌道上を運行する際、12星座のどれかの近くを通っているのです。天文学も占星術も、この運行位置を時間軸と測定場所に従い数学的に割り出します。

あなたの欲求を表す各惑星が、あなたの誕生時にどの星座の領域にあったかを調べるには、第三部の表をご参照ください。

誕生時にどの惑星がどの星座にあったかを確認できたら、それぞれの惑星の解説を読んでください。あなたが生まれた時刻が日付の変わり目に非常に近く、惑星が一つの星座領域から次の星座領域へと移行する境目に近い場合、惑星の影響は移行した後のほうの星座の影響をより強く受けています。どちらか迷ったら両方の解説文を読んでください。

以下に記したのは、天体宇宙にある12の星座名と、それらを表すシンボルです。

星座	シンボル
牡羊座	♈
牡牛座	♉
双子座	♊
蟹　座	♋
獅子座	♌
乙女座	♍
天秤座	♎
蠍　座	♏
射手座	♐
山羊座	♑
水瓶座	♒
魚　座	♓

ハウス（室）

ハウスとは、そこに入った惑星の持つエネルギーが具体的にどんな環境で発散されるかを表すものです。たとえばあなたのバースチャートでは金星が第3ハウスに入っていたとします。この場合、あなたの自尊心に関する課題（金星）はコミュニケーション（第3ハウスの特徴）の過程を通じて最も強く現れます。金星が第6ハウスに入っていると、あなたの自尊心に関する課題（金星）は仕事をしている環境で、同僚とのやりとり（第6ハウスの特徴）の中で最も強く現れるのです。それぞれのハウスはあなたの人生の中にある特定の環境を表し、それぞれの惑星の持つエネルギーは収まっているハウスの示す環境で最も強く〝自己主張〟をするのです。惑星が導く欲求のシナリオを演じる舞台がどこにあるかを、ハウスが具体的に示しているという風にご理解ください。

バースチャートには1から12まで、計12個のハウスがあります。ハウスの位置はあなたの誕生日時と場所から算出されます。太陽のシンボルがあなたのバースチャートのどこにあるかを見つけてください。太陽のシンボルは、どのハウスに入っていましたか？（バースチャートをお持ちでない方は、29ページのサンプルを参考にしてください）

あなたのバースチャートに描かれたすべての惑星がそれぞれどのハウスに入っているかを確認したら、各惑星の解説の最後についている、惑星が各ハウスに入っているときについての解説を読んでください。

あなたのバースチャートの中で、惑星が入っているハウスと星座には深いつながりがあることに気づくでしょう。興味のある方は、惑星が入っているハウスの番号とつながりのある星座の解説をお読みください。

簡易のハウスの割り出し方については、「第二部の使い方」ハウスの項（２３９ページ）をご参照ください。また、バースチャートの作成をご希望の方は、「第三部の使い方」（４３４ページ）を参考にして著者のホームページからダウンロードするか、ご自分で作成してみてください。

バースチャートサンプル

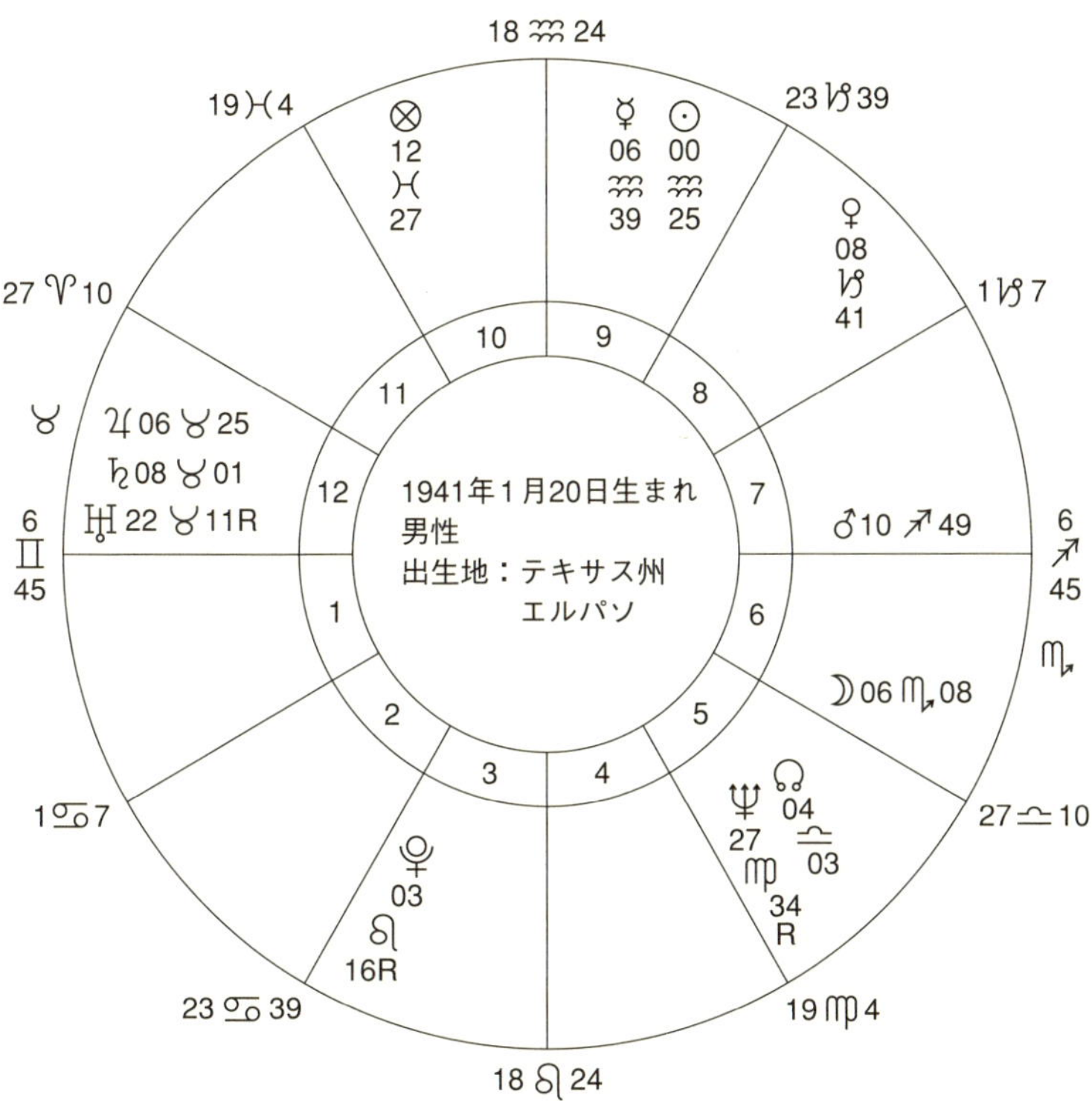

バースチャートとは、あなたの誕生の瞬間の太陽系惑星の配置を示すチャートです。

このチャートを、12に分割したものがハウスです。ハウスはあなたの誕生日時と場所から算出され、12星座のどれかが割り当てられています。また、あなたの誕生時の10惑星の位置はそれぞれ12星座のうちのどれかに入っています。この惑星の星座を、該当するハウスに収めたものがバースチャートになります。バースチャートは本書「第三部の使い方」(434ページ) を参考に、著者のホームページ (http://www.janspiller.com) からダウンロードするか、自分で作成して下さい。

惑星が入っているハウス	つながりのある星座
第1ハウス	牡羊座
第2ハウス	牡牛座
第3ハウス	双子座
第4ハウス	蟹　座
第5ハウス	獅子座
第6ハウス	乙女座
第7ハウス	天秤座
第8ハウス	蠍　座
第9ハウス	射手座
第10ハウス	山羊座
第11ハウス	水瓶座
第12ハウス	魚　座

ハウスと星座には深いつながりがあります。12のハウスがそれぞれ12星座と対応しています。

惑星で見る星座とハウス

〈バースチャートの太陽の位置が示すもの〉

・実力を発揮できる分野、他人より優れた能力、創造的な表現力を持つ分野を示す。
・自分の力や能力を顕在化させ、それにより他の人々の能力を引き出し、人々と調和に満ちた人間関係を築いていく方法を示す。
・自分の力を無意識に使った結果、他人の怒りや反感を買いやすいパターンを示す。
・天賦(てんぷ)の才能を掘り起こし、伸び伸びと発揮して自己表現できる分野を示す。
・その人が持つ温かさや熱意を本能のレベルで表現することにより、身体と精神ともにパワーアップできる過程を示す。
・個性を存分に発揮し、生き生きとした毎日を送るためには、どの分野でもっと自然に振る舞うべきなのかを示す。
・創造力が開花し、子供のように純粋な喜びを得られる分野を示す。その分野を開発すると、その人の良心や前向きなエネルギーが伝わり、周りの人も幸せになっていく。

Sun

「素顔の魂」と「磨かれた魂」の項に描かれた状態は独立した人格を表現しているものではありません。これらはどちらも一人の人格の中で流動的に混在するものであり、それぞれのイメージを表しているものと捉えてください。たとえば「素顔の魂」の様子が現実に起きている場合、あなたは無意識に刷り込まれた前世のパターンが、新しいパターンを取り入れるのを妨害し、停滞に陥っていることを表します。「磨かれた魂」の様子が現実に起きているとき、あなたは新しいエネルギーがみなぎっているのを実感でき、行動が次々に成果を生む態勢にあるのです。

いつでも「磨かれた魂」の状態を維持できる人は一人もいません。「磨かれた魂」に書かれたことがらを一つの有効な選択肢と捉え、毎日の暮らしに取り込むという試行錯誤をすると、それは思った以上にうまくいくという提案なのです。「素顔の魂」に書かれたことがらをどこまで自分のものとして客観的に認められるかによって、「磨かれた魂」のやり方を取り入れる準備ができているかがわかります。

太陽がどの星座にあるかで鑑定する見方は、現代の占星術家なら誰もが扱う最もポピュラーな方法です。いわゆる「あなたは何座」という各星座の情報は世の中に多数存在しているため、ここでは前世から受け継ぎ、無意識に根強く残る人格と今生で実現すべき人格との対比を中心に扱うことにします。ここでお話しするのは太陽があなたにもたらす基本的な選択肢、あなたが誰よりも秀でている才能を開花させ、その分野のリーダーとなる、あるいはその才能を生かして誰かをリーダーに育てるためのシナリオをご紹介しましょう。

♈ 太陽が牡羊座にある人〔3／21〜4／19〕

あなたは根っからの自由人。自分のやりたいことをして何が悪いの？　という態度で毎日を生きています。周りに同調することがなく、自分の考え方ややり方を遠慮なく主張したいという欲求が強いため、ときに周りの空気や他人の意見を斟酌（しんしゃく）できず、気まぐれでわがままな人として顰蹙（ひんしゅく）を買うこともあるでしょう。

◎素顔の魂

あなたは自分の個性を周りに認めてもらいたいという欲求を強く持っています。けれどもこれが前面に出すぎると、周りの人にかえって敬遠されてしまうでしょう。自分らしさを主張したいという欲求が、あなたをチームプレイヤーからスタンドプレイヤーに変えてしまうからです。せっかちで配慮のない言動をしていると、周りの人々はあなたの行く手を妨害するようになってしまいます。他人を押しのけてまで自分が目立ちたいという態度は当然ながら他人の反感を買い、あなたは次第に自信を失っていくでしょう。

◎磨かれた魂

あなたが自分の才能をみんなと分かち合いたいという態度で周りの人々と接するようになると、周りはあなたの独立心を評価し、好意的になってきます。あなたに備わった生来のリーダーシップを発揮して、人々が自分の個性を育てるよう促していくと、あなたの中にあった敵対心やライバル意識が自然に消えていきます。あなたは他人の個性や資質を即座に把握し、認めてあげることで相手を勇気づけるという才能があるので、これさえ実行していればあなたはもっと自由に自己主張できるようになるのです。これを知っていれば、あなたは人々に愛されながら、自分の個性を発揮できるようになるでしょう。そしてあなたの持ち前のダイナミックでパワフルな生き方が、みんなに認められ、愛情をもって受け入れられていることを実感できるようになるでしょう。

♉ 太陽が牡牛座にある人〔4／20～5／20〕

あなたは、物質的に恵まれることや五感の楽しみを味わうことを、ほとんど自分の特権のように捉(とら)えています。この価値観は、生涯を通じて変わることがなく、年とともに物質的に快適な環境に磨きをかけていくでしょう。ときにはかなり窮屈でストイックな信念を築き上げ、持ち前の頑固で受身の姿勢が災いし、自らの才能の芽を摘んでしまうこともあるかもしれません。

◎素顔の魂

あなたの物質的、実利的な価値観を他人に向けて主張するとき、あなたは他人の目にとても頑固で手に負えない人に映ります。他人からひとかどの人物として尊重してもらいたいという、根強い承認願望が前面に出る人もいるでしょう。これがエスカレートすると自分の手柄を独り占めしたいという傾向となり、あなたに協力の手を差し伸べる他人の好意すら拒絶することにもなりかねません。大金持ちになって自分の存在価値を世間に示したいばかりに、金の亡者になる人もあるでしょう。お金で買えない大切なものを見失うというパターンに陥ったり、頑固さから他人の価値観に耳を貸さないという過ちを犯すと、あなたに必要な物質面での安定と快適さが足元から崩れていくでしょう。

◎磨かれた魂

あなたの関心を、自分の才能を使って他人を支えることに向けてみましょう。そうすると人々はあなたに心を開き、自分の気持ちや考えをあなたに語り始めるでしょう。あなたは彼らがそれぞれの価値観を表現できるようサポートし、その見返りとしてあなたは自らを客観的に見つめる機会を得るのです。この客観的視点こそが、あなたの求める安定した人間関係をさらに確かなものにし、充実させる鍵となります。あなたは他人の価値観を認め、尊重する過程で自分自身の価値を見出して（みいだ）いきます。他人が何を大切にしているかをよく理解することは、あなたが今よりもっと物質的に豊かになっていくために不可欠なステップなのだということを心に留めておきましょう。

Ⅱ　太陽が双子座にある人〔5／21〜6／21〕

あなたは一つのテーマを深く追求するというよりは目新しさや多様性を好む性格で、目に映るありとあらゆるものを経験したいという強い欲求を持っています。新しいものに目移りすると、今までやっていたことを何の未練もなくあっさりと捨ててしまいます。こうしてあなたは一つの対象に留まることなく、次から次へと関心のあるものの上を渡り歩くのです。

◎素顔の魂

あなたが他人との刺激的な会話ばかりを求め、表面的な付き合いを続けていると、周りの人はあなたを真の友人あるいはその候補者として考えなくなるでしょう。第一印象だけで人を判断し、じっくり付き合おうとしない傾向が続いているうちは、あなたは人の人格の深さや愛情の大切さに気づくことなく人生を送ることになるでしょう。他人に「頭がよくて気さくな人だ」と思われたいという欲求を持って人と接している限り、残念ながら人々はあなたを信頼しようとはしないでしょう。人々の心に映るあなたはすぐに結果や結論が見えるテンポの早い話ばかりを求め、ものごとにじっくり付き合う根気強さを持ち合わせない人、さらに人の気持ちに目を向けない冷たい人だというイメージがついてしまいます。簡単で表面的なものばかり追いかけるアプローチを続けていると、身近な人々もあなたの長所を見失い、ふわふわと自由を求めて落ち着かないあなたを縛ろうとするでしょう。

◎磨かれた魂

あなたが他人に関心を持ち、目の前の相手を支えてあげることに関心を持てるようになると、あなたの軽さや気さくさが好感度を高めていくでしょう。特に緊張感のある雰囲気や、深刻な状況を和やかにするあなたの能力が見直されるようになっていきます。他人とのコミュニケーションの道を開くことにより、あなたは相手の感情、知識、目指しているものなどを知るようになります。これを踏まえて、あなたはその場その場で相手との調和を見出し(みいだ)、親密な絆(きずな)を築いていけるようになるのです。聞き上手になることで、あなたは自分の見聞を広め、世界観を拡げていけるでしょう。人々と親密になったら、あなたが愛する多様な経験を人々と共有できるようになっていきます。こうしてあなたの世界を知った人はあなたの長所を見出し、お互いを大切にする気持ちが育っていきます。他人の考えを受け入れるほど、あなたは自分の中にエネルギーが増強されていくのを感じるはずです。

♋ 太陽が蟹座にある人〔6／22～7／22〕

あなたは周りの状況がどうあれ、自分の感情を遠慮なく外に表すことに何の躊躇(ちゅうちょ)も感じていません。あなたは周りからほとんど無条件に愛され、守られたいといつも考えていて、あなた自身も寛大な人柄を持っています。あなたは自分の繊細さを、周りの人が気遣い、尊重してくれるよう、いつでも求めています。

◎素顔の魂

あなたが自分にばかり関心を向けていると、いつでも自分が傷つかないよう、周りじゅうの人に配慮してもらいたいという欲求が募(つの)ります。これを放置していると、あなたは神経過敏で気分屋になり、自己防衛的な姿勢を鎧(よろい)のように身につけることになるでしょう。あなたが自分と関わる人々に、あなたがデリケートな人だという認識を持ってほしいと考えている限り、あなたはあなたの移ろいやすい気分に周りが付き合い、いつでも気を配っていることを求めているようなものです。誰かと親密な関係を築く際にも、あなたの感情が最優先になるでしょう。あなたがすぐに自己防衛的になるため、相手は腫(は)れ物に触るような付き合いしかできず、二人の間の壁が気になって気持ちを分かち合えないのです。自分の過剰な傷つきやすさを気遣ってばかりいると、ちょっとした刺激にもすぐに傷つき、自分の殻に閉じこもってしまうような臆病(おくびょう)で弱々しい人格を自ら作り上げてしまうでしょう。

◎磨かれた魂

あなたの情動的繊細(せんさい)さを他人の気持ちに振り向けるようにすると、あなたは他人に好感を持ち、支えてあげられるようになるでしょう。これができると、あなたは自分の感情を客観的に受け止められるようになり、いろいろなことにいちいち不満を抱かなくなっていきます。あなたの繊細な感性を他人に振り向け、ひっそりと何かに耐えている人の心の痛みに目を向けてあげてください。あなたは人の心の痛みに敏感なので、誰よりも理解し、つらさに共感する能力を持っているのです。自分と同じ傷つきやすさを他人の中に見つけ、癒(いや)してあげてください。他人の痛みに共感できるようになると、あなたの中のエネルギーレベルが上がっていきます。そして相手はあなたの愛情深さに感謝し、あなたを信頼してくれるようになります。人の感情に対する敏感さをこのように発揮していくうちに、あなたは非常に大切な真実に気づくでしょう。あなたの心の安らぎと満足感は、自分をいたわっていても訪れるものではなく、他人を気遣い、いたわることによってもたらされるものなのだということに。

♌ 太陽が獅子座にある人〔7／23～8／22〕

あなたは自分の個性を十二分に表現することにこの上ない喜びを感じます。あなたがあなたらしく振る舞っているだけで、人々はあなたを認め、賞賛してほしいといつでも願っています。

◎素顔の魂

あなたが自分のことばかりに意識を集中させ、他人にほめられたい、認められたいという欲求のもとに行動していると、普通の出来事もわざとらしく大げさに表現したり、事実を曲げて伝えたりするようになっていきます。自己顕示欲が人一倍強いあなたは、その欲求を満たそうとするうちに自分の本当の気持ちを素直に表せなくなっていきます。あなたが自分の心にある"目立ちたい"という気持ちをコントロールできないうちは、無意味にドラマチックな表現を続けることになるでしょう。たとえば闇雲(やみくも)に人の目をひきつけたいという動機のもとに行動したり、過剰にデリケートな人格を演じたり、誰かを公然と侮辱したり、あるいはあなたのためにプラスになる助言を拒絶することもあるかもしれません。他人の関心を引き、承認を得るために、あなたは自分の人格さえもゆがめてしまうのです。この過ちに気づかないと、あなたは生まれつき持っている伸び伸びとした子供のような無邪気さを健全な形で伸ばせなくなってしまいます。

◎磨かれた魂

あなたが他人を支えてあげることに関心を向けられるようになると、あなたは自分が温かさや太陽のような明るさをその場にもたらす能力を持っていることに気づくでしょう。あなたが自分以外の人を認め、尊重してあげる過程の中で、自分のバイタリティーや底力に気づくのです。自分が舞台の中央に立つのではなく、周りの人を主役にしてあげる方法とエネルギーを、あなたは生まれながらに持っているのです。ドラマチックにその人の魅力を盛り上げるあなたの能力は、その人が心から自分自身を認め、愛するための回路を開きます。あなたが自分だけ目立とうとするのをやめ、チームの一員としてみんなのことを気遣うことを覚えると、あなたは人々の長所だけでなく、あなた自身の魅力にも気づくのです。あなたが他人の長所を認めると、あなたはその人に主役の座を譲ろうとします。この姿勢があなたに客観性をもたらし、自己表現するときに欠けていた自信をもたらします。子供のような無邪気さと、無限のエネルギーを発揮して、あなたは人々の中にある個性を太陽のように輝かせてあげられるのです。

♍ 太陽が乙女座にある人〔8／23〜9／22〕

あなたは〝自分が正しい〟ということに大変なこだわりを持っています。いつでも善悪を識別し、自分であれ他人であれ、間違っているものを見つけると厳しく批判し、分析せずにはいられません。そしてあなたを、いつでも正しい言動をする人だと他人に認めてもらうことにこだわります。

◎素顔の魂

あなたがいつもこだわっている「正しさ」や「純粋さ」に意識が集中していると、そこにはどこか堅苦しく上品ぶったような厳格さが漂い、あなたは他人に対して不遜で辛辣な印象を与えます。あなたは持ち前の分析能力を駆使してあれこれと他人が重大な間違いを犯しているかのように欠点をあげつらい、そうやって批評ができるあなたは、他の人々より一段高い立場にいるかのように振る舞います。自分の指摘の正しさを証明するために、あなたは研ぎ澄まされたナイフのような観察眼で自分自身の欠点を振り返ります。これが大きな打撃を自らに与えてしまいます。もともと自信のないところに厳しい批判の刃を向けられると、あなたはすっかりしおれてしまうのです。ついでに言えば、他人の欠点を指摘することにより、自分の正しさを強調しようとしても、しょせんはあなたが勝手に作った厳格な行動ガイドラインや善悪のルールに基づいているだけなのです。それに気づかず、他人があなたの指摘に反感を持ったり、理解しなかったりするとあなたは「せっかく教えてあげているのに、どうして素直に聞き入れないのだろう」と驚くのです。あなたが自分の価値観に照らして他人の批判を繰り返していると、あなたは自分のエネルギーが拡散し、いつか枯渇していく経験をするでしょう。自分を弱体化させる欠点を放置すると、あなたは焦点の定まらない毎日を送るようになり、自信がどんどん失われていくでしょう。

◎磨かれた魂

あなたには何が正しいか、正しくないかが即座に判断できるので、混乱した場面に秩序を築く能力に長けています。この能力を生かし、人々をよりよい状況に引っ張っていくことに意識を向けるようにしてください。人々を導くことにエネルギーを注ぐと、あなたは正しいかどうかにこだわらずに行動でき、その結果あなたは本当の意味で人々の役に立つ人になれるのです。人々を断罪するのをやめ、人々の中にある長所を見つけられるようになると、あなたはその人が〝完璧（かんぺき）〟になる姿を確信できるようになっていきます。それが見えれば、あなたは力強くその人を支えることができるのです。彼らに備わった潜在能力に気づかせてあげると、あなたのサポートは相手に歓迎され、感謝されるので、その結果として彼らがあなたに自信を与えてくれるのです。相手の望みや未来の夢を知ると、あなたはその方向に進めるよう勇気づけ、支えてあげられるようになります。そしてそれがうまくいくと、彼らはますます元気になり、満ち足りた気持ちになっていきます。あなたが他人の言動が正しいかどうかを判断することよりも、他人を幸せにしてあげることを優先させると、あなたが持っていた厳格な判断基準や行動規範が自然に消えていきます。そうなると、あなたは自分を信頼し、ごく自然なやり方で他人を支える行動が自由にできるようになっていきます。あなたの意図が純粋な〝人助け〟の優しい心に基づいている限り、あなたはいつでも〝正しい〟と考えてよいのです。

♎ 太陽が天秤座にある人〔9／23〜10／23〕

あなたは調和の取れたよい人間関係を築くのが何より得意です。そのための当然の権利として人の望みや動機をいつでも知りたがり、あなたはいつでも誰からも丁重に扱われるべきだと考えています。

◎素顔の魂

あなたが公平で調和の取れた人格だとみんなに受け止めてもらいたいと考えていると、あなたは無意識にあちこちで妥協をすることになり、他人を自分の思い通りに操作したいという欲求が心を占めてしまうでしょう。あなたは非の打ちどころのない「いい人」を演じることに心を砕き、相手があなたをこの上なく「いい人」として接してくれることに期待します。あなたが上品に意思表示をするとき、そこにはうわべだけの調和が生まれます。あなたが自分の好感度を高く保ち続けることばかりに気を配っていると、あなたは相手の言葉に自ら乗せられてしまい、相手の論理に引きずられる場合もあるでしょう。そうなると、あなたの誠実さは相手に操作され、「あなたはいい人だから」ということで、何でも言いなりになってしまいかねません。あなたが他人の意見に同調することで、見た目の調和を維持して相手を操作したつもりになっているうちは、相手も同様にあなたを操作できるということに気づかないでしょう。

◎**磨かれた魂**

意見をすり合わせて妥協するのではなく、才能を持ち寄るという考え方にシフトすることができると、あなたは人々が集まる場で心地よい調和を築く才能を発揮できるでしょう。あなたはみんなの前で〝自分の意見を発表する〟という、これまであまりしてこなかった行為により最も大きな貢献ができるのです。全体の成り行きを前向きに捉えさえすれば、あなたは本能的に自分の価値観をみんなと分かち合えるようになってくるでしょう。これは理性で策を弄した末の小手先の共有と異なり、そこには深いレベルでの調和がもたらされ、そこにいるみんながあなたの意見を好意的に受け止めるのです。みんなに支持される真実をその場にもたらすあなたの能力に気づくにつれ、あなたはごく自然に自分の考える公平さや高潔さについて語り出すでしょう。こうして自分の価値観を人々と共有すると、あなたはますます元気になり、満ち足りた気分になっていきます。

自分の経験から感じたことや学んだことをそのまま他人と分かち合う意思を持つと、あなたは人間関係でゆらぐことのない調和を築けるようになります。そういう誠実さが身につくと、そこには高次の調和のエネルギーが自然に生まれるでしょう。こうしてあなたは表面的に相手に同調したり、相手の意見を賞賛することによってうわべだけの親近感を取り繕うことの無意味さと不誠実さを理解していきます。あなたは人間関係に存在する真の調和と不調和のエネルギーを客観的に受け止めることを覚え、あなたの洞察を自由に他人と分かち合えるようになっていくのです。

♏ 太陽が蠍座にある人〔10／24～11／22〕

あなたは物を所有すること、徹底的に調べ、追求すること、そして自分の力で管理することに強いこだわりを持っています。あなたは人々の心に隠された欲求やニーズにも強い関心を持っています。

◎素顔の魂

あなたが他人とのやりとりの中で、自分の存在感や影響力を強めることにばかり意識を向けていると、あなたは対立や争いごとの火種をあちこちに植えつけることになるでしょう。そうすると、自分のわがままを通し、ちょっとした刺激を楽しむという他意のない言動でも、あなたは孤立し、親しい人々が遠ざかっていくでしょう。あなたの能力や力強さをみんなに認めてほしい気持ちを抑えきれず、遠慮がちにアピールしても相手はあなたが期待するほどあなたのことを尊重してくれません。するとあなたは不安になり、じりじりとしてきます。あなたの権威が周りに認められないと、あなたは次第に人々に怒りを感じ、不適切なやり方で相手を挑発し、注目を集めようとするでしょう。

周りが予期しないところで激しい感情を露(あら)わにするという、蠍座特有の傾向が出てしまうと、その場の雰囲気を台無しにするだけでなく、人間関係をぶち壊すことも起こりかねません。他人の感情を刺激し、挑発したいという気持ちを野放しにしていると、人々はあなたに不信感を抱き、付き合いきれない人だというイメージが定着します。そうなると人々が大事な相談ごとをするときはあなたをメンバーから外そうとするでしょう。あなたは他人の神経をわざと逆なでし、どんな反応が返ってくるかを観察することにより自分の存在感や影響力を測る〝物差し〟として、あるいは相手を刺激することにより自分の価値を認めてもらう〝道具〟として利用する場合もあるでしょう。いずれの場合でもそれはあなたの品格を損なうような、望ましくない個性の表現となるでしょう。

◎磨かれた魂

あなたが誰かの役に立ちたいという発想をもう少し持つようにすると、あなたは自分の力と存在感をみるみる明らかにし、それは相手だけでなくあなたにとっても非常によい結果を引き出します。あなたが目の前の相手の心にある感情や考えを察知し、話題にすると二人の関係が生き生きとしたものになり、相手との関係を大切にしたいという感情が高まっていきます。さ

Sun

らにそうやってあなたが自分にしたような発想の転換の仕方を他人と分かち合うことにより、あなたは他人に洞察を与え、自分にも自信が生まれるのです。

あなたには他人の目指す夢や目標が見えるという特殊な能力があります。これを心に留めて相手と話をしていると、相手はあなたの言葉をすんなりと受け入れてくれるでしょう。するとあなたは自分にエネルギーが湧いてくる気がして、満ち足りた気分になるのです。他人を成長へと導くあなたの心の洞察を相手と分かち合うことは、相手があなたの個性や能力を理解するきっかけを与えるだけでなく、人々はあなたの人間観察眼を高く評価してくれるでしょう。人の弱さや、他人の目を忍んだ目標や動機が見えてしまうあなたは、彼ら自身も気づかない、人生の大いなる目標や指針について示唆を与えることができるのです。こうしてあなたは、あなたが潜在的に持っている、人の人生をよい方向に導く能力を発揮して、深い充足感や他人の承認を我が物にすることができるのです。

♐太陽が射手座にある人〔11／23〜12／21〕

あなたは根っからの自由人で、あなたを縛るあらゆるものを嫌います。知的能力にも自信があり、その権威と能力をみんなに認めてもらいたいといつでも願っています。

◎素顔の魂

自分は頭が切れる、ということを、付き合うすべての人々にわかってほしいと願うあなたの態度は、周りの人々には〝もったいぶった、偉そうでわがままな人〟に映ってしまいます。この欲求が高じると、あなたのコミュニケーションはどの道〝自分が高潔で善良な人だ〟ということをアピールするためのものになっていきます。高い精神性を持った博識な人物だと思われたいとばかり考えていると、そのことに意識が集中し、視野が狭くなっていきます。あなたはみんなに尊敬されたい一心でうんちくを傾け、自分の考えをまくし立てるのです。あなたは人々があなたの考えに同意するよう迫っていくので、みんながあなたを避けるようになっていきます。あなたは独自の考えにこだわり、他人のインプットを取り入れないため、他人と共有できる場がどんどん減り、最後には孤立してしまうでしょう。

人々があなたに異議を唱えると、あなたはすっかり元気を失い、あなたが本来持っているはずの人道的な理想すら手放してしまいます。他人に認めてほしい、上品な人物として丁重に扱ってほしいといった欲求は、あなたの言動を大げさにしていきます。これを続けていると、あなたは真実から遠ざかり、その結果エネルギー不足に陥ってしまうのです。

◎磨かれた魂

あなたが関心を〝他人をサポートすること〟に振り向け、人々があなたに差し向ける質問に謙虚に耳を傾けると、風向きががらりと変わります。あなたが選ぶ言葉は、相手が知りたい分野や対象を的確に表現し、相手はあなたの言葉に真摯に耳を傾けるでしょう。あなたには生来、人の人生を俯瞰し、楽観的な見方や考え方を吹き込む稀有な能力が備わっていて、それを発揮することがそのまま相手をサポートすることにつながるのです。目の前の相手が自分自身をもっと信じられるような視点を伝えると、相手はすぐに自尊心を高めていくでしょう。そしてその相手はあなたの知性を尊敬し、感謝と友情を返してくれるはずです。

〝人類はみな大きな家族〟という博愛主義に基づくあなたの考えはもともと愛情に満ちているため、多くの人々に受け入れられ、支持されるでしょう。それはその場の雰囲気をフレンドリーなものに変え、あなたは幸福感と元気の増幅を経験できるのです。そしてあなたが自分の熱意を傾けて人々の長所や豊かな人間性を認めるとき、高まる自尊心とともに、人々のために貢献する責任と充実感を感じるでしょう。

♑ 太陽が山羊座にある人〔12/22〜1/20〕

あなたは「自分には生まれながらに権威が備わっている」という考えを持っています。集団の中で秩序を守るため、あなたはみんなを統制・管理する仕切り屋を買って出ます。社会的地位を渇望し、その職業上の地位や貢献をみんなに賞賛してほしいという強い欲求を持っています。

Sun

◎素顔の魂

あなたはみんなに尊敬されることに対する強い執着があるため、人々の上に立って仕切る能力を人々に高く評価してほしいといつでも考えています。けれどもこれが続くとあなたは何かにつけて相手に命令口調で指示する、偉そうな人というイメージが定着していきます。人よりも高い能力を身につけていることや、自分に備わった風格や威厳をアピールすることに意識が集中するとき、あなたは自分の実務能力をないがしろにしてしまいます。つまりある仕事や責務を負わされたとき、あなたはその地位や役割により周りの尊敬を集めることばかり気にしていて、実際に仕事を片付ける努力を怠ってしまうのです。あなたは自分の地位を向上させたいという野心を周りの人々が理解するよう期待するのに、他人の野心にはまったくと言っていいほど関心を示しません。そして他人があなたの地位を認めないと、すぐにその人を批判し、保身に心を砕くのです。

同僚たちにあなたを完璧（かんぺき）な人物とみなしてほしいという欲求は、同僚との緊張関係を生むでしょう。あなたには確かに人々を仕切り、秩序をもたらす能力があるのですが、それを他人のために使うことはほとんどなく、自分の社会的イメージを上げるために他人をコントロールする場合にしか使おうとしません。これが高じるとあなたは自分の社会的イメージを維持するため、常に他人や状況をコントロールし続けなくてはならないという強迫観念に縛られるようになるでしょう。これがあなたのエネルギーを消耗させることになり、あなたは実のある成功から遠ざかるだけでなく、いつでも緊張感を漂わせながら周りを監視し続けることになるのです。

◎磨かれた魂

あなたの望みを叶（かな）え、集団の中で発揮されるあなたの才能を生かすには、まずみんなのためになることを考えて〝仕切って〟みてください。あなたには人々が雑然と、無計画に仕事をしている分野が見えるので、そこにあなたの〝秩序をもたらす能力〟を生かしてください。現場に踏み入って、どうしたらいいかわからない人たちを指導しているうちに、彼らの心情がわかるようになっていきます。あなたが協力を惜しまなければ、彼らはすぐにあなたを尊敬するでしょう。その尊敬を勝ち取るために、あなたはそれまでのように彼らの心をコントロールしたり、あなたの実力を証明する必要はないのです。人々の心情や共有する考えなど、目に見えない秩序が見えてくるにつれ、あなたは人々との対立を感じることなく仕事を進められるようになっていくでしょう。

あなたの中に、集団への帰属意識ができてくると、あなたはさらに優れた指導力を発揮して組織を管理できるようになっていきます。そしてあなたのその行為によって状況が改善されていくため、あなたはますます元気が湧いてきて、満ち足りた気分を味わうことになるでしょう。あなたが持っている管理能力を、自分のためではなく人々の利益になるように発揮することにより、あなたはずっとほしかった人々の賞賛をごく自然に受けられるようになっていきます。人々の心を掌握すると、もう以前のような意識のコントロールをすることなく、仕事が楽に進められるようになります。みんなの支持を得て着々とみんなのためになる仕事ができるようになると、あなたの自尊心は向上し、自然に権威が身についてくるでしょう。

あなたが誠実な人格を確立できるようになってくると、あなたは他人に対して自分の地位や能力を証明したいと考えることはなくなり、そんなことよりも全身全霊を傾けて目の前にある仕事を首尾よく片付けられる人に成長していくのです。そしてその成果をもって、あなたは人々の心に永続する高い評価を残すことができるようになるでしょう。

♒ 太陽が水瓶座にある人〔1／21～2／18〕

あなたは自分が個性的でユニークな存在だと考えています。あなたは人々と接するとき、いつでも公明正大で客観的なスタンスを持っているという自信もあります。そして人々の感性にいつでも敏感かつ聡明な評価ができるという自負を持っています。

◎素顔の魂

あなたは自分が一般大衆とは異なる視点を持ち、ユニークな個性とセンスをいつでも持っていることに強いこだわりがあります。このためあなたは集団や組織の中で、自分の個性を追求するという目的のためにあ

えて主流とは別の道を選ぶことが多く、集団を軽視した天邪鬼な姿勢が一部の人々の反感を買うこともあるでしょう。あなたはもとより他人に逆らう気はなく、あなたを公平な人物だとみなしてくれるよう願っていますが、自分の個性を曲げてまで他人に合わせるつもりはありません。そしてそういう考えが時として他人の神経を逆なでするような自分勝手な発言につながることが少なくありません。これが続くと、あなたは不本意ながら孤立の道をたどってしまうのです。

　客観的であることを強調したいあまりに、中立的な事実関係に基づく情報を示そうとすると、逆に人々の心情に無頓着な人と思われ、結果的に組織の中でも煙たがられてしまいます。そうなるとあなたは組織や集団の中で、一人ひとりとの接し方だけでなく組織全体との付き合い方にも戸惑い、失速していくでしょう。

◎磨かれた魂

　組織や集団で孤立することなく、快適な居場所を手に入れるためには、あなたは関心を自分ではなく、周りの人々に向ける必要があります。他人に関心を持ち、他人をサポートすることに意識を集中させていると、あなたは自分の知識を披露することよりも他人の個性を尊重することのほうが大切だと感じられるようになっていきます。他人がそれぞれの意見を発表するよう促しているうちにあなたは多様な考え方を吸収し、あなたの知性に磨きがかかっていきます。そうしてその場に最もふさわしい知識を相手と分かち合うことにより、状況が改善され、お互いにとって望ましい方向に展開していくのです。他人の気持ちを客観的に捉えることにより、あなたのユニークな個性はさらに磨かれていくでしょう。

　あなたの個性の強さや、生まれつきの独立独歩のスタンスを自覚し、上手に加減しながら人と接していると、あなたの洞察は他人に評価されるようになっていきます。人々との関係が調和してくると、あなたも相手もエネルギーが湧いてくるのを感じ、元気になっていきます。そこであなたは自分の中に無邪気で明るい、子供のようなあなたの個性が湧き上がるのを感じるでしょう。そのシンプルな子供らしい意識を通じて、あなたはユーモアとバランス感覚あふれる人間関係を、迷うことなく構築していけるようになるでしょう。

　あなたにはどんな状況も客観的に判断する能力が備

わっています。これを活用すれば、人々を上から支配しているという印象を与えることなく人々に洞察を与え、リーダーシップを発揮できるのです。あなたは人々が大体においてどのような希望を持っているか、あるいは何を感じているかなどについて、簡単に察知する洞察力を持っています。この情報を生かしてあなたはみんなとの協調姿勢を打ち出すことで、人々はすんなりとあなたの元に集まってくるでしょう。

♓ 太陽が魚座にある人〔2／19〜3／20〕

あなたは夢見がちで、いつでも幻想の霧の中に生きているようなところがあります。あなたには精神世界の住人としての感覚があり、泥臭い現実よりは芸術的でスピリチュアルな理想世界的価値観を好みます。このため物欲、性欲や名誉欲といった、現世的な欲求を否定することが多いでしょう。

◎素顔の魂

あなたには独自の理想世界のイメージがありますが、それをそのまま行動に移してしまうと、実用性を欠いていたり、奇想天外すぎて無責任な結果を招くこともあるでしょう。善良で愛情深い人物だとみんなに思ってほしいという気持ちから、あなたは無意識にみんなの期待に応えようと必死になっていきます。こうしたことを続けていると、あなたは自らの価値観を見失い、自分の個性を自ら壊す結果になりかねません。

あなたは集団の中では優柔不断で遠慮がちな態度を取り、いつも曖昧（あいまい）な表情で佇（たたず）んでいるような印象を周囲に与え、特に決まったゴールや目標もなく漂っているか弱い存在かもしれません。弱肉強食の世の中で、そういうキャラクターの人は、いじめの恰好（かっこう）の餌食（えじき）となります。あなたの心には追いかけるべき理想があるのですが、デリケートすぎるあなたはそれを追求するよりも、他人があなたに求めるものに応えることを優先し、できることもできないこともすべて請け負ってしまうのです。こんなことをしていると、あなたは自尊心どころか精も根も尽き果ててしまいます。

壮大な夢のファンタジーと、実現可能な計画との間の区別がつかないうちは、いつまで経（た）っても心に描く理想を実現できないでしょう。

◎磨かれた魂

あなたが目先を変えて他人のためになることを探して行動できるようになると、あなたは芸術家や詩人、人道活動家、精神的指導者という立場で人々と関わる方法がわかるようになっていきます。あなたがいいと思うことを実現するためには、一歩ずつ着実な布石が必要だということを理解し、実践できると、あなたは人々の目にはっきり見える形でみんなに対する愛情を表現できるようになるでしょう。あなたの得意な抽象的なやり方ではなく、具体的で現実的な方法を示すと、それは多くの人に洞察を与えるのです。

あなたの心にあるイメージを、順序だてて説明していくと、あなたの描く理想は不思議なパワーと芸術性を帯びたものになります。それによりあなたは人々をサポートし、癒(いや)し、心地よくしていけるのです。そこには宇宙に帰属する心地よさが宿り、仲間意識が芽生えます。

あなたが理想と考える価値観を実現するために人々と足並みをそろえてください。その過程で、あなたの敏感な感性は人々の隠された欲求を読み取り、それらをあなたの理想に取り込むことにより、あなたはともに歩みながら彼らの心身を癒すヒーラーとなるでしょう。あなたは自分の理想を掲げつつ、慈愛に満ちた態度で人々の願いに理解を示すようになっていきます。そしてあなたのエネルギーレベルはどんどん拡大し、あなたはあなた自身にとって、そして多くの人々にとって大切な存在になっていくでしょう。

太陽があるハウス

第1ハウス
リーダーとして広く認識してほしいという願望を持つ。この願望は、自主独立の主張から実現する。

第2ハウス
個人の価値観に基づいた人生を主張する。物質的豊かさを築く能力を発揮する。

第3ハウス
自分の意思を自由にコミュニケーションできることを重視する。情報を共有するための環境作りの才能を発揮する。

第4ハウス
人間関係で相手に受け入れられることを重視する。家庭環境や、日常的な環境での采配（さいはい）能力を持つ。

第5ハウス
実年齢にかかわらず子供らしさを失わず、楽しさを追求する。喜びを共有する能力を持つ。

第6ハウス
日常の仕事を楽しみ、効果的な義務や職務の徹底を得意とする。

第7ハウス
どんな人とも対等な関係を築き、相手と同等に扱われることを求める。

第8ハウス
他人の才能や資源を使って目標を達成する。その過程で自分だけでなく相手にとってもプラスの結果を引き出す才能を持つ。

第9ハウス
何かにつけて教師となる才能を持つ。あらゆるものの答えを引き出す才能がある。

第10ハウス
社会的地位にこだわり、名声を愛する。それを実現するための才能も持ち合わせている。

第11ハウス
集団の中でひときわ光るユニークな個性を発揮することにこだわりがある。

第12ハウス
人の霊性や精神性に造詣（ぞうけい）が深い。抽象的な理想や心に秘めた夢を持ち、これを表現あるいは実現する能力がある。

Sun

〈バースチャートの月の位置が示すもの〉

・心の一番深いところであなたの感情が求めているもの。

・どんなときにあなたが周囲との情緒的つながりを絶つのかを示す（このときあなたの心のよりどころとなる親密な人間関係が壊れていくため重要なポイントとなる）。

・相手への依存、あるいは自分の過敏さを理由に、また自分の気持ちを相手に押し付けるなどのやり方で無意識に他人をコントロールしようとする、好ましくない心のパターンを明らかにする。

・心の充足を得るための道を示し、果敢に変化を受け入れていく能力を示す。

・常に変化する人生を受け止め、安定した精神構造で乗り越えていくために、どんなときに依存心や不安感が高まるかを示し、感情の乱れや不均衡を修正・統合するためのガイドラインを示す。

・あなたが他人の役に立てる分野、他人の協力を仰ぐべき分野を示し、親密で愛情に満ちた関係を築けるように導く。

・人生の大きな変化の局面に、どのような気持ちで臨むと理想的な適応能力を発揮できるかについて示す。

・幼少時に本能的に身につけた処世術のパターンは前世からの刷り込みによるものが多い。大人になっても習慣として残っていることが多く、心の不安の多くはここから起きる。現世で永続する充足感を得るために、これを自らの中に見つけ、克服する方法を示す。

・穏やかで満たされた心を維持するためには、あなたのどのような感情を満たし、どの部分に愛情を注ぐ必要があるかを示す。

♈

月が牡羊座にある人

◎素顔の魂

あなたは独立心が旺盛(おうせい)なので、ほとんど本能的に状況をコントロールしようとします。けれどもその欲求に身を任せていると、あなたのほうが他人との交流の輪から離れ、引きこもるという形でしか実現しないことがわかってくるでしょう。それを避けるために、あなたは自分のニーズを主張することをはじめからあきらめ、本心を隠してとりあえず人とうまく折り合っていきたいと考えるかもしれません。けれども自分の正直な気持ちを隠していると、あなたの中の自立心がどんどん抑圧されていき、主導権を他人に握られるという状況が形成されかねません。今、あなたが何かを新たに始めるに当たり、あるいは進行中のことがらについて常に他人の意見を求めたり、周りの人々に自分の行為を認めてほしいと感じるようなら、あなたの心には恐らく漠然とした不安感や無力感が漂っていることでしょう。この習慣をほうっておくと、あなたは自立した行動ができなくなります。その挙句には「自分が望むような行動ができないのはあの人たちのせいだ」と被害妄想的に考えるようになり、他人に対して憤りを感じるようになっていきます。他人の感情の起伏に触れると、デリケートなあなたはそれを受け止められず自分の領域を侵害されたような気持ちになり、一人引きこもって「どうしてみんな私の気持ちをわかってくれないのだろう」と、傷ついた気持ちを抱えることになるでしょう。そうなるとあなたは発散されない怒りを心の中に充満させたまま、さらに強く貝のように心を閉ざしていくのです。

不快なことを回避するために他人との距離を保ち、状況を平穏に収めるために自分の感情を抑え込んでいると、あなたは自分の心の中心にあるエネルギーの泉とのつながりを失い、あなたが本来持っている能力を生かすことができません。あなたが自分のニーズを表現し、気持ちを周りの人に伝えることを抑制している限り、あなたが求めるような快適な環境を築けないでしょう。人間関係でうまくいかない経験が続くと、あなたはやる気を失い、引っ込み思案になり、何ごとにも消極的な人になっていきます。そんな生活をしていてはあなたの個性や感性がちっとも外に発散も表現もされず、その結果、他人に認められることもありません。こうして本来の自分と、他人の目に映る消極的な自分とのギャップに対する不満やフラストレーション、行き場のない怒りがあなたのなかに鬱積（うっせき）していきます。

◎**磨かれた魂**

あなたがきちんと「自分はこうしたい」と他人に向かって希望を言葉で伝え、その通りに行動するという形で、自らの言葉に責任をとっていくようになると、それまでのあなたのやり方――自分の気持ちを抑え、相手の意思に自らを委（ゆだ）ねるという方法――では、状況をコントロールできないということがわかってきます。実のところ、あなたのデリケートな感情的ニーズを他人が満たしてくれるよう期待しても、他人にはその力がありません。あなたの意識下にある感情のベースから湧（わ）き上がるさまざまな感性は、他の人にはない独自の「能力」なのだと考えてください。人の心に浮かぶ感情や基本的なニーズを分かち合うことで、相手との絆（きずな）を感じる喜びを、あなたのほうから他人に向かって働きかけることこそが、今生のあなたに与えられた課題だからです。これを実践するには、自分の気持ちにばかり向いていた意識をちょっとそらして、周りの人の気持ちに向け、人に共通する不安について理解し、共感することから始めてください。

他人のがさつさや配慮のなさにがっかりしたり、イライラしたりすることを極力避け、批判のない目で他人を見ていると、他人の言葉や振る舞いの奥にある、隠された本当の気持ちが次第に見えてくるでしょう。これが見えると、あなたは他人の言動にいちいち気分を害することがなくなり、周りの人々の気持ちに気を配れる度量が備わってくるのです。こうして他人の心に宿るいろんな不安にあなたが共感することにより、自らの心の奥にある不安を客観的に見つめ、上手に付き合っていけるようになるのです。そうしてあなたは人間関係を構築し、維持するにあたり、明快で安定したスタンスを持って付き合っていける人格を身につけていくのです。

他人が不安を感じているのに気づいたら、あなたも自分の抱える気持ちや傷つきやすさを相手に見せてよいのです。あなたが自分の気持ちやニーズを他人に向かって表現するとき、その奥に眠っているあなたの力が顔を出し、あなたは自分に必要な情緒的なサポートを、その相手から引き出すことができるのです。自分の心の弱さや微妙な気持ちを分かち合うことで心の絆を結んだ相手となら、あなたはいつでも素直な気持ちを表現できるでしょう。こうしてあなたは自分の正直な気持ちを他人と分かち合い、心の底から相手に受け止めてもらえる喜びを享受できるのです。こうした気持ちの結びつきがあれば、どんな人間関係も状況もうまく乗り越えられるというものです。

その過程で、あなたは次第に自分の自立した人格を意識できるようになり、積極的に他人と関わる勇気が備わっていきます。たとえば、他人が危機管理能力を発揮するのを支えてあげることにより、あなたはその人の自信を強化するでしょう。他人が向上していく様子を見ているうちに、あなたは他人に作用する自分の影響力や、積極的に他人と関わる意思の力を自他ともに認め、周りはあなたを高く評価し、尊敬するようになっていくでしょう。

◎前世から引き継いだパターン

あなたの心の意識下には、前世で経験した戦場の記憶や、身体を張って誰かと争った記憶、そしてどうしても手に入れたい何かを求めて他人と熾烈な戦いを繰り広げた記憶が宿っています。これらの前世経験があなたの心の成り立ちに大きな影響を及ぼしていて、今生のあなたの強い「自己保存本能」の裏付けとなっています。警戒心が強いあなたは日頃からあなたの足を引っ張りそうな「敵」を探しつつ、自らの能力をひた隠し、他人に見つからないようにカムフラージュしています。他人に自分の本当の能力を悟られたくないという作戦が災いし、あなたは日常的に自分の能力を十二分に発揮できません。そして皮肉なことに、あなたの力が弱いと見た他人が、あなたに攻撃を仕掛けてくるきっかけを作ってしまうのです。あなたの本当の姿を外に見せないことが「弱いあなた」という誤解を生み、他人のつけ込む隙を与え、挙句に他人のやりたい放題のわがままを許す羽目に陥ることもあるでしょう。

あなたの前世での刷り込み、そしてすべてを自分が生き延びることに当てはめて考えてしまう思考回路のおかげで、あなたは自分に好意的でないものはすべて、自分の目標達成を脅かす「敵」として捉えてしまうのです。このためあなたは目の前に現れた障害に立ち向かい乗り越える代わりに激しく抵抗するか、障害を見なかったかのようにくるりと背を向けて独立独歩、我が道を行こうとするのです。

あなたが現世で取り組むべきテーマがここに隠されています。他人があなたに反対したら、その力を何とかあなたの味方につけられるよう努力すること、一見あなたに〝敵対〟しているように見える他人のエネルギーが、実はあなたの目標達成に欠かせない力なのだと捉える力が、今生のあなたには求められているのです。あなたはひとりよがりのものの見方を脱し、広い視野を持って、他人のインプットを客観的に評価し、歓迎できる度量を培う訓練をする必要があるのです。他人の反対意見、ニーズ、そしてあなたの計画に対する彼らの気持ちに目を向け、十分に考慮してあげることにより、〝あなただけの計画〟は、〝あなたと周りの人々みんなの計画〟へと拡大し、人々とあなたの絆を深めながら共通の目標を目指して前進していくようになるのです。

あなたが自分のアイデンティティーを他人に押し付けないことを学ぶにつれ、あなたは自分の人格の抱える長所も短所も冷静かつ客観的に認め、バランスを取りながら日々を過ごしていけるようになります。そういう視野が身につくと、あなたは他人のニーズや目標をきちんと考慮した上で、自分の目標を最優先事項としていくことも可能になるのです。度重なる過去生で、あなたは自分の人格を磨き続けてきました。自分に厳しく生きてきたあなたは、今生で気軽に他人とチームを編成し、他人との協力態勢を築くことには慣れていないのです。あなたは前世の影響から、自分のやり方と相容れないやり方と出合うと、ごく当然のように他人と争い、他人を打ち負かして自分の道を押し通そうとするのですが、今生はこの〝黒か白か〟の考え方ではうまくいきません。あなたは目の前の相手の望みや恐れを我がものとして受け止め、自分のやり方を相手に押し付けるのではなく、相手と自分の双方が納得するような方法や目標を合成していくことを学んでいるのです。

前世でのあなたは毎日を慌しく過ごしてきたために、立ち止まってよりよい方法を考えたり、相手とうまく折り合っていくための戦略を練る時間もありませんでした。あなたは自分の生活面を豊かにする暇もなく、働いて食べて寝るという最低限のニーズを満たすだけの毎日に追われ、エレガントで文化的な生活とは

無縁でした。素朴で無骨な、婉曲表現のない生活を送った結果として、あなたは自分の意図するものが誰にでもわかるストレートな生き方をするようになっていきました。あなたのやり方や目指していることに脅威を感じる人々は、あなたを何らかの形で操作しようとしました。そういう〝敵〟に出会うと、あなたは相手に対して露骨な敵意をむき出しにして果敢に戦い、自分の進むべき道を守らなくてはならないと感じるのです。あなたが勝つこと以外の結末はただ一つ。相手に負けて服従し、自分の望みをすべてあきらめることでした。前世のあなたに見えなかったこと——それは、あなた自身の忍耐力のなさや不注意、気配りのなさが、あなたの最も恐れる〝敵〟を作り出していたということです。

社会の一員としてのマナーを身につけ、相手を恐れさせない外交的で紳士的なコミュニケーションの仕方を習得していくと、他人はあなたに脅威を感じなくなっていき、あなたと他人との間を隔てる敵対心の壁は消えていくでしょう。あなたは他人との協調路線を習得することにより、他人と不毛な我の張り合いをしなくなり、他人もまたあなたの計画に協力することで得るものが大きいのだと理解するようになっていきます。あなたは今生で出会う多様な人々とどのように折り合い、味方にしていくかを考えることを学び、人々とともに歩んでいく過程で豊かさと幸福を見つけていくのです。

♉ 月が牡牛座にある人

◎素顔の魂

あなたはいつでも他人が自分に関心を向けてほしいと願い、あなたをやさしく愛し、包んでくれる誰かを渇望し、あなたが快適でいられるよう心を配ってくれる存在を求めているのではないでしょうか？　あなたは自分で自分のニーズを満たすことができない、つまり他人に依存せざるを得ない人格の持ち主だというふりをして、他人があなたのこの願いを満たしてくれるように仕向けることがあります。一人では自分に必要なものを調達できない子供のような人格を演じることにより、あなたは他人からほしいものを分けてもらうことができるでしょう。そのときあなたは相手から愛されていると感じ、自信と安心感すら得るのです。けれども、一人で何も調達できないという人格を他人に対して〝演じて〟いるうちに、あなた自身もそういう役柄から抜け出せなくなっていきます。

あなたが快適に生きていくために必要なものをいつでも他人に「差し入れ」してもらう態勢は、あなたの自尊心を少しずつ損なっていきます。他人が支援してくれるたびに、あなたはそれらのものを自ら獲得できないことを思い知らされ、支援された分だけ自分の能力のなさを実感していくからです。あなたの快適な毎日が他人の支援のもとに成り立っているということは、いつ他人の気持ちが変わり、快適な毎日が送れなくなるかもしれないという不安と隣り合わせのため、あなたは持てる創造力やエネルギーを伸び伸びと発揮することができません。先行きの不安にびくびくしているうちは、あなたは現世で目に見える何かを構築する喜び、それを実現した自分に対する誇りを感じる機会と出合えないのです。

◎磨かれた魂

あなたは自分の存在価値を感じるために、他人を利用するのは無理だということに、ある時点で気づくことになるでしょう。他人がいくらあなたに必要な協力をしてくれたとしても、あなた自身が、自分の力で必要を満たしていかない限り、自分の価値を意識することはできません。そしてあなたには他人に依存することなく、自らのニーズを満たす力がはじめから備わっているのです。実を言えば、あなたの人生に課せられた課題がここに隠されています。それは、あなたが渇望する快適な暮らしや自尊心を築くために、あなたは自分の持っているエネルギーや財産を世の中のために使う必要があるということです。これに取り組むにはまず、他人が感情を表現したとき、それを無視せずに受け止めてあげてください。他人の感情を受け止めると、あなたの中に眠っている創造力が目を覚ますのです。

あなたが心の深いところで安定し、自らの存在価値を信じるために必要なこと――それは、世の中の物質面での安定に何らかの貢献をすることなのです。甘やかされた子供の役割を自主的に〝廃業〟し、自分の理想とする人格や価値観を体現するために自ら目標やゴールを設定し、それに向かって果敢に前進していくことこそが、あなたの運命の道なのです。自分の力やエネルギー、財産などを自分以外のものにつぎ込んでいる人々は皆、自分を心から愛し、納得した人生を歩んでいることに気がつくと、あなたは彼らの影響を受け、自分もまた自らの創造力を使って何かを生み出し、世の中に貢献したいと感じるようになるでしょう。あなたが自分の心に描く理想を現実の形にしたとき、あなたは自分がこの世に生まれてきた理由を知るとともに、心の底から自分を愛せるようになるのです。

◎前世から引き継いだパターン

あなたの前世は概して経済的に恵まれ、一般よりも高い社会的地位を持つ豊かな人生でした。このため、現世に生まれたあなたは前世の記憶から、何よりも物質的な豊かさに惹かれる傾向があります。精神的に落ち着いて、余裕を持って生きるためには何より経済的に安定し、快適な生活を確保することが不可欠だとあなたは考えるのです。

あなたは財産や物質などをたくさん集めることに無意識に馴染んでいるため、普段からものを手放すことに抵抗を感じます。たとえそれがあなたのためにならないものであっても、手放したくないと考えてしまいます。この傾向は、あなたが金銭的に豊かになるためには障害となっていきます。これを改善するためにあなたがまず最初に手放すべきなのは、あなたが持っているものの見方や考え方です。たとえばお金を扱うのは難しいという考え、頼れるのは自分ひとりで、5円でも1円でも可能な限り切り詰めて稼ぐ必要があるという考え、倹約はつらいものだという考え。そしてあなたはすべてを自分ひとりで、しかも〝自分が納得するやり方で〟やるという頑固な姿勢を持っています。これらを頭の中から捨て去る必要があるのです。

あなたは物質的豊かさを失うことをひどく恐れるあまり、常に〝貧乏に対する恐怖心〟を抱いています。今使っているものが減っていくさまを見てはものがなくなることを恐れ、自分のお金も減らさないように、1円でも無駄に使わないようにと気を引き締めるのです。今生のあなたが学ぶべきなのは、あなたがそれほど心配しなくても宇宙には大いなる流れがあり、それに乗ってお金は出たり入ったりするものだということ、そしてその流れに身を任せることなのです。それにはまずどうすればいいか。あまりお金の心配をしないよう心がけることです。今月の支払いはいくらだとか、お金の勘定が頭の中をぐるぐるめぐるような習慣をやめ、「何とかなるさ」という楽観的な考えを取り込んでいくことです。経済活動により金品が減っていくということに意識を向けすぎている現状から、宇宙の流れに乗って毎日の生活がどんどん豊かになっていく様子をイメージするように、意識の変革ができると、あなたがずっと求めていた物質的に豊かな人生がはじめて実現するようになるのです。

今生であなたが学ぶ運命にあることがもう一つあります。それは物質や金銭を誰かから受け取るとき、純粋に好意の贈り物としてありがたく受け止め、「耳をそろえてお返しをしなくてはならない」と考えないことです。あなたは受け取ることを送り主の何らかの意思表示として捉えがちで、相手に同等の価値のあるものを返すことで対等な関係を維持しようと考えてしまいます。この習慣を改め、他人があなたに与えてくれるプレゼントを受け取る喜びを素直に味わいましょう。

前世では身体の感覚に敏感で、心地よいことに浸っていたため、今生のあなたはスキンシップやセックスなどの身体の触れ合いを大変好む傾向があります。ここでもあなたは素直に自分の官能的ニーズを認め、それを誰かが満たしてくれることに対して駆け引きなしに受け止めることを学んでいます。経済や金融面同様、セックスや身近な触れ合いを持つ関係でも、自分に必要なものばかりに意識を向けず、宇宙がいろんな人々を介してあなたにもたらしてくれる恵みとして捉えることが大切です。

前世では一生懸命働いて、正当な対価を得ていたあなたですが、今生では自分のほしいものを得るには必ずそれに見合うに十分な報酬を支払わなくてはならないという発想ではなく、交渉次第で価格を下げたり、ときにはバーゲン価格もあり得るのだという発想を持ってください。杓子定規な〝価格設定〟ではなく、相手が〝売ろう〟としている動機や相場を客観的に判断すれば、あなたの〝購買手腕〟も向上していくでしょう。

II 月が双子座にある人

◎素顔の魂

あなたの心はいつでもあれこれ葛藤が生じていて、激しく揺れ動きます。このため他人の心に避難場所を求めていると、あなたは理想の避難場所を求めて永遠の旅を続けることになるでしょう。あなたはいつまで経(た)っても理想の相手に出会うことができず、あなたの描く理想のイメージを受け止めてくれる人がいないことのフラストレーションに押しつぶされそうになるかもしれません。

あなたが自分の直感に自信を持てないと、何か一つを選択するとき、選ばれなかった選択肢にある大切なものを見失っているのではないかと恐れを抱くことになります。けれどもそういう不安感を抱えているうちは、幸せで安定した人間関係を築くことができません。相手に対する不安や幻滅に駆られる度に、すぐに別の誰かを求め続け、挙句にはエネルギーレベルが低下し、あなたは自分のアイデンティティーがどこにあるかすら判別できなくなってしまうでしょう。

そのパターンにはまると、人を信じ、未来を信じるという前向きな洞察力がますます遠のいてしまいます。あなたは人間関係を上手にこなす自信を失い、その結果、素のままの自分を出せなくなっていきます。あなたは他人に批判されることを恐れるあまり、何を見ても聞いてもすぐに反応せず即答を避け、曖昧(あいまい)な態度を取る癖がついてしまうかもしれません。コミュニケーションがこのような機能不全に陥ることで、あなたは自分の考えを他人に知らせて認められることや、相手の提案により自分のやり方を向上させていく機会を損なっているのです。自分の心の真実を隠すことで、あなたは自分が求めている真実に手が届かなくなっているのです。

◎磨かれた魂

あなたはそれまでの論理的な方法で人間関係を築こうとしてもうまくいかないことがわかってくると、次第に意思の疎通が自然にできる雰囲気を作れるようになるでしょう。実のところ、人々は実用的でない考えに耳を傾けることはありません。あなたが持っている優れた思考能力で空論を際限なく発展させることをやめ、あなたの考えを他人の思考回路に当てはめていくと、そこには調和が生まれます。これを実現するためには、他人の思惑や動機を脅威に感じるのをやめ、その人を取り囲む全体に視点を合わせることです。すると、その人がどんな問題を抱えているのか、そしてどのようにして現状を改善しようとしているか、全体の姿が見えてくるでしょう。

　他人を見て、長い目で見るとどうすればよいのかがあなたには想像できるのですが、あえてそれに目をつぶると、人々のニーズを受け入れてあげられるようになります。あなたが人々のありようをそのまま受け入れられるようになると、今度は彼らが自分の目標を達成する過程において、あなたの洞察力を引き出し、彼らの目標達成とともに、あなたもまた報われる人間関係が築かれていくのです。「自分が幸せになりたいなら、まず他人を幸せにしなくてはならない」という宇宙の法則に気づくと、他人を助けることであなたが他人を幸せにしていることにも気がつくでしょう。他人の人生へのこうした積極的な参加はあなたに充実感をもたらし、他人が探している答えを見つけられるよう、あなたはますます生き生きと手を差し伸べるようになるでしょう。

　人々が日々直面している問題にあなたが目を向けると、あなたは現実的な手段で解決する方法を提供できるのです。そうするうちに、あなたは自分が直面する問題にも楽々と答えを出せるようになっていくことに気づくでしょう。あなたは他人を支え、自分を信じるよう勇気付けているうちに、あなたもまた自分に必要な自信や洞察を得ていくのです。他人に洞察を与えるという行為が、あなた自身の人生を生きていくためのエネルギーを生み出すということに、やがてあなたは気づき、人々をよりよい人生へと導く導師の役割を、知らないうちに演じている自分に気づくでしょう。他人に奉仕し、洞察を与える行為が無上の喜びとなったとき、あなたは自分の力にゆるぎない自信を持つに至り、どんな人とも相互に幸福な関係を築けるという豊かな人格が備わっていくのです。

◎前世から引き継いだパターン

　あなたは度重なる過去生の多くを吟遊詩人や旅芸人、旅行者、あるいは教師といった立場で過ごし、繰り返し新たな情報を入手してはそれを知らない別の土地の人々に伝えるといった人生を送ってきました。そんな暮らしが続いたため、あなたは生まれつきどことなく落ち着きがありません。常に一ヶ所に留まることなくどこかに行かなくてはならないという強迫観念を持っています。海の向こうには新しい、もっとワクワクする人生が待っているかもしれない、今の自分の毎日より、隣りの人の始めた生活のほうがもっと面白いかもしれない、などと感じたことはありませんか？　あなたをこのように揺さぶっているのは、過去の人生の経験則。つまり、新しい情報、新しい価値観は常に次の町を訪問することから始まっていたという過去生の記憶です。このため、次から次へと新しい人材を求め、新しいパートナーを求めてさまよってしまう習性が現世でも続いているのです。

前世でのあなたは、一つの土地に定着して家族を持つということがありませんでした。あなたは過去の人生の多くを、生涯旅を続ける放浪者として過ごしました。この経験から、あなたは今生でも何か精神的な刺激や新鮮な生き方を求める心の旅を続けています。誰か一人にコミットして家族を持ち、身を落ち着けることに大きな抵抗を感じる人もいるでしょう。この無意識に根強く残る過去生の〝浮気心〟があなたをいつも刺激します。自分にとって理想的なパートナーは、すぐ隣りの町にいるかもしれない、と。前世では確かにそうだったかもしれません。けれども今生でこの姿勢を持っていると、どんなにすばらしい相手が目の前にいようとも、なぜか満足できず、もっともっととないものねだりに欲を募らせる、慢性的な欲求不満体質を生むのです。

あなたは今生でせかせかした気持ちを落ち着け、目先の違う、目新しさという刺激ではなく、もっと深い心の深層で人と人が触れ合うことの充実感に目を向け、そのために必要な足が地についた人付き合いの仕方を学び取る運命にあるのです。新しい発想や珍しいものを求めてさまよい続けた人生が刺激や情報の「量」を求めていたとするなら、今生を生きるあなたは刺激や情報の「質」を求め、人々との心の交流を通じて、一過性の刺激ではなく、普遍的な浄化された幸福を求める運命にあるのです。これに気づくと、あなたのコミュニケーションの仕方は慌しく何かを模索するようなせっかちなものから、もっと落ち着いて充実した内容を伴う会話へと変化していくでしょう。

人々と深く安定した絆を築くには、まず自分の心の奥底にある自分の魂との対話ができるようにならなくてはなりません。自分の魂、つまり「高次の自我」を意識できるようになると、自分に必要な情報はいつでも必要なときに直感という形で降りてくることに気づくでしょう。それがわかるようになると、いつでもたくさんの情報を入手しなくては安心できないという強迫観念が自然に消えていきます。そうしてあなたは他人とのコミュニケーションをリラックスして楽しみ、互いに絆のエネルギーを感じる雰囲気の会話の中で双方が真実を見出（みいだ）すようになっていくのです。

♋ 月が蟹座にある人

◎素顔の魂

あなたは自分の気持ちが乱れるとすぐにそれで頭がいっぱいになり、余裕がなくなるため、周りの人の感情を踏みにじるような言動を取ったり、無視したりすることがあります。あなたが習慣的に自分の感情に溺（おぼ）れ、周りにわがままを言って自分の気持ちを満たすことしか考えないというやり方でいる限り、あなたには周りの状況が見えず、あなたの感情の均衡を取る方法を誰かが教えてくれても、そこから学ぶことはできないでしょう。他人があなたに関心を向けてくれるよう求めていると、それが拒絶されたとき、あなたは打ちのめされてしまいます。それは〝他人に否定された自分〟という悪い自己イメージを築き、路線変更をしないと自らの人生を明るくたくましく築いていくことのできない無力な自分のイメージとして定着していってしまいます。

◎磨かれた魂

あなたが周りの人々と温かく親密な関係を築きたいと本気で思うようになると、それまでの子供っぽいやり方ではうまくいかないことに気づくでしょう。真実を言えば、どんなに優秀な人でもあなたが求めるものを与えることができません。なぜなら、あなたの心には、すでにあふれるほどの感情エネルギーが余っていて、あなたはそれを上手にコントロールして活用するという運命を持っているからです。あなたが今生で学ぶべきことは、まず自分の感情を収める心の〝カップ〟を空にして、ゼロから始めることです。じゃあどうすればできるかって？　それにはまずあなたの身の周りにいる人々に目を向けてください。

手始めとして、少しの間自分の感情をコントロールし、誰かに何とかしてほしいという甘えたい気持ちを外に出さないという決心をします。それから、周りの人々を観察し、彼らの中にも感情的なニーズ、たとえば他人に認めてもらいたいとか、自分に自信を持ちたいとかいったニーズを見つけ、それを満たしてあげるのです。――つまり、他人の感情の〝カップ〟をいっぱいに満たしてあげるのです。他人に関心を向け、彼らが感じているニーズ（他人に共感してほしい、他人と親密な関係を築きたいなど）を満たすと、あなたもまた、ずっと求めていた温かい共同体意識を手に入れ、心が安心感で満たされることに気づくでしょう。

◎前世から引き継いだパターン

あなたは度重なる過去生でいつも家族や一族の人々に支えられ、身内の者に深く依存して生きてきました。この前世経験があなたの無意識に残っているため、あなたは今生でも常に誰かに面倒を見てもらいたいという感覚を持ち、それがないと生きていけないという不安と恐怖を抱いているのです。誰かに同情してもらい、支えてもらえないと生き延びていけないことが恐ろしく、漠とした不安感を漂わせているのです。あなたの無意識の中には、たとえば炭坑で事故に遭い、身体が不自由になり、生涯を通じて家族の世話になり続けた人生の記憶など、怪我（けが）や障害により自立した人生を営めず、誰かに大きく依存してきた人生の残像が非常に色濃く残されています。あるいは自分で自分の世話ができなくなるほど年を取ることを恐れるとか、家族の者に依存しなくてはならない生活をひどく嫌った人生の記憶が刷り込まれているのです。

これらの残像があなたの意識に強迫観念を作り、親が子を思うような愛情であなたを慈しみ、守ってくれる存在を渇望するのです。したがって、現世での家族はあなたにとって非常に重要な存在となります。意識下で、あなたの家族はあなたが〝生き延びるためになくてはならない、人生の基本ともいうべき存在〟なのです。この潜在的な認識が不健全な共依存関係を作ります。家族の人々と切っても切れない関係を作るために、家族に過剰に干渉したり過保護にして、あなたなしでは生きられない体質を作ったり、あなたもまた誰かにもたれかかり、自分の意思決定すら相手に委（ゆだ）ねてしまうといったパターンはすべてこれが原因で起こります。

あなたが今生で学ぶべきこと、それは相手を弱体化させるような依存の絆（きずな）を築くことなく、それぞれが自立したままで親密で豊かな人間関係を築くことです。

それを実現するためにはまず、あなたが自分の中に持っている、誰よりしっかりとした生存能力を意識すること、そしてそれに頼る姿勢を持つことです。誰かにひどく執着し、もたれかかっていた過去の習慣を生かすとしたら、執着する〝相手〟を、自分個人の人生よりも高邁な〝目標〟に変更することです。その姿勢が身についてくると、あなたはもう目先の感情に溺れず、他人に依存することもなくなり、自分の生き方や目指す目標を持ち、それに忠実に向かっていける人に成長していくのです。

生きていくために他人が必要だという強迫観念の呪縛から解かれ、あなたの中に生きていくための「権威」や「能力」が内在していること、そして世の中には「自分の生存」以上に大事なものがあることに気づくにつれ、あなたは落ち着いた精神状態で前向きに何かを目指して生きていくことを学んでいくでしょう。同時に家族や身近な人との不健全な共依存関係を少しずつ解消し、手放していけるようになります。それができると、べったりと依存し合う関係には存在しなかった自由を謳歌する喜び、健全なサポート、そして自分も家族も自立して生きていけることに対する自信や喜びとともに人生を送れるようになるでしょう。

♌ 月が獅子座にある人

◎素顔の魂

あなたが無意識に自分を他人と比較して、他人より優れているということにより自分の価値を認めていると、あなたが他人と接するときはまるで王様が謁見を許した民衆と会っているような、尊大な態度を取ることでしょう。あなたは他人より高い玉座に座り、人々があなたを賞賛する様子に、客観的な態度を装いつつも満足し、自尊心を高めるかもしれません。あなたが身近な人と付き合うとき、自分の外見を引き立たせるような相手を選んでいると、心のつながりのない人間関係にありがちな、居心地の悪さや不快感を経験するでしょう。つまりあなたが自分の目標達成の道具として、また自分の価値観を支える道具として他人を必要としている限り、良好な人間関係から得られる幸福に至る扉は閉ざされるのです。人と人のつながりは無限の可能性を持っていて、互いの信頼と思いやりがあれば、当初の思惑をはるかに超える喜びや利益をもたらすものだからです。

あなたはほとんど条件反射のように自分の魅力を駆使して他人の関心をひきつけ、自分の地位や物質的な豊かさを高めようとします。これはあなたの無意識にどっしりと陣取っている「君は私に何をしてくれるの？」という横柄な態度の表れで、そのおかげであなたは純粋な気持ちを表現したり、自分らしい態度を取れなくなっています。あなたは価値のあるものを独り占めし、あるいは不本意ながら一部をごく身近な人々と分け合います。自分だけたくさん持っていることを他人に悟られないよう隠していると、他人はそれを真に受けてあなたを過小評価するようになります。その結果あなた自身もまた自分の存在価値を過小評価することになるのです。あなたが他人を利用して自分を豊かにし、他人と比較して優越感や自尊心を感じる姿勢を改めない限り、他人との信頼関係はますます損なわれていくのです。

◎磨かれた魂

あなたがそれまでのやり方で他人の賞賛を得る方法がうまくいかないとどこかで悟ることができたとき、あなたが必要とする自尊心を他人に依存することなく育てるスタートラインに立ったといえるでしょう。あなたがいいと思っていることは必ずしも万人にアピールする価値観ではありません。あなたが最初にするべきなのは、あなたの人生というドラマで「主役」と「監督」と「プロデューサー」を一人で演じるのをやめること。これがわかると、あなたの視界にはじめて観衆が入ってくるでしょう。あなたは自分が持って生まれた多彩な能力のうち、どの才能がそこにいる観衆を喜ばせるものなのか、次第に考えるようになっていきます。

誰かとの親密な関係が始まるとき、考えてほしいのは「この人が自分に何をしてくれるか」ではなく、「私はこの人に何をしてあげられるか」が重要だということです。これは相手のためというよりも、あなた自身がゆるぎない自尊心を持つためにこそ必要なことなのです。あなたが他人の願望やニーズを理解し、そのために協力しようと思うとき、あなたには自分の役割がはっきりと見えてくるのです。他人を勇気づけ、楽しませる過程であなたもまた楽しみ、自分がどんどん好きになっていけるのです。

他人のニーズに目を向けるという行為をあなたが選択した途端に、あなたは獅子座特有の自由で伸び伸びとした寛大なあなたという輝く個性を十二分に発揮できるようになり、それこそが周りの人を元気にしていくのです。周りの人が自信と元気を身につける過程で、あなたは自分に対する自信を深めていきます。他人を幸せにするという行為の副産物として、あなたはたくさんの喜びと幸福を手に入れるでしょう。あなたが家族の価値観やニーズを尊重し、支えてあげると、家族はあなたを愛し、あなたに忠実になっていきます。いつでも自分が主役の自己中心のドラマから抜け出し、他人との戯れでどれほど楽しい経験ができるかに気づくと、あなたの人生は劇的に軽やかな様相に変化していきます。

◎前世から引き継いだパターン

あなたは前世で、王侯貴族や多様な分野でのＶＩＰとして過ごしていました。俳優、女優、音楽家、王、女王、そして一般人が羨望（せんぼう）の目で見上げた〝スター〟でした。こんな前世経験があなたの無意識に刷り込まれているのですから、今生のあなたがいつでも他人の承認や賞賛を求めてしまうのも無理はありません。あなたはいつでもちやほやされていたため、他人に無視されると、またしかるべき敬意を払って対応してもらえないと、ひどく不安になり、不満を感じてしまうのです。

この不安は、あなたがいつでもＶＩＰとしての基準を満たし、観衆の期待に応えなくてはならないという考えを生み、あなたが賞賛を浴びるために、彼らの希望を満たさなくてはならないという考えに結びつきます。いつでも他人の関心を引き、ほめられたいというあなたの願望はほとんど子供じみたものとして現れ、あなたは自分を可愛がり、お世辞を言って甘やかしてくれる人にべったりと依存することもあるでしょう。常にほめられないと落ち着かないというあなたの性癖はあなたを愛する人々を疲れさせ、あなたもまた自分の自由と、自信を失う結果を引き出します。

今生のあなたの運命は、前世とはまったく異なるものです。あなたは自分の人生を賭けて、もっと普遍的な目標のために貢献すること、人類全体が今より幸福になるために、あなたにできることをするという高邁（こうまい）な使命を持って生まれています。自分中心のホームドラマではなく、多くの人々が登場する壮大なドラマ、叙事詩を意識し、人類共通のゴールに向けて自らが歯車となって行動するとき、あなたの強すぎるエゴが美しく均整の取れた自我形成へと完成されていくのです。恵まれない人々を自らの弟や妹と捉え、そのために尽力する道具となっていると、あなたは自分の子供じみた面にも寛大になっていきます。なぜなら、あなたは最も崇高な目標のために尽力しているのですから。

　身近な人々をあなたの観衆や部下として見るのをやめ、同志や友人として、対等な目を向けると、あなたの目に初めて彼ら一人ひとりの持つ特別な才能が見えてくるでしょう。あなたが彼らの能力を認めると、ごく自然に彼らもまたあなたの才能を高く評価してくれるのです。

　あなたが貢献できる人類の理想が具体的に見えてくるにつれ、あなたは他人に見返りを期待することなく惜しみない賞賛や、協力の手を差し伸べられるようになっていきます。ここまでくると、あなたが最も予測しないときに、圧倒されるほどの大きな賞賛があなたに向かって嵐のように注がれる機会が大きく広がるのです。

♍ 月が乙女座にある人

◎素顔の魂

　あなたは他人の評価が非常に気になる人です。他人の目から見て完璧な人でありたいという願いが強すぎると、あなたは持ち前の分析能力を駆使して、他人に批判される前に先回りの自己弁護に追われることになるでしょう。また他人があなたの期待通りに動いてくれないと、あなたは面目を失ったような気持ちになり、皮肉を言ったり、冷たく無視したりすることもあるでしょう。あなたは他人から否定的な反応が返ってくるのが怖くて、相手のためになりそうな助言や意義のある意見が浮かんでも黙っているかもしれません。

　あなたは愛する人との間でも、自分の心の内側を見せるのをためらい、無意識のうちに二人の間に壁を作ってしまいます。相手に受け入れられるために不可欠な誠実さを、批判されたくないがために犠牲にして、少しずつ自分の殻を作っていくのです。あなたは何となく罪の意識を感じるのですが、自分が不誠実なことをしているという自覚はありません。人との関わりが表面的なことに留まっていると、乙女座特有の深い洞察力は発揮されず、他人の役に立つ喜びを感じる機会も失われてしまいます。自分の才能を自ら摘んでしまったために、あなたは辛辣な自己批判を始め、挙句にはあなたが求めてやまない安心感が損なわれてしまうのです。

◎磨かれた魂

あなたの欠点ではなく、長所や完璧さに意識を向けて、あなたの価値観を表現し、自己表現するようにしてください。あなたの「〇〇はこうでなくてはならない」という厳しい基準や、完璧さに対するこだわりを横に置いて、あるがままに人と関われるようになると、あなたは他人を遠ざける冷たい心の壁を取り除くことになるのです。

人と人の間に垣根を作る辛辣な「批判精神」をあなたの心から追い出すと、あなたは他人とのコミュニケーションを楽しみ、相手から親密なエネルギーを感じられるようになっていきます。この段階に至るには、あなたが他人から〝完璧〟な人として見られたいという願望を捨て去る必要があるのです。これがなくなると、あなたは完璧でなくてはならないという緊張感から解放され、その場その場で浮かぶ自分の直感や、持って生まれた個性に従って自然に振る舞うことができるようになるのです。そうなると、あなたはそれぞれの状況で自分の心にある考えを正直に忌憚なく他人に伝えられるようになっていきます。

他人に奉仕する過程でも「こうでなくてはならない」という厳しいルールがあちこちで顔を出しますが、これらをすべて手放すことができれば、あなたは言葉を交わすとき、言葉の奥にある深い意味を理解しながら誠実なコミュニケーションができるようになるのです。あなたが最初に捨てるべきなのは、「自分は常に正しくなくてはならない」という考え、そして「他人のここが間違っている」という批判精神です。これができると、あなたはそれまで〝不完全〟だと思っていた他人の姿が、単なる情報不足に過ぎないのだということが見えてきます。あなたは人間関係で自分が他人の役に立っていると感じることが好きです。これは他人から拒絶されることへの恐怖に打ち勝って、自分の見たこと感じたことを自由に分かち合う勇気が、二人の間の壁を消滅させることにより実現します。

あなたが持って生まれた乙女座の特許ともいえる実用的な分析力を活用して他人の言動に対する自分の反応を示してあげる、さらには他人の感情の起伏を上手に受け止めてあげると、あなたは自分の中に深い洞察力に満ちた奉仕の精神が息づいていることに気づくでしょう。これに気づくとあなたは心から自分を大切に思えるようになり、他人とも親密な関係が築けるようになっていくのです。

◎前世から引き継いだパターン

あなたは前世の多くを他人の世話をする仕事に従事し、病気を癒し、多様なニーズを満たして健康と調和を取り戻す役割を果たした人でした。この経験が今生のあなたの無意識に刷り込まれているため、あなたは生まれつき他人に奉仕する姿勢を持ったやさしい人なのです。伝統工芸職人や技師、医師やヒーラーなどの仕事を持っていたと思われる前世の影響から、あなたはものごとの細部に対するこだわりが非常に強く、ディテールの一つひとつにまで神経が行き届いた完璧な作品に仕上げたいという姿勢が色濃く残っているのです。このため、今生でも人の前に出る前に、自分の身だしなみから言葉や挨拶に至るまで、すべてをチェックして〝完璧〟な姿にしておく必要があると考えてしまいます。こんなことばかり考えていると、あなたが本来持っている寛大な個性を発揮し、あるがままに世の中と関わっていくことができません。

あなたはものごとの全体像を見るまでは自分の態度を保留しがち。けれどもあなたが今生で学んでいるのは全体像を構成するジグソーパズルの一片（ピース）を手にしたら、全部そろうまで待たずに、とりあえず今の状況をあるがままに表現することです。パズルのピースが増えるにしたがって、全体の姿が少しずつ明らかになっていくでしょう。そうなると、周りの人にも共通の目標が見えてきて、あなたは人々とともに目標を目指していけるようになるのです。

繰り返された過去生の中には医師、看護士、修道僧や修道尼として過ごした人生もあったようです。これらの経験があなたの無意識に残した記憶は、多くの人々の目指す模範となる人生を歩まなくてはならないという使命感。誰よりも清く正しく、まさに完璧を絵に描いたような人格を体現するよう、あなたを駆り立てるのです。あらゆる道徳・倫理基準を満たす優等生であるという自覚から、あなたは一般の人々と距離を置いて付き合う傾向があるかもしれません。これは前世から引き継いだエゴイスティックな優越感と言わざるを得ません。

あなたが今生で身につけるべきなのは、前世で過ごしたようながんじがらめの窮屈な生き方をやめ、リラックスして宇宙の大いなる流れに身を任せること。自分ひとりで状況を指揮しようとせず、周りの人々や自然や、その他あらゆる要素が宇宙の流れに沿って変化していく様子を楽観的に眺め、自分の役割を知り、それをこなすことなのです。ジグソーパズルで言うならあなたはパズルのピースの一つ。全部を集めるのはあなたの仕事ではありません。自分のパズルの色や柄、つまりあなた自身の気持ちや考え、そのときの願望を、取り繕うことなく他人に示すとき、あなたは宇宙の大いなる流れに沿って、全体に歩調を合わせていると言えるのです。あなたはそれぞれの状況で今、そこにあるがままの自分を正直に十全に表現することが求められているのです。その誠実な姿勢こそが、多くの人々にとって、完璧さを示すお手本となるでしょう。

♎ 月が天秤座にある人

◎素顔の魂

静かで平和な環境を好むあなたは暴力やいざこざが大嫌い。強引にものごとを推し進めようとする人も苦手です。でもそういうあなたの気持ちをわかってもらいたいと、ただ心の中で期待しているだけでは相手に伝わることはありません。あなたは目の前で対立が起きるたびにイライラしたり、歯がゆい思いをすることになるでしょう。あなたは周囲の人々と上手に折り合っていくために、自分の希望を主張することをあきらめ、不公平と思えることにも目をつぶり、その場のみんながとりあえず、ぶつからずに済むような態度でやり過ごすこともあるかもしれません。けれどもあなたが相手に期待するような結果が得られないとき、あなたは気分を害し、わざと相手にぞんざいな態度を取って、あなたの気持ちに配慮してもらおうとします。

いつでも相手のほうがあなたに歩み寄ってくれるのを期待していると、何か不快な問題が起きるたびにあなたの心の調和は乱され、動揺するでしょう。そこであなたは、相手がそういうことをしないための予防策をとります。相手が気分を害したり、あなたに不満を抱いたりしないよう細かく気を配り、あなたは自分の感情も意見も押し殺してしまいます。これは問題の解決になるどころか、あなたに対するわがままを増長させ、横柄な態度を相手に取るよう促してしまいます。やがてあなたは我慢の限界に達し、積もり積もった不満を爆発させて逆切れするということにもなりかねません。自分の本心とは違う自分の仮面をかぶっていると、他人はあなたの本心を測りかね、親密な関係を築くことができません。あなたが自分の本心を隠していることが原因で、他人があなたを信用しなくなるという結果を招いていることに、あなたは気づいていますか？

いざこざやトラブルに巻き込まれたくないあまり、あなたは他人の感情的な要求を見て見ぬふりをすることもあるでしょう。そしてあとになって「どうして人は周りに対して配慮がないのだろう」などと感じます。自分の好き嫌いで他人の感情表現を拒絶していると、あなたは次第に人嫌いになっていきます。そうなると人を信頼し、協力し合う関係を築く能力や、尊重すべき人とそうでない人を区別する眼識が、あなたの中で育っていきません。天秤座特有の内面に向かう志向に偏り(かたよ)、他人と自分との間の軋轢(あつれき)にばかり意識を向けていると、不満のエネルギーが鬱積(うっせき)し、突然の感情の爆発が起こることになります。

◎磨かれた魂

あなたが自分の本心を偽って相手に合わせることにより、相手があなたの望むような配慮をしてくれるよう期待するというこれまでの方針では、好ましい成果を得ることはないでしょう。うまくいかない本当の理由は、他人が気づいてくれるのをただ受身で待っていることにあります。あなたが黙っていても気づいてくれる人とはごく稀(まれ)にしか出会うことはありません。あなたが「私は○○が苦手です」とか「△△をしないでほしいのです」などと言葉にして表現するまで、他人はあなたが不快感や不公平感を持っていることにすら気づかず、あなたの望まない付き合いを続けるでしょう。相手にはっきりと言葉で主張することは、あなたの人格に強さを与え、乱れたバランスを取り戻します。きちんと主張することにより、あなたが人間関係に求める形を相手に対してだけでなく、自分自身に対しても明確に表明できるからです。

　自分の希望を伝える勇気が持てず、かといって相手の態度には不満がいっぱい。これではいつまで経っても幸福は得られません。心から満足できる人間関係を築くには、あなたが他人と人間関係を築くにあたり、どのような付き合いをしたいかというビジョンをまず持つことが大事です。そして相手のやり方やその場の状況に引きずられることなく、自分のビジョンに基づくスタイルを貫くという目標を心に設定してください。それができればあなたは自分のニーズを目の前の相手に理路整然と、客観的に、臆することなく伝え、協力を仰ぐことができるようになります。それを受けてはじめて相手はあなたのニーズを理解するのです。

　人間関係に対して誠実な態度で臨む姿勢が最終的にあなたのために一番いい結果を招くということに気づくと、あなたは自分の思う道にしたがって行動できるようになっていきます。その結果、あなたは自分の正直な気持ちを、結果を恐れたり、相手の顔色をうかがったりせずに、外に出せるようになります。心に浮かんだ気持ちを表現できるということ――これはあなたが自分に嘘のない生き方をしていることに他ならず、あなたの自尊心とエネルギーレベルを高めていきます。あなたが正直な気持ちを素直に表現すると、そこには自然に調和が宿ります。世の中にはいろんな人がいるのだから、いちいち相手の反応を気にしていてもしょうがない。――そう自覚すれば、目の前の人に遠慮することなく、自分の個性を発揮する勇気が生まれるでしょう。この姿勢こそが、あなたに共感する人々をあなたの周りに惹きつける大事な条件なのです。

　あなたが独自の考えや気持ちを周りの人と共有できるようになると、あなた本来の魅力が解き放たれ、人々は個性を輝かせるあなたに好感を持ち、愛情と賞賛を向けるでしょう。あなたと価値観を共有できる人々とともにいると、あなたはそこにいるだけで周りに認められ、喜ばれるという理想的な環境が生まれます。あなたが自分の心に去来する素直な感情や考えを信じ、それを外に向かって表現すると、心の内面と外面に不協和音がなくなります。こうしてあなたが築いた調和のエネルギーが、他人を含む外的状況に調和や平和をもたらすのです。

　あなたが自分の心の内面を洞察し、そこにある深い

安定感を体現するとき、あなたは他人にもそれぞれの心の内面にある調和を求めるよう、言葉を介さずに促しているのです。あなたの心の調和というエネルギーが、あなたに共感し、友情を感じている人々に流れ込んでいきます。こうしてあなたは自分の心の中心へと向かう旅をしながら、同時に外界に調和をもたらす人になっていくのです。

◎前世から引き継いだパターン

あなたは何度となく繰り返された過去生で、誰かの妻として、あるいは調整役、補佐役としての人間関係に親しんできました。あなたは自分の人生を成功させるために、パートナーと深く精神的に結ばれた共存関係に依存してきたのです。そのパターンを心に刻み込んで現世に生まれた結果、ここでもあなたはパートナーとのいい関係を維持するために、あなた本来のアイデンティティーや気持ちを偽る必要性を感じるのです。

あなたが今生で人間関係をうまくいかせるための大きな課題――それは自分を表現することです。どんな人と一緒にいても、いつでも自分らしさを主張することです。そのためにはまずあなた自身が自分のニーズを理解することが大切です。なぜなら、あなたが自分のニーズを満たしてやることなしには、あなたが求める人間関係がうまくいくことはないからです。誰かといい関係を築くには、あなた自身の個性やニーズを満たすことが不可欠だということに気づかないうちは、相手との公平なコミュニケーションが成り立つことはありません。あなたがするべきことは、あなたのニーズをきちんと言葉にして相手に伝えること。それができれば、相手は自分のニーズも同時に満たせる形であなたのニーズを満たす方法を考えてくれるでしょう。互いのニーズが明らかになれば、あなたは自然に二人にとって最もよい方法を提案できるでしょう。

ただし、気をつけなくてはいけないことは、あなたが自分の言い分が聞き入れられないのではないかという恐れから、強引な自己主張を始めること。あなたの無意識には、度重なる前世で自分の主張を引っ込め続けてきたことに対する鬱積(うっせき)した怒りが潜んでいます。そして現世でもあなたの主張を他人は聞き入れてくれないだろうという予想と、自己防衛的な姿勢を持っているのです。このため、滅多にしない自己主張をあなたがしはじめると、往々にして過剰に、荒々しく、また自己弁護をしながら相手に迫るため、相手は圧倒されて自然な反応ができなくなってしまうのです。

あなたのニーズが十分に満たされないことを恐れるあまり、あなたは時として不適切な強引さで相手に要求をします。あなたは無意識でやっているのですが、これが原因となり、相手はあなたに協力するのを拒むようになります。これは二人の関係に溝を作るだけでなく、あなたはリラックスした素のままの自分ではいられなくなり、以前のように相手の顔色をうかがいながら、相手のニーズを満たしていく悪循環に逆戻りしてしまうのです。

あなたは相手の機嫌が損なわれることにより、大切なパートナーを失うことを何よりも恐れ、相手の満足を最優先させて自分のアイデンティティーを心の奥底に押し込めてしまうのです。あなたの生計を支えてくれる大切な誰かのために、あなた自身の人格も個性も抑圧する必要があった過去の人生のツケは、今生でバランスを取らないと、いずれ大きな火山の爆発となってあなたの前に現れるでしょう。

今生のあなたが心すべきことは、パートナーのニーズとまったく同等に、あなた自身のニーズを満たすようにすること、そして相手は喜んであなたのニーズを満たしてくれると信じることです。周りの人々は穏やかで朗らかで、楽しげなあなたのそばにいたいと願い、あなたを喜ばせるためなら苦労もいとわないということを覚えておいてください。

親密な人間関係の中で、今生のあなたは管理される側ではなく、リーダーになるべき人なのです。不平等な人間関係は人の心に不満を残すものですが、あなたの役割は二人の間の上手な管理者として二人の関係を客観的に見極め、不平等を正していくことです。これの前提として、あなたは自分のニーズや目標を明確に言葉に出すだけでなく、相手もあなたと同様にニーズや目標を忌憚（きたん）なく語れるような関係を築くことが大切です。それができれば双方が幸せを感じられる、公平で均整の取れた人間関係が生まれるでしょう。

♏ 月が蠍座にある人

◎素顔の魂

あなたは忠誠心を何より大切にする人です。けれどもいつでも周りの人に無条件の忠誠と誠実さを求めていると、あなたは常に不安に苛まれ、相手が期待に沿わないときは怒りをぶつけることになるでしょう。あなたは無意識のうちに意に沿わない相手に抵抗し、本能を丸出しにして相手に対して権威を見せつけようとするかもしれません。あなたは自分で意図しないまでも、そうやって相手の忠誠心を勝ち取り、相手をコントロールしようとしているのです。これをしていると、あなたの目から見れば、相手はあなたより劣勢に立っています。こういうことをしていると、あなたは対等な関係からしか得られない、人付き合いの喜びを自ら締め出し、最終的には行き場のない感情をどこにも発散できず、停滞の日々を送ることになるのです。

人間関係においてコントロールを失うことに不安を感じるなら、一人ひとりが求めている答えをあなたが先回りをして本人の代わりに見つけてやり、彼らがあなたに依存してしまうほどの関係を作ることも可能ではあります。けれども相手の力を弱めていくということは、知らず知らずにその人間関係そのものが持つエネルギーや可能性を弱めていることに他ならないのです。そんな人間関係から、あなたが感情的なニーズを満たしたり、変化の糧にしたり、自我の成長に役立つ洞察を得たりすることは不可能です。あなたは相手の弱みを見せられ、相手の心のうちを垣間見ると、相対的に自分が強くなったように感じますが、力の不均衡がもたらすのは孤独しかありません。あなたは潜在的に金銭面、そしてセックスをともにする相手との人間関係に強い不安を感じる、蠍座特有の性質を持って生まれています。この影響からあなたは、相手をコントロールしようと、会う人ごとに自分の権威をひけらかすようになっていくかもしれません。

◎磨かれた魂

あなたは人間関係から、静かに湧き上がる調和の喜びや活気、生きている実感などのエネルギーを必要とする性質を持っています。あなたがこれらを得られるような実りある人間関係を築くことに前向きに取り組むようになると、相手を屈服させて自分の権威や価値を感じるという方法が、いかに稚拙なやり方であるかがわかってくるでしょう。あなたが今生で学ぶべきこと——それは他人にあなたを変える力はないと知ることです。人間関係の豊かさを享受し、あなたを無限に成長させるための機会を奪っているのは、誰でもない

Moon

あなた自身です。

偏(かたよ)ってしまったあなたの生き方のバランスを取り戻すには、まず手始めに、他人を自分の意思で動かしたいと望むのをやめることです。そうすると、あなたの持っている創造力や再生を促す若いエネルギーが活性化されていくでしょう。新しいあなたを自ら創造するには、あなたが自分を大好きになれるような人格のイメージや理想を誠実に実現させ、人間として成長できるよう努めるところから始めなくてはなりません。自分の意思で他人を操作するという発想を手放すと、あなたが「こうあってほしいと願う」他人の姿が消え、他人のありのままの素顔が少しずつ見えてくるでしょう。あなたがそれまで経験したことのない、未知の領域に足を踏み入れ、自分の権威を放棄することにより起こるリスクをあえて受け止める決心をすると、あなたは自分のエネルギーと、目の前の相手のエネルギーが相乗効果を発揮して、大きな喜びに包まれるのを感じるでしょう。停滞につながる現状維持よりも、刺激に満ちた変化を選択し、積極的に変化を求める姿勢が身につくと、あなたの人生は上昇路線を歩み始めます。その過程であなたはリスクを負うスリルを楽しみ、予想もしない結果との遭遇に胸をときめかせながら、自分をより価値のある存在へと高めるための知識や方法を手に入れていけるようになるのです。

変化していく過程で、あなたは持っているものを手放してはじめて多くの新しい価値観やエネルギーを取り入れられることに気づくでしょう。これがわかるとあなたの直感や洞察力が冴(さ)えてきて、あなたは自分自身の素顔や隠された能力に気づくようになります。さらにあなたのすぐれた洞察は、周りの人々が気づいていない、隠された才能を見出(みいだ)してあげられるようにもなっていくのです。つまり、あなたは自らの洞察により、他人が夢や目標を実現していくのを助けてあげることができるということです。当然ながら、あなたに支えられた人々はあなたに深い感謝の気持ちを返してくれ、美しい友情が育っていきます。信頼関係ができれば、もう何を操作する必要もなく、大いなる宇宙の流れに身を任せ、その場その場で自分らしく生きていくことができるのです。この段階になると、それまで経験したことのない調和の美しいエネルギーをあなたは人々と味わい、心から幸福を感じられるでしょう。

がんじがらめになった自分を解きほぐして再生する

ことにより、現状から自由になると決め、それに意識を集中させると、あなたは「力は一人で独占するよりもみんなで共有するほうがよい結果が得られる」という真実の知恵を、身をもって示す人になっていくでしょう。その悟りとともに、他人や状況を自分の思い通りに操作したいという欲求は、あなたの中から消滅していきます。そうしてあなたの理想とする生き方を実践していくうちに、あなたの人を見通す眼識を周りの人々と共有することになり、それが多くの人々の心の成長を促すのです。それはそのままあなた自身の存在価値を高めることになり、あなた自身も変化と成長を続ける過程をますます楽しんで生きていけるのです。

◎前世から引き継いだパターン

あなたの魂が生き抜いてきた度重なる前世経験を語るには、権力をめぐる激しい感情のぶつかり合いなくしては始まりません。現世に生を受ける以前の過去にあなたは何度も立ち直れないほど他人に傷つけられた経験を持っています。その記憶の影響から、あなたは自分が生き延びることに対する異常なほど強い本能を持って今生に生まれたのです。あなたは前世で、何度となく人生の危機に陥り、そのたびに人にだまされてきたため、他人に対するあなたの基本的な姿勢が、〝まず疑うこと〟なのも無理はありません。あなたは人と対面するとまず最初に、相手が不純な、あなたにとって不利益な動機を持っているのではないかと疑ってかかるのです。この前世からの刷り込みがあなたの無意識にあまりに根強く残っているため、それを疑うことによってイメージした悪い結果を、あなたは自分で挑発し、誘発してしまうのです。そして予想した通りの結果を前にして、あなたはますます孤立感を深めていきます。

この孤独感から解放されるため、あなたはただ一人の理解者、ソウルメイトを探し求めます。あなたはソウルメイトと出会いさえすれば、たとえ敵に囲まれていてもあなたの心は安心でき、平和に満たされると考えているのです。けれども前世経験に裏付けられた人間関係のパターンから言えば、あなたのアプローチはあまりにも相手に多くを求めすぎ、相手に全身全霊を傾けてしまうため、相性のよい相手との関係もつぶしてしまう結果になりかねません。つまり、あなたは平和な心を求めて行動したにもかかわらず、傷ついた心とともに取り残されてしまうのです。

　今生のあなたの使命は、前世の激しい感情のやりとりの悪循環を捨て去り、静かで澄みきった心を取り戻すことです。それにはどうすればいいでしょうか。最初にするべきことは、あなたがパートナーとの関係に何を求めているのかをはっきりさせることです。そのイメージが具体的に描けるようになると、同じような価値観を持ち、同じような未来を描く運命の相手が現れ、ともに充実した関係を築いていけるようになるのです。精神的な目標として、あなたがパートナーとどんな絆を持ちたいのか、互いの人生でどんな関わり方をしたいのか、などがきちんと言葉にできるなら、あなたは前世で培い、積み上げてきたエネルギーと瞬発力を活用し、今生であなたの理想とする平和な人生を築けるでしょう。

　あなたが心の底から渇望するソウルメイトと出会うには、あなたの生活のどの小さなステップもないがしろにしてはいけません。近道をすると結局、後戻りせざるを得ない結果になるからです。ソウルメイト候補に出会ったら、相手の願望を取り入れてともに歩んでいくと、相手の知恵やエネルギーがあなたにプラスに働くようになっていきます。あなたの前世にはたくさんの〝破壊行動〟がちりばめられていました。今生で覚えておいてほしいのは、摩天楼を壊す作業は3日で終わるかもしれませんが、再建するには優に3年の月日がかかるということ。あなたが自分の目標をしっかりと心に留め、一歩一歩着実に歩を進めていきさえすれば、あなたは少しずつよくなる人生の過程を楽しみ、日ごとに充実していくパートナーとの関係に感謝する、幸福な毎日を過ごすことになるでしょう。

♐ 月が射手座にある人

◎素顔の魂

　あなたは知性的な人です。けれども自分の知性が優れていることをいつでも周りに示したいと願っていると、あなたはそれを立証することで頭がいっぱいになってしまいます。自分の視野の広さと正当性を周りに示したい気持ちから、仮想宇宙の概念を打ち立ててしまうかもしれません。あなたは自分の人生を完璧に飾り、それを周りに誇示することができれば、周りの人々が賞賛の目であなたを見上げ、忠誠を誓うようになるという妄想を、心のどこかで抱いているかもしれません。

あなたはいつでも自分が正しいということを示したいばかりに、無意識に理想を体現する存在でありたいと願い、それが自分の存在価値を立証する〝完璧な〟方法だと考えますが、そんな方法は存在しません。究極の理想という概念自体が存在しないため、あなたはどう生きればいいか迷い、自分の進むべき道どころか、自分のアイデンティティーすら見失い、失意と混乱に立ち尽くしてしまうでしょう。

◎磨かれた魂

あなたが本当に他人と血の通った温かい関係を築きたいと願い、そのために行動を起こすようになると、あなたの得意な論理性を強調するコミュニケーションが、逆に障害となっていることに気づくでしょう。あなたは自分の中で何か不十分なことや欠点を見つけると、そのことで頭の中が埋め尽くされてしまい、他の人には見えているあなたの長所や完璧さが目に入らなくなってしまう傾向があります。頭に血がのぼってしまうあなたに、一つお教えしたいこと――それはあなたの一生懸命さや誠実さは、あなたが必死にアピールするよりずっと以前から、周りの人によく知られているということです。身の回りのあら捜しをするのをやめ、駄目出しの習慣をやめてみてください。そうすればあなたが生まれながらに持っている、まばゆい魅力が顔を出すでしょう。まず手始めに、人との会話や出来事の持つ〝行間〟の意味、つまり現象の表面ではなく、その深いところの意味やメッセージ性に意識を集中させるようにしてみてください。言葉尻ばかりを追いかけるのではなく、その意図するところに意識が向くようになると、その人の存在の深みが初めてイメージとして浮かび上がり、尊重できる人格が見えてきます。そういう洞察が身についてくると、あなたという人格の持つ崇高さ、気高さにも気がつくようになるのです。

自分の賢さを強調し、周りにアピールしたいという射手座特有の衝動から解放されると、人々があなたに何を聞きたいのかがあなたの耳にすんなり入ってくるようになります。あなたはいろいろ考えることなく、心に浮かんだ答えを人々に返してあげると、人々はあなたの言葉の中に探していた答えを発見し、自分の隠された才能を引き出す糸口を見つけるのです。この過程の中であなたは満たされ、心の安定とともに、人々の親密な愛情を受け止めることができるのです。人々の魅力や才能に気づかせてあげるという行為は、そのままあなたが自分の魅力や能力の大きさに気づく過程となるでしょう。

　あなたの心にある考えや将来の展望を、そのまま周りの人々と分かち合い、それを聞いた人が自分なりのやり方で生かしていくのを見守ってください。このようなコミュニケーションの仕方は、あなたの周りの人々があなたの心の洞察を受け止める最もよい方法です。そして他人をそのように受け入れることで、あなたもまた温かく他人に受け止めてもらう素地が作られるのです。こうして飾らない真実を人々と分かち合う自信がついてくると、あなたが理想とするような人々と、理想的な関係を築き、心から安心し、満たされる毎日が送れるようになっていくでしょう。

◎前世から引き継いだパターン

　あなたは幾多の過去生で、哲学を究め、類(たぐ)い稀(まれ)な精神の持ち主として民衆の模範を示し、あるいは自然と深く付き合うことにより真実を追究してきました。またそうして得られた真実を一般社会の人々に伝えることを使命として生きてきた経験を持っています。中には自らに与えられた権威を過信し、法の上に君臨しようとした前世の罪の報いとして、厳しい環境に生まれ落ちたというケースもあるかもしれません。その場合は自分に与えられた運命（前世の因果応報として与えられた今生での試練）が理解できるまでは、次々と不慮の災難が降りかかり、どうして自分だけがこんな目に遭うのかと運命を恨めしく思うこともあるかもしれません。これがあなたに思い当たる場合、あなたが学ぶ運命にあるのは、世の中の道徳や従うべき倫理、守るべき法律や常識などと自分は関係ないと思わず、社会の一員として遵守(じゅんしゅ)しなくてはならないという教えです。あなたの生まれた地域や時代が是とする道徳観念を身につけられたら、あなたの過去生による悪い業（カルマ）は取り除かれ、あなたの望む方向に突然不幸や災難が降ってきて、あなたの自由を奪うことはなくなるでしょう。

　あなたは度重なる過去生の多くを自由気ままに一人で生きてきました。あなたは自分が決めたルールに従い、社会の規範などまったく関係なく、独立独歩で生きていたのです。そんな人生の結果として、あなたは社会からすっかり逸脱（いつだつ）し、人々の社会生活とも無縁な存在となったのです。この経験を無意識に刷り込み、あなたは現世に生まれてきました。自分でそれとは気づかずに、あなたはどこか孤独で、誰かに受け入れてほしい、人々の輪に入れてほしいという欲求を強く持っているのです。あなたは前世でずっと追いかけ、手に入れた真実の知恵やインスピレーションを、今生で人々と分かち合いたい、そして人とのやりとりから生まれる力を利用して、自らの奥に眠っているエネルギーと再び結びつきたいと願っているのです。

　あなたが前世で相当な修行の末、手に入れた崇高な知恵を、今生でわかりやすい言葉に表現し、人々と分かち合おうという意思を持ったとき、あなたは他人に理解されるにはまず、自分が他人を理解しようとする必要があることに気づくでしょう。そのために改めなくてはならないのは、独善的な姿勢。ひとりよがりな態度は集団の中であなたを浮いた存在に押しやり、あなたを孤立させてしまう元凶なのです。そして心を研（と）ぎ澄（す）まし、人々の言動をよく観察し、そこにある言外のルールを見つけるのです。社会のエチケットとも言うべき法則を習得し、人間関係でしていいことと悪いことをきちんと守っているうちに、あなたは人々と壁を作らずに関係を築いていけるようになります。そしてあなたの強みである哲学や真実に結びつくインスピレーションあふれる考えが、多くの人々の心に貴重な洞察として感謝を込めて受け入れられるようになっていくのです。

♑ 月が山羊座にある人

◎素顔の魂

　あなたを取り巻く人間関係で、みんなから大切に思ってほしいという欲求が強いあなたは、無意識に人々の尊敬や愛着を獲得しようとあれこれ小細工を弄（ろう）する傾向があります。このため不必要にドラマチックになったり、悲劇の主人公を演じて自分の生きる力や意欲に感心してもらおうとすることがあるでしょう。あなたはほとんど本能的に自分が周りの人に好意的に受け止められるようなイメージにこだわり、その場その場でカメレオンのように、人々の理想の人物を演じてしまいます。

他人の尊敬を得るために本当の自分らしさを消してしまうことの代償は、自己喪失というはかりしれない弊害を招きます。また、あなたが人間関係をコントロールすると、された相手は本来持っている個性や魅力を発揮できず、あなたの存在を認め、賞賛するといったあなたが求めていることもできなくなってしまいます。あなたは自分が愛されていると実感するため、コンスタントに相手の愛情表現を求める傾向があります。これはつまり、あなたの心の平和は、あなたを愛する人次第で決まるということを意味します。その結果あなたは相手に依存することになり、自分ひとりで生きられないという不安と苛立ちがあなたを悩ませることになるでしょう。

◎磨かれた魂

あなたが人間関係を自分の思い通りにコントロールしようとする山羊座特有の行動を自覚できると、他人にあなたの好印象を植え付けることがあなた自身の自尊心を高めることには結びつかないと気づくでしょう。実際のところ、あなたが自分の本当の姿を相手に見せていないのですから、誰もあなたを尊敬することはできないのも当然かもしれません。みんなを仕切ったりコントロールしたりすることに頭を使いすぎていては、あなた自身の個性を表現することはできず、他人はもちろんあなた自身も自分の個性を見失ってしまいます。

あなたの今生のテーマは、相手に対する希望や期待を抱き続けるのをやめ、相手の真の姿をじっと観察することです。これにはまず、その人の個性や最もユニークな部分を見つけるという課題を自らに課してみるといいでしょう。これができるようになると、不思議なことに、あなた自身の個性や特徴が自然に見えてくるのです。そうして他人とは違う、あなたらしい個性を認め、自分をもっと好きになっていくのです。

他人を操作し、何でも代わりにやってあげようとするのではなく、彼らが自力で問題を解決していく力を自らの中に見出させ、勇気づけてあげると、あなたは自分が大きな力を持っていることに気づくでしょう。あなたの繊細な観察力に裏付けられたサポートは人々を温かく育み、あなたが他人にしてほしいと願っていたような「相手を尊重し、大切に思うこと」をしてあげると、その相手は自分の能力を十二分に発揮でき、豊かな気持ちに浸ることになるでしょう。あなたは人々が自尊心をばねにどんどん願いを達成し、成長していく姿を見守るのです。このようなサポートのテクニックこそがあなたの真骨頂（しんこっちょう）――他人を自分勝手に「操作」するのでない、理想的な他人との関わり方といえるでしょう。この方法なら誰もが幸せな過程をたどり、それぞれが目標を達成していけるのです。

あなたが他人の持つ底力やリーダーシップを引き出してあげると、あなたもまた自分の中に大きな底力やリーダーとしての豊かな資質を発見します。誰の心にもある、自分の人格や個性を育てたいという願いを尊重できるようになると、あなたもまた自分の人格や個性を育てたいという願望を満たせるのです。こうしてあなたは自分というものを改めて意識するようになり、自我を少しずつ再形成していきます。あなたが自分の個人的成長に必要なものを満たしていくにつれ、あなたは他人や状況に左右されない自立した選択ができるようになっていきます。自分の運命の道を知り、前進すると決めたら、あなたの中にはその未来に向かっていく勇気と大きな自信とが備わっていることに気づき、周りの人々も大きな協力を惜しまないでしょう。

◎前世から引き継いだパターン

あなたは長い長い過去生の経験の多くを、業界の権威者や、大きな組織のリーダーとしてその権威をほしいままにしてきました。このため、あなたは今生でも自分の精神が安定するためには権威を自分のものにしておく必要があると感じるのです。政治家や知識人、オピニオンリーダーとして高い社会的地位に留まり、世間の尊敬を集めて暮らした前世の経験――それは現世に生まれたあなたの無意識に深く刷り込まれています。こうしてあなたはごく当たり前のように周りの人々があなたを尊敬し、服従するだけでなく、依頼するまでもなく向こうのほうから喜んで協力してもらえるという環境を心に描いてしまうのです。ところが今生で、周りがそういう反応を示さないとみるや、あなたは「何か様子が変だ」と感じ、あなたは自分をうまく人間関係に不安を抱くようになるのです。あなたは穴をふさいで水漏れを防ぐように自分のどこに落ち度があるか探しまわり、人間関係の基盤の不備を修復し、万全の態勢を作ってどんな状況にも対処できるという自信を手に入れたいと願います。

前世の習慣から、あなたの無意識には、心を完全に閉ざすことにより外界の影響を受けまいとする傾向が残っています。けれどもこの方法を今生で使うと、精神的に満たされないという結果が待っています。あなたは精神の安定を得るために何らかのコントロールを求めますが、あなたの精神安定に至るための第一歩は、その場その場で自分の気持ちを自由に解放し、何の作為も考えないことです。その場の状況で、すべての情報を把握していないという不安はさておいて、あなたは自分の中にある男性的な部分（意志と制御の力）と女性的な部分（感情の起伏）を上手にコントロールし、一人の人格に統合しながら、少しずつ展開していく状況に身を任せて進んでいく勇気を持つ必要があるのです。あなたに必要なのは、前進すること。行動を経験しなければ他人との心の交流も生まれず、あなたの中にも人間関係に対する自信と権威が育たないからです。

　あなたが自分のなかに湧き起こる自然な感情を無視したり、過小評価したりしない習慣を身につけるにつれ、あなたはさりげなく自分の気持ちを他人と分かち合えるようになっていきます。それができるようになると、相手も自然に自分の気持ちをあなたに打ち明け、やがて二人の関係は温かく有意義な、充実した絆へと変化していくのです。そういう心の絆を持つようになると、あなたは自分の運命や魂の目標を少しずつ明確にしていけるようになり、同様に相手の目標についても洞察を得るようになるため、二人の関係はお互いにとって不可欠な、ソウルメイトの関係のような存在感へと質的変化を遂げるでしょう。

　この変化を経験すると、あなたの自己認識にも変化が訪れ、自我意識や将来の展望はこのソウルメイトとの人間関係から深い洞察を得た新しいレベルに達します。あなたはこれを人生の目標として生きるためにこの世に生まれたといってもよいでしょう。自分の気持ちを素直に表現することにより、あなたは自分と周りの人間関係の間にある種の均衡を保ち、快適な環境を維持するための調整の仕方を学びます。そしてあなたは自分の身にどんな予期しないことが起きたとしても、ものごとの全体像を把握し、細部に囚われて人生の袋小路に迷い込むことはないという自信を手に入れるでしょう。そこまで達することができれば、あなたは自らの権威の輝きを楽しみ、世界と自分との心地よい関係を楽しみながら幸福な人生を歩んでいけるのです。

月が水瓶座にある人

◎素顔の魂

あなたが自分に自信を持って心安らかに生きていくために、いつでも他人の反応を気遣い、他人の承認を求めていると、あなたは知らないうちに自分の生きる力を自ら弱体化し、自分の人生の舵取りができなくなってしまいます。あなたには他人の心に潜んでいる、言葉とは裏腹の動機が見えます。もしあなたがこの特殊な才能を悪用し、自分に好印象を持ってくれるよう誘導しようとすると、あなたは自分のアイデンティティーを見失うことになるでしょう。その結果、あなたの存在価値は世の中の気まぐれな評価に翻弄され、せいぜいうまくいってもあなたが意図する最低限の成果しか得られないでしょう。

　あなたが他人の反応をうかがうとき、あなたは次にどんな行動に出ればいいのかわからず途方に暮れています。何をするにも他人に背中を押してほしいと願う依存的な行為自体があなたを不安に陥れ、物質面での他人との関わり、そしてセックスの相手に対しても大きな不信感を抱えることになるのです。そうなるとあなたは親密な関係を築くと、自分の弱みを握られるのではないかという疑心暗鬼、そしてあなたが信じている相手に拒絶され、傷つくのではないかという恐怖感に苛まれるかもしれません。

　これを恐れるあまり、あなたは他人を寄せ付けないための芝居を打って見せます。そうすればとりあえず災難には遭わないかもしれませんが、これは結局あなたを精神的に孤立させ、自分に対する自信を失うことになりかねません。

◎磨かれた魂

あなたが愛情に満ちた人間関係を築くにはどうすればいいか真剣に考えてみると、それまでのやり方で認められるのは「他人の目に映るあなた」でしかないことに気づくでしょう。あなたが他人の反応をうかがっているうちは、あなたの理想とする人間関係はいつまで待っても訪れません。あなたが今生で学ぶべきこと――それはあなたにとって何が大切なのかを他人に決めてもらうのをやめることです。

　自分自身の価値を自ら認めるという行為は、あなたの中に眠っている価値体系を活性化させます。同時に、あなたが大切だと感じることをするると、あなたは自分自身を大切に感じるようになっていきます。自分で自分の存在の重みを意識できてはじめて、あなたは他人に協力できるようになり、そうして始まる人間関係は、自然にあなたが理想とする形になっていきます。そして相手に求めなくても、付き合いの副産物として相手はあなたを認め、よく評価してくれるようになるでしょう。

あなたの心に宿っている無邪気で素直な子供のような個性に気づくと、あなたは周りの人々を明るく楽しいやりとりに引き込んでいきます。あなたの中にある楽観的な発想や豊かな個性を表現していると、あなたは自分の中から湧き起こるような生きるエネルギーと、生きていく意義を感じられるようになっていきます。

あなたが周りの人々の中に眠っている特異な才能を見出し、それを生かすよう勇気づけてあげると、彼らもまたあなたの中に潜んでいる兄弟愛に満ちた幸福な社会に生きるというあなたの理想に気づき、（気づかない人は無意識に）あなたの理想の実現をサポートしてくれるようになります。その過程で、あなたはたくさんの愛情に満ちた絆を人々との間に結び、あなたが心に描くような輝かしい人道的な理想の実現に至る道筋が見えてくるでしょう。

◎前世から引き継いだパターン

あなたは数多くの過去生のほとんどを、僧院や養護施設、アシュラムや宮殿の深部といった閉ざされた施設の中で過ごしてきました。このため、あなたはいつでも自分を個人ではなく集団の一員として捉えてきました。そしてその環境下で生きるしか選択肢がなかったあなたは習慣として、集団のメンバーとの心の調和を維持することを、自分の安心感のよりどころとしていたのです。あなたは、組織の一員である自分が将来も安泰でいられるよう、メンバーとの調和や友情を最優先させ、時として自分の願望や他人と違う考え方などを心の奥にしまい込んで、周りと上手に折り合って生きてきたのです。あなたはこうして自分の存続を身近な人々に委ねすぎてきたために、正直で温かな心の交流を犠牲にしてでも集団の調和を重視する心の癖がついているのです。

今生であなたが学んでいることの一つには、あなた

自身の色を強く持つことが挙げられます。あなたは何が好きなのか、何を求めているのかといった質問に自らはっきりと答え、自分のそういうニーズを満たすために創造力を働かせて行動する――こうしてはじめてあなたは前世のパターンの呪縛(じゅばく)から解かれ、自分自身の人生を健全で楽しく幸福なものに作り変えていけるのです。あなたは今生で主体性のある人生を歩み、自らの人生を楽しむことを学んでいます。そのためにはあなたの心がワクワクするような活動や恋愛経験などを積極的に求め、それらをきっかけにして多くの人々と関わり、人々を引っ張るほどの積極性で、多様な人生が織り成す調和の喜びを味わっていくことです。

前世でのあなたは自分の気持ちを顔に出さず、自分の全人格を誰にも打ち明けることなく生きてきたため、誰かと愛情を育(はぐく)む経験も持っていません。このため、あなたは誰かと深く関わることに潜在的な恐怖感を持っています。今生のあなたの大きな課題――それは能面のような顔でなにごともやり過ごすのではなく、もっと人間くさく人道的な振る舞いを思い出し、人々と深く関わる勇気を持ち、彼らとともによりよい明日に向かって歩んでいくことなのです。

前世経験の影響から、あなたの場合、他人や集団、社会にとって何が一番よいことなのか、またものごとがどのような経過をたどっていくかが見通せるという特殊な才能を生まれつき持っています。これを踏まえているあなたが育てる友情は、最も浄化された形での心の結びつきとなるのです。誰かとの関係を築くとき、あなたはこの才能の導くものに目を向けながら、あなた自身がその関係に求めるものをしっかりと満たし、双方の目指す方向に嬉々(きき)として歩んでいくことが、あなたの運命の道といってよいでしょう。

あなたが習得しようとしている課題は、自分のほしいものを手に入れる意志力や能力、あなたにとって大切な人間関係に熱意を注ぐ集中力、そして日々のこまごまとした営みが、あなたの描く最終的なゴールに向かっているかに気を配る監督能力を身につけることです。あなたの場合、特に大切なのは、ある人間関係が始まったら、何となく付き合うのではなく、この関係をどうしたいのかという明確な目標を持つことです。ある人との関係を始めたい、またある人との関係をこういう風に育てたいといった目標を持つと、あなたはその関係に主体的に関わるようになるからです。人との関係は放っておいても育つものではありません。よい関係にするにはエネルギーを注ぐ必要があり、意識を向けなければ、その関係はいずれ自然消滅するでしょう。あなたが関心を向けなければ、相手はもっと熱意のある相手を求めてどこかに行ってしまいます。

あなたが生まれつき持っているユーモアのセンスは、人々のわがままや勝手な思惑を楽々と切り抜けることができるでしょう。そしてあなたが親密な人間関係を構築する〝実験〟が時としてうまくいかないときにも、持ち前のユーモアの力で乗り切っていけるでしょう。

♓ 月が魚座にある人

◎素顔の魂

あなたがいつでも自分の理想とする世界観を他人に証明してもらおうとしていると、それはありのままの真実から目を背けているようなもので、いつまで経(た)ってもものごとの真の姿を見極める鑑識眼を持つことができません。あなたが自分の描く世界観や理想の世界の中に閉じこもっていると、知らない間にあなたは一般の世の中から完全に逸脱してしまい、自分を見失う結果に見舞われるでしょう。自分の考えに囚(とら)われていると、あなたは他人の意見や情報を見失い、予想不能なことが次々と起きる現実を捉(とら)え損なってしまいます。

あなたが心に描いている理想の姿を、周りの人が共有できないとき、あなたは何となく裏切られたような寂しさを感じます。こんな素晴らしいことが理解できない彼らは低俗だ、バカだ、などと他人の非難を始めたら、あなたはそのまま孤立の道を驀進(ばくしん)することになるでしょう。逆に、理解されない自分を厳しく断罪しても結果は同じ。他人との距離は広がってしまいます。人々はあなたの心にある理想と現実のギャップを見せつけ、あなたは繰り返し落胆させられるでしょう。こうしてあなたは自己不信や混乱に見舞われ、人間関係にすっかり自信をなくしてしまうのです。

◎磨かれた魂

他人の人生を向上させるために、あなたができることを真剣に考えるようになると、それまでの論理性重視のコミュニケーションの方法ではうまくいかないことがわかってくるでしょう。本当のことを言えば、他人があなたの求めるような〝完璧(かんぺき)さ〟を身につけることは永遠に不可能です。人々はそれぞれの欠点に囚われていて、あなたが考える理想の姿に注意を払う暇がありません。あなたが今生で学ぶべき課題は、人々の否定的な発想や考え方を改め、希望に向かうように導くことです。彼らの心の中から否定的なものを追い出さないことには、肯定的で発展的な解決法が入るスペースが生まれないからです。前向きな発想を取り入れると、彼らは少しずつ自分の言動を前向きに調節できるようになっていきます。

あなたの使命である、「前向きな考え方を人々に伝えること」を実行するには、囚われている否定的な考えや見通しとは違うことが、現実に起こり得ると気づかせてあげることが大事です。人がある状況に陥ったときに取る行動は、その人の考えを必然的に反映しているものです。あなたが他人に〝完璧さ〟を期待するのをやめ、あるがままの他人の反応を心静かに受け止める決心をすると、あなたの耳に彼らの抱える問題や、人生がうまくいかない理由が聞こえてくるのです。あなたの周りの人々はただ自分の問題をあなたに伝えることにより、少しでも楽になりたいだけなのだとわかれば、あなたも構えることなく彼らの言い分に耳を傾けられるようになっていきます。

人々の否定的な発想に満ちた話を聞いていると、あなたは「そう、あなたは今、何が原因で困っているのかを話しているんだね」という解釈のもと、たちどころにその人の心の重荷を軽くしてあげられる、特殊な才能を持っているのです。

あなたが相手を理解したいという動機に基づき、やさしい口調でいろんな質問をしていると、誤解は一掃されるでしょう。その人の行動を裏付ける考えや傾向を理解できれば、あなたはその人と対等で、互いに実りある関係を結べるでしょう。こうして相手に対してあなたの心の扉を開放することにより、あなたが心から求めている無条件の愛をいつでも受け取れるようになるのです。

あなたがプラス思考の明るい希望の光を振りまくとき、あなたは人々にすべてはそのままですでに〝完璧〟なのだということを伝えるでしょう。あなたの役割は、人々がそれぞれの課題と取り組む過程で、ものごとの全体像を示してあげることです。他人が自分の力の限界を意識したとき、あなたがものごとを客観的に見通す認識力を発揮して支えてあげると、お互いに対する信頼と受容を大きく前進させるコミュニケーションが生まれるのです。この過程であなたは自分の描いてきた理想の正しさを再確認し、あなたの心は癒(いや)されていきます。

◎前世から引き継いだパターン

あなたは前世で一般社会から完全に隔離された僧院や修行道場といった場所で一生を送った経験を持っています。この影響から、あなたは人生に対するいくぶん未熟で短絡的な理想や考え方を持って、この世に生まれました。あなたは世の中の厳しい現実の中にあっても、どういうわけか芳(かぐわ)しい花の香りだけを選んで受け止め、人々や自分に降りかかる苦悶(くもん)に目を向けないという傾向がありませんか？　人生があなたの期待通りに展開してくれないと、あなたは深く傷つき、落胆しますが、数日のうちにあなたは立ち直り、またバラ色の眼鏡で世の中を見るようになるのです。

僧院や寺院で過ごした前世経験があなたの無意識に色濃く刷り込まれているため、あなたは自分の精神を癒し、心のバランスを維持するためには一定の物質的な豊かさが必要だと考える傾向があります。あなたはいつも誰かに面倒を見てもらい、料理人の作った食事をとり、誰かが決めた毎日の日課をこなすという日々を送ってきたのです。たとえば僧院や修道院の中ではベルの音が鳴ると起床し、お祈りや修行の時間も食事の時間も内容も、すべて与えられるものを黙って受け入れるだけの生活です。こんな生活をいくつもの人生で続けた結果、あなたは自分の意思で行動し、人生を切り拓(ひら)くことを忘れてしまいました。そしてそれこそが、今生のあなたの大きなテーマなのです。自分の毎日の時間をどう使うかを自分で決め、自ら始動のベルを鳴らし、自分の人生に責任を持つことを、あなたは今生に学びにきたのです。

前世の記憶から、あなたは時は永遠に流れるもので、現実とは仮の姿であるかのように捉えがち。けれども今生のあなたの使命は、前世の修行で身につけた精神世界の価値観を現実の日課に落とし込み、毎日をふわふわと生きる代わりに物質界に根をおろし、きちんと日課に従って自分を律しながら生きることです。これができると、あなたは自分の足でしっかりと立ち、自力で生きている感覚を持ち、精神的な価値観と自分のいる物質界のバランスが取れている感覚が得られます。

正しい食生活や健康維持を自分で管理することも、今生のあなたがマスターすべきことです。前世のあなたはすべてを神や誰か他の人に委ね、ただ出されるものを食べて指示通りに暮らしていたので、自分の心身の健康を維持することさえも自分の〝管轄〟外のことでした。しかし今生のあなたは自分の食するものをきちんと識別し、自分の身体や精神がバランスを保ち、強くなるために必要な栄養素を選んで摂取することを学ばなくてはなりません。これができるとあなたの精神は毎日活発に、滞ることなく続けられるようになります。

前世でのあなたは宗教的世界観の中で生きていて、神や宇宙の摂理に全面的な信頼を寄せ、わがままや自分のエゴイズムを消失させるというゴールに向かって修行をしていました。このため、自分のために物質的な豊かさを求めることは「邪念」として遠ざけてきたのです。過去に延々と繰り返されたためにバランスを失うほど強くなってしまったその傾向は、今あなたが生きている現世に馴染まず、あなたの人生にある種の停滞をひき起こしてしまいます。あなたの神や自然に対する畏敬の念、そして無条件の愛情を、今生では神ではなく日常の何気ない暮らしに振り向けるよう意識していると、停滞していたエネルギーがまた流れ出し、満ち足りた気持ちが戻ってくるでしょう。日常生活の細かなことでも、漫然とやるのではなく一つひとつ目標を明確に意識し、ルーズにならないよう自分を律することも大切です。

精神性ばかりを追い求めてきた長い過去生の繰り返しを経て、今あなたは自分の魂を物質的な充実感や喜びで満たすという季節を迎えています。修道院やアシュラムで全面的に生活を支えてもらいながら、あなたは自分の心の修練を積み、魂を浄化させてきました。今生で、あなたはその成果を身の周りの人々に分け与えるという使命を持っているのです。そんな前世の記憶はすでに失っているとお考えかもしれませんが、あなたの心の奥に目を向ければ、無条件の人類愛や、他人を癒すエネルギー、やさしさにあふれる理想のコミュニティーのイメージなど、前世を禁欲的な修行に捧げ、浄化されたあなたの魂の片鱗はすぐに見つかることでしょう。

今生であなたは奉仕することが義務付けられています。この運命に逆らうと、あなた自身が苦しむことになるのです。あなたは進んで社会奉仕活動に自らの身を投じるか、あるいは世間に蹂躙され、誤解されて人知れず悲しみの毎日をひっそりと送るか、選択は二つに一つ、という運命なのです。あなたが漫然と無目的な日々を過ごすのをやめ、小さなことにも目的意識を持って建設的な毎日を送るようになると、毎日の日課があなたを支え、行動のリズムが宇宙の感情エネルギーと作用して、均衡のとれた心身を形成してくれるのです。このリズム感が習慣化すれば、あなたは今生でもう感情エネルギーの乱れに悩むことはなくなるでしょう。

月があるハウス

第1ハウス

心に浮かんだ感情を正直に偽らないで表現する率直さを身につけると、いつでも心の均整と安らぎが得られる。

第2ハウス

目に見える物質的な豊かさを手に入れることにより、心の均整と安らぎが得られる。

第3ハウス

常に変化を続ける気持ちや考えをその都度コミュニケーションすること、そして教えること、書くことを通じて心が安定する。

第4ハウス

繊細で温かみのある気遣いで他人を支え、家庭的な環境を維持すると、心の均整と安らぎが得られる。

第5ハウス

創造力を駆使して、他人にインスピレーションを起こさせ、ドラマチックな感情表現を身につけると、心の均整と安らぎが得られる。

第6ハウス

あなたの考える義務や役割を他人にわかりやすく教え、他人に物質面の奉仕をすることにより、心の均整と安らぎが得られる。

第7ハウス

結婚や仕事上のパートナーシップを健全に築くとき、また社会活動の中で人々とともに働き、そこからパートナー関係を構築するとき、心の均整と安らぎが得られる。

第8ハウス

他人と心理的・物理的・情動的絆（きずな）を結ぶとき、また他人と深くわかりあった結果、自己認識が変化したとき、心の均整と安らぎが得られる。

第9ハウス

高邁（こうまい）な哲学や理想を他人と共有できたとき、また教える経験や旅行、知的好奇心を満たす経験などが得られるとき、心の均整と安らぎが得られる。

第10ハウス

自分の社会的地位や権威が高められるような公共的活動に従事したとき、また高い地位や権威を身につけて人々の上に立つとき、心の均整と安らぎが得られる。

第11ハウス

自分の気持ちや理想について忌憚（きたん）なく語り合える友人や集団といるとき、また人道的な理想を掲げる多様で規模の大きな組織や活動に参加するとき、心の均整と安らぎが得られる。

第12ハウス

物質界、俗世間を超越した神秘的な精神世界の摂理や理想を感じるとき、また宇宙の慈愛のエネルギーや癒（いや）しエネルギーを自らが媒介となって人々に伝達できるとき、心の均整と安らぎが得られる。

水星

コミュニケーション能力を磨く

〈バースチャートの水星の位置が示すもの〉

・あなたのコミュニケーションの傾向を示す。
・あなたが自分らしくいることや真実を語ることを恐れる理由を示す。
・あなたの気持ちや考えを他人にはっきりと伝えることを阻む心の障害に光を当て、その理由を示す。
・終わりのない精神的苦痛や、悲観的な未来予測に囚(とら)われる考え方を引き起こす元凶となる、心の内なる対人恐怖やそのパターンを示す。
・人との調和や親密さを築くコミュニケーションの方法を示す。
・人とわかり合い、友情が生まれるような心の絆(きずな)を作る、あなたの個性に合ったやり方を示す。
・あなたの精神性や知性の特徴を表す。
・人にきちんと伝わる効果的なコミュニケーションを習得するにはどんなことに意識を向ければよいかを示す。

♈ 水星が牡羊座にある人

◎素顔の魂

あなたは誰かと会話をしているとき、相手があなたに敬意を示し、話に耳を傾けているという反応を求めすぎる傾向があります。この傾向が強く出ると、あなたのコミュニケーションはうまくいかなくなることが多いでしょう。あなたは話をするときに、ちょっと相手を圧倒するような勢いで向き合う傾向があります。相手の目に、その様子はほとんど軍人のような高圧的な態度として映るかもしれません。相手に挑戦しているかのような、威嚇(いかく)するような姿勢に聞き手は恐れをなし、あなたから距離を置くようになると、あなたは人々に誤解され、孤独感を深めるでしょう。

◎磨かれた魂

会話をするときに、相手に〝行動のヒント〟を与えることに意識を集中するようにすると、あなたの好戦的なエネルギーは、刺激に満ちた会話へと変貌(へんぼう)するでしょう。意識を自分ではなく、相手に向けることによ り、あなたは相手が抱える状況に新たな見方を吹き込むことができるのです。日頃から相手のリアクションに注意を払っていると、あなたは言葉にする前に、相手がどんな反応を示すかを予想できるようになるでしょう。この感覚を常に持っていれば、あなたの強い自己主張もプラスに働き、自分らしさを抑えることなく自由な表現を楽しめるようになっていきます。

♉ 水星が牡牛座にある人

◎素顔の魂

あなたは他人に話をするとき、相手が関心を持ってくれているか、協力してくれそうか、がはっきり見えないと不安になるという傾向があります。求める関心や理解が相手から得られるかどうかばかりに気を取られて、あなたは相手に対して自分の計画や考えについてくどくどと何度も話すことになるでしょう。その結果、あなたの中でもその計画の具体的な形や考え方が膨張し、過大視されるようになります。そうしてこれに固執するうちに、創造力が発揮されにくくなっていきます。あなたは自分の考えを押し通すことにこだわる傾向もあるため、他人の考えをあからさまに排除することがあります。他人の考えを受け入れる柔軟さがないと、他人の協力を仰げず、あなたの計画は実現から遠ざかってしまいます。

◎**磨かれた魂**

あなたが他人に対してオープンな姿勢を持ち、自由なコミュニケーションを心がけていると、また「他人の意見はあなた自身の考えと同じくらい貴重なものだ」という考えで対話に臨むと、他人の意見が実際にあなたの意見を向上させ、変革させていく力を持っているということに気づくでしょう。あなたが他人のインプットを、自分の貴重な〝情報源〟として捉(とら)えられるようになると、あなたの考えは以前より多くの人々に受け入れられるものになっていくのです。あなたには無から有を生む才能があるので、この実力と、他人との効果的なコミュニケーション能力を合体させると、自(おの)ずからプラスの結果が生まれ、あなたは自分の存在価値に改めて気づくことになるでしょう。

II 水星が双子座にある人

◎**素顔の魂**

あなたはとりあえず多様なタイプの人々と親交を持ち、ひと通りの知識にアクセスできることをとても重要視します。けれどもあなたが付き合う相手や、取り組む対象との表面的な調和や体裁(ていさい)を保つことばかりに気を取られていると、あなたはせっかくの知的な能力を使う機会に恵まれません。目先の印象だけで情報収集を続けていると、あなたは役に立たない無駄な知識ばかりを拾い集め、しまいに不用な雑学の収集家になってしまいます。双子座特有の軽さと気まぐれに任せて、人の言葉の表面的な意味ばかりをなぞり、背後にある真実を探る姿勢を持たないと、あなたは議論の対象を次から次へと変えていくでしょう。こんな会話ではいくら語り合ってもどこにもたどり着かず、ただ時間だけが過ぎていくという不毛な結果に終わります。

◎**磨かれた魂**

あなたはいろんなことに興味を引かれる性格です。

これを自覚した上で、人と話をしているときは、興味を持っていることがらの中でどれか一つに意識を集中させるようにしましょう。するとあなたの頭の回転の速さや順応性、そして純粋に論理的なところが刺激され、どんな相手とも有意義な会話ができるようになります。効果的なコミュニケーションのコツは、あれこれと思いつきで話題の大風呂敷を広げないようにして焦点を絞ること。そして明快なコミュニケーションを心がけて、次の話題に移る前に一定の結論を引き出すようにすること。それができるとあなたはそれまでの万年学生のように知識をあちこちからつまみ食いするだけの器用貧乏から、多様な知識を総合的に操り、他人を導く教師へと成長できるでしょう。

♋ 水星が蟹座にある人

◎素顔の魂

あなたにとって、周りの人々との情緒的な結びつきはとても大事なことです。けれどもあなたが相手との気持ちのつながりを持つことばかりを気遣っていると、あなたは意思の疎通よりも自分の不安定な気持ちのことで頭がいっぱいになってしまうことでしょう。あなたのそういう態度は相手に両極端の反応を引き起こします。あなたのいくぶんウェットな仲間意識を受け止めて仲間になってくれるか、あるいは逆に「あなたとは仲間じゃない」と明確な拒絶を表すかのどちらかになるでしょう。自分を温かく受け入れてほしい気持ちをしまっておけず、相手に同調を求めることにより、あなたはそれまでニュートラルな立場にいた人々をわざわざ敵に回すという事態を自ら招いてしまうのです。

◎磨かれた魂

あなたが自分の気持ちだけでなく、相手の気持ちにも意識を向け、それらを客観的に受け止めようとすると、あなたのコミュニケーション能力は、言葉を超えた深いやりとりに変わっていくでしょう。あなたは相手と気持ちの波動を一つにすることができ、心の絆（きずな）を結び、あなたは持ち前の深い共感と愛情を相手に示すことができるようになるでしょう。

♌ 水星が獅子座にある人

◎素顔の魂

あなたはもともと目立つことが大好きな性格です。けれども人の注目を集めようとあれこれ考え、大げさな表現をしていると、あなたは独裁者のような横柄でひとりよがりな態度になっていくでしょう。相手は引いていき、コミュニケーションは一方通行となります。こうしてあなたが意図していなくても〝あなたの言葉は他の誰のどの言葉よりも重要である〟との印象を聞く人に与えてしまいます。この、相手との対等さを欠いたコミュニケーションは、あなたが最もそばにいてほしい人々を遠ざける結果を招きます。

◎磨かれた魂

あなたの言葉や表現が相手にどのような影響を与えるかをよく見てみると、ときに過剰にドラマチックなあなたの演出は、コミュニケーションを盛り上げる場合もあれば、自説の信憑性（しんぴょうせい）をぶち壊すことにもなるということに気づくでしょう。〝劇場的効果〟を駆使して会話をするというあなたの手腕を発揮すれば、とりあえず相手に強い印象を残す効果は抜群。ただし、よい印象か悪い印象かはあなたの持っていき方次第なのです。あなたの意識が、ドラマチックな演出そのものではなく、相手と話すことで何を目指しているのかに向けられていれば、あなたは相手に洞察を与え、相手の考えを創造的にサポートすることにもなるのです。あなたは愛情と関心を自分にではなく、相手に向けることにより、本能的に自然な自己主張ができるということを心にとどめておきましょう。その結果、人々はあなたに敬意を表してくれるようになるのです。

♍ 水星が乙女座にある人

◎素顔の魂

あなたが自分や他人の考えが正しいか正しくないかについていちいち判決を下していると、あなたの心には人をランク付けしたりカテゴリー別に分類したりするファイルが無限に作られるでしょう。そんなことをしていては自信を持って首尾一貫したコミュニケーションをすることは不可能です。分類好きの傾向をほうっておくと、あなたは周りの人々に〝辛辣な人〟という印象を与え、そばにいてほしい人々を遠ざける結果を招くでしょう。同時に、〝完璧主義〟をはきちがえて他人を批判していると、あなたは自分にも厳しい批判の目を向け、自信を喪失していきます。

◎磨かれた魂

あなたが宇宙の摂理やものごとの自然な成り行きをあるがままに受け入れる姿勢を身につけると、人の失敗に目くじらを立てたり、自分の失態を弁解したりする傾向が減っていくでしょう。自分に寛大な目を向けることで、あなたは持ち前の完璧主義を生かして仕事を成し遂げることができ、しかも私生活でも仕事と同じ厳しい基準で自分を縛ることがなくなっていきます。あなたが自分の完璧主義へのこだわりを捨てられるようになると、他人とのコミュニケーションの質が向上し、人間関係そのものが一段高いレベルに達します。あなたは自分の人間性を自分に対して証明する必要を感じなくなるため、他人に対しても自己防衛的、自己弁護的な姿勢を持たなくなるからです。

♎ 水星が天秤座にある人

◎素顔の魂

あなたは人と会話をするとき、自分の言うことが正しいかどうか、的を射た話をしているかどうかを相手の反応によって判断しようとする傾向があります。けれどもいちいち相手の反応を気にしていると、効果的なコミュニケーションができず、会話が滞ってしまうでしょう。相手に拒絶されることを恐れて正直な気持ちや考えを相手に伝えないという行為は、あなたの心をからめとり、自由な発想を奪うため、あなたは論旨があいまいな話しかできなくなってしまいます。あなたが心に浮かんだことを隠す行為は不誠実さにも発展し、自分の正直なレスポンスが確認できないために自分の考え方の基盤が揺らぎ、客観的な認識力さえ失う結果を招いてしまいます。

◎磨かれた魂

あなたが自分の話そうとしている内容に意識を集中させ、それをみんなにそのまま伝えるようにすると、

☿ *Mercury*

あなたは自分の発した、てらいのない言葉が、どれほど大きな影響を他人に与えるかがわかるようになっていきます。「他人が何を聞きたいか」を先回りして憶測するのではなく、「自分は何を語るべきか」に意識を向けることにより、あなたは心にある正義や真実、調和などを聞く人々の心の中にも築き、その場の結論をよい方向に導くことができるでしょう。そういう意思疎通ができるようになると、あなたにはもともと天賦の外交手腕とコミュニケーション能力が備わっていることが次第にわかってくるでしょう。そしてあなたは自分の考えを何一つ妥協することなく、他人にこびたりすることもなく、人々と調和に満ちた関係を築けることに気づくでしょう。

♏ 水星が蠍座にある人

◎素顔の魂

あなたには他人を自分の意のままに動かしたいという強い権力志向があります。このため自分の願望や動機をうっかり相手に知られ、他人に対するあなたの権威を喪失してしまうのではないかという恐れが常に心の中を占め、あなたのコミュニケーションはどことなく自己防衛的、秘密主義的になっています。権利意識が強いため、相手が何かを要求するとすかさず自分も主張するといった、したたかな〝目には目を〟の精神も持っています。あなたが自分の感情を他人に見透かされ、立場が弱くなってしまうのを恐れ、心にある考えや気持ちを隠していると、あなたの心はいつでも落ち着かず、葛藤を繰り返すことになります。その結果、あなたは不満を怒りに変え、苛立ちから相手を威嚇するような行動が起きたり、あるいは逆に、コミュニケーションを全面的にシャットダウンするという極端な方向に発展し、いずれの場合も孤立が待っています。

◎磨かれた魂

あなたは相手を操作したいという欲求以前に、自分にとって何が大切かに立ち返ることが大切です。そこに意識を向け、表現するようにすると、あなたの鋭い現状認識力が活発になり、コミュニケーションは言葉の意味するレベルを超え、深い洞察を帯びてきます。こうしてあなたは誰も気づかなかった大切なことがらに光を当て、その場の人々や状況を変化させる力を持つのです。言外の意味をくみ取れるという蠍座特有の鋭い才能をみんなと共有するようにすると、人々が語らない秘めた動機が少しずつ明らかになっていきます。これに気づくことにより、あなたはその場の人々に貢献できるだけでなく、自分自身の洞察力に磨きをかけ、さらに地に足がついたスタンスが身についていくでしょう。

♐ 水星が射手座にある人

◎素顔の魂

あなたは自分の知性が自慢です。けれども他人に対する知的優位性ばかりをアピールしようとしていると、本題がおろそかになり、会話も空虚なものとなっていきます。理性的な判断が後回しにされ、何の事実も理論的裏付けもない、不毛な議論のために時間を浪費することになるかもしれません。高慢なスタンスで、他人を見下ろす道具として相手を諭すように論理を振りかざしていると、もうあなたの話に付き合う人はいなくなってしまうかもしれません。

◎磨かれた魂

よりよいやりとりをするにはまず、感情に基づいた偏見と、客観的な事実や論理性に基づいた考えとを区別することが大事。これ見よがしのセリフがなくなれば、あなたの独善的態度も収まり、孤独に苛（さいな）まれることもなくなるでしょう。そうしてインスピレーションに富んだ会話を進められるようになれば、もう自分の頭がいいことをことさら主張する必要もなくなります。他人をワクワクさせるほどのあなたの話術は、コミュニケーションを双方向に活性化することによりさらに開かれていくのです。

♑ 水星が山羊座にある人

◎素顔の魂

完璧（かんぺき）主義のあなたは、人と会話をしているときにすべての答えを持っていないことが自分の立場を弱くするのではないかという恐れを持っています。けれどもこの不安を隠そうとしていると、あなたはどんな分野でも究極の情報を持っている知識の権威であるかのように振る舞うようになってしまいます。あなたはあらゆる機会を駆使して知識をかき集め、権威者としての立場を守るために何かにつけて他人に知識をひけらかすようになるでしょう。これが続くとあなたは他人から敬遠され、信用を失うことにもなりかねません。もったいぶった偉そうなあなたの態度に幻滅させられた人々は、もうあなたに何の情報も与えようとしなくなるでしょう。そんな中で意味のあるコミュニケーションが期待できるはずもありません。

◎磨かれた魂

人と会話をしているとき、相手がどんな情報を求めているのかに目を向けると、あなたは何の努力もなくその状況にふさわしい、相手の求める情報を共有できるようになるでしょう。あなたが純粋に人々の求める情報を伝えたいと願ってさえいれば、あなたはもったいぶった話し方をしなくなり、実利的で効果的な会話ができるようになります。他人よりも高い立場にいたいという山羊座特有の欲求を自覚し、自粛できれば、双方が目指すゴールに近づくために必要な情報が、相手から自然にもたらされるようになっていきます。

相手の気持ちや受け取り方に目を向ける習慣をつけると、あなたはそれほど自分の権威を保つことに固執しなくなっていくでしょう。そうするとあなたは上手に状況を仕切れるようになり、権威を独り占めしたいと思わなくなっていくのです。すると他人はあなたの状況処理能力を賞賛し、感謝するようになるでしょう。

♒ 水星が水瓶座にある人

◎素顔の魂

あなたはクールで偏見のないスタンスを取ることが好きです。けれども客観的なものの見方にこだわりすぎると論理性ばかりが強調されることになり、あなたのことばは、どこか人間味のない、突き放したようなものになっていきます。その結果、他人はあなたを冷たい人と感じ、相手との共感や情緒的な結びつきが築けなくなってしまいます。中立的な立場を守ることにこだわっていると、あなたは他人を冷淡に遠ざける結果を招きます。普遍的なスタンスでの建前や寛大さ、建前論の博愛精神にこだわりすぎると、他人との本音レベルの会話がちぐはぐになってかみ合わず、相手から抽象的で筋の通らない仕返しをされることにもなりかねません。その結果、あなたは人々に遠巻きからしか付き合ってもらえなくなってしまいます。

◎磨かれた魂

あなたが建前論を振りかざしたい欲求をちょっと横に置いて、他人との情緒的な結びつきを重視すると、人々の本音やデリケートな感性が見えてきます。一人ひとりの個性が見えてきたら、その人格を下敷きに人道的な理想を生かす方法が見えるようになっていくでしょう。そうしてあなたは自らを解放し、他人に共感するように努めているうちに、一人ひとりが持っているユニークな人生観を共有するための回路を開けるようになっていきます。他人の視点と気持ちに理解を示すことにより、あなたの客観的すぎて、非人間的になりがちなコミュニケーションのパターンが緩和されていくと、あなたは楽々と自分の意見を発表できるようになっていくでしょう。

♓ 水星が魚座にある人

◎素顔の魂

あなたはいつでも心に麗しい理想を描いていますが、その完璧なイメージに固執していると、理想という名の幻想に囚われ、現実を見失ってしまうという危険を孕んでいます。他人から否定されることを恐れるあまり、自分の心に浮かんだ直感的な考えをひた隠しにするということもあるでしょう。そういうことをしていると、あなたは自分の感情に溺れて的確なコミュニケーションをする能力が退化していきます。あなたが一人の世界に閉じこもり、他人とのやりとりを避けていると、あなたは自分の心のイメージを実現させるために必要な判断力や分析力を弱体化させてしまいます。

◎磨かれた魂

あなたが目の前の現実から目を逸らさず、そこからいかに精神的価値が損なわれているか、あるいは現状がどれほど混乱しているかに注目するようにすると、その現状認識によりあなたは恐れに打ち克ち、対話を通じて他人に貢献できるようになっていきます。あなたの創造力や直感を相手と分かち合うと、他人はあなたの霊的な感性の中に入ってきます。あなたが直感的に描く理想を目に見える形に翻訳して人々に伝え、貢献すると、それは状況や人を癒(いや)すエネルギーとなっていくのです。

☿ 水星があるハウス

第1ハウス

高度な言語表現能力を表す。臨機応変な会話ができ、これが行き過ぎると薄っぺらい会話に終始することもある。

第2ハウス

ものごとを自然に、かつ現実に即した認識力で見ることができ、目に見える成果を引き出すことができる。

第3ハウス

他人の思考回路を読み取る能力があるため、他人の考え方をよくも悪くも操作することができる。

第4ハウス

他人の心の深いところにある心情を読み取る能力を持つため、それらを踏まえた温かいコミュニケーションができる。

第5ハウス

コミュニケーションをドラマチックに演出し、人々の関心を喚起(かんき)する才能を持っている。

第6ハウス

ばらばらのことがらから一貫した法則を見通し、包括的な評価を下す才能があるが、これを使って辛辣（しんらつ）な批評をする場合と、建設的なインプットをする場合に分かれる。

第7ハウス

対立する二つの立場を公平に理解する才能があり、仲裁や外交手腕を持つ。ときに真実に則した、語るべきことを語らず、相手が聞きたいことを語ることもある。

第8ハウス

人の言葉の裏に隠された真の動機がわかるため、人を操作する才能がある。これは人を成長させる方向に導く場合と、自分のために他人を利用する場合とに分かれる。

第9ハウス

深い洞察力と哲学的なスタンスを持ち、直感に基づく会話をする能力を持つ。これを使って他人に知的劣等感を感じさせる場合と、他人に洞察を与え、教え、導く場合とに分かれる。

第10ハウス

よくも悪くも他人を操作するような会話術を身につけていて、よくも悪くも観衆の前で権威者とコミュニケーションをとるのを得意とする。

第11ハウス

ものごとを客観的に捉（とら）える視点を持ち、相手を怖がらせず、疎外せずに親しげなコミュニケーションができる。

第12ハウス

現実や現象を超えた、ものごとの精神的価値や霊的な意味をくみ取る才能を持ち、これを他人と共有できる。

〈バースチャートの金星の位置が示すもの〉

・人々や社会と調和して毎日を過ごす方法を示す。
・社会的な状況で、あなたが自信や信用、自尊心を損なうパターンについて示す。
・自分の気持ちや考えを表さずにいると自信が損なわれていき、逆に自己主張していると満足感や自信が湧(わ)いてくるというパターンが起きやすい分野と法則を示す。
・心の中にあることを十分に表現することを無意識に抑制すると自尊心が育たず、他人の批判や拒絶を恐れて表現を控えていると自分の潜在的能力を開発できないというパターンが起きやすい分野を示す。
・自分の価値観よりも世間や他人の価値観を優先し、自分の心の喜びをあきらめてしまうという行為が起きやすい部分について示す。
・他人との和(なご)やかなやりとりの中で、あなたの豊かな表現能力が発揮できる部分を表す。
・快適で楽しい人間関係を作るあなたらしいやり方を示唆し、あなたらしいやさしさ、温かさを他人と共有し、人々を幸福にできるパターンを示す。
・あなたの存在価値と自尊心を高めるための近道や鍵となるポイントを示す。
・愛情表現の受け取り方を示し、あなたのセックスの特徴を表す。

♈

金星が牡羊座にある人

◎素顔の魂

あなたは自己主張が明確にできる人です。けれども自分の主張をあまり強く掲げていると、あなたは周りに対する配慮の浅い人として人々の目に映り、強引な人物だというレッテルを知らないうちに貼られてしまうでしょう。そしてとりあえずあなたに逆らいたくないという理由で同調してくれる人は見つかっても、その人は長い目であなたと付き合い、力強く支えてくれる友人とはならない可能性が高いでしょう。あなたは自分の正当性を示したいばかりに他人と比較し、他人の間違いを指摘する傾向がありますが、そういうやり方では議論そのものには勝利するかもしれませんが、あなたはどんどん孤立を深めていくのです。

こうして親しい友人を作りたいという姿勢がなくなってくると、あなたは自分の魅力や存在価値を疑うようになり、人との接し方にも自信を失っていきます。あなたは本来集団の中でリーダーシップを発揮できる人ですが、人付き合いの中で能力を出せずにいると、そこには秩序が失われ、誰にとってもよくない状況が生まれるでしょう。

◎磨かれた魂

あなたには組織や集団の中で率先してものごとを始める能力があります。つまり、生まれながらにリーダーの資質が備わっているのです。いつでも牡羊座特有の熱意と勇気にあふれるあなたは、グループの人々に希望とやる気を吹き込む力を持っているのです。

あなたがそういう力を自覚する一番いい方法は、そのエネルギーを使って人々に自立することを教え、自分の力で道を切り拓(ひら)くための応援をしてあげることです。あなたは人々が自分の力に気づき、もっと強くなりたいという意欲を刺激し、導くことができる人です。人と関わるうちに、世の中には自分の能力に不安を感じている人が多いものだということがわかるでしょう。そこであなたにできるのは、彼らを勇気づけ、自分を信じて思ったことを主張するよう導くことです。こうして人々の心に自立の芽を育(はぐく)むにつれ、あなたは自分の中に、ゆるぎない存在価値が育っていることに気づくでしょう。

あなたがリーダーとしての資質に加え、人々の心情に共感できるようになると、あなたは組織や集団を元気づけ、調和したグループを作り、まとめていく自信が身についていくでしょう。そういう環境で、あなたは独自性を存分に発揮しつつ、周りの人々の個性も輝かせる存在になれるでしょう。

♉ 金星が牡牛座にある人

◎素顔の魂

あなたにとって自分を取り巻く環境の快適さはどうしても譲れない要素です。けれども人付き合いの中でもそれにこだわり、周りの協力を要求してしまうと、その結果、他人のもちものや権利まで取り上げることになりかねません。これでは物質を集めて豊かになっていくという、あなたが生まれつき持っている牡牛座特有の優れた資質が台無しになってしまうでしょう。

あなたのもちものや財産を、周りの人々と分かち合うべきところでしぶっていると、金銭や物質を蓄積するあなたの才能に自信が失われ、もっと豊かになるための道を閉ざすことになるでしょう。

あなたが所有欲から他人との間に壁を作り、心から愛せる仲間がいなくなると、もう一つのマイナス要素が生まれます。それは、五感の優れたあなたにとって非常に大切なスキンシップや官能体験の喜びから遠ざかってしまうということです。これでは人付き合いの喜びを十分謳歌(おうか)しているとは言えません。

◎磨かれた魂

あなたが人々から孤立することなく幸福になるためには、あなたが持つ二つの財産、つまり自分がすでに所有する財産、そして無から有を生み出す能力という無形の財産を人々と広く共有する意思を持つことが不可欠です。あなたが率先してそういう行動に出ると、人々もそれに倣(なら)い、こだまのようにあちこちに反射して定着していきます。またあなた自身の中に人のためになるいいことをしているという実感が生まれ、物質的な豊かさがもたらす安心感の中で、人々と価値観を共有できる喜びを感じるでしょう。

自分の存在が他の人々の目にどう映るかについて、不安を感じる人が多いものだということがわかるにつれ、あなたは彼らを勇気づけ、自信をつけてあげられるでしょう。そういうことをしているうちに彼らはあなた自身の魅力に気づき、あなたにも気づかせてくれるようになるのです。あなたが持って生まれた繊細な五感の感性を人々と共有すると、あなたは人々とともにこの上ない快適さを味わい、満足感と喜びに浸れるようになるでしょう。

II　金星が双子座にある人

◎素顔の魂

あなたは頭の回転がとても速い人です。けれども人々との会話の中で、飲み込みが早い、ウィットに富んだ話ができるといった、あなたの〝頭のよさ〟をアピールすることばかりに意識を向けてしまうと、あなたの軽妙な話術も気さくなコミュニケーションという長所も、すっかり影を潜めてしまうでしょう。なぜなら、あなたは自意識過剰になり、自分の言うことにばかり気を配っているため他人の話や意見を聞き逃すからです。話があちこちで食い違うようになり、そのたびにあなたは自分のコミュニケーション能力に自信を喪失していくでしょう。人付き合いの仕方に誠実さが認められないと、人はあなたを信用しなくなり、あなたも自信を失っていくのです。

あなたの豊かなコミュニケーション能力で、他人を操作し、欺(あざむ)き、あるいは表面的な演出効果を狙って口先だけの会話をしていると、あなたは誰よりも先に自分自身で寒々とした気分に苛(さいな)まれるようになっていきます。他人の目に映る自分をクールにかっこよく見せたいという欲求から会話をしていると、口先だけの軽薄な人物になっていきます。こういうコミュニケーションを続けていると、あなたの心の不安が拡大し、他人の思惑にいちいち翻弄(ほんろう)される、不本意な弱い人格を形成することになるでしょう。

◎磨かれた魂

あなたが持って生まれた双子座特有の軽妙な会話術は、人々との会話をいつでも明るく彩(いろど)ることができます。他人の視点に耳を傾ける姿勢があれば、あなたはほとんどどんな状況でも相手に希望や前向きの洞察を与えられるという才能を発揮し、相手を成長させてあげられるのです。人との凡庸(ぼんよう)な会話でも、刺激的で弾(はず)んだものにできるあなたの能力が実践されるたびに、人の輪の中でのあなたの地位が上がり、あなたの中で自信となって定着していきます。

他人の意見をさらに大きい視点で捉えなおして見せてあげると、それはその人の悩みや負担を軽くすることにつながり、相手は喜びと満足感をあなたに返してくれるでしょう。どんな状況でも人々に元気なエネルギーを注ぎ込み、気分を軽くしてあげることで、あなたはゆるぎない自尊心を身につけ、社会的役割を果たす自信を心にみなぎらせていくでしょう。

♋ 金星が蟹座にある人

◎素顔の魂

あなたは繊細な人ですが、人々と付き合う中で、自分が傷つきたくないからといって自分の殻に閉じこもっていると、あなたはいつの間にか周りから孤立してしまうことになります。自分ひとりの世界に浸っていると、他人に受け入れてもらえないかもしれないという思い込みによる恐れから、あなたの持ち前の魅力である、他人と深いレベルで分かり合える能力を発揮できなくなってしまいます。そうこうするうちに、あなたは人間関係の苦手意識が募り、引きこもるようになっていくでしょう。

あなたの心の中には、あなたが傷つかずにいられるために、他人はこうあってほしいというイメージがしっかりとできています。こういうひとりよがりな心の窓からものごとを見ていると、他人はどの人もあなたの感性を理解できない無骨者で、いつでもあなたの神経を逆なでする、がさつな人々に見えてしまうでしょう。

他人の関心を自分に向けさせたり、やさしくしてもらうためにコントロールしようとすると、あなたが本来持っている蟹座特有の他人へのやさしいいたわりの心や育みのエネルギーを自ら封じ込めることになります。他人をコントロールしているうちに、あなたは他人との心の絆を失っていき、孤独感に苛まれ、自分の能力や人としての存在価値も疑問視するようになっていくでしょう。

◎磨かれた魂

あなたが持って生まれた繊細な感受性を他人のために使っていくと、人々の置かれた状況が少しずつ見えてきます。愛情深く潤いのあるやさしい感情で、あなたは周りの人を包んであげられるでしょう。人々の傷ついた心に出合ったらそこに共感し、そこから立ち直るよう励ましていると、あなたは世の中になくてはならない存在なのだという感覚が芽生えます。人々に自分の中にある思いやりの心、豊かな愛情を気づかせてあげることは、あなたが社会に生きている使命であり、大事な仕事なのです。これを果たすとあなたは人々に愛され、大切にされるようになるのだということを覚えておきましょう。

自分の心に浮かぶ多様な感情を受け止め、満たしてあげることの大切さを、あなたは誰より知っています。この知恵を周りの人に教えてあげるたびに、あなたはゆるぎない自尊心を築いていきます。人があなたに励まされて夢や目標を達成し、自信をつけていくとき、あなたもまた自分のしたことの大きな意義を発見するのです。あなたが無償の愛を多くの人々に捧げ、見返りを期待しないとき、あなたは人々に心から愛され、この上ない安心感と幸福感を自分のものにできるのです。

♌ 金星が獅子座にある人

◎素顔の魂

あなたは人付き合いの中で、いつでも他人の承認を求める傾向があります。けれどもこれが高じると他人に否定されやしないかという恐れに囚われるようになり、本来のあなたらしい太陽のような明るさが影を潜めてしまうでしょう。あなたはもともと社交好きで温かい雰囲気をたたえているのですが、この資質を発揮せずに他人の反応ばかり気にしていると、狭い枠の中に閉じ込められたような閉塞感を感じるでしょう。

相手に拒絶されたくないばかりに、おざなりの社交のパターンを作り、その枠の中で会話をしようとする場合もあるかもしれません。他人があなたに愛情を示してくれないとか、無視されるとか、あるいは厳しい批判にさらされることを恐れていると、人々と生きることは苦痛でしかなくなってしまいます。

自分で意図しないまでも、あなたは他人の承認を得たいと願うあまり、自分の表現を制御するだけに留まらず、他人を操作するようになります。他人の何気ない反応もすべて自分に向けられたものとしてピリピリと神経を尖(とが)らせていると、次第にあなたは社会的に孤立し、無力感に陥るでしょう。

◎磨かれた魂

あなたが相手の反応を気にせず伸び伸びと語ると、そこには他人を惹(ひ)きつけるドラマチックな話術が光ります。自然体でいれば心に余裕ができて他人のことも見えてきます。そして他人の心にもあなたと同じように承認してほしい、認めてほしいという欲求があることに気づくでしょう。持ち前の寛大な物腰で、あなたがまず先に相手を認め、承認してあげると、あなたは自動的にその集団に承認され、あなたもまた欠かせない一員として受け入れられるのです。あなたの言動にはカリスマ的な舞台効果が備わっているので、その才能を利用してみんなを舞台の中央に引き上げてあげてください。人々の才能に焦点を当て、そこに共感することで、あなたは彼らに自信を与え、単調な日常にぱっと明るい日差しとわくわくするような活気をもたらすことができるのです。

あなたには人の心の中で起きる微妙な反応を察知する感性があります。これを客観的に表現することであなたは人々に新たな気づきをもたらすのです。あなたの明るく開放的な態度は気さくで和やかなコミュニケーションを促し、そこではみんなが和気藹々(わきあいあい)と相手のことを思いやる雰囲気が生まれます。

あなたの寛大さと繊細さを生かして他人の気持ちを軽く明るい方向に導いていくと、あなたはもう人付き合いに対する苦手意識も不安もなくなり、社会の中で自分にできることを見つけた喜びに浸(ひた)れるでしょう。あなたの中には生来の演技力とも言うべき表現力があり、自信、温かさ、そして熱意が備わっていて、それを思い出すだけであなたは自分が好きになり、幸せな気分になれるのです。あなたが生まれつき持っている人道的な理想に向かって行動しているとき、あなたは人々とともにいる安らぎを心の底から感じられるでしょう。

♍ 金星が乙女座にある人

◎素顔の魂

あなたはものごとはこうあるべきだという厳格な基

準を持っていて、自分や周りが間違った方向に流れていくことをひどく嫌い、恐れる傾向があります。このため人間関係でも正しくあることへのこだわりが強く、自分が正しくありたいという主観的な都合のために、他人を〝利用〟することがあるでしょう。自分の願望の窓から外界を見て、他人のありのままの姿を見ようとしないあなたは、どの相手もあなたの高い基準に達しない連中ばかりだと不満を募らせることになるでしょう。人々を分析し、クラス分けして、劣っていると判断したグループを蔑んだりする傾向もありますが、さすがにあからさまに態度に表しては嫌われてしまうので、本心を隠して「私はいいけど……」などと持ちかけます。表面に出さないつもりでも、その差別意識は言動の端々に表れ、それは人々の心に壁を作り、あなたを心理的に孤立させていくのです。

　あなたには人間関係を充実させる才能が備わっているのですが、他人から拒絶されることを恐れて、あるいは他人に引け目を感じて、また他人からの批判を恐れていると、この才能が発揮できないばかりかいずれ消失してしまいます。あなたには生来の無私の奉仕精神があるのですが、この精神を抑制し、自分が得をするような行為を優先させると、物理的に豊かになっても、心の中では自尊心が衰え、自己不信がむくむくと湧いてくるでしょう。

◎磨かれた魂

　あなたは生まれついての奉仕家で、あなたの心に描く理想に即した奉仕の姿勢が備わっています。あなたの高い行動規範に基づいて、人々のためにプラスになる行動をすると、あなたは人々とすんなりと打ち解けられるようになり、人と絆を結ぶ満足感を経験するでしょう。

　あなたの持ち前の秩序を重んじる姿勢や分析能力を人々と共有し、関わる全員が満足できるような関係を築くと、あなたの自尊心は高まり、自信がふつふつと湧いてくるでしょう。

　人とよい関係を築く鍵となるのは、他人に拒絶されることに対する恐れの克服です。これを乗り越えられれば、あなたは自分の直感を信じ、心に見える高次の秩序を現実にもたらすよう行動できるようになるでしょう。そして自分が自分らしくあることの喜びを味わい、人々と自分が調和する完璧な関係が実現するでしょう。あなたは人のために尽くすことの深い意義を知るにつけ、深い自信と満足感を持ち続けることができるのです。

♎ 金星が天秤座にある人

◎素顔の魂

あなたは人と接しているときに、その場が気まずくなることを非常に嫌う傾向があります。このため、何をおいてもみんなが和気藹々（わきあいあい）としていることを重視するあまり、物議をかもす可能性のある意見は一切言わず、他人の言い分が正しくないと思っても異議を唱えようとしません。いつでもみんなの顔色をうかがい、自分の言動を他人の胸三寸に委（ゆだ）ねていても、得られるのは偽りの調和ばかりです。

あなたは真の調和をもたらす才覚を持っているのですが、これを発揮する代わりに人々の耳に心地よいことばかりを並べていると、あなたの意図に反してそれは人々の心を混乱させることになるでしょう。その混乱がもたらすのはあなたの自己不信と、自尊心の喪失です。

何らかの対立や緊張感のある場面で、「こうしたらうまくいく」という考えが浮かんでも、あなたの考えが周りに受け入れられないかもしれないという不安が少しでもよぎると、その場が険悪にならないようにという配慮から、あなたは正直な感想を仲間と分かち合うことをあきらめてしまいます。これもあなたの人間関係を混乱させ、あなたは無力感に苛（さいな）まれることになるでしょう。

◎磨かれた魂

「人前ではいつでもいい人を演じていなくてはならない」という固定観念を捨てることができたら、あなたはもっと自由に発言し、間違ったことは間違っていると遠慮なく指摘できるようになるだけでなく、よりよい解決方法を打ち出していけるようになっていきます。勇気を出して思ったことを口にできるようになると、あなたはどんどんあるべき方向に導かれていくでしょう。誠実に、隠し立てすることなくあなたの心に浮かんだ洞察をそのまま表現しているうちに、あなたは人間関係の中で自分が光っていることに気づき、自尊心が戻ってくるでしょう。

あなたが独自の価値観を、てらうことなくみんなの前で発表できさえすれば、あなたの求める調和やバランスは周りにきちんと伝わっていくのです。自分の価値観が伝わることにより、あなたは人間関係に自信を深めていくでしょう。あなたの価値観に基づき、何かが公正でないと感じたら、たとえ目先の調和が一時的に乱れても、より広い意味での調和や合意を目指してあえて苦言を呈(てい)することは、あなたにとってとても重要な姿勢です。これによりあなたの社会性が人々と共有され、そこには深い充足感が宿るでしょう。

あなたの心には、何が正しくて、何が正しくないかという答えがいつでもあります。これに基づいて言葉を選んで伝えていれば、そこに調和は自(おの)ずからやってくるのです。そしてそういう人間関係を築く過程で、あなたは確かな自信や自尊心を育てていくのです。

♏ 金星が蠍座にある人

◎素顔の魂

あなたは人間関係において、自分の地位や影響力を高めることにこだわるあまり、人々の隠された才能を見出(みいだ)せるという、あなたにしかない稀有(けう)な能力を発揮することができません。また仮に他人の才能に気がついたとしても、それを自分の望みを叶(かな)えるために利用してしまうことがあります。そういう野心を相手に悟られまいとすると、あなたは他人といても常に緊張感を漂わせ、自らの不安感の犠牲になっていきます。すると他人はあなたを信用しなくなり、あなたのためにその才能や資源を傾けなくなるでしょう。

あなたが持って生まれた、他人の隠れた才能を見つけ、引き出してあげるという洞察力を持ち腐れにしていると、あなたの人生は次第に停滞します。社会や他人との不完全な結びつきしか持てないと、あなたはだんだん気難しくなっていくでしょう。

気難しく頑固な性格を定着させてしまうと、あなたはもう誰とも会話や付き合いを心から楽しめなくなり、孤立していくのです。あなたはすばらしい才能や魅力を持ちながら、他人とそれを分かち合わず、語り合わないために自らの才能にすら気づかず、すっかり自信をなくしてしまうでしょう。

◎磨かれた魂

まず、他人の才能を見抜くあなたの能力は、あなた自身のためにぜひ活用すべきだということを認識しましょう。あなたには本人すら気づいていない能力を見出し、それを開花させるよう導き、励ます才能が与えられているのです。他人の才能を引き出し、伸ばしていくことにより、あなたにもすばらしいメリットが返ってきます。あなたの価値観にも変化が起こり、物質面でたくさんの機会の扉が開かれるようになるのです。

他人のいいところを引き出すたびに、あなたの存在価値も自尊心も高まり、他人が自らの能力に目覚め、成長していく姿にますますあなたは自信を深めていくでしょう。あなたはいろんな人の隠された能力を見つけ、育てることであなた自身の社会的立場や自信を育てるという運命にあります。周りの人のプロデュース実績に比例して、社会的な満足感を増大させていけるのです。

♐ 金星が射手座にある人

◎素顔の魂

あなたは人間関係の中で、自分の考えやスタンスを強調する傾向があります。そうすることにより、あなたは他人から自由を勝ち取り、独立独歩の態勢を守ろうとするのです。この傾向が高じると、あなたの側にある弊害が生まれます。それは、あなたが生まれ持っている才能、つまり他人の能力を見つけ、インスピレーションを与えるという能力に自ら蓋（ふた）をしてしまうことです。またあなたが自分の考えや生き方を他人にとやかく言われ、自由を奪われることを恐れ、他人と深く関わらないようにしていると、あなたはいつでも他人と遠巻きにしか付き合えない、存在感の希薄な人物と見られてしまいます。そして恐ろしいことに、やがてあなた自身も、自分を遠巻きでしか見られない無感動な人になっていくのです。

他人と深く付き合うことを恐れ、よそよそしい空気を漂わせたまま人と向き合っていると、あなたは誰とも絆（きずな）を結ぶことができず、社会に寂しく漂う根無し草のような茫洋(ぼうよう)とした不安と恐怖が募っていくでしょう。そして人生でどんな出来事に遭遇してもあなたは虚無感に苛(さいな)まれ、戸惑うばかりで先に進めなくなるのです。あなたが毎日の瑣末(さまつ)な気晴らしや小さな喜び、またその場限りの活動などだけで日々を送っていると、あなたは自分に対するプライドを失い、自分の将来に対する興味を失っていくでしょう。あなたが他人と真剣に向き合い、正直な気持ちや考えを分かち合う姿勢を持たないと、あなた自身の価値観が次第に損なわれてしまうのです。

◎磨かれた魂

あなたは自由に対する造詣(ぞうけい)が誰よりも深いので、あなたの周りの人々と、自由の意味や喜びを分かち合うことは、彼らにとって大きな力となっていくでしょう。あなたがまずするべきなのは、人とどう付き合うかを意識せず、その関係の自然な成り行きに任せてみることです。他人を信用し、楽観的な態度で接すると、あなたは相手にものごとの全体像を見せてあげることができるのです。その結果、あなたは相手とのやりとりを通じて常にあなたの世界観を拡大し、ワクワクするような興味の対象を次々に見つけていけるでしょう。

相手を信用し、誠実に向き合うことは、あなたに深い絆で結ばれた友情をもたらします。他人の心理が変化する過程に触れることで、あなたはその人の成長に関わり、勇気やインスピレーションを注ぎ込みながら、同時に自分に対する自信を深めていくのです。そして人々はあなたのおかげで既成概念に囚(とら)われたそれまでの生き方を捨て、自由に満ちた新しい人生を手に入れるでしょう。

♑ 金星が山羊座にある人

◎素顔の魂

あなたは秩序を重んじるあまり、ついつい仕切り屋を買って出ることが少なくありません。けれども仕切ってしまうと、社会のお手本を示し、正しい振る舞い方を人々に知らしめるというあなたの長所がうまく発揮できなくなります。これができないとあなたは自己不信に陥り、あなたの欠点を誰かに指摘されでもするとどうしていいかわからなくなり、固まってしまうでしょう。

あなたは社会的地位や名誉を得ることに人一倍敏感ですが、これを意識しすぎると人間関係はあなたにとって自分が出世するための道具、あるいは欲望を満たすはけ口としてしか見られなくなっていきます。そうなると他人と心から気持ちを通わせ、絆を築くことができなくなります。ほしかったはずの物質に囲まれても、最後に残るのは分かち合う友達が誰一人いない寂しい人生です。

あなたはプライドが高いため、失敗を極度に恐れる傾向があります。失敗をして社会的地位を失いたくないという強迫観念のために、はじめからチャレンジするのをやめていると、あなたは普通に試行錯誤していれば手に入るはずの、いろんな豊かさに対して自らを閉ざすことになります。そうなるとあなたは何も達成できない自分を哀れみ、自己憐憫に苛まれることになるでしょう。あなたは自分のイメージした物質的、社会的優位性を手に入れることができないために他人の賞賛を得られず、社会で認められることもなく、その結果あなたの自尊心は地に落ちていくでしょう。

◎磨かれた魂

あなたが求める社会的地位を手に入れるために必要な能力を、あなたは確かに持っています。それはあなたの社会性とも言うべき、世の中を見渡す才能です。あなたの考えや感じたことを人々と分かち合うことで、あなたは人々に正しく実際的に行動する方法を教えてあげられるのです。これができると、あなたの中にはゆるぎない自尊心が育っていくでしょう。

あなたは他人の社会的地位や財産にも非常に敏感です。このため、あなたが〝誰かのようになりたい〟とがんばり、自ら物質的豊かさを達成していくことで、他人に達成の手本を示すのです。あなたを見て刺激された人々は、社会的承認を求めてそれぞれの能力を最大限に発揮するようになっていきます。

世間との付き合い方や社会のメカニズムなどについて、あなたは他人より優れた認識を持っています。自分の目標を実現するには世間とどう折り合っていくか、というあなたの知恵を他人と共有することで、あなたは他人に評価され、自尊心とともに社会的地位も上がっていきます。あなたは自分の目指すゴールに向かって、ごく自然に振る舞っているだけで、周りに社会との付き合い方を教え、夢を実現する方法を見せていける人なのです。

♒ 金星が水瓶座にある人

◎素顔の魂

あなたはいつでもワクワクするようなことが大好きです。けれども刺激と興奮を求めるあまり、あなたが本来持っている、ものごとを客観的に受け止め、ありのままをやさしく受け止めるという資質が、発揮できなくなるという傾向があります。これに陥ると、あなたは薄っぺらで秩序のない、ただ刺激を求めるというだけの、無意味な経験の連続という毎日を送ることになってしまいます。

あなたはもともと人類全体に向けられた深い慈愛の感情を持っていますが、これが裏目に出ると、あなたはこれを口実に1対1で責任ある人間関係を築くという仕事をおろそかにする場合があります。その結果、あなたは誰とも親身な付き合いができず、無感動で孤独な毎日を送り、自尊心も自信もなくしてしまいかねません。

◎磨かれた魂

あなたが本来持っている、人々に対するわけ隔(へだ)てない愛情を、目の前の人に向けることが、有意義な人生の第一歩だと考えてください。慈愛の心を特定の個人に向けるとき、あなたは誰かと気持ちを通わせる喜びと期待の興奮を感じるでしょう。あなたの場合、特定の誰かとどれほど親密な関係になっても、その関係があなた個人の自由を奪う心配はありません。付き合う相手の人格や絆(きずな)の強さにかかわらず、あなたは自分が自由に生きるスペースを確保する能力をしっかり持っているからです。

自分独自のスペースを求めるあまり、突飛な行動で人々を引かせてしまわない限り、自由で楽しげなあなたの周りには、あなたと対等な友人関係を結びたい人が集まってくるでしょう。自立した人々と付き合っているうちに、あなたは自分の甘えや依存心を克服していけるようになっていきます。一時の刺激や興奮に導かれるのではなく、相手の人格そのものと向き合い、真面目(まじめ)な関係ができるようになると、あなたは特定の誰かと深くゆるぎない絆を結ぶことができ、そこから安定した人格を自ら築き、自尊心を高めていけるでしょう。

♓ 金星が魚座にある人

◎素顔の魂

あなたは生まれつきとてもやさしい性格です。けれども、このやさしさや慈愛の心を他人に見せずにいると、あなたは自尊心を持つことができないという運命を持っています。あなたは自分が取るに足りない存在だと考えると、自分や周りの人々を癒(いや)す稀有(けう)な能力を発揮できません。その結果、あなたは無力感に苛(さいな)まれ、その否定的な感情は周りの人々にも悪い影響を及ぼすでしょう。

あなたは親切で同情的な姿勢をいつも身辺に漂わせていますが、これは他人に利用され、被害者になりやすいという弱点にもつながります。利用されないまでも、他人の悪意や不機嫌さに触れるだけで、あなたは毒のあるマイナスエネルギーを吸収してしまいます。するとあなたのエネルギーレベルは低下し、気力を失ってしまうのです。世の中にいるのはいい人ばかりではないので、万人に対して奉仕の精神を持っていては、エネルギーがいくらあっても足りません。あなたはやさしく博愛的な愛情を向ける相手を識別できないと、自尊心が育たないのです。

◎磨かれた魂

あなたには生まれつき無償の愛が備わっていて、どんなときにもどんな相手にもやさしく接する能力があります。これがあれば、どんな軋轢(あつれき)の中にも調和をもたらすことができるのです。

人間関係でいくつかの正義がぶつかり、進退窮(きわ)まっているところにあなたが現れ、世俗的な損得や規則を超えた精神世界の摂理をもたらすと、そこにあった緊張感は和(やわ)らぎ、自然に解決に向かっていくのです。問題に関わることを恐れて逃げ出しさえしなければ、あなたにはそういう魔法の力が備わっているのです。対立やトラブルに直面したとき、現世的な問題点だけでなく、人の心の道理や宇宙の摂理にも照らした、慈愛に満ちたものの見方を他人と分かち合うことにより、あなたは自分をもっと好きになり、ゆるぎない自尊心を築けるようになっていくでしょう。

♀ 金星があるハウス

第1ハウス

自分らしい表現で愛情を示すことで自尊心が育つタイプ。みんなに好かれたいという欲求があり、独特の愛情表現を持つ場合もある。

第2ハウス

自分の資産や所有物と自尊心が結びつきやすいタイプ。快適な環境や美しく優雅な価値観をもたらす能力と比例して自尊心が育つ。

第3ハウス

多様な人々とのコミュニケーションや、彼らに知識や経験、そしてその結果として自由をもたらすとき、また、対立する二つの立場や考え方の溝を埋め、外交手腕を発揮するとき、自尊心が高まる。

第4ハウス

自分の持っている能力や資産で身近な人の自立を助けるとき、また、家庭環境と社会生活がしっくり嚙(か)み合うとき、自尊心が高まる。

第5ハウス

創造力を発揮して自己表現できるとき、また、集団や社会の中での喜びや楽しさを創出できるとき、自尊心が高まる。

第6ハウス

他人の役に立つとき、また、仕事の効率があがる環境作りができたとき、義務や役割をこなすことを喜びと感じるとき、自尊心が高まる。

第7ハウス

配偶者や何らかのパートナーと、愛情や資産を共有できるとき、また、人の主張を鵜呑(うの)みにせず、背後にあるものを読み取る能力や忍耐力を発揮するとき、自尊心が高まる。

第8ハウス

他人との性的な交わりや、財産を共有するとき、また、霊的なレベルで他人と調和するとき、自尊心が高まる。

第9ハウス

哲学的な洞察を他人と共有するとき、また、教師として哲学や論理的見解などを人々に教えるとき、自尊心が高まる。

第10ハウス

社会的な地位や名誉の取得に全力を尽くすとき、また、社会に上手に適応しながら自分の能力を駆使して目標を達成させるとき、自尊心が高まる。

第11ハウス

自分の能力や資産を組織や集団に捧げるとき、また率先して友達や組織の間に友情や調和をもたらそうとするとき、自尊心が高まる。

第12ハウス

宇宙の摂理、精神的価値や愛情を他人と共有できるとき、自尊心が高まる。すべての人にわかってほしいという欲求を持つ一方で、人をあるがままに受け入れ、他人の行動を寛大に受け止める度量がある。

〈バースチャートの火星の位置が示すもの〉

・あなた独特のものごとの進め方や、成功につながる自己主張の仕方、リーダーシップのとり方を示す。
・無意識に自分を特別視し、他人を遠ざけるパターンを示す。
・他人に受け入れられ、周囲と創造的で満ち足りた人間関係を築けるような自己主張の上手な方法を示す。
・効果的な自己主張につながる、あなた独特のこだわりのある分野を示す。
・能動的なセックスの仕方を示し、行動を起こさせる動機や欲求の質を表す。
・自立の喜びやパワー増進に結びつくような自己主張のできる分野を示す。

♈ 火星が牡羊座にある人

◎素顔の魂

あなたは他人からの頼みごとや指示を、あからさまに拒絶することがありますが、その結果、他人との軋轢（あつれき）を生んでしまう傾向を持っています。あなたは牡羊座特有の哲学に従い、「自分の面倒は自分で見なくてはならない」と考え、せっかちで荒っぽい態度で他人に自立を促し、思いやりのかけらもありません。あなたが冷たい個人主義を振りかざしている間は、他人に受け入れられることもなく、エネルギーレベルが低下していきます。

◎磨かれた魂

不用意に敵を作ることなく、あなたがこだわる自己責任を人々に浸透させるには、彼らが自分の意思で主体的に行動していくように促すことです。あなたの言動が人々に与える影響を客観的に認められるようになると、あなたはさりげなく自分の主体性や勇気を表現することで、人々を自由へと導けるようになっていきます。相手に思いやりを示し、その人が自分に与えられた運命の道を進む勇気を与えるうちに、あなたの中にもエネルギーが湧（わ）いてくるでしょう。

Mars

♉ 火星が牡牛座にある人

◎素顔の魂

あなたは自分の考えが正しいことを証明するために、他人の価値観を批判したり、無視したりする傾向を持っています。そういう意地の張り合いや競争をしていると、あなたは何らかの物質的あるいは情緒的・感覚的なメリットを他人から受け取る回路を、自ら閉ざすという結果を引き起こします。あなたには厳格な価値体系がありますが、その価値観にそぐわない人を排除していると、あなたは周りじゅうに〝そりの合わない人〟をたくさん作ってしまうことになります。その過程で、あなたは自分の真価を高めるために不可欠な人々すら遠ざけ、エネルギー不足に陥ってしまうでしょう。

◎磨かれた魂

あなたに必要なのは、自分の価値観に照らして人を排除するのをやめ、人々が思い思いの価値観に従って日々を生きる支えとなる寛容さを持つことです。これができれば、あなたは人々と前向きな関わり方ができるようになっていきます。あなたが主体的に人々の活動の輪に参加するようになると、そこには確実に目に見える、物質的な成果が現れるのです。あなたが他人を、あなた自身を助ける貴重な〝資源〟と捉えることで、あなたの価値観は一歩高いレベルに達し、さらに大きな物質的豊かさをもたらし、精神的にも心地よい環境がもたらされるようになるでしょう。

II 火星が双子座にある人

◎素顔の魂

あなたは頭脳明晰で頭の回転が速いのですが、ときにそれを悪用し、論理を振り回して相手をやり込めてしまう傾向があります。あなたは相手との競争心からこういうことをするのですが、これは多くの場合、相手の反感を買ってしまいます。あなたが好戦的な態度で、相手を挑発するような言葉をつかって対決していると、あなたはいつでも誰かと不毛な口げんかや小競り合いを繰り返すことになるでしょう。あなたは辛辣な言葉と飛躍した論理を振りかざし、相手を打ち負かすたびに優越感を感じるかもしれません。けれども長い目で見れば、あなたはその勝利から相手の反感以外の何も手にすることができず、力がいつか萎えていくでしょう。

◎磨かれた魂

あなたの得意な心理戦で戦う能力を生かし、自分が勝つためではなく、もっと大きな目標を達成するために建設的に行動すると、健全な自己主張ができるようになっていきます。他人の言葉の中から個人の目的を超えた、みんなのためになる大きなゴールを見つけると、あなたは鋭い直観力で、その目標の達成に必要なように情報の捉え方を変えていきます。あなたが他人の知識や考えを喜んで参考にし、自分の知識や意見と融合させて、ともに歩んでいく意思を持つとき、あなたのコミュニケーションは、〝無意味な言い争い〟から〝経験の共有〟へと変化します。あなたが責任感のあるコミュニケーションをすると、その分だけあなたは自分に力が集まってくるのを感じるでしょう。

♋ 火星が蟹座にある人

◎素顔の魂

あなたは感情面で満たされることにこだわりが強すぎるため、他人とトラブルを起こす傾向があります。あなたは子供のように相手の注目を要求し、他人があなた以外の人々のニーズを満たすことにより、あなたに向けられるべき他人のエネルギーが減ってしまうのではないかという強迫観念をどこかに持っています。あなたが求めるような形で他人があなたに気を遣い、あなたのニーズを満たしてくれないと、あなたは不機嫌になります。そして、あなたに同情的でない相手を拒絶するたびに、あなたは孤立していくでしょう。

◎磨かれた魂

あなたは自分の感情に非常に敏感ですが、これは他人の感情の機微にも繊細に反応できるという長所でもあるのです。この才能を生かし、他人の感情的なニーズにきめ細かく応えてあげることにより、あなたは建設的な自己主張をすることができるでしょう。あなたが自己中心的な発想をちょっと横に置いて、責任感ある大人の態度を身につけると、あなたは自分のニーズを、甘えやわがままとしてでなく冷静に周りに伝えられるようになっていきます。すると他人のニーズも自分のニーズ同様、あなたの視野に入ってきます。あなたは人と親密な絆を作り、みんながハッピーになれるよう、客観的に秩序をもたらすために主体的な行動を起こすと、自分の中にエネルギーが湧いてくるのを感じるでしょう。

Mars

♌ 火星が獅子座にある人

◎素顔の魂

あなたは自分自身を、実際よりも大きく見せる傾向があり、それが人々を引かせてしまいます。あなたがみんなに認められたいあまり、いつでも舞台の中央で注目を浴びる主役の座をほしがっていると、あなたの話に耳を傾ける人はいなくなり、せっかくのリーダーシップが発揮できません。他人より自分のほうが偉いんだとばかり、大げさに権威を振りかざし、相手の気持ちも考えずにわがままを通し、尊大に振る舞っていると、あなたは自分のエネルギーがすっかり枯渇(こかつ)してしまう経験をするでしょう。

◎磨かれた魂

あなたの才能ともいえる、ドラマチックな演出を加えてものごとを表現する能力を生かし、人々がもっと上手に自己表現できるよう、支援してあげるという形で、あなたはその場のリーダーシップを主張することができるでしょう。あなたの熱意と積極性を傾けて他人を支えるという行為は、他人のためになると同時に、もっと自立したあなたを育てていきます。他人の賞賛を求めなくなると、あなたは自分の力が安定してくるのを感じ、あなたのエネルギーは他人と足並みを合わせようという気持ちに比例して増大していくでしょう。

♍ 火星が乙女座にある人

◎素顔の魂

あなたは人の言葉を感情的に受け止めすぎるという傾向、そして批判精神が過剰に働く傾向があります。そのため相手の言動にいちいち気分を害し、引っかかっては自分が正しいということを相手に認めさせようとして、人々を困らせてしまうことが往々にして起こります。そんなことをしていると、自分を正当化するために相手を次々に否定や批判していくことになりかねません。あなたはいつでも高い行動規範を持っているため、自分の言動も含め、人の言動に間違いがあると看過(かんか)できず、すぐにそれを指摘し、厳しく断罪します。意識のモードが「間違い探しモード」になっていると、いつかあなたは失速してしまいます。

◎磨かれた魂

他人の悪いところをあげつらうのではなく、欠点を補ってうまくいくよう積極的に支援してあげるという行為は、あなたの立派な自己主張なのだということを知りましょう。他人を効果的に支えてあげられるようになると、あなたはその人が負わされている責任を共有するようになります。そうすると、どれが正しいか正しくないかというこまごまとした問題や、他人のためにやっているということも気にならなくなっていきます。あなたはこうして他人が少しずつ〝理想〟に近づいていくのを支援する方法に熟達していきます。あなたの強い倫理観や秩序を愛する精神を、人を〝批判する〟代わりに辛抱強く〝育てる〟方向に生かして、混沌(こんとん)とした状況に秩序をもたらすと、あなたはそれまで感じなかったような満足感を覚え、あなたを取り巻く社会に新しい秩序が生まれたことに気づくでしょう。そういう変化を起こしていくあなたには、ますますエネルギーが集まってくるのです。

♎ 火星が天秤座にある人

◎素顔の魂

あなたは人と話しているとき、気まずいムードになることが大の苦手。そのためなかば強引に相手を誘導してその場を友好ムードに運び、見せかけの調和を作ろうとする傾向があります。あなたは他人との友好的な関係を壊したくないばかりに、他人があなたに望んでいると思われることを勝手に予測して先回りをして耳に心地よい言葉を口にします。しかもそのお返しとして相手にもあなたの望むことを求めるのです。あなたは、人間関係の輪の中で誰が一番ナイスな人と呼べるか、心のどこかで競争しているところがあり、いつでもみんながあなた同様、調和を乱さないように努力するべきだと思っているのです。周りの人々があなたの思い描く和気藹々(わきあいあい)の世界の構築に協力してくれるよう腐心しているうちに、次第にあなたは疲れ果て、余裕を失います。そうなるとどこかで調和が乱されるだけでぴりぴりして、調和を乱した犯人探しをするようになっていきます。

◎磨かれた魂

あなたが目指すべきなのは、人を操作してうわべだけの調和をつくるのではなく、率直に人としての誠実さを持って、積極的に、そして責任ある態度で人々と接することです。人々が人間関係に何を求めているのかを探り、あなたもまた人間関係に求めるものを人々と分かち合うと、そこにはうわべだけでない、真実の調和が生まれます。これができると、あなたは調和を築くための行動を起こすことのできる人として、人々に受け入れられるようになり、あなたは真の調和のエネルギーで満たされるでしょう。

火星が蠍座にある人

◎素顔の魂

あなたは自分のいる人間関係の中で、いつでも主導権を握りたいという欲求を持っています。これが理由で大小の権力の奪い合いを引き起こし、周りの人を遠ざける傾向があります。あなたは人々や状況を掌握し、コントロールしたいために自分の願望や動機を他人に明かさない傾向がありますが、真の自分の姿を隠しているうちに、あなたはエネルギーを消耗していきます。あなたの秘密めいた行動は、周囲の人々の不信を招き、対立はいつか拡大し、激しいぶつかり合いへと発展してしまうでしょう。

◎磨かれた魂

あなたが秘密主義を改め、自分の動機や希望を誠実に周りに伝えることができれば、健全なリーダーシップを発揮することができるでしょう。あなたが自分の希望をきちんと伝えるだけで、人々はあなたがしたいことを理解でき、停滞した状況に変化をもたらすあなたの能力とリーダーシップを信じてくれるでしょう。自分の動機を周りの当事者に公開することで、あなたはエネルギーが自分に戻ってくるのを感じ、あなたは安心して伸び伸びと行動を起こせるようになっていきます。

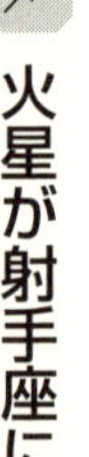

火星が射手座にある人

◎素顔の魂

あなたは自分の頭のよさが自慢です。このためいつもどこかで他人と知恵比べをしては自分のほうが賢く、より深い哲学を持っていると主張する傾向があり、それが人々を遠ざける原因となっています。あなたはあからさまに意図しないまでも、他人の知能程度を自分より低いものと捉え、他人の考えは取るに足らないものだという態度をとってしまいます。あなたは自分の知能の高さを主張したいあまり、ひとりよがりな論理を振りかざして他人を威圧し、他人と仲良くすることで得られる豊かさを手に入れ損なっているのです。

◎磨かれた魂

　あなたは自分の知性の使い方を改め、他人がより聡明になっていくためにあなたの知恵を授けてあげるよう心がけてください。あなたには天性の教師としての能力が備わっていますが、教えることと同じくらい学ぶことにも関心を持つことができれば、あなたは他人から多くを学び、自分の考えとの相乗効果も可能になっていくのです。まず相手がどんな考えを持っているのかじっくり耳を傾けると、相手とのコミュニケーションがスムーズにできるようになります。相手の見解に敬意を払い、相手が成長し、夢や目標を達成できるようあなたの知性を傾けて応援していくうちに、あなたは自分に無限のエネルギーが湧いてくるのを感じるでしょう。

♑ 火星が山羊座にある人

◎素顔の魂

　あなたは社会的地位や立場への執着が強く、他人に対抗意識を燃やし、自分の地位と名誉を高めたいという強い欲求を露わにするため、他人を遠ざける傾向があります。自分の価値を証明する手立てが、社会的地位を獲得することでしかないとしたら、あなたは他人を、自分の野望を達成するための道具としか考えず、自らもその野望の犠牲になってしまうでしょう。心に描く地位や名誉を手にする日まで、楽しいことをすべてお預けにして窮乏生活に耐えようとするなら、あなたは次第に自分の感性や感情が枯渇するのを経験し、エネルギー不足に陥ってしまうでしょう。

◎磨かれた魂

　あなたが気持ちの持ち方を変え、社会人として、また組織の一員としてのあるべき振る舞いを率先して実践していると、あなたには自然なリーダーの資質が備わっていき、自分から求めなくても他人にリーダーとして見られるようになっていきます。そして他人の夢を実現するよう応援していると、自分の名誉欲を正当化したいという切迫感があなたの中から消えていきます。組織を上手に管理するというあなたの天賦のリーダーシップを発揮すると、あなた自身の仕事の達成という幸福な〝副産物〟が待っています。あなたのエネルギーは、あなたの属する組織が社会的に認められることで増強されていくでしょう。

♒ 火星が水瓶座にある人

◎素顔の魂

あなたは人間としての高い理想をいつも心に描いています。しかし、その実現に向けて行動することが何より大切だと声高に主張するとき、周りの人を遠ざけてしまいます。他人との距離を感じると、あなたは自分の理想を追求するためには、理解してくれない人と付き合っている暇はないと考えるかもしれません。そうして、あなたは他人を次々に切り捨て、自分で意識しないまま孤立への道をたどります。けれどもこの過程で、あなたは理想を実現するために協力してくれる人々も遠ざけてしまっているのです。一人でできる仕事には限界があるだけでなく、あなたは自分が孤独になることにより、自らのパワー不足に陥ってしまうことにも気づかなくてはなりません。

◎磨かれた魂

孤独なまま一人で目標を目指すのはあなたにとってよい方法ではありません。みんなの協力を得て、幸福な過程を経て目標の達成を目指したいなら、あなた個人の理想のために周りの人々を引き込もうとするのではなく、あなたの目標をグループ全体で目指せるものに修正することが大切です。あなたが心に描く、水瓶座らしい人道的な理想をよりよい形で実現させるには、あなた自身を所属するグループの一員として捉(とら)えなおし、みんなで一緒に理想を実現していくような態勢作りを心がけてください。よりよい環境を目指し、自分や仲間を鼓舞するうちに、あなたの中にエネルギーがどんどん湧(わ)いてくるでしょう。みんなで楽しく目指していれば、あなたの理想は向こうからやってくるでしょう。

♓ 火星が魚座にある人

◎素顔の魂

あなたには霊的な感性が備わっています。けれどもものごとの精神的な価値を理解できるのは自分だけだと思うとき、あなたは他人を遠ざけてしまいます。他人には見えない高い精神性にこだわるあまり、あなたは自分の動機や願望を隠し、他人のインプットを拒絶します。こうして人々との間に壁を作ると、あなたは周りのみんなからのエネルギーや協力を得られません。自分ひとりではとても達成できないプロジェクトを前に、あなたはエネルギー不足に陥り、方向を見失って混乱します。その結果、あなたは目標を達成するどころかやる気も失い、立ち往生してしまいます。

◎磨かれた魂

あなたが直面している個人的な問題を含め、なんでも気さくに他人に打ち明けるオープンな態度を持つことで、他人の輪の中に入っていくことを覚えると、困難な局面が打開されていくでしょう。問題が起きたとき、あなたは問題の持つ精神面を把握し、インスピレーションで解決法がわかります。あなたの得意分野である、そういう解決法をみんなに示し、周りの人の洞察にも耳を傾ける姿勢を持っていると、そこにいる誰もが、ものごとの精神的価値を認め、恩恵を受けることができるようになります。オープンで率直なやりとりをするとき、あなたは問題を解決する過程で力がみなぎってくるのを感じ、自分の考え方がより確かなものになっていくことに気づくはずです。

♂ 火星があるハウス

第1ハウス

この人の自己中心性は、大げさで気まぐれな性格を主張するとき、最も顕著に表れる。

第2ハウス

この人の自己中心性は、物質的豊かさへの希求と、それを実現する能力とに結びついている。

第3ハウス

この人の自己中心性は、論理的で明確なコミュニケーションを通じて最も顕著に表現される。

第4ハウス

この人の自己主張は、人の気持ちに対する繊細さや、感情表現に最も強く表れる。

第5ハウス

この人の自己中心性は、芸術的でドラマチック、独創的な表現に対する願望と結びついて表れる。

第6ハウス

この人の自己主張は、義務感と完璧(かんぺき)主義と結びついて表れる。他人に積極的に奉仕するという形で完璧主義を貫くことができる。

第7ハウス

この人の自己主張は、他人に対する反応という形で最も強く表れる。行動力は単独でなく、組織や集団で生かされる。

第8ハウス

この人の自己主張は、セックス、金銭、共有財産など、物質面での他人との関わりにおいて最も強く表れる。

第9ハウス

この人の自己主張は、自分の論理的思考や知的な達成が社会的承認を得ることに向けて最も顕著に発揮される。

第10ハウス

この人の自己主張は、社会的権威を手に入れることに向けられ、その地位により自分の個人的価値を高めることを望んでいる。

第11ハウス

この人の自己主張は、人道的な目標や理想、組織や集団での人間関係に結びついている。

第12ハウス

この人の自己中心性は、自分の個人的な夢、あるいは宇宙の摂理を体現することへの願望に結びついている。

♃ 木星

好機を生かして幸福をつかむ

〈バースチャートの木星の位置が示すもの〉

・自分に対する信頼と自尊心を築く、あなたらしいやり方や形を示す。これを基盤にして他人との信頼も築かれる。

・与えられた環境の中で、あなたらしく積極的に価値のあるものを生み出し、その過程で自らが成長していくためにはどんなものの見方、考え方をすればいいかを示す。

・どんな分野や場面で、あなたが本能的にものごとの全体像を見通すことができるかを示す。ここから自分の人生や自分に対する信頼感が高まる。

・人生に不測の事態が起きたとき、落ち着いて対処できる精神を育て、信頼の置ける自分自身を作る道筋を示す。

・好機を確実につかみ、楽しく明るい未来を築き、幸福を味わう人生に直結するルートを表す。

・あなたが幸運に恵まれる分野を示す。その分野を選択すると、限界や恐怖感にひるむことなく乗り越えて進むことができる。

・無秩序な雑然とした状況の中から一定の法則を見出（みいだ）し、普遍的な真実を探り当てられる分野、そして信念を持って追いかけることのできるライフワークとなるテーマを示す。

♈ 木星が牡羊座にある人

◎素顔の魂

あなたが自らの運命の道をたどるための行動を後回しにしていると、自己不信感が募っていきます。自信も実績もないため、ますます行動を起こせなくなり、悪循環の中で消極的になっていくでしょう。あなたが自分の力で自らの運命を切り拓く能力を信じないまま日々を過ごしていると、あなたの目の前にリーダーシップを生かせるチャンスがやってきても見送ってしまいます。その結果、あなたは出口のないフラストレーションに見舞われることになるでしょう。自己不信の袋小路に迷い込み、牡羊座に裏書されたあなたらしい自己表現をできずにいると、あなたは日々の生活にも喜びを見出せず、せっかくの創造力を発揮する機会も訪れません。

◎磨かれた魂

あなたが自分を信頼し、気後れすることなく自分の考えや将来の展望を人々と分かち合うこと。これが、あなたの個性が十分に発揮され、しかもそれが人々に認められる喜びを感じるための第一歩です。あなたの強みはリーダーシップ。人々の関心を引き、仲間が一人ずつ増えていくような行動を率先して起こすことにより、あなたは人々の信頼を勝ち取れるようになっていきます。自分を信頼することが、あなたに自立することの大切さを教えてくれるのです。それがわかるようになると、あなたはリーダーシップにますます磨きをかけ、新しい行動の計画を次々に見つけられるようになっていくでしょう。

♉ 木星が牡牛座にある人

◎素顔の魂

あなたは財産や物質的価値のあるものに意識が向きやすい傾向があります。このため、あなたが自己不信に陥るパターンはたいていの場合、自分の手近な資源や機会を何らかの形で有効利用できないときでしょう。あなたには自分が経済的安定を確保する能力がないのではないかという不安を、誰より重く感じてしまうのです。このような考え方に囚われていると、どれほど豊かになっても、もしかしたらもっと豊かな物質的成果を得られたのではないかという不満を、いつまでも払拭（ふっしょく）できません。

◎磨かれた魂

豊かさや幸福をあなたから遠ざけているのは、何よりもあなたの自己不信感。あなたが何らかの価値創出を目指して努力をするときに、今よりも大きな自信を持つことができさえすれば、その結果得られる豊かさも、それを手に入れる機会もずっと大きく広がっていくことにあなたは気づくでしょう。あなたの理想のイメージを現実のものにする能力を信じることにより、あなたの目標を達成するための機会がたくさん訪れるようになります。それらを自分のものにするたびに、あなたはほしいものを手に入れるための回路を開き、実現に向けて一直線に歩んでいけるようになるのです。

II 木星が双子座にある人

◎素顔の魂

あなたの持つ精神的財産は、洞察力です。けれども心に浮かんだ貴重な洞察を他人に伝えないで、自分ひとりの胸にしまい込んでいると、あなたは無限に雑多な情報を集めるトリビア（無駄な知識）収集家になることでしょう。あなたには天賦（てんぷ）のコミュニケーション能力がありますが、他人の意見が耳慣れないというような理由から、丁々発止（ちょうちょうはっし）といろんな表現を駆使して、相手をやりこめ、自分の立場を守ろうとしていると、あなたは自分自身が心から信じられなくなっていきます。こういうことをやっていると、あなたは自分で意図しなくても他人と表面的な会話しかできなくなり、実のある人間関係が育つはずもありません。これでは成長どころか、あなたの心のよりどころとする哲学も見失う羽目に陥るでしょう。

◎磨かれた魂

あなたが他人と会話をするとき、あなたが豊かに持っている好奇心を原動力にして創造力を働かせるようにすると、あなたは無限に質問ばかりして堂々巡りをする悪循環から脱し、明快な答えを見つけられるようになっていくでしょう。あなたが取るべき姿勢は、言葉の遊びをやめ、対話の先に何らかの答えを見つけるという意思を持ち、語られた言葉の中にある真実を探る姿勢です。そのとき、あなたは真に価値のあるコミュニケーションをしている自分自身に気づくでしょう。あなたは自分の掲げた質問の答えを真摯に探っていく謙虚な姿勢を持つことで、ゆらぐことのない自信を持てるようになっていくのです。

♋ 木星が蟹座にある人

◎素顔の魂

あなたには誰よりも豊かな情緒的感受性があります。けれども他人があなたの気持ちに共感してくれないことを恐れ、はじめから自分の正直な気持ちや考えを他人に伝えずにいると、あなたは他人とあなたを結ぶ心のかけ橋を失い、誰とも心の絆を結べなくなってしまうでしょう。あなたは感情に対する依存度が強いため、何よりも自分の感情に引きずられるという傾向を持っています。しかも自分の経験したことのない環境や状況に遭遇すると、あなたの感情は大きく乱され、不安に任せて強い自己主張を始めるのです。そして自分の感情的ニーズを優先させ、周りの人々にぶつけると、あなたは人々の中で孤立していきます。そうなると、あなたは人々の信用を失い、やがて自分でも自信を失っていくのです。

◎磨かれた魂

あなたが感情に敏感であること自体は長所です。そして、あなたの基本形である、ほのぼのとした家族意識を生かし、人々の連帯感や帰属意識、共同体意識が目覚めるよう手助けをしてあげると、あなたは人々を一つの家族として取りまとめ、ともに歩んでいく喜びを、みんなの心に呼び起こすことができるでしょう。そしてそれはいつでも安心を求めるあなたの本能的欲求を満たすことにもなるのです。人々に仲間としての感覚を芽生えさせ、他人を受容するというあなたの才能を発揮すると、あなたは自分を心から信じられるようになり、周りの人々も同様に自分を信じるように変化していくのです。

♌ 木星が獅子座にある人

◎素顔の魂

あなたには天賦(てんぷ)のリーダーシップがあります。けれども自分の主張するものを、みんなが支持してくれるかどうかばかりを気にしていると、人といてもちっとも楽しめないことになります。組織や集団の中で自分の優位性が思い通りに築けないとフラストレーションが募(つの)りがち。あなたはエゴが非常に強く、意識が自分自身に集中するあまり、無意識に他人の価値を軽視する傾向があります。その結果、他人はあなたに不信感を持つようになり、あなたが何かアドバイスをしても聞き入れてもらえないこともあるでしょう。するとあなたは、その冷淡な反応にショックを受けるかもしれません。危機感を感じると、あなたは自分の世界をいっそうドラマチックに誇示するようになり、周りはあなたの意向とは裏腹の反応を示し、ますます、あなたから遠ざかっていくでしょう。

◎磨かれた魂

あなたの行動の先にあるものが道徳的に、あるいは考え方として公平なものなら、人々はあなたの行動を歓迎します。あなたが自己中心的な自己主張を横において、与えられた状況でのベストを尽くすことに意識を集中させると、あなたはその場のみんなのためによい結果を導く行動を起こすことになり、ごく自然にあなたのリーダーシップが周りに認められるようになります。他人の役に立てるという自分の能力を信じると、あなたが心から求めている社会的賞賛や報酬が自然に流れ込んでくる機会が無数に生まれるでしょう。

♍ 木星が乙女座にある人

◎素顔の魂

あなたの場合、自己不信が起こるのは、自分が与えられた仕事をこなすには十分な能力を持っていないと考えるとき。けれどもあなたにとって〝十分な能力〟を身につけるまで、あなたは永遠に何も着手できず、他人に奉仕する機会にも恵まれないでしょう。そうしてあなたは何一つ達成する経験を持たないまま、さらなる自己不信に陥ってしまいます。あなたの鋭い批評精神が自分を断罪し始めると、あなたは自分の能力にすっかり自信をなくし、他人や自分のためになることでも臆病になり、はじめからあきらめてしまいます。ものごとのあるべき姿に厳格にこだわり、その基準を満たさないからといって行動を起こさずにいると、あなたはどうでもいいような瑣末なことがらばかりで、自らを忙しくする毎日を過ごすようになるでしょう。過剰な自己批判は、自分の能力不信を招き、あなたは空しく自分を磨く努力を続け、それでもあなたの高すぎる基準を満たすほどの能力が身につくことはありません。

◎磨かれた魂

あなたには天賦の奉仕の精神が備わっています。あなたがごく自然に他人を助けたいという動機の純粋さに意識を向け、少々の間違いや不備には目をつぶって〝完璧〟な能力を身につけるのを待たずに行動を起こすと、あなたは社会の一員として他人の役に立つこと、その過程で自分が成長できるという新たな自由を経験できるでしょう。こうして自分を信じ、あなたの厳しい行動規範を横に置いて、他人に手を差し伸べていると、あなたの行動半径はどんどん拡がり、仕事で、そして社会の中で多様な機会が、あなたのもとにやってくるでしょう。研ぎ澄まされたあなたの分析能力を活用して他人を助けていると、あなたは自分を心から信頼できるようになっていくでしょう。

♎ 木星が天秤座にある人

◎素顔の魂

あなたは誰かと親密な関係になることへの潜在的な恐れを持ち、1対1の関係が苦手です。けれどもだからといって個人的な関係を築くのを避けていると、あなたの人間関係は上っ面だけの、不満足なものばかりで終わってしまうことでしょう。あなたが誰かと深く親密な関係を築くことを恐れ、友達やパートナーとどうでもいいような無感動な付き合いを続けていると、あなたはやがて彼らからどうでもいい人と見捨てられ、気がつくと周りに誰もいなくなってしまうかもしれません。

◎磨かれた魂

あなたがどこかで思い切って自分を信じ、人々と個人的で親密なやりとりをする機会に自らを追い込んでいくと、あなたは自分の世界が拡大していく感覚を覚え、喜びを感じることでしょう。あなたがこれまでの表面的な付き合いからもっと踏み込んで、人々と深く信じ合う関係を築いていくと、あなたは自分が限りなく成長していくような解放感に包まれます。人付き合いの中で、気さくなムード作りができるというあなたの潜在能力が発揮されるにつれ、人々は調和に満ちた一体感を感じるようになり、あなたは自信をいっそう深めていくでしょう。

♏ 木星が蠍座にある人

◎素顔の魂

あなたは心の深い部分をなかなか他人に見せない傾向があります。特に仕事関係や恋愛の分野において自分の内面を隠すことが多く、誰かと深く関わると後戻りできなくなってしまうのではないかという恐れを、潜在的に持っています。このため、仕事や親密な関係を築くとき、消極的な姿勢を持つことが多くなりますが、これをしていると、あなたは誰とも深く心を通わせることができず、あなたも相手もお互いの存在から学ぶ機会を逃してしまいます。あなたが人との交流により、自分が変化することを歓迎する姿勢を持たない限り、あなたは自分のエネルギーや存在感を感じることはできず、他人を思い通りに動かしたいという空しい欲求に苛(さいな)まれるでしょう。

◎磨かれた魂

あなたが勇気を出して、心の中にある思いを他人と分かち合うようにしていくと、あなたは人間関係がにわかに拡大し、いろいろな機会が開けていくのを経験するでしょう。そしてあなたが他人の人生の中に入っていくことにより、相互の信頼関係が生まれるでしょう。この関係ができれば、もう相手をコントロールしたいという欲求も必要性もなくなり、あなたが他人にコントロールされることもありません。二人の人間が接することにより、双方がよりよい方向に変化していくという、目に見えない作用を信じられる人は、他人と全人格的に接することを躊躇(ちゅうちょ)しなくなるものです。

これが理解できれば、あなたは自分の中の、人と付き合うことでしか得られない喜びと学びを得る方法を引き出す直感的な能力に気づくでしょう。その過程の中で、あなたは成長し、親密な人間関係から得られるたくさんの利益を自分のものにできる人になっていくのです。

♐ 木星が射手座にある人

◎素顔の魂

あなたは心の旅人で、もともと一つの場所に留まるタイプではありません。けれどもあなたが他人と深く関わることを恐れ、躊躇（ちゅうちょ）しているうちに月日はどんどん過ぎてゆき、あなたは身も心も成長する機会を見つけられず、ただ年を取るだけの人生になりかねません。あなたの人付き合いのパターンが、表面的な社交辞令に終始したり、心に浮かんだことを伝えないままにしていると、あなたは誰とも心からの会話を交わさないまま、自分は何でもわかっていると一人合点し、人間関係で孤立を深めていくことになるでしょう。

◎磨かれた魂

あなたがある時点で決心して、他人の心のあり方を深く探ろうとし、勇気を出してその会話の行方に身を任せられるようになると、あなたはその会話から生まれる喜びや学び、そしてあなたが相手に教えてあげられることの多さに心を奪われることになるでしょう。

そういう交流をする過程で、あなたが自分の知識をひけらかすのではなく、自分の知識を起点として新しい洞察を得ようという目的のもと、他人とコミュニケーションを取っていくと、あなたは真の意味で多くの人に洞察を与える〝教師〟になっていくのです。あなたの意見や洞察に満ちた見識を積極的に他人と共有していくうちに、あなたは自分に対する信頼をますます高めていくことになるでしょう。

♑ 木星が山羊座にある人

◎素顔の魂

あなたには自分の夢を実現する能力や、計画を立て、ビジネスを進めるために必要な才能を十分に持っています。けれどもその能力の存在に気づかず、発揮もできずにいる年月が長引くと、あなたは自分の自己実現能力に疑問を持ち、将来に不安を感じるようになるでしょう。自分の夢や個性を現実の形にする方法がいつまで経(た)っても見つからず、悶々(もんもん)とした日々を送ることになる場合もあるでしょう。あなたが厳格なものの見方を手放さず、それに基づいて他人を仕切り、自分の夢の実現能力を抑え込んでいると、あなたは精神の〝自家中毒〟を起こし、自己不信と失意の日々を送ることを余儀なくされるでしょう。

◎磨かれた魂

あなたが描くビジョンを現実に作り上げる才覚を自らの中に見出(みいだ)し、実力を信じて発揮するようにしていくと、あなたは自分の管理能力が、あなた自身だけでなく、管理される人々にとっても喜ばしい結果を引き出すことに気づくでしょう。自分の権威を感じながら堂々と仕事を進められるような環境に自ら飛び込むことができれば、あなたは伸び伸びと自己表現しながら成長していくことができるでしょう。

♒ 木星が水瓶座にある人

◎素顔の魂

あなたは他人とのやりとりの中で浮かんだ感想や知識を「たいしたことではない」とか「発表するにはまだ情報が十分そろっていない」といった理由をつけて、他人と分かち合うのを控える傾向があります。けれどもそういう態度で過ごしていると、あなたはどれほどたくさんの人々と多様なコミュニケーションを重ねても、そこから何一つ学ぶことができず、会話のあとには徒労感しか残らないでしょう。あなたは次第に目の前を行き来する多様な知識や情報だけでなく、あなた自身の心に浮かんだ考えも、すべて無意味なものと捉(とら)えるようになっていきますが、これは他人と共有できないあなたの欠陥を正当化するために、あなたが知らずに作り出す思考パターンなのです。こんなことをしていてはフラストレーションがたまり、しまいに爆発してしまいかねません。

◎磨かれた魂

あなたがそれまでのやり方を変えて、目の前の相手に対して自由に自分の意見や知識を分かち合うようになると、あなたは自分の存在感が拡大し、社会性が増していく喜びを経験できるでしょう。あなたが発表を控えていた動機には、「他人よりも優れた意見を言わなくてはならない」とか、「他人とは異なる視点で捉えたほうが目立つ」とかいった理由が含まれていました。あなたがそういうことを考えず、目の前の会話に花を添え、より意義の深いコミュニケーションになるように、と願った結果のコメントを話すと、あなたは次第に心の奥に浮かんだインスピレーションをそのまま素直に言葉にできるようになり、それはその場にいる全員にとって意義のある情報として受け止められるようになるのです。あなたが客観的な知識や心に浮かんだ直感的な、正直な意見をその場の人々と分かち合うと、あなたは自分に対する信頼感を高めていけるでしょう。

♓ 木星が魚座にある人

◎素顔の魂

あなたには予言者とも言える、まだ見えないものを見通す能力があり、社会通念や学問の常識や限界の壁に阻まれることなく、自由に未来の姿をイメージする稀有(けう)な能力が備わっています。けれどもその能力を自覚することなく持ち腐れにしていると、あなたは自分の中に永遠に混乱を抱えることになるでしょう。あなたは自分が考える理想と現実のギャップを見るにつけ、自分の考えに自信をなくし、社会そのものに対する不信も募(つの)っていきます。度重なる不信感を引き起こす出来事から、あなたの心は元気を失って停滞し、混乱と無力感から、不本意な現状に留まることになるでしょう。

◎磨かれた魂

あなたが宇宙の摂理を信頼し、目の前に起きている多様な出来事を楽観的に捉(とら)えるようになると、あなたは自分の理想とする現実が少しずつ見えてくる喜びを経験できるようになるでしょう。あなたがものごとを見るとき、心に理想をとどめたまま、あるがままの姿を静かに受け入れる術（すべ）を習得すると、あなたはそこから喜びを感じ、人々が持っている能力を開花させるためにあなたにできることを感じるでしょう。そしてその過程で、あなたもまた大きく成長していけるでしょう。荒削りな現実の中に、人々の目には見えない宇宙の真実を見通せる、あなたの稀有な能力を信じることにより、あなたは次第に自分に対する信頼感を強めていくでしょう。

♃ 木星があるハウス

第1ハウス

自己表現や人格が他人に与える印象の向上に取り組むことにより社会で認められる機会が増え、成功しやすくなる。

第2ハウス

個人財産を増やし、高収入を得ることにより社会で認められる機会が増え、成功しやすくなる。

第3ハウス

知的好奇心に導かれて集め、探求した知識を人々と共有することにより社会で認められる機会が増え、成功しやすくなる。

第4ハウス

歴史や遺産を学び、世界全体を自分の家族と捉（とら）えるスタンスをとることにより、社会で認められる機会が増え、成功しやすくなる。生活の安定基盤を確保すると、隠れていたビジネス、金融、不動産などの分野での才能が開花する。

第5ハウス

子供たち、劇場、芸術に関することや、創造的な活動に取り組むことにより社会で認められる機会が増え、成功しやすくなる。

第6ハウス

社会に奉仕する活動に取り組むことにより、社会で認められる機会が増え、成功しやすくなる。健康関連や介護など、人のサポートに関わる仕事につくと社会的評価が高くなる。

第7ハウス

パートナーとともに歩むことにより、社会で認められる機会が増え、成功しやすくなる。家族や配偶者など、基本的人間関係が安定すると幸福感が増す。

第8ハウス

深層心理、男女の肉体関係から、あるいは仕事上のパートナーシップを通じて社会で認められる機会が増え、成功しやすくなる。

第9ハウス

出版、哲学、高い精神性、教育、海外旅行などの分野での活動を通じて社会で認められる機会が増え、成功しやすくなる。

第10ハウス

自分の存在を広く世の中にアピールすることにより、社会で認められる機会が増え、成功しやすくなる。経営者や権威者としての地位を持つことが高い評価につながる。

第11ハウス

組織や集団の中で科学的、あるいは人道的なゴールを目指すことにより、社会で認められる機会が増え、成功しやすくなる。

第12ハウス

自分の霊的な感受性や精神的価値観に目を向けることにより、社会で認められる機会が増え、成功しやすくなる。宇宙的視野で自分の役割を認識し、それに基づいた生き方を体現し、詩作、音楽、演劇、あるいはその他の芸術的、精神的な表現の道に進むと高い評価を得やすい。

土星

社会的成功を勝ち取る

〈バースチャートの土星の位置が示すもの〉

- あなたが最も達成感を得られるような社会的な意義のある仕事や役割の果たし方、その過程を示す。
- 顕在、潜在を問わず心に描いている夢や目標がありながら、その過程で訪れる何らかの障害への恐怖から実現できずにいる分野を示す。
- あなたが最も強い欲求を感じる分野と、最も脅威を感じる分野を示す。
- あなたが苦難に耐えてでも実行する責任があり、そうするだけの忍耐力を備えている分野、あなたが本能的な眼識を持っている分野を示す。
- きちんと取り組んでいくと隠された才能が発掘されてライフワークとして大成し、社会的賞賛を得られるような目標、方向性や社会的責任を伴う分野を示す。
- 情熱を傾けて社会に貢献することにより、あなたが自らの弱点に取り組み、克服する勇気が湧(わ)いてくる分野、その結果広く世界から賞賛を受けられる分野を示す。
- 自己中心的な考えを捨てて繰り返し努力する必要があり、未熟な人格の一面を示す。土星の試練を乗り越えることなくして、宇宙の意思と同化した崇高な自我意識（天王星、海王星、冥王星が司(つかさど)る意識）に目覚め、真の幸福と自由を享受することはできない。

♈ 土星が牡羊座にある人

◎素顔の魂

あなたには目立ちたがり屋の傾向があり、行動力もあります。このため、あなたは現状に少しでもほころびを見つけると、既存の制度ややり方を否定して、しかるべき順序を飛ばして、リーダーシップを発揮しようとする傾向があります。このような形での自己主張は、往々にして周りの強い抵抗を呼び、あなたの行動が著しく制限されるというマイナスの結果を引き起こします。目立ちたいという動機に基づいて行動している限り、何らかの制限やトラブルは回避できないので、あなたの心が休まることはなく、視野も狭くなっていきます。このため、あなたと他人の距離は拡大し、せっかくのバイタリティーが空回りし、孤独に悩むことになるでしょう。

◎磨かれた魂

あなたには持って生まれたリーダーシップがあり、それを生かす方法も伝え方も知っています。これを最大限に生かすには、意識の焦点をちょっと変え、あなたを自立した価値観や状況を作る〝道具〟として捉えることが鍵となるでしょう。このような自覚を持つことで、あなたは心置きなく大胆な行動を取れるようになっていくのです。こうして、あなたのリーダーシップを発揮するうちに、周りの人々の希望や動機が視野に入ってくるでしょう。そしてそれらを取り入れ、新たな理想や考えを合成して進んでいくうちに、あなたの革新性や野心に、公共性や普遍性が備わっていきます。そうなれば、あなたの願いが実現することは、社会にとってもよいことであるという理想の形にたどり着けるでしょう。

◎前世から引き継いだ宿命の仕事

前世から今生につながる、あなたの魂の系譜をみると、今生のあなたは、前世と異なるアイデンティティーを構築する運命にあります。と言っても前世の記憶がないのですからわかりにくいことかもしれませんが、いくつもの過去生にわたり踏襲されてきた、あなたの自我の一つの時代が終焉を迎え、一つ前の前世をもって消失しています。そして、あなたは今生に、まっさらな白紙の状態で生まれてきました。過去生で築かれたありとあらゆる意識の偏りや傾向を引きずっている、他の大半の人々と異なり、あなたには環境や状況に対する先入観や偏見、予備知識がありません。これはあなたがある状況に遭遇したとき、前世からの偏見の影響を受けず、赤ん坊のように素直で柔軟な反応ができるということを意味します。同時に自分の価値観や個性の観念が非常に希薄なため、今生は自我形成に向けた試行錯誤の時期となります。このため、自己主張がうまくできなかったり、またあるときは過剰に主張してしまったりということが続くでしょう。あなたが今生でするべき仕事は、今生から始まった新たな自我をしっかりと育て、自分らしさや、社会との関わり方についてじっくりと見つめていくことです。

♉ 土星が牡牛座にある人

◎素顔の魂

あなたには自分の個性や存在価値を主張しようとするとき、金銭的な豊かさや所有物を、自分のアイデンティティーとして誇示しようとする傾向があります。そういう考えは物質的な窮乏を必要以上に恐れさせ、金銭的に豊かでないというだけで、人間としての自信や自尊心を失うという誤った認識に導きます。そして窮乏という苦痛に耐え切れず、自分を豊かにしてくれない社会を逆恨みするような、被害者意識につながっていきます。これが是正されないと、あなたは守銭奴となり、快適さや地位などをもっともっと手に入れようと、終わりない戦いを強いられ、満たされることがありません。けれども、だからといって物質的な豊かさを追い求めないよう努めると、今度は豊かでない現状に対する不満との戦いが始まることでしょう。

◎磨かれた魂

あなたには、物質的豊かさや快適な環境、そして安心できる生活基盤を手に入れるための資質が備わっています。にもかかわらず、あなたが財政面で満たされず、不自由な感覚をぬぐえないのは、あなたの考え方に原因があります。融通の利かない考え方が、あなたのセルフイメージやものごとの進め方を縛り、身動きを取れなくしているのです。これを柔軟に捉え、解放すると、あなたは自尊心が増し、もっと豊かになるためのユニークな方法が、次々に浮かぶでしょう。

自由な発想と同じくらい大切なことは、自分だけ豊かになろうとせず、周りにいる人々にとってもプラスになるような方法を選択することです。これができれば、あなたのもとには、求めている豊かさや快適さがほしいだけ流れ込んでくるようになるでしょう。

◎前世から引き継いだ宿命の仕事

前世から今生につながる、あなたの魂の系譜をみると、現在のあなたの自我や個性はまだ歴史が浅く、確立していません。魂の年齢が若く、あまり経験を積んでいないあなたは、自らの人格を今生ではよく育み、安定した強い人格に磨いていくという運命を持っています。このため、あなたが渇望する物質的な豊かさを得るには、まず自分の定義から始める必要があるのです。あなたの人生では何が一番大切か、どんな生活環境があなたにとって快適で幸福感をもたらすのか、どういうときに自尊心を感じるのかなど、基本的な価値観を明確にすることが、重要なステップとなるでしょう。明確でないうちは、窮乏に耐える生活を余儀なくされることもありそうです。しかしこれができると、あなたは心の内面が安定し、心地よく自尊心を感じられるようになるため、物質面での豊かさは、あなたのところに集まってくるでしょう。あなたは地に足をしっかりとつけて、努力をすれば、どんなものでも手に入れられる星の下に生まれているのです。

Ⅱ　土星が双子座にある人

◎素顔の魂

広く浅くがモットーのあなた。人と深く付き合うと、そこから逃げられなくなってしまうのが怖くて、人との親密な関係が始まりそうになると、わざと壁を立てて心を閉ざすことがありませんか？　自分の目標を達成するために、人間関係のわずらわしさに足をとられたくないという感覚も手伝って、あなたはそういう傾向に陥りやすいのです。けれども、人間関係に対して逃げ腰の態度をとっていると、器用貧乏で、どの分野でも中途半端な人生を歩むことになってしまいます。一つの大きなゴールにたどり着くには、忍耐力と一つのものに主体的に取り組む姿勢が不可欠です。人からも対象からも距離を置き、遠巻きにしか関わりたくないという姿勢を持っていると、結局、何も達成できずに欲求不満を抱えるという結末を迎えかねません。コミットメントの大切さを学ぶまで、あなたはいつでも抜け道や逃げ道を作ってしまい、背水の陣で人生と向き合うことはないでしょう。

◎磨かれた魂

あなたには生来、豊富なアイデアを現実のものに変えていく能力やセンスが備わっていて、その才能を社会に還元するという役割を担って生まれてきました。あなたは、多様性を求めそれぞれの道でひとかどの人物になりたいと願っていますが、たくさんの対象や社会的地位など、自分の外にある目先の目標に焦点を置いている限り、ふらふらと効率の悪い行動に終始し、大した達成感を味わうことはないでしょう。

それを避けるために、まず力を注ぐべきなのは、自分の心の中に意識の焦点を合わせることです。つまり、なりたいものに自分を合わせていく代わりに、自分の価値観や個性を明確にして、対象のほうをあなたに沿わせるように、意識の変換を行うということです。これができると、あなたは腰を落ち着けて、自分の考えを現実に生み出すまで、行動を全うできるようになります。また、自分の考えを実現してくれる人にバトンをきちんと渡せるようになります。自分のポリシーをきちんと持ち、いつでもそれに基づいた行動を取っていると、あなたの豊かなアイデアは、周りの人々に正しく伝わり、役に立ちます。こうして他人と意義のある関係を築けるようになると、あなたの周りにはたくさんの人々が集まり、多様な経験ができるようになります。こうしてあなたが切望していた、多彩で楽しい経験やチャレンジを通じて、自己実現が可能になっていくのです。

◎前世から引き継いだ宿命の仕事

前世から今生につながる、あなたの魂の系譜をみると、あなたは前世経験を通じて、非常に強い心の内面の世界を培ってきました。そんなあなたの今生でのチャレンジは、あなたの心の中にある大きな世界を、他人と分かち合うということです。あなたの考えを明確に、そして正直に他人に伝え、相手の応答には素直な心で耳を傾けることです。あなたは他人とのやりとりを通じて、自分の自我意識が、他人よりも強いことを体得していることでしょう。あなたが今生で学ぶべき大きな課題は、あなたのもとに入ってくる多様な情報をいちいち〝検閲〟して却下したり、批判的に受け止めることなしに、オープンな心で受け止め、相手にとっても自分にとっても、有益な情報交換ができるような関係を築くことです。そのために心がけてほしいのは、入ってきた情報に対して、その瞬間に心に浮かんだことをはっきりと言葉にすることです。他人の意見を理性（左脳）で受け止める代わりに、感性（右脳）で受け止めたほうがうまくいくということです。純粋で自然な、正直な反応をする訓練を積みながら人と付き合っていると、他人はあなたがあれこれ操作しなくても、あなたを正しく評価してくれるということに気づくでしょう。

♋ 土星が蟹座にある人

◎素顔の魂

あなたはとても繊細な心を持っている人です。けれども、自分が繊細だからと言って、あなたを傷つけないような特別扱いを他人に求めても、認めてもらえないでしょう。他人が守ってくれないからといって自分の殻に閉じこもると、心の安定や安心を無限に求めて不自由な生活を余儀なくされるようになってしまいます。あなたが自分の傷つきやすいところを他人の前にさらしたり、客観的に捉えたりすることに恐怖感を抱き、また抵抗を示すと、あなたの感性は抑圧され、不自由を感じるようになるでしょう。これを放置していると、あなたの感情は鈍くなっていき、無感動、無感情な人格になってしまいます。

◎磨かれた魂

あなたは心の中の深い感情を存分に経験し、それを外界に向けて表現する能力を持ち合わせていて、しかもそれを通じて、人々に気づきをもたらすという社会的使命を帯びて、生まれてきました。つまり、自分の気持ちを表現することが、あなたの場合、他人のためにもなるという運命を持っているのです。人の気持ちの深淵を経験することが、自分の使命だと意識することにより、あなたは自分の感情に溺れたり不安を感じたりすることなく、情緒体験ができるようになります。

自分の心の奥にある偽りのない感情に触れると、あなたはそれを的確に言葉で表現できるようになり、その行為はその場にいるみんなのもやもやした気持ちをすっきりとさせるでしょう。あなたには、あなた自身も周りの人々も安心させ、豊かな気持ちにさせる類い稀な力が備わっていて、それを社会のために使う使命があるのです。

◎**前世から引き継いだ宿命の仕事**

前世から今生につながる、あなたの魂の系譜をみると、あなたの今生での課題は、これまでの過去生で磨いてきた心の深淵を探る能力を、プロとして社会に還元する方策を探ることです。この過程は、あなたの潜在意識のレベルではすでに始まっていて、あなたの人生のある時期に、突然その才能に気づき、職業として生かす機会が訪れるかもしれません。それが起きた場合、あなたは魂の本来の道を見つけたという、得もいわれない快感を覚えるでしょう。自分の才能を認め、開発していくにつれ、あなたが心の専門家としての能力を仕事に生かすことが、あなた自身の心のニーズをも満たすことがわかってきます。あなたは前世で身につけた人格、心のニーズ、そして才能を今生で現実の生活の中で表現すること、それにより社会的な責任を果たすことを学ぶために、この世に生まれてきたのです。

魂のレベルでいえば、あなたは家庭や家族に心から溶け込めず、あなたの価値観を家族に理解してもらえないという家庭環境に生まれています。このため、家族以外の人に心のよりどころを求め、誰かと深い絆を築こうとします。あなたの魂が背負っている運命として、今の世の中、あるいはあなたの家族が理解できないような新しい感性や価値観を、あなたはこの世にもたらすという役割を持っています。それはまるであなたが宇宙からの使者で、家族という枠組みや、地球人の意識にしっくりと波動を合わせられない〝よそ者〟のような感覚です。あなたがするべきなのは、わかってくれる人を求め続けて不毛な努力をするのではなく、自分自身に帰属することを覚え、自分をよりどころとして同じ波動を持つ人々を探し、新たな〝家族〟を作ることなのです。

♌ 土星が獅子座にある人

◎素顔の魂

あなたは何ごともオーバーに表現する傾向があります。他人に自分を強く印象付けようと、自分の感情の起伏をいちいち大げさに表現していると、それはまるでシェイクスピア悲劇の主人公のような、芝居がかったものになるでしょう。そういうことをして得られるのは自己陶酔くらいで、他人の尊敬が得られないどころか、あなたの評判は地に落ち、失望させられることになるでしょう。こうして世間はあなたのドラマチックな人生に冷たい反応を示し、あなたは生きることに窮屈さを感じるようになるでしょう。

◎磨かれた魂

実際よりもドラマチックにものごとを演じて見せるというあなたの天賦（てんぶ）の演技力は、それを社会のために役立てるという使命を帯びています。自分の身に起こる数々のメロドラマの構成作家としてものごとを捉（とら）えると、あなたは安心してリアルなドラマを演じることができるようになります。自分の心の中心にある愛を出発点にすることを忘れなければ、どんな感情のアップダウンをも表現する演技力が、あなたには備わっているのです。そして、あなたの演技力に心の中にある愛情に満ちた意思が加わると、あなたのドラマチックな表現は、社会を向上させていく力を持つのです。

あなたの心にある偽りのない感情を表現して見せることにより、周りの人々はインスピレーションを感じ、あなたの勇気と表現力に感銘を受けるでしょう。あなたのドラマチックな演技力は、社会のためになる目標に向かってみんなで努力するにあたり、効果的なコミュニケーション手段となるのです。そうなれば、以前は「大げさ」や「わざとらしい」と批判されていたあなたの演技力が、みんなに喜ばれ、あなたは自分に自信を持ち、気持ちをみんなと分かち合える喜びを感じるようになるでしょう。そうなってはじめて、あなたは自らの創造力を存分に発揮できるのです。

◎前世から引き継いだ宿命の仕事

前世から今生につながる、あなたの魂の系譜をみると、今生のあなたが自分の求めるものを手に入れるに

ħ Saturn

は、それなりの責任が伴うということを学ぶ運命にあります。はじめにまず、あなたがどんな理想を掲げ、何を求めているのかを具体的にイメージしてみてください。これが心に描ければ、それを実現するためにあなたのエネルギーはごく自然に湧(わ)いてくるでしょう。あなたを取り巻く環境も、あなたの純粋で無邪気な精神に同調してくれる運命にあります。

あなたの前世の中には、王侯貴族や人気エンターテイナーとして過ごした人生があります。この過去生の記憶が、あなたの無意識に刷り込まれているため、あなたはたくさんの観客の前で何事も首尾よく成し遂げるためには、厳密な取り決めに従い、決まった枠組みをはみ出してはならない、という自覚を根強く持っていました。けれども今生のあなたは、まったく違った運命を持って生まれています。あなたの課題は、これらの「あらかじめ人々に期待されている役割やキャラクターを上手に演じる」という生き方を一切やめること。そして未知なものにワクワクし、楽しいことを追求する、子供のように心を開放することです。このような自由で広がりのある人生を歩むうちに、あなたははじめて自分自身と出会い、夢を実現させていけるようになるでしょう。

♍ 土星が乙女座にある人

◎素顔の魂

自己表現がうまくできないことを恐れて、あるいは他人の期待に十分に応えられないかもしれないという恐れから、あなたは自発的で自然な表現をせず、自分を枠の中に閉じ込めているかもしれません。あなたの厳しい〝完璧(かんぺき)主義〟は高いスタンダードを自らに課すため、かなりのストレスを伴う自己制御を生み出しています。

精神的な苦痛を引き起こす、身を削るように辛辣(しんらつ)な自己批判は、あなたの能力を萎(な)えさせ、さらには仕事上のトラブルを引き起こし、あるいは健康上のトラブルにまで発展しかねません。あなたは強い義務感を持っているため、自分に与えられた義務を果たせないと感じることがあなたを萎縮(いしゅく)させ、ものごとに積極的に参加しようとする気持ちをあらゆる面から封じ込めてしまいます。

◎磨かれた魂

あなたはもともと世界に秩序をもたらすという使命を果たすため、十分な実力を発揮できる能力と責任感を持って生まれています。その使命を果たすにあたり、あなたが自分や他人を弱体化させるほど破壊的な批判精神を持っているということを自覚していると、自分につらくあたることは少なくなるでしょう。自分の弱点を認識するだけで、これを乗り越え、安心して他人を支えるという自己表現も、楽にできるようになります。それができたら、あなたの正確な分析能力を改めて社会のために役立てることができるでしょう。世の中を見渡し、〝不完全〟な部分を見つけるとそこにあなたの完璧主義が反応し、あなたは混沌（こんとん）としたところに、秩序をもたらすために必要な力を注ぎ込むことができるでしょう。

　あなたが自分自身を、ある崇高な命の〝しもべ〟と捉（とら）えることができたら、憔悴（しょうすい）するほど辛辣な駄目出しではなく、建設的な完璧主義の生かし方が身についてきます。そうすると調和に満ちた、どんな人にも理解できる自然な形で、あなたは人々を支えられる人物に成長していきます。あなたの強すぎるほどの義務感を認識し、コントロールして上手な使い道を見つけると、他人を効果的に支え、それにより自分も幸福になる方法が身につき、自分に自信がついてくるでしょう。

◎前世から引き継いだ宿命の仕事

あなたは今生で心と身体のバランスをとり、統合していくことの大切さを学んでいます。その過程で精神あるいは肉体のどちらか一方が度を超えて酷使されたり、調和が乱れたりすると、その影響を受けて健康を害したり、仕事が破綻（はたん）したりといった好ましくない結果を招きます。あなたの人生がうまくいっているかどうかは、健康状態に反映されるので、自分の心身が健全かどうかで、今のあなたが進むべき運命の道にいるか、あるいは外れているかを判断するようにしてください。今生でのあなたに与えられた運命は、真摯（しんし）に自己を研鑽（けんさん）して理想的な人格を目指し、自分の理想とする精神や、時代に先行する革新的な考えを、一般社会に取り入れていくことです。

　あなたは度重なる前世の経験の中で、他人に仕え、世話をする仕事に従事してきました。その結果、あなたの自我意識には、与えられた義務や仕事をきちんとこなすことができるかによって自らを評価する習慣が染みついています。今生では、前世で培われた偏り(かたよ)を正し、バランスを取り戻すために、あなたは自分が完璧であることの優越感や、知的階級や上流階級意識といった、一般を見下ろす視点を手放すことを学んでいます。そして自らの仕事を通じて、あなたが心に描く理想の社会を現実のものにするよう働く人になるという宿命を持っています。前世の習慣から、何でも用意周到に綿密な計画を立てると、その通りにことが運ぶかどうかを気にして新たなテンションが生まれます。あなたは今生でこの癖を克服し、目指す目標をざっくばらんに、抽象的に描きなおすことを学んでいます。毎日の細々としたことを、その場その場で臨機応変に決めていくようにすると、あなたは、大いなる命のしもべとして、運命の道を全う(まっと)する喜びを感じるでしょう。

♎ 土星が天秤座にある人

◎素顔の魂

あなたは生来の平和愛好者。いつでも調和を重んじ、争いごとを好みません。けれども自分の心の平和を維持するために、あなたは理想を掲げ、何があってもいつでもニコニコ温厚な人柄を演じてしまうことがあります。けれどもこれは偽りの調和に過ぎず、あなたの心で起きている本当の心情を反映していないという意味で、あなたは他人との心のつながりを絶ってしまうことになり、あなたらしさを他人に見せることができません。他人の動揺や反感を恐れて、はじめからそういう反応を誘発することを避けていると、あなたは自分の言動がひどく限定されていくのを感じるでしょう。そんな付き合いをしていると、あなたは自分の周りの人間関係から少しも喜びを感じられなくなります。そうなると人間関係のすべてをうっとうしく感じ、失望感に苛(さいな)まれるでしょう。

◎磨かれた魂

あなたが持って生まれた調和のエネルギーは、正しく発揮されると世の中に大きな貢献ができるもので、しかも、あなたには、その才能を生かす責任が課せられているのです。あなたが、自分を調和と不協和音を起こす〝道具〟だと捉え(とら)ると、会話の中であなたが感じる不協和音に、いちいち不快感を感じることがなくなります。そして人間関係に自然に起きる、拒絶や動揺などの不協和音を客観的に受け止め、時には自ら不協和音を発信する力がついてくると、あなたは正直な気持ちを相手に伝えるだけで、不協和音を調和に導く力が芽生えたことに気づくでしょう。あなたが偽らざる気持ちを相手に伝えるとき、あなたは生来の調和をその場にもたらすことができるからです。

あなたは誠実な態度で自分の気持ちをそのまま相手に伝え、相手の反応を待ちます。あなたには外交の才能も備わっているので、その場の空気を上手に読み取り、そこにいるすべての人々が快適でいられるよう、気遣うことができるのです。こうして問題に蓋(ふた)をすることなく、拒絶や動揺、怒りなどの感情を抑制することなくテーブルに載せ、双方が誠実に向き合うことで、互いの言い分を理解する機会が生まれ、新たな調和と深い絆(きずな)が生まれるのです。

◎前世から引き継いだ宿命の仕事

前世から今生につながる、あなたの魂の系譜をみると、今生のあなたは、魂のレベルで深く結びつくような運命的な結婚や、パートナーシップにめぐり合うというシナリオを持っています。たくさんの前世経験のおかげで、あなたの人格形成は円熟期に到達し、自己完結を果たしつつあります。

過去生でのあなたは、カウンセラーやアドバイザー、外交官として、対立や緊張関係にある他者同士を結びつけ、和解や調和をもたらす黒子の役割を果たしてきました。今生では、あなたは自分自身を黒子ではなく当事者として捉え、人生を共有できるパートナーを探す運命にあります。その相手もあなた同様、自己完結した人格を持ち、あなたと同じように円熟した人生の果実を味わうことを求めて、あなたを探しているのです。

♏ 土星が蠍座にある人

◎素顔の魂

あなたは責任感が強く、スタミナも旺盛(おうせい)です。けれども、あなたが周りの人たち全員の身近なニーズをすべて満たしてあげなくてはならないと感じることは、あなたの持ち前の欠点を助長していきます。あなたは状況をコントロールし、自分の思い通りに動かそうと、暴君のような態度を取ってしまうのです。他人に対する過剰な責任感から、他人に干渉しすぎるために、他人があなたに依存する態勢を作ってしまうと、あなたは他人のエネルギーを受けとる回路を絶ってしまうことになります。これにより、あなたは他人とのつながりを感じることができず、フラストレーションと孤独に悩むようになるでしょう。あなたは誰よりも他人との一体感を強く求めているにもかかわらず、自分の思うようにことが運ばないことへの焦りから、他人との信頼と愛情の絆を、自ら否定するような行動をするようになっていくでしょう。

◎磨かれた魂

　あなたはもともと、他人と深く親密な関係を築く能力を持って生まれています。その深い絆で互いの自我を変化させ、新たな覚醒に導くことのできる才能は、社会の人々に役立てる使命とともに与えられているのです。この稀有な才能を生かすという運命を果たすには、人や物をコントロールする力を、あなたが創造しているとイメージしてみてください。そうすると日々の暮らしの中で起きてくる、さまざまなチャレンジにも平然と立ち向かい、処理する勇気が備わっていきます。あなたの持つ強さが、他人との親密な絆をつくる原動力にもなり得ると考えることで、あなたはいっそう安心して自分の力を発揮できるようになるでしょう。

　こうしてあなたは、他人に依存することなく自立して生きる方法を、あるいは他人があなたにもたれかかることなくしっかりと自分の足で立ち、自分で自分のニーズを満たしていけるよう、促していくという課題に取り組んでいけるでしょう。その過程で、あなたは自分がそれまで〝他人に対する責任〟のもとにやっていたことは、密かに他人の力を奪い、他人を自分の意のままに動かしたいという利己的な野心の表れだったことに気づき、それは相手にとってだけでなく、あなたにとっても大きな損失となっていたことがよくわかるでしょう。相手を圧倒するような強さを相手に誇示したまま付き合う関係では、心から相手を思いやる相互の信頼の絆が生まれることはありません。真に公平な関係からこそ互いに学び合い、成長し、慈しみ合う実りある関係が築けるのです。

　あなたが自分の力を上手に生かし、他人と分かち合うことにより、あなたは自分を解放し、さらに洗練された人格を身につけられるようになります。そしてあなたは真の強さとバイタリティーを自らに感じることができるでしょう。

◎前世から引き継いだ宿命の仕事

前世から今生につながる、あなたの魂の系譜をみると、今生のあなたが抱える課題は、親密なパートナーと深い心のつながりを持つことへの恐怖を克服することです。相手との相互理解を深めるために心を開く過程において、あなたが最も恐れるのは、相手と一つになったら、自分が消えてしまうのではないかという恐怖心。克服の鍵は、相手のニーズや願いを叶えてあげることばかりに縛られるのではなく、他人の願いをあなた自身の価値観に照らし、あなたの希望も満たしながら、二人のために最良の展開を編み出していくという選択肢に気づくことです。あなたは自分の力が他人に及ぼす影響をよく理解した上で使うことを学んでいます。そして自分の存在価値をきちんと認め、相手も自分も幸福になるような方向を打ち出していくことを今生で学んでいるのです。

今のあなたに強い影響を与えている前世として、戦場を渡り歩いて生涯を終えた軍人の一生があります。軍人だったあなたは絶対的な権力と、打ち負かされることのない強靭な体力を持ち、それを他人に誇示することがサバイバルの必須条件でした。このときに強く深く刷り込まれた「他人と一体化することへの、強い自己防衛本能ともいうべき抵抗感と恐怖心」を今生で乗り越えることが、あなたが幸福をつかむための踏絵となっているのです。あなたと、相手の心の中にある別々の理想が瓦解し、一つの理想のイメージを再構築することが、あなたがひとまわり大きく成長するために避けて通れない道なのです。これができるようになると、あなたは親密な人間関係からエネルギーをもらい、相手に与えながら、支え合い、高め合う喜びを享受する人生が続くでしょう。

♐ 土星が射手座にある人

◎素顔の魂

あなたは世間でいわれる知的権威を求め、インテリ層に弱いところがあります。このため、自分の価値を学歴などの社会通念としての物差しではかり、優越感や劣等感を感じる傾向があります。具体的には、「私は大学を出ているから高卒のあの人より偉い」とか、「私は高校中退だから、頭が悪い」とかいった比較による人物の価値評価をさします。自分の価値観に基づいた物差しではないもので自分の能力を正当化、あるいは過小評価しても、しっくりくるはずもなく、あなたは無限にもっといい〝物差し〟を求めて、さまようことになるでしょう。

◎磨かれた魂

あなたには、人間社会の理想のあり方についてのイメージや哲学が生まれつき備わっていて、よりよい社会を現実に築くために必要なエネルギーも持ち合わせています。また、あなたに与えられたそれらの才能は、よりよい社会を作るという使命とともに与えられているのです。あなたが取るべきスタンスは、自分自身がまず今よりもっと知的で社会性のある人格を持ちたいという願いにコミットすること。こうしてあなたは日常的に、他人に教え、他人から学ぶことに抵抗感がなくなっていきます。

あなたが知性を磨く目的は自分の見栄えをよくすることではなく、社会に還元するためだと捉えることができれば、先見の明のある革新的な考えを広く集められるという、あなたの稀有な能力が開花するでしょう。その過程で、あなたははじめに願っていた通り、知性による社会貢献のできる人として知られるようになっていくことでしょう。

◎前世から引き継いだ宿命の仕事

前世から今生につながる、あなたの魂の系譜をみると、あなたの今生での課題は、既存の権威にすがるのをやめ、新しく自分らしい価値観を自らの中に認め、それに基づいて生きることです。つまり、何が本当に正しいことなのか、世間で認められている古い物差しではない評価の仕方を見つけることにあります。あなたの前世の中で際立った影響を与えているものがいくつかあります。それは宗教上の権威者として教会の権威と教えを支え、代弁し、宗教裁判を行っていた人物です。このため、あなたの潜在意識には、神の教えに基づく厳格な法の裁きに背くことへの強い恐怖心が刷り込まれています。今生であなたが幸福をつかむためには、ある種の大きな法則に背くことへの懲罰、あるいは天罰に対する恐れの感覚を解き、前世の思い込みから自由になることが、何より大切なのです。世間で言われる価値観に従うのをやめ、自分の価値観、自分の意見を持つ習慣をつけていくうちに、あなたは社会で言われる正義などの多様な概念をあなたなりに理解し、統合できるようになっていきます。

宗教や学術界の権威に頼ることなく、自分自身の心の真実に照らして行動できるようになると、時代を超えた真理があなたを通して天から降りてくるようになるため、あなたは自分の考えや理想を世の中に示すことにより、世の中を変える力を身につけていくでしょう。

♑ 土星が山羊座にある人

◎素顔の魂

人はみな、自分の行為を他人に認めてもらいたいと願っています。あなたは自分の行為をアピールするとき、往々にして誇大表示してしまう傾向があります。たとえば経験年数を実際よりも長くしたり、所有物や財産を多めに表現したり、ちょっとした言葉をもらっただけで業界の重鎮のお墨付きだと言ったり。そういうことをしていると、一時的にはうまくいくかもしれませんが、偽りに対する罪の意識が邪魔をして、あなたの中に達成の満足感は残りません。また、そのような誇大表示で高い地位を手に入れても、他人の反感を買うため、せっかくの地位に瑕がつき、安住できません。

◎磨かれた魂

あなたは生まれながらに、存在感や権威を身につけるよう、運命づけられている人です。生来のその資質を開花させるには、現実の行動の中で、権威や尊敬に足る要素を自ら創造するよう意識することが大切です。そう考えることにより、あなたは自分の行動を制限しなくなり、伸び伸びと資質を育めるようになるのです。こうして、あなたの生来の組織能力、統率力を発揮して、周りの人たちの希望を上手に取り入れ、状況を向上させていくことができるでしょう。その過程で、あなたの権威が輝き、リーダーとしての魅力が伸ばされていくのです。

◎前世から引き継いだ宿命の仕事

前世から今生につながる、あなたの魂の系譜をみると、あなたにとって今生は、たくさんの過去生での努力が報われる、集大成の一生となっているようです。あなたとは別の人格を持っていた幾多の過去の人生では、たくさんの努力を続け、それらが今生でついに実り、豊かな達成の時期を迎えるのです。あなたの運命には公人としての運勢がついて回り、あなたは自分ひとりの人生を生きるというよりは、多くの人のために役に立つ、社会的意義のある大仕事を成し遂げる運命を潜在的に持っているのです。このため進んで社会参加して活動するという、運命の筋書き通りの人生を選択しないと、あなたの人生には多くのフラストレーションがもたらされるでしょう。

あなたが選んだ分野で、あなたはリーダーとして多くの人に光を与えるという人生のシナリオが、生まれたときから作られているのです。強運を無駄にすることなく、立ち上がるべきときには躊躇（ちゅうちょ）することなく立ち上がり、リーダーシップを発揮してください。あなたが持って生まれた権威と社会的責任を自覚し、あなたの選んだ分野での目標を実現するよう行動していると、あなたは自分が本来あるべき道を歩んでいるという、この上ない幸福感を感じるでしょう。

♒ 土星が水瓶座にある人

◎素顔の魂

あなたは一般の人とはちょっと毛色が違います。けれどもそのユニークなところをあえて隠し、大勢の人々の陰に隠れようとするところがあります。けれども、いつも一般的に受け入れられるオールラウンドな人柄を演じているのにも、無理があります。あなたが考える「普通の人」を演じ、心の中では一般人と一線を画し、心を通わせないでいると、本来の自分が抑圧され、フラストレーションがたまっていきます。

◎磨かれた魂

あなたがこの世に生まれたのは、あなたの個性を育て、発揮することにより、世の中を向上させ、人々との連帯感を育み（はぐく）、協力して人道的な理想を実現するという大いなる使命があるからです。あなたが他人と明らかに異なる自分の個性や才能を認め、それらを伸ばす途上にあることを意識していると、あなたは不安を感じることなく人々に受け入れられる行動を取れるようになります。既存の人道主義や政治組織に与(くみ)しないような立場を取っていれば、あなたは独自の安定した居場所と地位を確保できるでしょう。

◎前世から引き継いだ宿命の仕事

前世から今生につながる、あなたの魂の系譜をみると、今のあなたの人生を貫くテーマは「古い因襲(いんしゅう)や伝統的な世界観を打ち破り、革新的な価値観を取り入れて住みよい世の中を作っていくこと」です。今のあなたとして生まれる少し前の過去生でのあなたは、有名人として賞賛を浴び、その分野の権威者として人々の尊敬を集める存在でした。そういうステージを超えて生まれてきた今、あなたの魂が生きる喜びを謳歌(おうか)するために、既存の権威による承認や賞賛は、もはや必要なくなっているのです。今生のあなたは、自分の心と対話をすることにより、既存の価値観に従って生きるのではなく、むしろそこに欠けているものを社会に取り入れることにより、世の中全体が、もっと愛に満ちた平和な社会に変化するために働くという運命を持っているのです。

今のあなたが、現在の社会でよいとされている価値観を踏襲(とうしゅう)したり、みんなの目を気にして目立たない一般人として振る舞おうとすると、あなたの人生は停滞します。あなたが目指すべき生き方は、体制に迎合(げいごう)することなく、現状の社会構造に不足している、もっと自由で平和な社会をもたらすために必要な何かを、あなたなりに取り入れるという道です。身近なところから、どこをどうすればもっと幸せになれるかがイメージできたら、迷わずそれを実践に移すことです。それができたとき、あなたは本来の魂の道に戻った喜びを感じることでしょう。

♓ 土星が魚座にある人

◎素顔の魂

あなたは世間一般の関心事に興味を感じられないところがあります。普通の人々の持つ俗っぽい価値観を共有できないため、「世の中はくだらないことばかりだ」と感じているかもしれません。けれどもあなたの心には大いなる理想があり、それを実現するためには、この世の中で行動を起こさなくてはなりません。世間との価値観や感性のずれからフラストレーションを感じ、無力感に浸っていると、生きていることすら億劫になり、せっかくあなたが持って生まれた理想のイメージもしぼんでしまうことでしょう。

◎磨かれた魂

あなたが密かに抱いている理想の社会のイメージを実現させる能力と、その責任を帯びて、あなたはこの世に生まれました。周りの人々との違いばかりに目を向けるのをやめ、あなたの心にある理想を意識して行動していると、それらを実現する勇気と自信が備わってきます。

あなたには心にある理想のイメージを表現する才能があります。あなたが心に描く理想を実現することは、世の中のためにもよいこと。そう考えて実現を願っていれば、目の前に進展のチャンスが訪れたとき、すんなりとつかむことができるでしょう。日頃から「こうなってほしい」というイメージを周りに示し続けることにより、やがてそれは現実のものとなるでしょう。

自分が属していないと感じられた社会に実のある貢献ができたとき、あなたははじめてそこに帰属する安心感を覚えるでしょう。

◎前世から引き継いだ宿命の仕事

前世から今生につながる、あなたの魂の系譜をみると、今生のあなたは、過去の栄光やお手柄と自分を切り離すという時期にきています。あなたは、漠然としたフラストレーションやあきらめのような気分に浸りがちで、自分が夢を実現する姿をなかなか想像できないかもしれません。これは、あなたの理想や自我のイメージが変化していることから起こります。前世までのあなたの自我意識が消失し、新たな自我がこれから形成されるという過渡期に、あなたは立っているのです。今気づかないとしても、新しい人格や自我のイメージは必ずあなたの心に降りてくるでしょう。

新しく、存在しないものを体現するには、居心地の悪さがつきものです。けれどもあなたの運命は、まだ現実にない自分や世界のイメージを心に描きながら、今生ではもう機能しなくなっている、前世までの自己表現の仕方を捨て去ることにあるのだと理解してください。これを意識しながら行動していると、あなたの行動の結果ではなく、あなたの存在自体が評価されるようになり、自分の運命を全(まっと)うしているという、この上ない満足感を覚えるでしょう。

♄ Saturn

♄ 土星があるハウス

第1ハウス

自分の力でものごとを動かしているという感覚を持ち、他人を支配することなく、コントロールする責任を帯びた人格になることで、安心感を得ようとする。

第2ハウス

自分の価値観や所有物を通じて、安心感を得ようとする。凝り固まった価値観を捨て、現状を流動的に受け止める必要がある。

第3ハウス

自分の言葉やコミュニケーションに注意を払ってもらうことで、安心感を得ようとする。他人に認められる方法を学び、ひとかどの訓練を積む必要がある。

第4ハウス

他人と心情的な絆(きずな)を結ぶことで安心感を得ようとする。心の内を他人に明かし、正直な気持ちを伝え合ううちに、心が安定していく。

第5ハウス

人生の主役の座を占めていると感じることで、安心感を得ようとする。あなたの創造力を建設的な方法で生かすと、孤独感がなくなり、身近な人々との絆を感じられるようになる。

第6ハウス

強い義務感を満たすことで、安心感を得ようとする。過労で心身のバランスを崩すことなく、よい仕事に精を出す必要がある。

第7ハウス

社会的均衡を保つために、頼れるパートナーを得ることで、安心感を得ようとする。自分と相手をともに利するようなパートナーシップを築く責任と能力を併せ持つ。

第8ハウス

他人より優位に立つことで、安心感を得ようとする。自分と身近な人々が、ともに成長できるような人格の融合を経験する必要がある。

第9ハウス

知識によって他人にインスピレーションを与えることで、安心感を得ようとする。自分の哲学や思考体系を信じ、新しい価値観や経験からもたらされる情報を取り入れていく必要がある。

第10ハウス

ひとかどの人物として自分の権威を認めてもらうことで、安心感を得ようとする。自分の得意分野で、広く世間に意思表示する必要がある。

第11ハウス

仲間と自分との違いを意識することで、安心感を得ようとする。自分の個性や権威を、上下関係を作ることなく築く方法を探る必要がある。

第12ハウス

自分の心に秘めた夢を実現することで、安心感を得ようとする。目に見える現実の摂理を超えた精神世界の叡智(えいち)を、自分の夢の延長上に捉(とら)え、実現させる必要がある。

♄ Saturn

天王星

自立と自由を獲得する

〈バースチャートの天王星の位置が示すもの〉

・直観的な洞察力が開発されやすい状況を示し、その能力を生かすと混乱や錯綜（さくそう）した状況で正しい結論を引き出せるようになる。

・あなたの中に潜む、予測不能な行動のパターンを示す。これを他人が見るとあなたの信頼は失墜し、変人のレッテルを張られる結果に結びつく。

・他人を遠ざけることなく、自分の自由を獲得するために、自立した責任ある生き方を築く必要のある分野を示す。

・いつでも迷いのない考えを持つために、責任と意図を持って、自立の喜びと自由を経験するべき分野を示す。

・無自覚に相手に対する配慮を欠いたエキセントリックな、あるいは他人を無視した言動をとりやすいパターンを示す。これは他人との感情面でのトラブルや孤立を引き起こす。

・人々のニーズに合わなくなった時代遅れな状況に変革をもたらす、革新的な考えを表現する潜在能力のある分野を示す。

天王星は、軌道上を運行しながら、一つの星座に約7年間留まり、次の星座に移動します。海王星、冥王星とともに太陽系の外側に位置する惑星である天王星は、人間性の本質や時代の特徴を表しています。天王星が収まる星座は、あなたについてだけでなく、あなたの属する組織や集団に共通する、変化・進歩するべき分野を示しています。天王星が個人に与える影響と社会全体に及ぼす影響は、いろんな意味で似通っています。一人の心の中で何らかの気づきが始まると、その世代全体に変化が起こります。その変化のうねりはテレパシーを通じて地球全体に波及し、世界中の人々の意識の進化を促すのです。

個人的なレベルで言えば、天王星の影響を身近に感じられるのは、天王星が収まるハウスによって明らかになる分野です。解説で使われている「天王星の意識」という言葉は、言うなれば「神の意志」ということ。全知全能の神の前では、ありとあらゆる発明と発見の種があり、創造的な概念は次々と紡ぎ出され、すべての問題は解決します。天王星がもたらす叡智（えいち）に触れ、親しむことは、この上なく光に近い、周波数の高い意識のエネルギーを味方につけることを意味します。

♈ 天王星が牡羊座にある人

この時期に生まれた世代は、天王星の意識を直感的に受け止め、人類が目指すべき新しい方向を理解する能力を持っています。ものごとの革新的な進め方について、彼らは極めて個人的な形で示すでしょう。新しい価値観を示す彼らのリーダーシップが社会全体に利するものでないときにのみ、何らかの分裂や不都合が起きるでしょう。

♉ 天王星が牡牛座にある人

この時期に生まれた世代は、天王星の意識を直感的に受け止め、地球が進むべき方向に動き出すのを、物質面で助ける方法を感知する能力を持っています。地球が変化する動きを構築し、革新的なエネルギーを実用的な方法で、最も必要とするところに与える方法を宇宙から受信します。彼らが地球上から消え去るべき古い因襲（いんしゅう）や価値体系にしがみつくときにのみ、何らかの分裂や不都合が起きるでしょう。

♊ 天王星が双子座にある人

この時期に生まれた世代は、天王星の意識を直感的に受け止め、来るべき時代からのメッセージを社会全体に向かって、新しい手法によりコミュニケートする能力を持っています。地球の進むべき方向が定まると、それを人々に伝わる言葉に置き換え、広めるために必要な洞察を持っています。彼らが伝えるべきメッセージの持つ創造力や可能性を無視して、論理性や効率性による制限を加えるときにのみ、何らかの分裂や不都合が起きるでしょう。

♋ 天王星が蟹座にある人

この時期に生まれた世代は、天王星の意識を直感的に受け止め、個人のレベルでトラウマや人格の変化を引き起こす、新しい精神構造や心理状況を感知する能力を持っています。新しい心理状況の可能性に関する洞察は、平和な家庭生活や個人の安心感を支える、伝統的な価値観と合致しない場合があります。彼らが個人的レベルで、家庭の平和や安心を得るために、古いやり方に固執するときにのみ、何らかの分裂や不都合が起きるでしょう。

♌ 天王星が獅子座にある人

この時期に生まれた世代は、天王星の意識を直感的に受け止め、自分の気持ちや才能を創造的に表現する新しい方法を感知する能力を持っています。こうして天王星から託された前例のない創造力を自分の才能と勘違いし、狭い自我意識を満たそうとすると、激しい分裂や不都合が起きるでしょう。彼らが発信する創造力や芸術性の評価を個人的に得ようとすると、混乱が生じるでしょう。

♍ 天王星が乙女座にある人

この時期に生まれた世代は、天王星の意識を直感的に受け止め、物質・精神の両面において、社会や環境全体をオーバーホールする新しい方法を感知する能力を持っています。社会や環境に奉仕する新しい方法を誤解したり、厳格に受け止めすぎるとき、何らかの分裂や不都合が起きるでしょう。

♎ 天王星が天秤座にある人

この時期に生まれた世代は、天王星の意識を直感的に受け止め、革新的な人間関係の作り方や、人間関係の新しい捉え方を感知する能力を持っています。結婚についての古い理想や因襲に囚われたり、パートナーシップの契約や力学を、伝統的な価値観で縛るとき、何らかの分裂や不都合が起きるでしょう。

♏ 天王星が蠍座にある人

この時期に生まれた世代は、天王星の意識を直感的に受け止め、人々の性生活などの世俗的側面を、抜本的に新しい時代感覚に変革する、新しい方法を感知する能力を持っています。彼らが、古い時代の男女の役割や、人々の物質との付き合い方に関して、機能しなくなった価値観に固執するとき、何らかの分裂や不都合が起きるでしょう。

♐ 天王星が射手座にある人

この時期に生まれた世代は、天王星の意識を直感的に受け止め、来るべき時代の哲学的ビジョンや、公衆道徳の観念を感知する能力を持っています。古い道徳観念や信条を使って、捨て去るべき古いやり方を正当化するとき、何らかの分裂や不都合が起きるでしょう。

♑ 天王星が山羊座にある人

この時期に生まれた世代は、天王星の意識を直観的に受け止め、新しい社会の秩序を構築する方法を感知する能力を持っています。社会全体を包括的・革新的に治めるための洞察を経験するでしょう。機能不全に陥った政府などの社会組織に固執するとき、何らかの分裂や不都合が起きるでしょう。

♒ 天王星が水瓶座にある人

この時期に生まれた世代は、天王星の意識を直感的に受け止め、人類を現行の社会秩序から革新的な未来社会の世界観へと統合していくための、人道的な理想や人間関係の基準を感知する能力を持っています。天王星と水瓶座のエネルギーが最も強く、ユニークで原始的な形でぶつかったとき、創造的な無秩序状態が生まれることがあります。彼らが古臭い社会システムに固執するとき、何らかの分裂や不都合が起きるでしょう。

♓ 天王星が魚座にある人

この時期に生まれた世代は、天王星の意識を直感的に受け止め、過去のすべての知識を捨て去ることを促す効果を持つ、まったく新しい気づきを感知する能力を持っています。来るべき時代の人類にふさわしい理想を受け入れるために変化と革命が古いエネルギーを追い出すでしょう。彼らが古い現状認識や信条に固執するとき、何らかの分裂や不都合が起きるでしょう。

第1ハウスにある人

◎素顔の魂

あなたは自分の自由を主張するとき、往々にして他人の自由を奪ったり、相手に負担を強いる傾向があります。このため、あなたが自分の自由や自主性を求めるたびに相手との衝突を招きます。あなたはそこでエネルギーを消耗して挫折し、やがては他人に主張するのをあきらめてしまう結果になりかねません。このパターンが起きるのは、あなたがものごとに反応するとき、知らず知らずのうちに、一般には受け入れられない、突飛な言動をしていることに起因しています。これは相手に対して破壊的なインパクトを与えてしまいます。

◎磨かれた魂

他者からの自由や自立というものは、相手の犠牲の上に勝ち取るものではありません。あなたの場合は、どの人にとってもフェアであるという、個人の責任を全うする形を経て、自らの自由を手に入れるというアプローチを試してください。あなたが自分を含む、すべての人に平等に接する能力を示すと、あなたは自分が属する集団や組織で、革新的なリーダー的資質を備えた人材として尊重され、尊敬されるようになります。差別や偏見のない、心の広い人としてあなたは人々に支持され、求めていた自由が手に入るでしょう。

第2ハウスにある人

◎素顔の魂

　あなたの物質や財産に関する価値観は、一般から見ると理解できないようなところがあります。このためあなたが自分の自由や権利を主張すると、かえって人の能力や資源を分散させてしまうという副作用を孕(はら)んでいます。相手の価値観を無視してこの考えを他人に押し付けてしまうと、あなたは逆に他人の好意や協力に、依存せざるを得ない状況に陥ります。あなたが日常生活で全(まっと)うすべき責任を果たさないと、あなたは快適な生活を送るために、誰かに依存しなくてはならない状況を作ってしまいます。

◎磨かれた魂

　あなたのユニークな価値観を現実の生活にあてはめて、どのように生かすかを体現してみせることで、あなたは自分らしく振る舞う自由を周囲の人々から勝ち取ることができるでしょう。このアプローチを取り入れると、あなたの革新的な発想は実現可能な計画となり、誰の目にも見える形となっていきます。その過程で、財源を確保するユニークな方法も見つかっていくでしょう。

第3ハウスにある人

◎素顔の魂

　あなたが自分の自由を主張するとき、その思いを伝えたいあまりに、ついついコミュニケーションの仕方や内容がエスカレートしてしまいます。その結果、相手に対する配慮がお留守になり、状況を悪化させてしまう危険を孕(はら)んでいます。たとえば首尾一貫していない気まぐれな言い分であるとか、主張の理由が常軌を逸したとっぴな考えに基づいているとか、あるいは意図的に相手を煙に巻いて納得させようという場合もあるかもしれません。いずれの場合も、相手の誤解や反感を生むだけで理解されず、あなたは誠実なコミュニケーションの基盤を失い、エネルギーの無駄遣いに終わることになるでしょう。

◎磨かれた魂

理性や常識を無視しない、相手に受け入れられる方法で明確なコミュニケーションを図ることが、あなたらしく生きる自由を獲得する近道です。あなたらしくユニークなコミュニケーションの仕方を工夫することで、あなたは相手と心の触れ合うやりとりができ、互いの正直な対話から、刺激的で実りある結果が引き出されるでしょう。

第4ハウスにある人

◎素顔の魂

あなたが自分の自由を主張するとき、それは家族や親友など、ごく身近な人々に対する反抗から始まる傾向があります。それは自分の感情的なわがままを満たすだけの、間違った主張であることが少なくなく、責任を伴わない自由を、自己中心的に求める傾向が強いでしょう。こういう形で自由を主張しても、あなたはかえって自分に自信を失い、不安感が増し、何よりあなたが必要とする大切な人々との関係決裂という悲劇を招いてしまいます。

◎磨かれた魂

あなたが求める自由な人生を手に入れる一番いい方法は、他人の気持ちやニーズに対する敏感さという、あなたの特異な才能を活用することです。あなたには自分を犠牲にしてでも、相手を思いやるという深い愛情があります。その精神を思い出せば、大切な人との絆（きずな）を失うようなわがままを相手に押し付けることは、自（おの）ずからなくなるでしょう。わがままをぶつける代わりに、思いやりを示すというやり方は、あなたを個人的、精神的自立へと導き、親しい間柄でも依存したりされたりすることのない、心から自由な存在としてのあなた自身を感じられる道へと続いているのです。

第5ハウスにある人

◎素顔の魂

あなたは自分の自由を主張するとき、他人のやり方や表現の仕方を否定して、自分流のやり方を不用意に押し付ける傾向があります。あなたは自分をドラマの主人公に見立てるところがあり、かっこよく生きているところをみんなに見せたいという理由で、状況を必要以上にドラマチックにしたり、自分の自由な生き方を他人に見せびらかしたりしたいという欲求を持っています。このやり方を改めないと、あなたにはエキセントリックで反抗的な、信用できない人としての評判が定着していくでしょう。

◎磨かれた魂

あなたが求める自由を手に入れる一番いい方法は、あなたの長所である豊かな創造力を建設的な方法に使うというやり方です。相手の個性や創造力を頭から否定して自分のそれを押し付ける代わりに、創造力を働かせて身近な人々の個性を伸ばしてあげるという形の〝自己主張〟を心がけてみてください。これができれば、人々はあなたのユニークな個性や創造力に感銘を受け、あなたが自由に自己主張するための舞台を与えてくれるでしょう。

第6ハウスにある人

◎素顔の魂

あなたが自由を主張するとき、それはときとして「他人に対するあなたの義務を果たさない自由」として捉えられ、他人に奉仕したくない、あるいは関わりたくないという〝拒絶〟の形で表れる傾向があります。これをしていると、あなたは義務を怠ることを正当化するようになり、仕事を見つけてもすぐに解雇され、職を転々とすることになりかねません。こうしてあなたは、生きるための基本的な経済力や、人々と折り合っていく社交術にも自信を失い、不満足な毎日を送ることになるでしょう。

◎磨かれた魂

あなたが求める自由を手に入れる一番いい方法は、

あなたが他人に奉仕することにより、人々をしがらみから解放し、自由へと導いていると考え、実践することでしょう。あなたには宇宙の摂理や、ものの道理が本能的に理解できるので、あなたが周りの人々に奉仕するときに、あなたの知恵を彼らと分かち合うようにしてください。そうすると、あなたのもとにあなたにしかできない魅力的な仕事や役割が引き寄せられてくるでしょう。

第7ハウスにある人

◎素顔の魂

あなたは他人と新たな人間関係を築くとき、他人があなたに、どれほど刺激的な情報や経験を提供してくれるかを基準にする傾向があります。刺激や興奮ばかりを求めていると、あなたの人間関係は不安定なものになり、予測不能な出来事に翻弄(ほんろう)されてすっかり消耗することになるでしょう。実際にはあり得ないような面白いことを求めすぎると、ものごとの静かな流れに退屈し、平凡で身近な人間関係を窮屈に感じることもあるかもしれません。

◎磨かれた魂

あなたにとって理想的な人間関係を手に入れる一番いい方法は、他人に対するあなたの対応において、多様な刺激や興奮するような変化を盛り込んでいくことです。そうすれば、あなたに必要な刺激を自ら満たせるだけでなく、その過程であなたは自分の創造力を強化でき、その能力を他人に提供することにより、多くの人々と浅く付き合うことを学ぶ道を開くのです。たくさんの人々と深く付き合い、親密な関係を結ぶと、それはあなたを疲れさせ、エネルギーが消耗します。あなたが学ぶべきなのは、知り合ったすべての人と深い付き合いをするのではなく、私情を交えない、軽い知り合いにとどめておくべき人々とは、自然な態度で浅く付き合う方法をマスターすることです。これができれば、あなたのエネルギーを使い果たすことなく、必要な刺激や経験を、限られた友人から得ることができるようになるのです。

第8ハウスにある人

◎素顔の魂

あなたは親密な関係のパートナーに対し、相手の意向や趣味をまったく無視して、エキセントリックで風変わりな態度で臨む傾向があります。そんな行動を改めない限り、あなたの人間関係、そしてセックスライフは激しく破壊的で風変わりなものになり、エネルギーを消耗し、長続きしないでしょう。

◎磨かれた魂

親密な人間関係を長続きする健全なものにするために一番いい方法は、あなた自身と相手が、今より自由になれる未来を思い描き、それに向かって行動することです。相手の個性を見つけ、引き出すことで、あなたのセックスライフは、もっと広がりを見せるでしょう。と同時に、異性との付き合いにおいてあなたが抱いている古い考えや既成概念を打ち破り、革新的な愛の形を追求する道を開くでしょう。

第9ハウスにある人

◎素顔の魂

あなたは建設的に代案を示すことなく他人の信条を不用意にぶち壊し、自分の要求を押し通そうとする傾向があります。これは多くの場合トラブルを招き、集団の分裂を引き起こします。また自己主張が過ぎて、実体のない空論を駆使して、他人の考えを打ち負かし、相手より自分のほうが優れていることを誇示しようとする誘惑に駆られることも少なくありません。この誘惑に負けていると、しまいには誰もあなたの言うことに耳を傾けなくなるでしょう。

◎磨かれた魂

客観的な事実に基づいた知識を使って他人を否定する代わりに、他人の信条を支え、拡大してあげると、あなたは自分の感性や哲学的な才能を存分に表現することができるでしょう。このような方法で相手を支えてあげると、相手はあなたを信頼するだけに留まらず、相手が鏡となり、あなたが自分をより深く理解する手助けになるのです。客観的で、実用的な知識を人々の考え方に結び付けてあげることにより、彼らが直感的に真実を学び取り、成長する能力を促すことができるでしょう。これを通じてあなたは他人の心と結びつき、ワクワクする刺激的なやりとりを楽しむことができるのです。

第10ハウスにある人

◎素顔の魂

あなたは世の中を甘く見ているところがあり、どんなことでもその気になればすぐに変えられるという、自信に満ちた考えを持っています。あなたは自分のイメージに合った世俗的な成功を収めるかもしれませんが、その成功につきものの社会的責任にあなたは気づきません。あなたには破壊のための破壊願望や、無意味に自分の力を誇示したいという欲求があります。これは現状をよくするどころか、逆に出口のない停滞に陥(おとしい)れ、無意味な革命と言わざるを得ません。

◎磨かれた魂

あなたに求められている役割は、破壊者ではなく、責任ある改革者です。あなたが属する社会や階級を包括的に認識できる才能を生かし、社会全体がよくなるにはどうすればよいか、どのような変化が必要かを考えて実行するのです。あなたの創造力が発揮されれば政治や実業界での際立った地位が得られるでしょう。

第11ハウスにある人

◎素顔の魂

あなたは、「自分は何でも知っている」という態度をとり、他人より優位に立とうとする傾向があります。知識を縦横無尽に操って、しかもそれらを「一般論」として話すことにより、発言者としての責任を逃れようとします。こんな都合のいいことを続けていると、人々の間に不信が渦巻き、あちこちで面倒なことが起こり、あなたは自由に生きにくい状況に陥るでしょう。

◎磨かれた魂

そのような状況を避ける一番いい方法は、あなたのその知識を活用し、人々が自分の中に持つ洞察力を引き出し、他人や自分を批判することなく建設的な考えを分かち合うよう勇気づけることです。これを覚えると、あなたは自分の言動の自由が拡大していくことに気づきます。友人の輪の中で、そしてさらに広い集団の中で、自立した自分自身を感じることができるでしょう。

◎磨かれた魂

あなたは持って生まれた深い洞察力や直感力を生かし、他人に対して率直な自己表現をする習慣を身につけなくてはなりません。あなたの心に浮かんだあなたらしいユニークな考えや気持ちを積極的に他人と分かち合おうとするうちに、あなたの人柄は広く人々に認知されていきます。あなたは自分の中にある理想のイメージをはっきりと認識できるようになり、それがあなたの存在感を支えていくでしょう。

第12ハウスにある人

◎素顔の魂

あなたが自己主張をするとき、まるであなたは独自の個性も夢も持たない、不自由で取るに足らない人だという顔をする傾向があります。これを続けていると、あなたの中で抑圧されたエネルギーが募(つの)っていき、しまいにあなたはエキセントリックな形で自我を爆発させることになるでしょう。それはほとんど無意識に起こり、あなたの意思に反して破壊的な影響を人間関係に残すことになります。

Uranus

〈バースチャートの海王星の位置が示すもの〉

- 現実でないものを排除し、真実を明らかにすることで、目に見える成果を引き出して夢の実現への道筋を示す。
- どんな分野で期待感がエスカレートしやすく、期待が外れたときに最も落胆しやすいかについて示し、そこから人生が混乱し、マイナスに働いてしまうパターンを示す。
- あなたが心に描く理想が実現するために、何らかの犠牲を払わなくてはならない部分について示す。
- 真の理想に根ざした幸福を感じられなくする、自己欺瞞（ぎまん）や感情のすり替えが習慣化しやすいパターンについて示す。
- あなたの理想に根ざした目標の実現を目指すとき、宇宙の支援が得られる分野を示す。またあなたの考えや理想を言葉にして表現するだけで、宇宙がひとりでにその実現に向けて動き出すような分野を示す。
- 宇宙と結びつくことで得られる強さや純粋さ、喜び、そして宇宙の摂理を理解し、信頼を感じられる分野を示す。

海王星が一つの星座を通過するのにかかるのは、約14年。海王星が留まっている星座が示すメッセージは、いろんな意味で、その世代的な特徴を象徴します。海王星は、その時代の人々の理想に根ざした欲求を示す惑星であると同時に、個人の理想の指標でもあります。一つの時代の総意としての理想と、個人の心にある理想が往々にして同じ様相を示すのはこのためです。この惑星のエネルギーが、個人の心の中で浄化されていくにつれて、その人が属する集団や組織、ひいては世代全体が次第に浄化されていきます。こうして海王星が司る理想の形が、地球全体に波及していくのです。個人的なレベルで言えば、海王星の影響を身近に感じられるのは、海王星が収まるハウスによって明らかになる分野です。

♈ 海王星が牡羊座にある人

この時期に生まれた人々は、誠実で純粋な人格を築き上げる潜在能力を授けられています。彼らが地上にもたらす恩恵は、本当の自分を素直に表現することが、健全な人間関係には不可欠だという真実の知恵です。

このグループの人々は、下心や期待などにより恣意的な自己表現や自己欺瞞に陥ることなく、自我を純粋に表現する力を持っています。個人の意識の中では、真に自分に正直でいることと、パートナーシップやチームワークをうまく働かせるための方便を弄することの狭間で悩むことがあるでしょう。彼らが持って生まれた叡智である、根源的自我の強さと美しさが発揮されることが最良の幸福を生む、という真実が開花するには、彼ら自身が、他人にも自己主張をする権利があると認め、尊重できるようになる必要があります。この世代は、人間関係で外交や協力により、他人のニーズに配慮しながら自分の真の個性を発揮するという機会に恵まれるでしょう。

♉ 海王星が牡牛座にある人

この時期に生まれた人々は、物質的な財産を他人と分かち合い、コミュニティーの全員が豊かで快適になるような資源の分配を司る才能を、海王星から授かっています。彼らが地上にもたらす恩恵は、地球という惑星の美しさを愛で、肉体を持って地上に生きることの喜びを味わい尽くすことです。この人たちは、自分や周りの人々の面倒をよく見て、快適に生きていくことの重要さを生まれつきよく知っています。個人の意識の中では、豊かで快適な生活を追求していくうちに、いつの間にか人生が停滞していき、過剰な財産に振り回されてしまうというジレンマに直面するでしょう。彼らが持って生まれた「精神の調和を実現するには物質面で満たされる必要がある」という叡智が開花するには、自分が快適さや財産を求めるニーズ同様、他人のニーズも尊重できるようになる必要があります。この世代は、自分が安心して活気のある暮らしを確保し、成長していくためには、他の人々のニーズが満たされなくてはならないことを学ぶ機会に恵まれるでしょう。

Ⅱ 海王星が双子座にある人

この時期に生まれた人々は、建設的な考えを構築し、コミュニケーションを行う潜在能力を授かっています。彼らが地上にもたらす恩恵は、未熟で飽きっぽい心は短絡的な発想を生み、そこから不幸や不要な疎外感が生まれるという真実の知恵です。彼らは互いに理解と受容を深め、オープンで前向きな意見や情報の交換ができる、やりとりのあり方を潜在的に知っています。個人の意識の中では、自分の心に浮かぶ考えが宇宙の摂理に合致するようになるまで、軋轢を感じる場合があるでしょう。正しいコミュニケーションや、前向きに人と気持ちを通わせるという彼らが持って生まれた叡智、精神的な幸福に不可欠な要素だという知恵が実践されるには、大局的な宇宙の摂理を自らが理解する必要があります。この世代は、直感的なひらめきを元に、人とのコミュニケーションを交わし、自らの考えを伝える機会に恵まれるでしょう。

♋ 海王星が蟹座にある人

この時期に生まれた人々は、個人・家族単位で、それ以前の時期に生まれた人々より一段高い調和や安定を実現するという可能性を秘めています。地球を一つの大きな家族として捉える共同体意識を、海王星から授けられているため、彼らが現在の国連（ＵＮ）の前身である国際連盟（１９２０〜１９４６）を創ったのも当然の結果といえます。個人の意識の中では、家族の一員としての地位に基づく情緒的充足感をめぐり、ジレンマに悩むでしょう。家族としての理想を貫き、実現するために負わされる責任を引き受けるか、拒絶するかの選択は、各個人の判断に委ねられるでしょう。

♌ 海王星が獅子座にある人

この時期に生まれた人々は、美的なものや芸術、物語などの表現を通じて人々に洞察を与えるという意識を、海王星から授けられています。この世代は映画や演劇に始まり、テレビ、ラジオといったメディアを通じて無数のドラマやパフォーミングアートによるメッセージを発信しています。個人の意識の中では、子供の親としての情緒的幸福感や、創造力、芸術的才能、あるいは恋愛をめぐりジレンマに悩むでしょう。自分の子供が生まれつき持っている能力、創造的表現、あるいは恋愛経験について、評価を下す責任を引き受けるか、拒絶するかの選択は、各個人の判断に委ねられるでしょう。この世代に開かれる機会は、個人の創造力による理想の体現、あるがままの姿に宿る完璧さを見出す能力の開花です。

♍ 海王星が乙女座にある人

この時期に生まれた人々は、人々の健康と福祉を向上させるという可能性を秘めています。地球上のすべての人々が健康で快適に過ごすというイメージや、それを実現するための計画を、海王星から授けられています。このため地球という美しい惑星を汚す公害や環境破壊や食の安全性に対する不安などについて、この世代の人々が中心になって人々の意識を高めています。個人の意識の中では、職業上の情緒的幸福感をめぐりジレンマに悩むでしょう。同志や友人の能力を伸ばす責任を引き受けるか、拒絶するかの選択は、各個人の判断に委ねられるでしょう。自分の仕事を通じて社会に貢献することで、心から幸福を感じられる機会に恵まれるでしょう。

♎ 海王星が天秤座にある人

この時期に生まれた人々は、それ以前の時代よりも洗練された人間関係を実現するという可能性を秘めています。この人々は地球上から戦争をなくし、永続する平和を築くための意識を海王星から授けられています。また、一人ひとりの魂はもともと一つにつながるものだという認識を備えています。この人々は古い結婚というシステムを、新しい倫理観に基づいて作り直すという功績があります。個人の意識の中では、人間関係をめぐりジレンマに悩むでしょう。人間関係の理想を実現する必要性と責任を引き受けるか、拒絶するかの選択は、各個人の判断に委ねられるでしょう。

♏ 海王星が蠍座にある人

この時期に生まれた人々は、人々の共有財産に関するよりよい形を実現するという可能性を秘めています。地球の資源を預かる人類の責任と、展望という意識を海王星から授けられています。彼らは既存の物質的な価値観をよく理解し、地球の物質や資源をよりよく扱い、未来に残すためのビジョンや可能性を海王星から受信しています。個人の意識の中では、自分個人の価値観と他人とのすり合わせをめぐりジレンマに悩むでしょう。他者の所有する資源の調達に期待する理想主義と、他者の資源を現実的に定義することの間で起きる選択は、各個人の判断に委ねられるでしょう。もう一つのジレンマは、セックスの結びつきにより他者と心の絆を結び、幸福感を得ることと、心に描く理想を現実の世界にもたらすために精進することとの間で起きるでしょう。

♐ 海王星が射手座にある人

この時期に生まれた人々は、知的思索分野、たとえば哲学、宗教などの分野で一段高い視野を実現するという可能性を秘めています。人の精神を扱う哲学や宗教的な叡智を洗練させ、より効率のよい地球レベルでのコミュニケーションを探求するという志向や意識を海王星から授けられています。個人の意識の中では、ある哲学的姿勢を貫くことから来る至高体験をめぐりジレンマに悩むでしょう。ある考え方に何もわからずに従う過ちを犯さないことと、他人を信用することとの間の選択は、各個人の判断に委ねられるでしょう。

♑ 海王星が山羊座にある人

この時期に生まれた人々は、政府高官や、諸産業の人事や資源などを管理する国のリーダーたちの意識に、強い影響を与える可能性を秘めています。地球を一つの村と捉える大きなビジョンを生まれつき持っていて、地球全体を効率よく管理する発想に優れています。個人の意識の中では、真の責任とは何かについて悩むという課題を内包しています。可能性としては、政府は自動的に自国民の安全と幸福を守るべきだというスタンスと、国民一人ひとりが自分の意思で幸福をつかみ、自己責任を負うべきだという考え方の狭間に悩むかもしれません。この世代は、組織の中で管理される一般の人々の心のニーズを寛大に考慮しつつ組織運営をする機会に恵まれるでしょう。

♒ 海王星が水瓶座にある人

この時期に生まれた人々は、博愛主義や利他主義を現実にもたらす能力を潜在的に授けられています。地上に生きる人々はみなきょうだいであるという見方を広め、ともに協力し合いながら理想のコミュニティーを構築するか、あるいは能力が発揮されない場合は、不和と衝突により、互いを撲滅する方向に走ります。このグループは、地上に生きるすべての人々が平和に暮らせるよう、心を砕く責任感を持って生まれています。現状にはびこる不平等を見るたびに、もっと公平な世の中を作りたいという思いが刺激されます。個人の意識の中では、みんなが公平な世の中を追求することと、質も量も異なる個人の資質を尊重することのジレンマに直面する傾向があります。一人ひとり持って生まれた才能が異なることを認め、生かそうとする姿勢が身につくまで、彼らの地球家族的な理想主義は実現しません。この世代は、個人の創造力を使って人道的な理想を実現する機会に恵まれるでしょう。

♓ 海王星が魚座にある人

この時期に生まれた人々は、崇高な愛と赦し、理解をこの世にもたらす能力を潜在的に持っています。彼らが映し出すのは、人類はばらばらの個人の集合体ではなく、同じ一つの大いなる存在なのだという認識、そして他人のためにすることは自分のためにしていることと同じなのだという考えです。彼らは地上を慈愛の心と癒しで満たし、調和と共生を実現したいという心の内なるビジョンを持っています。個人の意識の中では、宇宙の大いなる流れと精神的価値に身を任せる受容的姿勢と、物質的な領域で努力を重ねる主体的姿勢の狭間で悩む場面があるかもしれません。彼らが心に抱く、高い精神性が世界の人々の心を癒す糧となるという極めて理想主義的な将来展望は、彼ら自身が物質界での現実とうまく折り合えるようになるまで実現しないでしょう。この世代は、精神世界のビジョンを地上にもたらす機会に恵まれるでしょう。

第1ハウスにある人

◎素顔の魂

あなたには人とはこうあるべきという、厳格な理想があります。けれどもこれを重視しすぎると、あなたは自分自身や他人を欺くという不本意な結果を招くことになるでしょう。あなたが高邁な理想を心に描き、善意に基づいてやっているとしても、それがなかなか人々には理解されず、彼らは不信感を持って、あなたに接するでしょう。そしてあなたは戸惑い、孤独感に苛まれることになります。その結果、あなたは自分の心に描く理想を完璧には表現できないというフラストレーションを感じ、せっかくの世の中をよくしていける理想のイメージも持ち腐れになってしまいます。

◎磨かれた魂

快適で幸福な生き方の秘訣は、「完璧な自己表現をしたい」という欲求をひとまず横において、その場その場で感じたことを隠さず、飾らずに表現することです。その姿勢が他人に対するお手本となり、周りの人も、正直に心のうちを語り始めるのです。あなたには宇宙のエネルギーを味方につけられるという運命が備わっているため、宇宙の摂理、つまりものごとの自然な成り行きを信じて、自分の心の奥のほうにある感情や考えを客観的に外に表現していくうちに、あなた自身が浄化されていき、心の中に浮かぶいろいろなことが少しずつ理想の姿に近づいていくのです。そしてその過程で、あなたは身近な人々を真実のエネルギーを満たすことで癒していくでしょう。この感覚がつかめるようになれば、もうあなたは他人の反応を気にすることなく、自分の心にあることをすんなり表現する喜びを味わえるようになります。やがて心は少しずつピュアになっていき、他人の模範を示す高潔な人格へと成長していけるでしょう。

第2ハウスにある人

◎素顔の魂

あなたには強い自我意識があります。けれどもあなたが自分の価値観をひけらかし、強く押し出すとき、あなたの心の奥底にある自尊心が損なわれるため、他人に認められるどころか、次第に不安感が増していきます。また、あなたはお金をたくさん儲けることで、あるいは逆に報酬を気高く拒絶することで自分の存在価値をアピールしたいという欲求を強く持っていますが、これをすると残念な結果が待っています。いずれにしても見直しが必要なのは、あなたの行動のよし悪しではなく、どうすれば他人があなたを認めてくれるかという誤った基準をよりどころにする行為です。これに気づくまでは、何をやっても他人の評価がちっとも得られず、じりじりとしたフラストレーションに身を焦がすことになるでしょう。

◎磨かれた魂

あなたの願いを叶えるにはまず、自分の存在価値を他人の心の中にどう植えつけるか、というイメージを手放すことです。認めてもらうためにはこうしなくてはならないという決まりごとがなくなると、あなたは自然に振る舞うことで他人に感謝され、認められるようなやりとりができるようになっていきます。ものごととの自然な展開を楽観的に捉えられると、あなたには自信が生まれ、自分の明るい将来がイメージできるようになります。あなたのゴールがあなた一人でなく、周りの人にとっても好ましいものである限り、豊かさはあなたのものになるでしょう。経済的な豊かさやお金を稼ぐ能力と人の価値は無関係だということが本当に理解できたとき、あなたははじめて、普遍的な価値を創造するために行動できるようになるのです。そしてあなたが他人を癒し、高めるという目的のために自分の能力を使っている限り、宇宙はあなたに物質的な豊かさをもたらすことがわかるようになるでしょう。それこそが宇宙に向かって示すことのできるあなたの存在価値なのです。

第3ハウスにある人

◎素顔の魂

あなたは人と会話するとき、あらかじめ相手に印象づけたい自分のイメージを持っています。あなたがそのイメージに沿うように話をすると、相手との純粋なコミュニケーションの絆が損なわれてしまいます。あなたがそういうイメージにこだわるのは、相手に誤解されることを恐れてのことかもしれません。けれども会話の内容を聞いて、あなたの心に浮かぶいろいろな考えをそのまま言葉にしないでいると、あなたの心とあなたの魂とのつながりが薄れ、あなた自身が自分の正体を見失う、という大きな損失を被るのです。あなたが他人に抱いてほしい豊かな人格イメージを前面に出し、そのイメージと異なる素の自分を隠して話をしていると、本当のあなたは誰の目にも触れず、心の底に深く沈んでしまい、あなたは自分の気持ちを誰もわかってくれないという孤独感に苛まれるでしょう。あなたの心にある理想は、心の奥に取り残され、引き出されることもないため、あなたはフラストレーションと落胆に沈んでしまうのです。

◎磨かれた魂

あなたが人前でどんな人に見られたいかにこだわらなくなったとき、あなたはリラックスして宇宙のエネルギーを身体に取り込み、宇宙の知恵の代弁者となれるでしょう。エゴの演出ではなく、そのとき自然に心に浮かぶ直感に焦点を合わせて、言葉を発するようにしていると、真実のコミュニケーションにしかない快感を味わえるようになっていきます。あなたが宇宙から降りてくる直感を信じて、会話をする心地よさを覚えると、あなたの言葉はその場にいる人々を癒すパワーを持つようになります。あなたは会話の行方にいちいち気を配ることなく、偽りのない気持ちを素直に語ることで、自分や周りの人々に貢献できるという満足感を覚えるでしょう。

第4ハウスにある人

◎素顔の魂

あなたは家庭や家族に対する執着がもともと強いのですが、家族があなたにとって最も理想的な心の受け皿だと考えると、不満や落胆に見舞われるでしょう。さらに、あなたが家族に失望していることを家族は重く受け止め、自信を失っていくため、自分の人生を前向きに生きていく勇気すら失ってしまう場合もあるでしょう。こうしてあなたは、家族とのつながりも失いかねません。

◎磨かれた魂

あなたの家族は、あなたが理想とする幸せをつかむためにいるわけではないということを、まず理解してください。それがわかったら、あなた自身が歩み寄り、家族との深い絆や、偽りのない愛情を示してください。あなたと血縁関係にある人々のありのままの姿は、宇宙からあなたにもたらされた贈り物だと信じることができると、あなたの家族に対する心は、はじめて充足感を得て、守られている感覚に満たされます。その感覚がわかったら、あなたの血縁だけでなく、すべての人々があなたの家族であるということに気づくでしょう。そして他人にしてほしいことについて、あれこれ期待を抱くのではなく、ただ宇宙があなたにもたらす展開を信じる喜びを覚えるでしょう。

第5ハウスにある人

◎素顔の魂

創造力豊かなあなたは、映画のようにドラマチックな恋愛を経験したいという欲求があります。この期待が強すぎるため、あなたの恋愛は持続せず、いつもどこか満たされない感覚が付きまといます。これはあなたが自分自身として恋愛に向かわず、自分がイメージ

Neptune

する大恋愛の主人公を演じてしまうことに起因しています。ドラマを演じることに意識が向いていると、あなた本来の姿と現実の体験が切り離されてしまうのです。心を溶かすロマンスに溺れるような生活の幻想を手放し、ありのままの現実に目を向けないと、あなたは目の前の相手や自分に起きた経験にいつでも不満を感じ、心に描く理想と異なる現実に手痛い幻滅を感じることになるでしょう。

◎磨かれた魂

あなたが心から幸せを感じるためにすべきことは、誰かを演じるのではなく常に〝自分自身でいる〟こと――心に浮かんだことを正直に言葉で表現し、あなたに必要なこと、求めていることを偽らずに相手に伝えることです。それができてはじめて、あなたは相手と信頼し合うことができるのです。あなたが取り繕うことなく自然に無邪気に振る舞っているだけで、周りじゅうに元気を分け与え、癒しのエネルギーを振りまくでしょう。もともと明るく元気な性格のあなたですから、策を弄することなく、自然にしているだけであなたにぴったりのパートナーが引き寄せられてくるでしょう。あなたが「こんな恋がしてみたい」という幻想を捨てられると、あなたは宇宙があなたにぴったりの素敵なパートナーを目の前に連れてきてくれると信じられるようになるのです。そしてその相手となら、あなたは長続きする充足感と深い相互理解の喜びを感じられるでしょう。

第6ハウスにある人

◎素顔の魂

強い義務感があるため、往々にして義務のために自己犠牲をしてしまう傾向がある人です。仕事などでは厳格な理想に向かって努力しても、あなたが期待するほどの評価は得られません。〝高い精神性で自分を律する勤勉な人〟だと周りに評価してほしいという願いのもとに行動していると、同僚との対立や緊張関係、大きなフラストレーションやストレスが原因で、あなたはしまいに健康を害するかもしれません。

◎磨かれた魂

あなたの勤勉さが空回りせず、調和と幸福を自分のものにするためには、「仕事はこうするべき」「理想の社員とはこうあるべき」といった概念を捨てることです。そして自分のイメージを体現するために働くのではなく、他人のために奉仕するというベクトルを自らの中に見つけ、それにしたがって行動することが大切です。これができれば、あなたは同僚たちとともに同じ目標に向かって進むという、調和と親近感の喜びを味わえるようになるのです。あなたが楽観的に未来を捉え、厳格さの代わりに気さくさを身につけると、あなたの生活環境は目に見えて幸福感が増していくでしょう。

第7ハウスにある人

◎素顔の魂

　あなたはパートナー候補となる人に過度の期待を抱く癖があります。相手を自分の理想に合わせようとするため、現実とのギャップにいつでもがっかりさせられる結末が待っています。あなたの心の中には夢のような人物像がたくさんいて、現実の人間にはあり得ないような完璧なキャラクターを求めていると、あまりにお粗末な現実に直面し、もう誰とも付き合いたくない、と閉じこもることになりかねません。仮にパートナーができたとしても、相手の至らない点ばかりが目につき、不満が絶えません。こういう経験が続くと、失望することなく誰かと人間関係を築く自信がなくなります。いつでも他人にこうあってほしい、という希望の窓から相手を見ていると、あなたはその人の自然な魅力を認めることができません。こうしてあなたは、常に他人に対する不満と、実現することのない幻想の世界で、一人孤独に過ごすことになるでしょう。

◎磨かれた魂

　あなたが陥っている悪循環から抜け出し、幸福をつかむには、相手に期待を抱くのをやめ、その人のありのままを受け入れること。そしてその結果が、あなたを決して裏切らないと信じることです。するとあなたは、不思議に相手の一番いいところを引き出してあげられるようになるのです。目の前の相手を一人の人間として認めると、それまで囚われていた型にはまった「あるべき姿」を手放すことができるでしょう。こうしてあなたはそれまでに経験したことのない、絆を築く喜びを味わい始めるのです。相手の抱く理想をあなたも共有し、相手が理想に向かって前進するのをサポートすると、あなたは人が自然に成長していく姿の美しさに感動し、その成長に関わる喜びを味わえるでしょう。

第8ハウスにある人

◎素顔の魂

あなたは親しくなると、相手に対して支配的な態度を取ることがあります。人付き合いはこうするべきという信念からそうしているのですが、これは多くの場合、相手の反発に遭い、失望する結果が待っています。特に性的な関係で結ばれている相手に対して、あなたは自分の性的な魅力と想像力を使って、自分の抱いている力関係のイメージを現実にしようとする傾向があります。これに囚(とら)われている限り、あなたは誰と親密な関係になっても、一つに結ばれる感覚が得られず、不満と孤独に苛(さいな)まれるでしょう。

◎磨かれた魂

パートナーと幸せをつかむためには、パートナーを自分の理想に沿うように操る必要があるという考えを捨てることです。それができれば、人間同士が触れ合う喜びを素直に経験できるようになり、異性と絆(きずな)を結ぶ快感はすぐにやってくるでしょう。自分の強さや威厳を誇示することをやめると、二人の関係が持つエネルギーに身を任せられるようになります。こうして生まれるエクスタシーや充足感は、セックスの相手だけでなく、経済的につながりのある人々との関係でも経験できるでしょう。どちらか一方が支配するのではなく、公平な人間関係の営みを通じて、互いの潜在能力が引き出されることを信じることが幸福を得る鍵なのです。

第9ハウスにある人

◎素顔の魂

あなたはインテリジェンスを好む傾向があります。でも、もしあなたが自分の実力以上に賢いふりをすると、優越感が丸出しになって、他人の目には嫌味に映るでしょう。あなたが優れた知性を持っているという優越感を他人に示しているうちは、あなたの求めるような権威を他人が感じることはありません。また、あなたがインテリジェンスではなく、精神世界に関する知識を誇示しているとしたら、あなたは〝自分だけが精神世界の知恵を持っている〟というイメージを他人に植えつけようとするでしょう。その場合、検証されていないものごとに、あなたがまるで現実であるかのように過大な価値を見出(みいだ)しているように取られます。その結果、他人はあなたの認識を疑い、遠巻きにあなたを扱うようになり、低く評価されたあなたは混乱し、失望を経験するでしょう。

◎磨かれた魂

あなたには精神世界に対する理解がありますが、だからといって自らが精神世界の〝導師〟になりたい、などと考えるのは得策ではありません。何かの第一人者になるという目標を取り下げると、あなたはもう無理をして〝自分でないもの〟のふりをする必要がなくなり、リラックスした心で高い次元の、新しい考えを自由に取り入れられるようになります。新しい考えを取り入れ、新しい知識を学ぶ気持ちを常に持っていれば、それらの考えを飛躍させたり哲学したりする基盤が、あなたの中に次々と生まれるでしょう。そうなれば、もう意識しなくても、精神世界の理想はあなたの直感を通して降りてくるでしょう。これをしていると、あなたは自分自身や他人に洞察を与えながら、より高いレベルの知性と精神世界の洞察に近づけるでしょう。

第10ハウスにある人

◎素顔の魂

あなたは権威に弱い傾向があるため、他人に対してつい虚勢を張ってしまうところがあります。他人より高いところに立ちたいという強い欲求を捨てられないでいると、あなたは人間関係において、繰り返し失望と孤独感を味わうことになるでしょう。自分がまるで神に選ばれたただ一人の人物であるかのように振る舞っていると、あなたが目指す理想はどんどん矮小化(わいしょうか)されていきます。こうして目先の些細(ささい)なゴールに関心が向いてしまうと、あなたが持って生まれた直感力や優れた才能を生かす機会は、目に見えて減っていくで

Neptune

しょう。そうなると、人々はますますあなたを支持しなくなり、あなたは神の操り人形か、見捨てられた被害者のような感覚に囚われることでしょう。そしてあなたは、混乱し、無力感に苛まれ、心に描く理想からますます遠ざかってしまうでしょう。

◎磨かれた魂

あなたが幸せをつかむためにまずするべきことは、世界的な著名人であるかのような尊大な振る舞いを改めることです。身の丈に合わないプライドを捨てることができれば、あなたは現実をそのまま受け入れ、自信を持って世の中に馴染んでいくことができるでしょう。はじめから理想に従って自分を縛るのではなく、まず行動するという姿勢を持てば、あなたは一般の社会通念にしたがって、成功や名誉、賞賛、信用を手に入れるために行動を起こせるようになっていくでしょう。こうしてあなたは、世の中の伝統にのっとり、よりよい自分を磨いていけるのです。

みんなに認められるにはこんな風に見えなくてはならない、というイメージを手放すと、あなたには自然な自信が生まれ、あなたが結果を操ろうとしなくなれば、宇宙はあなたにゆるぎない権威を与えてくれるでしょう。あなたが認められたいという動機からではなく、無心に奉仕や貢献をしていると、あなたは心の底から湧き上がる充足感と幸福感を経験できるでしょう。

第11ハウスにある人

◎素顔の魂

あなたには、人付き合いはこうするべき、という理想のイメージがあります。たとえばそれに基づいて、あるグループの人々と付き合うとき、あなたは「完璧なグループ」のイメージを作り、それに向かって無限にエネルギーを費やす傾向があります。あなたには人道的な理想があるのですが、それを実現しようと熱心になりすぎるため、あなたに付き合ってくれる人が誰もいなくなり、空回りした末に一人取り残されてしまうのです。あなたが自分の理想のイメージをグループに押し付けるという行為は、そのグループの中に存在する不和や亀裂の種を育て、理想の実現どころかかえってみんなをばらばらにしてしまうのです。あなたは誰にもわかってもらえない寂しさと孤独に、一人耐えることになるでしょう。

◎磨かれた魂

あなたがみんなと平和に楽しく過ごすためには、このグループはこうでなくてはならない、といった固定観念を捨てることです。あなたが他人を意のままに動かそうという気持ちを捨て、正直に、また純粋に彼らと関わろうとすれば、それまで気づかなかった新しい理想の形が見えてくるでしょう。仲間の意志を尊重し、心を開いて行動していると、あなたの心にある理想が自然に言動に現れ、仲間がそれに触発されて新たな境地が開かれていくのです。あなたが宇宙と自分の潜在能力を信じ、その場その場で、みんなのためによいと思われる行動をしていると、あなたの周りには至福の人間関係がもたらされるでしょう。

第12ハウスにある人

◎素顔の魂

あなたは宇宙や神を心の友として、宇宙、あるいは人の運命とはこんなものであるといった考え方を持っています。天上の存在に対する期待と信頼が強すぎるため、現実のあなたの人生はいつでも期待を裏切るものとなり、あなたの理想の人生が展開しないことを運命のせいにする傾向があります。あなたが世俗に属する生身の人間ではないかのような考えに取り付かれている限り、あなたは宇宙や自然の摂理を過大評価し、その結果裏切られるという経験が続くでしょう。あなたは落胆し、物質界、精神界のどちらも信用できず、混乱の中で日々を送ることになるでしょう。

◎磨かれた魂

宇宙や運命があなたを理想郷へ導いてくれると考えるのをやめ、目の前にある現実が、あなたにとってすでに理想の環境なのだと感じてみてください。これができると、あなたにははじめて〝すべての出来事は必然の輪の中で起きている〟という真実の姿が見えてくるでしょう。ものごとはこうあるべき、という固定観念を手放すと、すべてのことは美しい調和に満ち、完璧（かんぺき）なタイミングで展開していると信じられるようになっていきます。そのうちにあなたには、現実の中に、精神世界の真実を投影した、新たな目標やビジョンが見えてくるでしょう。

人々も出来事も、すべて完璧な調和の中にあると感じられるようになる過程で、世界のすべてのものを包み込む宇宙の摂理と、私たち全体が向かおうとしているゴール、生きている意味が次第に見えてくるでしょう。宇宙全体を司(つかさど)る大いなる流れと調和できると、あなたは宇宙と一体になったような壮大な心地よさの中で生きていけるようになるのです。

〈バースチャートの冥王星の位置が示すもの〉

・あなたが最も変化を恐れていながらまったくその自覚を持たない分野を示す。あなたがその分野での変化を受け入れると、人生は劇的に変化し、以後どんな変化も恐れずに生きていく勇気が授かる。
・あなたの人格の中で最も直視できない部分、他人には決して見せない、秘められた部分を示す。
・あなたの心の中で最も抑圧された部分を解放する道を示し、その過程をたどると人格にバランスが取れ、健全な成長と個性の開花への道が開かれる。
・停滞した状況を劇的に変化させられるあなたの潜在能力を使うよう、運命に迫られる部分を示す。
・心の深い部分で培われたあなたの感性や価値観を他人と共有する勇気さえあれば、大いなる報酬と成功が可能になる人生の分野を示す。
・あなたを通して現れる宇宙の大いなる力を、自分だけの利益に利用する誘惑が起きやすい部分を示す。これを実践すると重大な天罰が降りかかり、自分の殻に閉じこもることになる。
・あなたの人格が再生し、まったく新しい次元の人生を始めるために捨て去るべき人格の一部を示す。
・あなたが最も自然に、自分の価値観に合った形で行動できる、あなたの得意分野、またあなたが恐れを抱くことなく個性を発揮する力や完全性が備わっている分野を示す。

冥王星が黄道12宮を一巡するのにかかるのは、約250年。一つの星座には、最長30年間留まります。このため、冥王星が一つの星座に留まっている影響は、各個人に及ぶと同時に、一つの世代の特徴として現れます。冥王星は、その影響を受ける人々の個人レベルでの変革と自己実現を促し、その総意として一つの時代の変革と進化の指標となるものです。

冥王星が個人と時代に与える影響の中身は、基本的には同じエネルギーです。冥王星の影響を受けた個人が自らの課題と向き合い、勇気を出して克服しようとするとき、そのエネルギーが同じ世代全体に影響を及ぼし、やがてその力が時代を動かしていくのです。冥王星が人の精神に及ぼす大きな影響のうち、直接個人に与える影響を見るには、冥王星が収まっているハウスで分析します。

♈ 冥王星が牡羊座にある人

冥王星が牡羊座にある時期に生まれた人々にとって、時代の変革への欲求は、全体のために利益になる行為が、究極的に自分の利益になるという、広い視野に立つ利益意識をもたらすという形で現れるでしょう。地球上で、個人や国家がどのように存続するかという概念の課題を与えられるでしょう。

個人レベルでは、全体の中で自分の正体を知らせてしまうと、もう自分の好きに行動できなくなるのではないかということに、最大の恐怖を感じます。「自立」に関する間違った定義を見直し、心に浮かんだ気持ちや考えをそのまま表現することにより、真の意味での誠実さを貫くことが、彼らの最大のハードルとなるでしょう。

♉ 冥王星が牡牛座にある人

冥王星が牡牛座にある時期に生まれた人々にとって、時代の変革への欲求は、財産などの物質的な豊かさを平等に分配するための新しいやり方をもたらすという形で現れるでしょう。個人財産や、地球にとっての財産の共有に関する古い考え方を改めるという課題を与えられるでしょう。

個人レベルでは、自分の欲求を他人に明かし、他人も同様に欲求を追い求めるよう促すと、自分の快適さが失われるのではないかということに、最大の恐怖を感じます。安心や安定に関する誤った考え方を改め、自分にとって一番大切なものを公開し、さらに高い次元での快適さや相互の協力を実現することが彼らの最大のハードルとなるでしょう。

♊ 冥王星が双子座にある人

冥王星が双子座にある時期に生まれた人々にとって、時代の変革への欲求は世界全体、地球レベルでの見方を通じて現れるでしょう。この時代の人々は、それまでとは異なる手段で地球全体を網羅（もうら）する方法を求められます。こうして彼らは、新しいコミュニケーション手段、交通や移動の手段を通じて、世界中の人々とつながる方法を考案しました。

個人レベルでは、自分の考えや気持ちを公表することに大きな勇気を必要とするでしょう。自分の心に起きていることを正直に他人の目にさらし、その反応を受け止めることが、彼らの最大のハードルとなるでしょう。

♋ 冥王星が蟹座にある人

冥王星が蟹座にある時期に生まれた人々にとって、時代の変革への欲求は、新しい外交手段を通じて国レベルの安全保障を模索するという形で現れるでしょう。彼らは生き延びる手段として、単独行動を選びますが、経済恐慌に見舞われるとその考え方を改めざるを得なくなるでしょう。

個人レベルでは、自分の身の安全を守ろうとするときに、冷静さを保つことに大きな勇気を必要とするでしょう。自分だけ助かりたいという欲求をコントロールし、集団や組織の安全を得るために他人と協力することが、彼らの最大のハードルとなるでしょう。

♌ 冥王星が獅子座にある人

冥王星が獅子座にある時期に生まれた人々にとって、時代の変革への欲求は美術、音楽、新しい意識などをテーマとして創造力を発揮し、それを世界に発信するという形で現れるでしょう。同時に世界の調和を乱さずに、各国がどのように自国の権利を主張していけばよいかという課題を背負っています。

個人レベルでは、豊かな創造力や演出の才能を使って、自分の感情を正直に表現することに大きな勇気を必要とするでしょう。一般大衆に拒絶されてもひるまず、オープンで説得力のある表現力を発揮することが、広い意味での自己承認であると捉えることが、彼らの最大のハードルとなるでしょう。

♍ 冥王星が乙女座にある人

冥王星が乙女座にある時期に生まれた人々にとって、時代の変革への欲求は、社会的弱者の健康と福祉のあり方の変革を図るという形で現れるでしょう。同時に地球環境の改善という課題を与えられるでしょう。

個人レベルでは、自分に与えられた役割や責任を果たしているかについて、他人の批判を受け止めることに大きな勇気を必要とするでしょう。不十分さや力不足を克服して、できるところから奉仕を行うことが彼らの最大のハードルとなるでしょう。

♎ 冥王星が天秤座にある人

冥王星が天秤座にある時期に生まれた人々にとって、時代の変革への欲求は、国同士の協力態勢の新しいあり方を模索するという形で現れるでしょう。人同士のつながりや人間関係に対する伝統的な考え方を変革するという課題も与えられています。

個人レベルでは、調和を愛する彼らが不均衡を感じたとき、それをあえて正直に公表することによって一時的に調和を乱すことに、大きな勇気を必要とするでしょう。より大きな調和を得るためには、うわべだけの調和にしがみつくのをやめ、客観的に不調和を認めなくてはならないと知ることが、彼らの最大のハードルとなるでしょう。

♏ 冥王星が蠍座にある人

冥王星が蠍座にある時期に生まれた人々にとって、時代の変革への欲求は、経済や流通の新しい形を打ち出し、国家間の負債の処理の仕方を一新するという形で現れるでしょう。同時に、深い絆（性的・経済的関係）で結ばれた人間関係のあり方についての古い考えを壊すという課題を抱えています。

個人レベルでは、他人のニーズや欲望を認め、理解を示す代償として、自分の尊厳や権限を弱めるのではないかということに大きな恐れを抱きます。深い絆で結ばれた人間関係の中で、相手に秘密にすることで自分の主導権を確保したいという間違った考えを捨て、正直に心のうちを見せることにより、双方にとってより実り多い関係が生まれることを学ぶことが、彼らの最大のハードルとなるでしょう。

♐ 冥王星が射手座にある人

冥王星が射手座にある時期に生まれた人々にとって、時代の変革への欲求は、国家間に倫理や道徳、誠意の新しい形をもたらすという形で現れるでしょう。地球という惑星を席巻する、精神世界に対する偏見や、人々の自由を縛る考え方と闘うことになるでしょう。

個人レベルでは、遭遇した場面で〝正しくない〟と感じられること（特に倫理上の問題や、精神世界に対する誤った考え方）を指摘することにより、自らの自由な言論や行動を縛る結果になるのではないかということに、最大の恐れを感じます。「真実」や「自由」についての誤った固定概念を見直して、心に浮かんだ考えや気持ちをそのまま表現するという、彼らの最大のハードルが乗り越えられれば、より高い精神性の倫理や誠実さが姿を現すでしょう。

♑ 冥王星が山羊座にある人

冥王星が山羊座にある時期に生まれた人々にとって、時代の変革への欲求は世界の国々を組織・統括する新しい形の国際組織に向けられるでしょう。地上に蔓延する古い考え、特に組織的な管理の仕方や自己責任の概念についての課題に取り組むことになるでしょう。

個人レベルでは、いろんな状況で、自分の真の動機や意図を相手に知られることにより、状況を有利にコントロールできなくなるのではないかという点に、最大の恐怖を感じます。「責任」や「コミットメント」の概念に関する思い違いを自ら改め、ことの展開に柔軟に対応しながら主体的に行動するという、彼らの最大のハードルが乗り越えられれば、個人の安全やニーズを満たす組織運営の、まったく新しい形が姿を現すでしょう。

♒ 冥王星が水瓶座にある人

冥王星が水瓶座にある時期に生まれた人々にとって、時代の変革への欲求は、地球上の人々がより緊密な絆(きずな)を結ぶための科学や技術の新しい形を生み出すことに向けられるでしょう。科学技術の常識を覆すことが、彼らの課題となるでしょう。

個人レベルでは、科学的な論理に従い、自由に追求を進めていくことと、人々の役に立つ情報を広く共有することの狭間(はざま)で悩むことになるかもしれません。万人に公平であることへの過度のこだわりを捨て、大衆の意思に流される態勢を改めるという、彼らの最大のハードルが乗り越えられれば、自らの客観的な姿勢を発揮して、一人ひとりの個性を尊重する、まったく新しい態勢が姿を現すでしょう。

♓ 冥王星が魚座にある人

冥王星が魚座にある時期に生まれた人々にとって、時代の変革への欲求は、地球上の人々の心がつながるような精神的、霊的な価値観を広めるという形で現れるでしょう。地球の既存宗教の間で蔓延(まんえん)している、自分の信条を正当化するために、他人の信条や宗教観を否定する手法を改めるという課題に直面するでしょう。

個人レベルでは、自分の心にある夢やビジョンを公開するとプライバシーを失うかもしれないということに、最大の恐怖を感じます。平和だけれど発展性のない一人の殻に閉じこもるのをやめ、みんなの心が一つになる理想の社会を現実に作り出すことが、彼らの最大のハードルとなるでしょう。

第1ハウスにある人

◎素顔の魂

あなたには人間観察の深い洞察力があります。しかし、本人が聞くとハッとするようなことが心にひらめいても、相手が激しく反応することを恐れて言葉を飲み込んでしまう傾向があります。けれども刺激的な言葉を一切話さない無害な人の〝ふり〟をしていると、気の合わない人とばかり付き合う羽目に陥ります。あなたの心に浮かんだ正直な気持ちや考えを隠していることは、その考えをきっかけに、あなたと相手との理解が深まり、より深い絆（きずな）を築く機会を無駄にしていることに他なりません。

またこれとは逆に、あなたは心に浮かんだ鋭い洞察を使って相手を威圧したり、コントロールして、自分勝手な欲望を満たそうとすることがあります。あなたがこういうやり方で他人の自己認識や表現の仕方を変えようとすると、あなたは相手の強い抵抗に遭い、思うに任せない人間関係に悩むことになるでしょう。こうなると、あなたの人生そのものが停滞していき、人間関係から背を向けたくなってしまうのです。

◎磨かれた魂

相手の反応に対する恐れを乗り越え、あなたの心にある考えを正直に伝えようという意思を持つと、あなたの人格が持つ力が強くなっていきます。自分の気持ちや考えをそのまま、割り引いたり編集したりすることなく、全部相手に吐露（とろ）すると、それに反感を持つ人も現れるでしょうし、一時的には不安定なギクシャクした関係になるかもしれません。しかし、これはこれまで自己表現を阻んできた心の壁を壊していく、あなたの自己表現の〝進化のプロセス〟と考えてください。あなたの心の深いところで浮かんだ洞察を、リアルタイムで他人と分かち合うリスクをあえて負うことにより、あなたの心の葛藤（かっとう）を解消し、人間関係の停滞感を吹き飛ばすことができるのです。

あなたが自分に対して正直でありたいと願っている限り、他人とのやりとりであなたが感じたことを、上手に表現できるでしょう。それを聞いた相手は、あなたの洞察に富んだインプットを受け入れるか、拒否するかという選択肢を与えられます。人によっては自分が隠している、あるいは自覚もしていないことをあなたが露呈してしまったので、驚きや羞恥心からその場では否定的な反応をすることもあるでしょう。照れ隠しの否定や反論をあなたがやり過ごし、話題を変えても、相手は一人になってからあなたが指摘した真実について改めて考え、自分と向き合うことになるでしょう。

　あなたが持って生まれた洞察力が、どれほど他人の役に立つかがわかってくると、あなたはもう結果を恐れることなく、自分の考えを表現できるようになっていきます。こうしてあなたが自らの恐れに打ち克って、相手に左右されない自由な自己主張を身につけると、あなたは人生の新たなステージに立ち、大きな自由と喜びを手にすることになるでしょう。

第2ハウスにある人

◎素顔の魂

　あなたには経済や財政といった分野に対する苦手意識があります。このためあなたは、自分の財産や経済状況を動かすことに大きな不安や恐れを抱いています。この恐れは、あなたが現世で物質的に恵まれた生活を送る機会をことごとく阻んでいます。あなたは心によい考えが浮かんでも、それを誰かに利用されたりだまされたりすることを恐れるあまりに、実行に移すことができません。このため、あなたの価値観や発想力は人の目に触れず、生かされる機会がないため、誰もその恩恵を受けることができないのです。

　あなたの財産を完璧に維持・管理する方法にも不安をぬぐえないあなたは、変化を恐れ、消極的で機能しなくなった価値観に基づいた方法をとり続けることになるでしょう。そしてその結果、いつまで経っても豊かになれず、不安とフラストレーションが募っていくでしょう。

◎磨かれた魂

　あなたはどこかで決心して、自分の金銭や財産を上手に管理する能力を試してみる勇気を持たなくてはなりません。高い視点に立ち、リスクを恐れずに実践してみると、あなたの資産状況は大変化を遂げることになるでしょう。これにより、あなたは自分自身の財産管理能力について、より深く知ることができるという

〝副産物〟も得られるのです。あなたが自由にできる財産を動かし始めると、それまでの古いパターンが壊され、一時的には損失が生まれるなど、不安定な状態になるかもしれません。けれどもこれこそが新しい態勢のはじまりであり、あなたはその流れに身を任せるだけで、それまで想像もしなかったような豊かな人生がはじまるのです。

あなたが自分の資産を拡大するべく流動させ、解放していくと、豊かになっていくための情報が集まってきます。人生と自分の運命に感謝する気持ちを持っていると、人生のあらゆる局面に耐え、その果実をつかみ取ろうという意思が生まれます。

あなたの人生観や価値観がはっきりしてくると、あなたの中で何が重要なのか、どのような物質的豊かさを求めているのかが、明確になってきます。するとあなたは、他人に自分の価値観を押し付けたいという欲求を抑えられるようになっていくでしょう。こうしてあなたは、自分の発言や指摘によって相手がどんなに動揺、あるいは否定しても、自分の考えを疑う代わりに、〝その洞察を受け止めるのに時間がかかる人もいる〟という風に捉えられるようになります。あなたが自分の見たこと、感じたことを表現することにより、あなたは、自分の意思の力を伸び伸びと活用できるようになっていきます。そしてそれはあなたの恐れや不安を打ち破り、大きな成長への道を開いていくのです。

第3ハウスにある人

◎素顔の魂

誰かと話をしているうちにひらめいた考えを、あなたは口にしないという傾向があります。相手が自分自身をもっと深く理解するきっかけとなる鋭い質問が心に浮かんでも、あなたはじっと黙ってしまいます。こうしてあなたは、あなた自身や周りの人々が何か大切なことに気づく機会を提供できるにもかかわらず、そのまま心の奥にしまいこんでいるのです。あなたが心に浮かんだことを言葉にすると、相手の反発をくらいそうだからという理由で、伝えないことにより相手の動きをコントロールしていると、あなたは次第に自分の心の洞察を信じられなくなり、心に混乱が生まれます。葛藤が多く、リラックスしたコミュニケーションができないことから不満が募り、しまいにはそうさせるのは相手が悪い、と逆恨みをするようになっていきます。

あなたが相手を心理的に圧倒して、あなたの意見に従うように仕向け、また自分の意見を押し通そうとあれこれ策を弄して(ろう)いると、あなたは誰にも共感してもらえず、孤立していくでしょう。

◎磨かれた魂

あなたはどこかで決心して、相手の拒絶や動揺に対する恐れを克服し、あなたのコミュニケーション能力を信じて実践することが大切です。あなたが心に浮かんだことを言葉にすると、相手に誤解されるかもしれないという不安は、一時的にあなたの思考回路を混乱させることがあるでしょう。それでも話し続けていると、その混乱はあなたの鋭い洞察力が浄化される過程に過ぎないことがわかってくるでしょう。あなたには主観を交えずにものごとを判断する力があり、それがだんだん自分にも見えてくるでしょう。

あなたは自分の考え方や洞察、正直な感想を他人と分かち合うことにより対立を克服し、自分の人格を磨いていけるでしょう。他人の考え方や意見を過小評価したり、自分の心の中で起きることを抑え込んで他人を操作したいという欲求を手放すと、あなたは自分の意見を堂々と語れるようになっていきます。あなたの一言が、ときには誰かの存在を揺るがすほどのインパクトを与えることに気づくにつれ、あなたは他人に否定されることさえも寛容に受け入れ、相手があなたの鋭い指摘についてゆっくり考える余地を与える余裕が生まれるでしょう。

第4ハウスにある人

◎素顔の魂

あなたは人々の心の機微に敏感で、豊かな感性を持っています。けれどもあなたは人々が自分の本性について考えさせられるような洞察が心に浮かんでも、本人に伝えない傾向を持っています。この行為は相手の中に新しい感性を吹き込む機会を奪い、あなたが自分自身を見失うことにつながります。

あなたは自分の言葉が相手に受け入れられないのではないかと恐れ、ついつい言葉を飲み込んでしまうのですが、その結果、あなたは自分の心にある正直な気

持ちを家族にさえ伝えられなくなってしまいます。自分の感情を隠し、抑圧していると、人々はあなたのことが理解できなくなり、あなたは〝無理解〟な他人に反感を覚えるようになっていきます。そうなるとあなたはいっそう自分の気持ちを制御するようになり、もともと豊かで多彩な感情が行き場を失って立ち往生することになるでしょう。

◎磨かれた魂

あなたはどこかで決心して、勇気を振り絞って自分の感性を自由にしてあげる必要があります。あなたが結果を恐れず正直に自分の気持ちを伝えると、あなたは自分の感性が質的変化を起こし始めるのを感じるでしょう。そしてあなたの魂が感じていることと、表現が首尾一貫している心地よさを経験するのです。あなたは自分の心の正直な感覚を打ち明け、相手も忌憚のない意見をあなたと分かち合うと、そこには一時的に互いに相手を否定し合うような対立が身近な関係の中で起こるでしょう。けれどもそこであなたも相手もその過程を通じて、漠然と抱いていた不安を解消し、割り切れないものを整理し、浄化していくのです。

あなたが自分の弱さを守るために自分の情報操作をして相手をコントロールすることをやめると、自分のよって立つ心の基盤が安定してくるのです。するとあなたには威厳をもって自己表現し、心の深いところで感じたことを正直に伝える能力が備わっていきます。心に浮かんだ感情や鋭い洞察に主観を交えることなく表現することで、あなたは根強い恐怖を克服し、自分の感性にさらなる磨きをかけることができるでしょう。

第5ハウスにある人

◎素顔の魂

あなたは人とのやりとりの中で、相手に創造的な気づきや反応を起こさせる能力を持ちながら、それを抑制する傾向があります。人々の心の奥底にある真実の感情や欲求から意識を背けていると、あなたも周りの人々も、真に創造的なエネルギーの泉に自ら蓋をすることになります。

何か感じることがあっても極力平静を保ち、大したことではないようなふりをしてしまうのは、その発言があなたや相手の手に負えないような事態を引き出してしまったらどうしていいかわからないという理由があるからです。けれどもこういう抑制行為はあなたの感情エネルギーの停滞を招きます。あなたが持っている自由な創造力を無理やり押し殺していると、その窮屈さに対する苛立ち(いらだち)の矛先を周りの人々に向けるようになっていくでしょう。

◎**磨かれた魂**

　あなたの豊かな表現力を生かすには、勇気を出して結果を恐れずに心に浮かんだことを表現するしかありません。あなたが自分の洞察力を自由に表現していくと、それは人々が自分の潜在能力に気づき、表現するエネルギーとなるのです。あなたの心に住んでいる無邪気な子供のようなあなた自身を信じ、その声に従って行動していると、あなたは次第に〝誠実〟であることの本当の意味が理解できるようになっていきます。あなたの心に湧(わ)いてくるいろんな洞察が、自分のエゴから発しているものではないことがわかると、あなたはますます大胆で豊かな発言ができるようになります。その結果として、一時的に人間関係がギクシャクすることもありますが、それもすべてより大きな調和や感情の浄化が訪れる序曲なのです。

　あなたが自分のペースを維持するために他人の意見統制を試みたいという無意識の動機を手放すことができると、あなたには人々とわかりあいたいという純粋な動機が生まれ、会話や人付き合いに明確な方向性が生まれます。そして人々にインスピレーションを与えるようなドラマチックな表現力が自由に、かつ自然に流れ出るようになります。あなたが創造力を包み隠すことなく発揮していると、そこにはもう恐れはなくなり、あなたも周りの人も充実したやりとりと、その先の成長を経験できるようになっていくでしょう。

第6ハウスにある人

◎**素顔の魂**

　あなたにはものごとを順序だてて構成する比類のない能力があります。このため人々が自分の生活を効率よく過ごしていくためのヒントが折に触れて心に浮かぶのですが、あなたはそれをなかなか口にしません。このような抑制行為は、あなた自身が秩序のある生活を送る能力を自ら否定し、次第にフラストレーションを感じるようになっていきます。そしてその停滞感は自分の中だけに留まらず、周りに怒りの矛先を向けるようになっていきます。

　他人の批判にさらされたり、軽んじられたりすることを恐れるあまり、あなたはあなたを取り巻く環境にある矛盾や不合理に気づいても見て見ぬふりをすることがあります。この行為は、あなたや周りの人々がよりよい環境を作り、より合理的な生活をするきっかけを奪うことに他なりません。せっかくの気づきも発想も心の奥に埋もれ、あなたは心の内外の秩序を乱していくでしょう。

◎磨かれた魂

　あなたが心に描く理想の秩序を取り入れるためには、否定的な予測に基づく恐怖感をどこかで決心して一掃(いっそう)する必要があります。あなたが感じた問題点を指摘することにより、一時的な不協和音が生じることもあるでしょう。けれどもこの不協和音は、感情が浄化され、新しい秩序やシステムが作られるためには避けられない過程なのです。あなたが見聞きした不合理な部分を白日の下にさらすと、人々はそれらを正し、よりよくしていくための方法に気づき始めるのです。

　状況をよくしていくためには、彼らがあなたの価値観に従わなければならないと考えるかどうかはあなた次第。けれどもあなたの基準だけが正しいわけではないとわかると、あなたは相手を操作したいという欲求を捨て、もっと明快で純粋な、〝ただ感じたことを分かち合い、みんなの役に立ちたい〟という動機に基づいて行動できるようになります。

　そうなるとあなたは自己弁護をしたり、個人的な視点からものを見るのではなく、純粋な状況分析に基づく見解を口にするようになっていくでしょう。するとあなたの人間関係は、あなたの価値観に基づいて整理されていくでしょう。そしてあなたは結果がどうなろうと恐れることなく、心に浮かんだ考えを人々と分かち合えるようになり、あなたにとっても周りの人々にとっても実り多い人間関係を育てていけるようになるでしょう。

第7ハウスにある人

◎素顔の魂

あなたは他人、特にパートナーの心の奥にある真実が見えるという特技を持ちながら、そこから目を背(そむ)ける傾向があります。人間の本質に関わる部分に気づいても見て見ぬふりをしていると、二人の関係に親密な絆(きずな)を築く機会を逃してしまいます。あなたは相手との平和なコミュニケーションを損(そこ)ないたくないために、あるいは二人の関係が制御不能になっては困るという理由で、深い部分に触れないようにしています。その結果、あなたは相手に対する自分の正直な反応や気持ちを相手に伝えません。こうして相手との正直なコミュニケーションを出し惜しみしている結果、あなたはフラストレーションを感じるようになります。相手との関係において自分らしさが反映されないため、無力感に苛(さいな)まれ、あなたが本当に求めている幸福な人間関係を築けないのです。

二人の関係を続けるためにあなたは自己表現をコントロールし、自分の気持ちを全部相手に見せるというリスクを負わない自分の行動を相手のせいにして、密(ひそ)かに相手に対して怒りを感じるようになるのです。それはあなたが望まない、停滞した関係を続けることになりかねません。

◎磨かれた魂

人間関係そのものが持つ自然な力に委(ゆだ)ねるように意識を変えていくと、あなたは自分の気持ちや正直な反応を表現することへの恐怖感を克服できるでしょう。自分の気持ちを完全に相手に伝えることで、あなたは相手にエネルギーを授けられるようになります。その結果、一時的に不和や相手に過小評価されるといった問題に見舞われるかもしれませんが、それは二人の関係が浄化され、真に対等な関係を築く過程なのです。この過程を乗り越えれば安定した関係が生まれるでしょう。

二人の関係を続けるうちに高次の意識が芽生えるようになると、あなたは新たな成長を遂げられるようになっていきます。相手に対する、あなたの心の深い部分での反応や認識を明らかにすると、魂のレベルでの二人の関係が露(あら)わになります。その結果、よきにつけ悪しきにつけ二人の関係がたどるべき運命がはっきりするでしょう。これはあなたと相手の魂の価値や課題が表面化する過程でもあるのです。相手に対して細心の意識を向けることにより、あなたは自分自身の力を強くしていくのです。

あなたは相手をコントロールしたいという欲求、あるいはあたかも相手があなたをコントロールしていると勘違いするように仕向けたいという欲求をうまく抑制できるでしょうか。これを抑えられるようになると、あなたには絆の力を二人で共有し、もっとわかり合いたいという明確な動機が生まれ、それにしたがって行動できるようになるでしょう。あなたの心の目が見たことをそのまま相手に示すことにより、あなたは人間関係に抱いていた恐怖を乗り越え、自己実現に一歩近づくのです。

第8ハウスにある人

◎素顔の魂

あなたには人々の言動の根拠や動機が不思議と見えてしまう特技がありますが、往々にして見えないふりをしてしまいます。言葉にして伝えればその人が自分について深く理解する機会や、互いの人格を磨く機会にもなる洞察の芽を、あなたははじめから摘み取ってしまうのです。相手の願いや欲求が見えても、それを話題にしてしまうと自分の心の内側についても話さなくてはならないかもしれないから、とか、その話題が重すぎてその場の雰囲気が壊れるかもしれないといった理由で、言葉を飲み込んでしまうのです。せっかく浮かんだひらめきを押し戻すことは、あなた自身の心の奥にある、あなたが気づいていない宝物に至る道を閉ざすことに他なりません。こうしてあなたは友人と深い絆を結ぶ貴重なきっかけを逃し、人間関係の停滞を招きます。

身近な人間関係では、もっと親密になりたいと思っても、その通りにならない不満を感じるかもしれません。これはあなたが相手との心の深いところでのつながりを重視しないことによるもの。人と主体的に関わることに抵抗があるからといってあなたのほうで腰が引けていては、相手もあなたに心を許すことはないでしょう。誰とも満足な関係が築けないことから、他人に対する落胆や怒りを感じる経験は増える一方でしょう。それらはすべて、人間関係を前向きに捉えない、あなたに端を発していることなのです。

◎磨かれた魂

　思うに任せない人間関係のフラストレーションから脱するために最も必要なのは、〝状況に身を任せる〟姿勢といえるでしょう。つまり自己制御の鎧を脱ぎ、左脳をオフにして霊感や直感力を自由にするのです。そして他人との結びつきをあるがままに柔軟に捉えることができると、あなたは自分自身も、人間関係も変化していくことに気づくでしょう。あなたの強すぎる自我の壁を取り払い、相手とあなたとの絆に意識を向けると、一時的には相手の価値観がストレートにあなたに影響を与え、不快感を覚えることもあるかもしれませんが、これはあなたの人格が浄化されていくためには必要なプロセスなのです。この過程で、あなたは潜在意識の中で抱いていた不要な思い込み――あなたが豊かな人間関係を享受することを阻む閉鎖的な考え――を溶かしていくのです。

　真の人格形成は、自分の殻を破り、他人と精神・物質両面での強い絆を構築するところから生まれるものです。あなたが人間関係を自分の意志で操作しようと思わなくなると、そこには他人と理解し合いたいという純粋な動機が生まれ、他人との確かな絆が作られていくでしょう。

　がんじがらめになっていた自我の鎧を脱ぐ勇気の代償として、あなたは他人と深くわかり合い、愛し合う喜びを手に入れるでしょう。そしてその先には新たな人生の喜びが待っているのです。

第9ハウスにある人

◎素顔の魂

　あなたには人の心や知性の深遠をえぐるような洞察力が備わっています。けれども、その能力を心にしまいこんでいるうちは今より高いレベルの知識や知性を得ることはありません。あなたが心に浮かぶ洞察をあえて言葉にしない理由として、あなたの知性の独自性を他人の批判の対象にされたくないとか、相手に教えると自分との知識格差がなくなってしまってもったいないからとかいった考えがあるかもしれません。

　あなたの考え方や知性のひらめきを他人と分かち合

わないでいると、人間関係にも停滞が起こり、あなたの知性に磨きをかける機会に恵まれません。またあなたの知的優越感は、やがて他人の〝幼稚な理解能力〟に対する軽蔑や怒りとなって現れるでしょう。こうしてあなたは自分で意識しないまま、自分の知性や感性を閉ざしていくのです。そうなるとあなたの知性にも限界が見えてきます。

◎磨かれた魂

あなたが本当の知性や直感力を身につけるには、自分を縛る心の壁や恐れを克服する以外にはありません。そのきっかけとなるのが、心に浮かんだひらめきを、目の前の相手と分かち合うことなのです。相手に誤解されるかもしれないという恐怖感を乗り越えてあなたが正直に話すと、否定や批判など、予想外の反応が返ってきて、不安になることもあるでしょう。

しかしそれもあなたにとって必要な過程。あなたが他人に誤解されやすい部分を指摘してもらい、一人合点していた部分に光を当て、バランスの取れた見方を習得する大切な機会なのです。心に浮かんだ洞察を、あなたの能力の産物として捉えることなくあるがままを率直に伝えると、相手はすんなりと受け止め、相手の洞察と合体させて新たな気づきが生まれるようになるのです。こうしてあなたの知性には磨きがかかり、さらに洗練された知的経験ができるようになるでしょう。

あなたは自分の高い知性をひけらかしたり、自分の知識を駆使して相手の考えを自分のほうに合わせるように仕向けたりといった動機を抑制できるでしょうか。これらを抑制することにより、それまでの他人との隔たりを乗り越えられると、心に浮かんだ考えを純粋に他人と分かち合い、絆を深めたいという動機が明確になってきます。あなたの気持ちや考えを、てらうことなく打ち明ける勇気を持った日から、あなたは新たな自分と出会う道を歩み始めるのです。

第10ハウスにある人

◎素顔の魂

あなたは周囲に自分の存在を印象づける手段として、鋭い認識能力を持っているのですが、その能力は心に深く潜行しています。自己主張しないあなたは、周りの人々に利用されやすくなります。あなたが自分のイメージや評判が壊れることを恐れ、本当の自分を外に出さないようにしていると、本当のあなたの個性がしぼんでいき、夢や目標の達成が遠ざかっていきます。体面を失うというリスクを恐れるあまり、忌憚のないコミュニケーションを避けていると、目標に向かって進んでいく代わりに、あなたはすでに目標を手に入れたかのごとく虚勢を張るようになっていきます。

どうでもいいようなやりとりに留めておけば、人間関係も平穏無事。あなたが力のある存在になれば人間関係の調和が乱れるということを、あなたの潜在意識は恐れているのです。そうやって自分の潜在能力を抑制しているうちにあなたは自分に内在する、世の中を変える力を否定し、しぼませていくのです。あなたが他人の目に映るイメージばかり気にして自分の持てる能力を十分に発揮できないということは、あなたが職業的に成功することもなくなり、つまりは自分の運命を否定することにもつながるのです。そしてあなたは自分の地位を守りたいばかりに、すでに決まったこと以外の冒険もリスクも否定し、その結果いたたまれないような無力感に襲われるでしょう。

◎磨かれた魂

世間体や体面を失うリスクを恐れずにあなたが積極的な行動に出るようになると、あなたはダイナミックな野心家に変化していきます。そういう行動をすればするほど、世間の自分に対するイメージがどうであれさほど気にならなくなっていきます。そのように大胆になれると、自分の力に対する考えがさらに積極的なものに変化していくでしょう。ゴールに向かって敢然と進む過程で、あなたはゴールを勝ち取る強い意思の力を身につけていきます。このとき、一時的にあなたのイメージや対人関係が混乱することもあるでしょう。

けれどもそれはあなたの人格が浄化されるために必要な過程――あなたが自分の運命を切り拓き、たくましく前進する姿勢を萎えさせるような自己不信を払拭する過程なのです。あなたが公衆の面前で実力を遺憾なく発揮すると、あなたはそこからまた大きく成長できるでしょう。周りの人々や世の中が向上することを願い、あなたの感性を外に向けて発信すると、あなたの世間でのイメージもまた向上し、リーダーシップが身についていくのです。

自分の口から発せられる言葉が自分の優れた能力の産物だと捉(とら)えることなく、無私の精神で人々とやりとりをするようになると、あなたは自らの魂の成長を経験できるでしょう。他人を操作したいという自己中心的な動機を手放すことができれば、あなたは自分の運命が明確に見えるようになり、その道を迷わずに歩んでいけるようになるでしょう。自分に内在する推進力と存在感を認め、結果を恐れずに行動していくうちに、あなたは自分が生まれてきた理由を知り、運命に従って新たな道を切り拓いていけるようになるでしょう。

第11ハウスにある人

◎素顔の魂

あなたは集団や組織の中で発生する問題点や間違いが不思議と見えてしまうという能力を持っています。けれどもそれを指摘すると、自分が組織から浮いてしまうのではないか、あるいはその考えが突飛すぎて受け入れられないのではないかという恐れから、黙っているという傾向があります。これはあなたにとっても、その集団にとっても貴重な意見が生かされずに埋もれてしまうことを意味します。あなたは自分の知識やひらめきを発表できないフラストレーションを抱え、もっと賢いやり方に気づかない同僚や友人に対し、怒りを感じるようになっていくでしょう。

あなたが心に描く理想の姿を、所属する集団に投影せずに心にしまいこんでしまうのは、その集団全体の損失であり、あなたもまたそこで得られるであろう喜びをみすみす捨てているようなもの。あなたが組織に大きな貢献のできる存在であることに気づかず、ただ彼らに自分を受け入れてもらいたい、自分の主張を尊重してもらいたいといった近視眼的動機に基づいて行動していると、その願いは叶(かな)わないことが多いのです。

あなたは自分の持っている能力を抑え込むことで、同僚や仲間が向上できる機会、そして彼らの考えと合体させてともによりよい未来を作っていく機会の芽を摘んでしまっているのです。自分の力を表現し、他人の批判にさらすリスクを恐れている限り、波風は立ちませんが、現状よりも向上することがないだけでなく、終わりのない停滞に囚(とら)われるでしょう。そうなるとあなたはますますリスクを恐れるようになり、無力感と孤独感に苛(さいな)まれることになるでしょう。

◎磨かれた魂

あなたに必要なのは、リスクを恐れることなく心に浮かんだ理想のイメージや考えを積極的に表現することです。仲間とのコミュニケーションの中で、心に浮かんだ考えがどれほど斬新（ざんしん）であっても、否定されることを恐れずに客観的に分かち合えるようになると、あなたは自分の中に力がみなぎってくるのを経験するでしょう。あなたには見えて、周りの人々には見えないことを指摘すると、一時的には反発や拒絶が待っていることもあるでしょう。

　けれどもこれはあなたの中で、真の自分らしさが外に出ることを阻んできた心の壁が取り壊される、浄化のプロセス。同時に組織や仲間が改善するべき点を直視して、よりよい未来を構築するための地盤作りの過程でもあるのです。客観的な情報交換により、組織はあるべき姿を取り戻し、あなた自身もしかるべき居場所を手に入れることになるでしょう。あなたは組織に対する純粋な愛情を持ち、客観的に意見を述べることで理想の体現者として自分の力を強めていくでしょう。あなたの洞察が認められ、あなたの地位が上がったとしても、それはあなたを通じて発表された理想そのものが持つ力のおかげ。そういう謙虚な姿勢や誠実さを失わなければ、さらに人々に衝撃を与えるような洞察があなたのもとへ天から降りてくるでしょう。

　そういう革新的な考えを発表するとき、あなたにはそれまでにない力が備わっていて、周りを驚かせることもあるかもしれません。自分に備わった威厳や、相手に与える影響を理解できるようになれば、相手があなたの意見を一時的に否定しても寛大に受け止め、相手があなたの指摘についてじっくり考え、理解・消化するまで待ってあげる余裕も生まれるでしょう。あなたが気をつけなくてはならないのは、組織でのあなたの地位が上がり、力が増えたからといってボス風を吹かせたり、尊大に振る舞いたくなる欲求を極力抑えることです。これさえクリアできれば、組織や同僚のためによかれと願う、純粋な動機に導かれてあなたの洞察力はますます冴（さ）えていくでしょう。

　あなたは仲間とともに理想の未来を作っていくことに喜びを感じ、熱意が増していきます。その過程で、あなたは心にある欲求や理想のイメージを仲間と分かち合い、それに協力したいか否かの選択を仲間に与えます。こうしてあなたは相手に受け入れてもらえるかという恐れを完全に克服し、自分の心の理想を追いかけて突き進んでいけるようになるでしょう。

第12ハウスにある人

◎素顔の魂

あなたには、普通の人には見えない霊的な力や精神世界の叡智（えいち）が備わっています。その能力は多くの人々にとって重要な気づきをもたらすにもかかわらず、あなたはそれを人々に伝えようとしません。あなたは人々が魂の深遠に宿る力に気づき、真の自分の姿と出会うきっかけを作る貴重な洞察に、光を当てることなく埋没させているようなものです。それはあなたが自分の能力を過小評価し、心に見えている洞察を取るに足らないものだと考えているからかもしれません。

あまり波風を立たせるようなことを言うと、あなたの地位やイメージが壊れてしまうのではないか、あるいは事態が収拾不可能になったら困るという理由で、あなたはいろんな状況で心に生まれる洞察に気づいても無視してしまいます。そうしているうちに、あなたは世界全体から理解されない孤独感やフラストレーションに苛（さいな）まれ、実際に目に見えるものしか見ようとしない人々のデリカシーのなさに苛立（いらだ）ちを感じるようになっていくでしょう。

自分の心にある霊的な感覚を人に話すと、それまでの平和な心が乱され、安定感が崩れていくのではないかと恐れ、あなたは心の真実をますます心の奥深くに閉じ込めてしまいます。これにより、あなたのエネルギーは停滞し、自己認識も低下していくでしょう。

◎磨かれた魂

あなたに求められているのは、心の内なるビジョンの力を信じ、それを人々と分かち合う勇気を持つことです。あなたの心にあるものを人々と分かち合うことは、宇宙の意志だという自覚を持てば、それほど難しいことではありません。これをすると、あなたの心の平和は一時的に乱され、あなたのビジョンを否定する人も出てくるかもしれません。けれどもこれはあなたの潜在意識にある恐怖感を克服し、まだ目に見えない未来の真実と出会うために心を浄化するプロセスなのです。

人々の人生に与えられた深い意味や使命を、あなたが言葉にして表すことで、あなたは高次の現状認識、つまり日々のこまごまとした出来事を超えた哲学的なメッセージを人々に気づかせることができます。言葉にした結果を恐れず、あなたは心に浮かんだビジョンをあるがままに人々に伝えるようにしてください。周りの反応を気にして小出しにすることなく、ビジョンの持つメッセージをすべて出し切ることにより、あなたにはパワーが備わります。そしてあなたは自分自身に対する理解を深め、自分の魂とのつながりを深くすることができるでしょう。

あなたの精神世界に対する認識や世界観には、非常に強いパワーが備わっているため、あなたの言葉が人々に衝撃を与えることもあるでしょう。それを自覚していれば、あなたの知恵を受け入れる準備ができていない人々にとっては受け入れがたいということも寛大に理解し、いずれときが来ればわかってくれるだろうと考えて、他人の否定や拒絶も気にならなくなっていきます。他人に自分の言うことを認めてもらいたいとか、他人にあなたの考えに従ってもらいたいといった近視眼的な保身の動機がなくなると、代わりにあなたは心に浮かんだビジョンを素直に受け止め、それらを人々と共有したいという純粋な動機によって行動するように変化していきます。

あなたを媒介として世の中に出てきた霊的なビジョンはもともと宇宙からきたもの。〝あなたの能力の産物〟だという考えを捨てることができれば、あなたの魂は安定し、あるべきところに収まる心地よい感覚を経験します。この安心感があれば、あなたの霊的なビジョンや提案に相手がどんな反応を示しても静かな心で受け止められるようになります。無私の精神に基づいてあなたの心に浮かんだ宇宙の叡智を表現していると、あなたは新たな人生の高みに立ち、さらに成長していけるという実感を得られるでしょう。

第一部エピローグ

占星術のバースチャートとは、その持ち主の人格の構造、個性を客観的に図式化したものです。惑星などの配置はその人の現世的な自我（エゴ）、魂としての普遍的自我（セルフ）の他、その人特有の持ち味や使命を鮮やかに描き出しています。

究極的な意味で人は、他人と異なる部分を追求しても幸せにたどり着けません。人は自分の心の中にある〝幸福の源泉〟に触れるとき、副産物として幸せを感じるもの。この幸せの感覚が人と人の間に橋を架けるのです。

ここまでのところ本書では、あなたの人生をもっと実り多く幸せなものにするための選択肢をご紹介してきました。あなたの人生の経験はどれを取ってもあなた自身の選択の結果です。

不本意な経験ですら、運命のいたずらや誰かの仕業ではありません。すべてあなた自身が選択した結果なのです。占星術家が、あなたのご両親はどんな人か（あるいはあなたにとってどんな存在か）までバースチャートから読み取るのは、そういう家庭環境をあなた（の魂）が誕生の前に設定しているからです。

あなたに起きることはすべて、あなたが作っているのです。作ることができるのですから、変えることだってできるはず。そのためのキーポイントは、自分に起きるすべてのことは自分が〝起こしている〟と捉え、全責任を引き受けることにあります。そうすることで、あなたが運命のハンドルを握れるからです。

先ほどの例に戻りましょう。あなたのお母さんはどんな人で、またお父さんはどんな存在だったか、経験豊富な占星術家ならあなたのバースチャートを見るだけで正確に描き出すことができるでしょう。これはあなたが地上に生まれた瞬間に作られたバースチャートに基づく情報ですから、その後の人生で何が起きても、ご両親の仕業とはいえません。

私のバースチャートでは、土星（父親を表す惑星）が第10ハウスにあり、海王星とは直角（スクエア：90度の凶角）の位置（第１ハウス）で、この対極（オポジション：１８０度の凶角）には月（第７ハウス）があります。これを解読すると、私の父親は圧倒的な威厳を持って私の人生に支配的な影響を及ぼす存在だということ。私にとって父はまさにそういう存在です。

ところが、私の弟のバースチャートを見ると、父親を表す土星が金星とアセンダントで正三角形（グランドトライン：120度の吉角）をなしています。これが示す通り、弟と父との関係は、ごく円満で調和に満ちています。同じ父の子供として生まれ、同じ環境で育ちながら、私と弟とでは正反対といえるほど異なった関係を持っているのがおわかりでしょう。弟は父との関係の中で、父の資質のある部分を引き出し、私は違った部分を引き出しているからです。これは父の人格の特徴とはあまり関わりのないことで、弟は弟の人格形成に、私は私の人格形成に必要な要素を、父という素材から引き出しているに過ぎないのです。

私は自分のバースチャートを眺めて「なるほど。父との関係がこういう状態だから、私はこれからもずっと目上の人や権威者とうまく折り合っていけない運命にあるんだわ」と考えることもできれば、自分の運命をちょっとずつ変えていくことも可能なのです。たとえばこんな風に。……私に対して横柄な態度で命令してくる人と出会ったとき、ただ不快に感じ、その人を避けようとする代わりに「ほうらきた。これは私のバースチャートにあった土星と海王星のスクエアに月のオポジションのパターンだわ。あの人は偶然出会った嫌な奴ではなく、私のバースチャートのシナリオに書かれた登場人物。私が彼を引き寄せたのね。それじゃあこの状況で、私はどうすれば弱点を克服できるかしら？」と受け止めると、どうでしょうか？

こんな風に受け止めるようになって以来、私は〝苦手な人間関係〟のわだちにはまらないように、創造的な解決方法を探ってきました。

人は誰でも成長するために苦労しなくてはならないという常識はあまりにも古く、現代の私たちには当てはまりません。私たちは苦労をしたいかどうかすら選択できる時代に生きているのです。聖書にあるような「地上の楽園」は、現実に私たちの選択肢の中にあります。地球は美しい庭であり、私たちは望みさえすればいくらでも自由に遊んでいられるのです。

あなたはあなたのバースチャートに書かれたすべてのエネルギーの司令塔です。あなたが明るい未来を描き、周りの人々にとっても住みやすい未来を築くためにこれらの多彩なエネルギーを使うと、あなたの人生は魔法のようにうまく回り始めるでしょう。もしあなたが自分を幸せにする責任を自ら負わず、誰かに押し付けていると、あなたの人生は世間の浮き沈みに翻弄(ほんろう)され続けるでしょう。あなたのバースチャートに描かれたエネルギーを自覚し、自分の運命を主体的に受け止め、それらをプラスに生かそうという意志を持った瞬間、あなたの手には自分の人生を自在に操るパワーが備わります。その手を緩めない限り、あなたの願いは叶(かな)い、ほしいだけ幸せが手に入るでしょう。

第二部

誕生日直前の日蝕と月蝕

人生のシナリオと魂の運命

――カレン・マッコイ＆ジャン・スピラー――

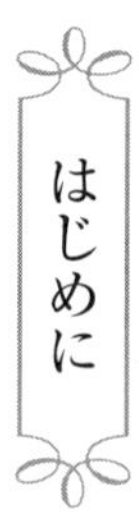

はじめに

人生には「よりによって私にどうしてこんなことが起きるの?」と感じる瞬間があります。この問いに雄弁に答えてくれるのが、日蝕と月蝕です。第二部でご紹介する、日蝕と月蝕が私たちの人生にどんな影響を与えるかという耳新しい情報は、長い期間にわたる研究と瞑想の集大成です。私がこの研究を始めるきっかけをくれたのは、占星術家ロバート・バズ・マイヤーズ氏が1982年に行った講義でした。それから4年間、私は4000を超える数のバースチャートを調査し、日蝕と月蝕が人の人格や運命にどのような影響を及ぼしているのかを検証しました。その結果つかんだのは、大多数の人々に共通する次の2点でした。誕生日直前の日蝕がどの星座で起きたかをみると、その人が現世で他の人々に教え、導くべきテーマがわかるということ。そして誕生日直前の月蝕がどの星座で起きたかをみると、その人が現世で学ぶべきテーマがわかるということです。

研究で明らかになったのは、日蝕のエネルギーのパターンが、子供の誕生が両親に与える影響に似ていることです。子供が生まれたときの両親に目を向けると、その子供の太陽星座のエネルギーは、二人の親に必要なエネルギーを表しています。たとえば、子供の太陽星座が双子座だった場合、この両親にはもっとコミュニケーションが必要だというメッセージを意味します。なぜなら双子座生まれの赤ちゃんは、コミュニケーションを司る惑星の影響を受けているからです。受胎の瞬間にこの両親が発信したシグナルが、「私たちはもっと明快なコミュニケーションを習得するために天からのサポートが必要です」というものだったというわけです。これと同様に、日蝕の瞬間に、地球に存在するたくさんの魂が、地球に生きる意識全体が進化するために今何が必要かを宇宙に向かって発信していると考えられるのです。

日蝕や月蝕が起きるとき、地球を覆っているバリアが一時的に壊れます。その割れ目から、地球上に存在する人々の高次の意識エネルギーが一斉に宇宙に向かってほとばしります。このエネルギーは、地球を救うメッセンジャーとなって宇宙に届けられます。日蝕と月蝕が起きる星座は、蝕が起きた瞬間に地球上の魂たちがどんな願いを発信したかを表し、宇宙が地球の意識の集合に授けた福音でもあるのです。地球上の魂の成長が進めば進むほど、宇宙が差し伸べるエネルギーを取り込みやすくなっていきます。蝕が起きるたびに宇宙から救いのエネルギーが届きますが、これはいつでも自分のために活用されるわけではありません。カルマ（というより私は「魂の成長のパターン」という表現を好みます）の浄化の過程では、自分の能力を他人のために使えば使うほど、自分の魂の成長は早く進むものなのです。

　日蝕は、あなた（の高次の意識）が周りの人々（の高次の意識）に奉仕するべき分野を表します。日蝕が起きた星座とハウスは、あなたの人生のどの部分を使うと、あるいはどのような表現を用いると、効率よく人々を導けるかを示します。月蝕は、あなたの魂が成長するために必要なテーマを表しますが、月蝕が起きたハウスと星座をみると、どの分野でどのようにすれば、あなたに必要な経験ができるかがわかります。このガイドラインに従うと、あなたの魂の成長が促され、同時に人格が磨かれていくのです。月蝕がもたらす経験を理解し、慈愛と感謝の気持ちで受け入れるか、あるいは不満や怒りを感じて経験を拒絶するかで、あなたの魂の成長の度合いがわかります。

　日蝕は「他人に与える、あるいは他人と分かち合う経験」、そして月蝕は「自分が受け取る経験」です。あなたの身体はこれら2種類の経験的課題を融合させる場であり、受け皿です。同時に、身体には先祖代々の遺伝的記憶が集積されているので、人類の集合的過去と現在の融合でもあるのです。

　宇宙に存在するすべてのものは、身体、心、そして魂の三位一体（さんみいったい）により作られると私は考えています。本書でご紹介している学びの基本原理は、私たちが身体、心、魂の三つを融合した存在としてよりよく機能するための道を示すものです。身体は物質界に属し、私たちの仮の住処（すみか）である地球環境の影響下にあります。魂は、完全無欠という究極のゴールに向かい、永遠の進化を続ける不滅の存在です。心は、集合的な高次の意識の高みに到達するための道具であると同時に、他人とつながり、人類全体の責任を自覚するための受発信装置です。私たち一人ひとりが、自分以外の全人類にとって必要な情報を持っています。その意味で、不要な人間など一人も存在しません。私たち一人ひとりがそれぞれかけがえのないジグソーパズルのピースの一つ。あなたの中に眠っているピースに光が当たりますように！

カレン・マッコイ

＊　＊　＊

　これまで20年余りに及ぶ私の占星術家としての経験で感じたのは、占星術がもたらす恩恵を過小評価しているために自らの人間性を成長させ、幸福で充実した人生を歩む機会を無にしている人があまりにもたくさんいるということでした。一般に占星術に向けられる批判といえば「科学的根拠がない」ということですが、実際のところ占星術に非科学的な要素はまったくありません。占星術は古代の科学であり、バースチャートは精緻な数学的公式を駆使して作られるものです。

　私たちに大きな影響を及ぼす目に見えない力は、他にいくらでも存在します。たとえば、重力は目で見たり触ったりできませんが、その存在は誰もが認めるところです。電波も人の五感では感知できず、１００年前には存在を否定する人のほうが主流でしたが、今では疑う人はいません。占星術の正当性や究極的な存在価値は、人の人生や人格に実用的な変化を起こせるかどうかにあります。占星術の手法から引き出される叡智は限りなく豊かです。知れば知るほど自分に対する見方が深まり、変化していくのです。自分の見方が変われば自己表現の仕方も変化し、その結果自分の身の回りの環境も変わってくるのです。

　惑星のエネルギーと人類の行動の相関関係に目を向け、人生を投じて研究に没頭した過去と現在の無数の占星術家の献身により、占星術の知恵が人々に大きな貢献をしてきたことに、私は心から敬意を表したいと思います。彼らの研究の成果を生かし、私たちは自分の運命に作用し、意のままに変えていく力を手にすることができたのです。著名な占星術家、ノエル・ティルが言ったように、「人格とは運命である」のなら、占星術がもたらす客観的な自己認識は自己研鑽に向かう正当な条件を提供し、人生を意のままに切り拓いていく海図となるでしょう。

　第二部では、あなたが成長するために学ぶべきことがらと、あなたが現世で人類同胞と分かち合うべき才能について解説しましたが、これによりあなたがより深く自分自身を理解することが狙いです。本書が示す内容が正しいかどうかを最終的に評価するのは、読んでいるあなたです。究極的に真実は揺るがず、いつかその正体は明らかになるものです。本書の提案に従って、日々の生活で〝実験〟を試みているうちに、自分の人格や生きる意味、目的がだんだんはっきりわかるようになったら、そして人間関係がうまくいき、以前より幸せを感じられるようになったら、それはあなたが〝あるべき軌道〟に乗ったという証(あかし)です。

ジャン・スピラー

第二部の使い方

輪廻転生

本書に書かれた内容を生かすのに、輪廻（りんね）転生（人は何度も生まれ変わるという考え方）を信じることが特に必要なわけではありません。しかしながら、人の心の成長に制限を加えるような枠組みや思考・行動パターンはいくらでも矯正し得るものだという認識を持つことは、本書を最大限に生かしていくには不可欠といえるでしょう。

本書に出てくる「前世」、あるいは「過去生」といった表現を理解するには3種類の捉（とら）え方があります。第一にあなたが生まれてくる前の別の人格としての経験、第二に現世（今生）のあなたが幼少時に経験したこと（両親やきょうだいとともに過ごした経験、あるいは思春期に意識下で経験されたことなど）を前世と捉える考え方。そして第三に、幼少期の行動パターンのほとんどが前世から引き継いだものだという捉え方があります。つまり、前世で習得されて習慣となった行動パターンをさらに研鑽（けんさん）し、魂の成長を促すために、新たに生まれてきた子供時代に、その経験を繰り返しているという考えです。

これら三つのうち、どれか一番しっくりする捉え方をお選びいただければＯＫです。大事なのは今のあなたが直面する課題と向き合い、克服するという経験を主体的に背負う意思と責任を引き受けることにあります。

日蝕と月蝕

◎日蝕・月蝕の起きた星座を見つける

巻末４７９ページからの日蝕のチャートであなたの誕生年月日より前に起きた、誕生日に最も近い日蝕を探します。そして誕生日直前の日蝕がどの星座で起きているかに注目してください。これがあなたの「日蝕星座」です。たとえば、1953年3月31日生まれの人の場合、誕生日直前の日蝕は水瓶座で起きているので、この人の日蝕星座は水瓶座。したがってこの人は水瓶座の解説を読みます。1982年11月20日生まれの人の場合、誕生日直前の日蝕は蟹座で起きているので、日蝕星座は蟹座となります。

同様に481ページから始まる月蝕のチャートで、あなたの誕生年月日の直前に起きた月蝕を見つけます。たとえば1953年3月31日生まれの人の場合、誕生日直前の月蝕は獅子座で起きているので、この人の「月蝕星座」は獅子座です。1982年11月20日生まれの人の月蝕星座は山羊座となります。

◎日蝕・月蝕の影響

月が太陽と地球の間を通過するとき日蝕が起こります。月蝕は地球が太陽と月の間を通過するときに起こります。人が誕生する前、受精卵の着床から誕生までの間には、少なくとも2回の蝕、つまり日蝕と月蝕が1回ずつ起こります。誕生を控えた胎児にとって、これらの日蝕と月蝕は重大な影響を持っていて、このときのエネルギーのパターンが、この生命の誕生後の一生を左右するのです。

太陽の磁力と地球をさえぎる月のパワーは非常に強いため、日蝕が起きている間は地球の磁場を一時的に壊して突き抜け、地上に届くのです。日蝕の間、太陽と重なる位置にある星座には、その星座特有の精神領域のエネルギーと共鳴するエネルギーパターンが太陽から授けられるのです。

別の言い方をすれば、地球の〝窓〟が開き、そこから見える宇宙の未来図や宇宙のエッセンス（エネルギー、情報、知識など）を手に入れる回路が開きます。したがって太陽が射手座で日蝕を起こすとき、射手座を通じて得られる知識や情報が見えるというわけです。地球の窓が開いている間、見えるのはそれぞれの星座が司(つかさど)る分野の知識だけでなく、その星座のエネルギーの磁場が際立って見えます。月蝕でも同様の現象が起きます。

人が生まれるとき、直前に起きた日蝕と月蝕のエネルギーがともに身体に転写され、記憶されます。あなたという生命が誕生する直前の日蝕がどの星座で起きたかを知ることで、あなたという魂が宇宙と交わした約束の内容――身体をもらって地球で暮らすという〝特権〟を得る代わりに、宇宙から託された果たすべき仕事なのです。

日蝕星座が表すのは、宇宙があなたに与えた宿命。あなたの魂が地球に滞在している間に宇宙が求めるバランスを地上にもたらすために発揮するべきエネルギーが、あなたの潜在意識に組み込まれたものなのです。一つの日蝕星座の使命を帯びて生まれた魂たちは、その星座特有のエネルギーのエッセンスをかけられ、それぞれの身体を媒介させてそのエネルギーを地上に振りまき、「個人の成長」と地球全体をおおう「意識領域のレベルの向上」とを約束しているのです。

あなたが地球を旅している間に使う貴重な資源として、宇宙があなたとの契約に基づいて授けたエネルギーが、日蝕星座を通じてもたらされているというわけです。日蝕エネルギーが表すものは、人類と分かち合うためにあなたが宇宙から託されてきた使命――あなたが生まれた理由そのものです。日蝕星座のメッセージに従うことは、宇宙との固い約束を果たすことで、誰にも逃れることはできません。人に与えられた選択肢は、それをプラスに使うかマイナスに使うかの2種類。つまり宇宙からの贈り物を積極的に活用し、豊かに人々と分かち合うか、あるいは贈り物を台無しにして、周りの人々の反面教師として悪い例を体現するかのどちらかです。マイナスの道を選ぶと、あなたの人生は大きくバランスを崩し、あなたが今生で学ぶべきレッスンが必要以上に困難なものになっていきます。

あなたの魂が地上に生まれる交換条件として日蝕星座の持つエネルギーを地上にもたらす仕事を引き受けたのは、月蝕エネルギーが示唆するテーマを習得したいというあなたの魂の目的があるからです。宇宙の摂理とは完璧(かんぺき)なバランスの法則に基づいています。つまり与えるものには受け取る権利が自動的に手に入る……日蝕に象徴される仕事を果たす代わりに、あなたの魂が成長を遂げるためにぜひとも必要な月蝕エネルギーを受け取る権利を手に入れたのです。あなたに託された月蝕エネルギーを紐解(ひもと)くと、そこにはあなたの魂が傷ついてバランスを崩している分野や、研鑽が進みもう少しで完成する人格の側面などが網羅(もうら)されています。あなたがこれらの分野を癒(いや)し、成長するにつれ、人類の意識も浄化されていくので、地上の意識レベルが向上し、よりよいバランスが生まれるのです。

成長を続ける魂は、宇宙の壮大な計画の一部。日蝕の仕事をしながら月蝕のテーマに取り組み、最終的に宇宙との契約を果たしていくのです。これができたとき、人は地上に生きるこの上ない喜びを享受し、存在し得る最上級の美と幸福、豊かさを、何の障害も感じることなく引き寄せ続ける存在となるのです。

日蝕・月蝕星座の影響

日蝕と月蝕が各人に与える大きな影響力は冥王星のエネルギーと関係があります。研究の結果明らかになったのは、冥王星の存在が発見された１９３０年１月より前に生まれた人々は、蝕の影響下にないと思われることです。といっても魂によっては、それ以降に生まれた人々と同じような宇宙との契約を感じる力を持っている人々もいるようです。

太古の時代から存在していた冥王星という惑星が１９３０年まで人類に発見されなかったことが意味するのは、この時期まで冥王星の司る精神エネルギーを受け止める器を人類が持ち合わせていなかったということ。人類の意識レベルが、１９３０年ごろに冥王星を認識できるまで進化してようやく冥王星がその姿を現したのです。

◎日蝕

日蝕星座は、あなたが宇宙との契約に基づき、人類にもたらすことになっているエネルギーを象徴します。あなたがこの分野で他者よりも秀でているのは、宇宙があなたに特殊な能力を与えているからであり、あなたには他者を導き、ひいては地球全体の意識レベルを向上させるという重要な仕事が課せられているからです。これを積極的に活用すればするほど、あなたに与えられる人生の試練は軽くなります。あなたの日蝕星座の解説を読んで、宇宙から授かった才能を積極的に生かしてください。

◎月蝕

月蝕星座が象徴するのは、あなたという魂がよりバランスの取れた進化を遂げるために必要不可欠なテーマであり、あなたの魂が今生で取り組みたいと考えた課題です。この課題を選んだのはあなた自身ですから、その取り組み方を誰に評価されることもありません。

これは個人的な運命であり、あなたという魂が独自にたどるべき進化のプロセスです。

◎無意識のステージ（月蝕星座対象。ただし日蝕星座が十分機能していない場合はご参照ください）

無意識のステージとは、あなたが自らに運命づけた成長のシナリオにまったく気づかないためこれを受け入れず、目の前に提示された教訓や体験から学ぶことを拒否するときに起きる状態を指します。自然なものごとの流れに逆らい、上流に向かって泳ごうとするとき、あなたは心の声を無視してエゴの欲求を満たそうとしています。あなたが人生の学びの機会に直面してもそれとわからずに目を背けていると、日蝕と月蝕のエネルギーが作用して、人生の試練が通常の何倍も過酷なものに変化していくことがこの項で解説されています。私たちの多くはこの「無意識のステージ」から自分の魂の課題に取り組み始めます。そして降りかかる教訓の過酷さに耐えかね、自ら意識して行動する「覚醒のステージ」のレベルへと移行していくのです。

◎覚醒のステージ（月蝕星座対象。ただし日蝕星座が十分機能していない場合はご参照ください）

覚醒のステージとは、無目的に漫然と日々を送るのをやめ、自分の人格と向き合い、自分の直面する課題を意識している状態の経験や反応を表します。この段階（ステージ）にある人は、心の声に耳を傾け、自分を取り巻く運命の流れに身を任せるため、訪れる試練も穏やかになります。自分の人生で起きていることがらのタイミングを知り、周りの人々の反応から自らの課題をくみ取れるので、この人の生き方は風に揺れる柳の枝のようにしなやかです。身の回りのあらゆる兆候を見逃さない意識的な姿勢が、魂の成長を促します。

◎超意識のステージ（月蝕星座対象。ただし日蝕星座が十分機能していない場合はご参照ください）

超意識のステージとは、あなたが自分だけの利益を得ようとする意識（エゴ）を超越し、人類全体の見地に立つ高次の自我に従って人類全体のために行動を起こそうとする姿勢や経験を指します。個人的成長や円熟は完成に近づき、人生は静かで平和に過ぎていきます。私たちのほとんどは、無意識のレベルから個人的な成長の道を歩み始めます。成長するに従い、あなたは強引にものごとを推し進めようとしなくなり、自然で緩やかな流れの中でいろんなことがらを認識できるようになります。魂の浄化が進むにつれ、個人の人生を生きるのではなく、超自我の境地に立つ聖人として生きる悟りの道が開けていきます。

ここまでくれば、宇宙には善意が満ちあふれていることを理解し、大自然の声なき声にも耳を傾けられるほどの鋭い感受性が身につきます。そうなれば宇宙が人にもたらす豊かさのすべてを享受できるようになります。人類全体への奉仕に専念することにより、個人の幸せやニーズは副産物のように宇宙からほしいだけ与えられるという法則を身をもって体験できるようになります。この段階に達すると、人は他者との境界線を作るエゴを放棄し、宇宙意識と同化して深い叡智と愛情の光を、自らの肉体を媒介として人々に伝えられる高貴な存在となります。

◎身体に現れる兆候（月蝕星座対象。ただし日蝕星座が十分機能していない場合はご参照ください）

身体に現れる兆候の項では、身体がどのようにあなたの魂のレッスンをサポートするかについて解説し、肉体を通して自らの生き方を観察する方法を示します。肉体は、あなたの魂の成長を測る貴重な物差しです。この項で示すアドバイスに従うと、魂の運命の道を楽々と進んでいけるようになります。あなたの身体と精神について熟知した上でのアドバイスに注意深く耳を傾けてください。

この項でのチェックポイントは、日蝕と月蝕が示すテーマに関わる精神エネルギーがバランスを崩しているかどうかを測る手段として書かれました。あなたの精神や感情のバランスが崩れているのに気づかずに放置していると、あなたの注意を引き、バランスを取り戻すことを促すために身体症状として現れる――という前提に基づいて書かれています。

（注）この項に書かれている提案は、実際の病気の諸症状を医学的に治療・対処する方法を否定するものではなく、その代替医療でもありません。

◎日蝕の二重効果

あなたの誕生年月日と、その直前で最も近い月蝕との間に日蝕が２回起きている場合、日蝕の二重効果が発生します。たとえば巻末の表で見ると、１９６４年

12月12日生まれの人の誕生日直前の月蝕は山羊座で１９６４年６月25日に起きています。この間に１９６４年12月４日、射手座で、そして１９６４年７月９日、蟹座で日蝕が合計２回起きています。この人は日蝕の二重効果を受けています。

これに当てはまる人々は、そうでない人々よりも精力的な人生を送ることになります。宇宙から託された才能の贈り物が普通の人の２倍――つまり、この人は二つのテーマについて地球の人々と分かち合う約束を宇宙と交わしているからです。この人は二つのテーマを学ぶ必要のある人々を身近に引き寄せ、これらの責任をきちんと果たすと宇宙に約束してこの世に生まれて来たのです。人より重い責任を果たせない人に、宇宙が贈り物をすることはありませんから、この人は選ばれた人といえるでしょう。

◎月蝕の二重効果

あなたの誕生年月日と、その直前で最も近い日蝕との間に月蝕が２回起きている場合、月蝕の二重効果が発生します。たとえば巻末の表で見ると、１９７３年６月18日生まれの人の誕生日直前の日蝕は山羊座で１９７３年１月５日に起きています。この間に１９７３年１月19日、蟹座で、そして１９７３年６月16日、射手座で月蝕が合計２回起きています。この人は月蝕の二重効果を受けています。

月蝕効果を二重に受けている人は精神に大きな特徴を持っています。人生のあらゆる局面で二つの目標に引っ張られる感覚が付きまとい、たどるべき人生の道があたかも２本あるかのように感じられるでしょう。実際、この人の人生では目指すべき山頂が二つあり、一つの人生で二つのゴールを統合していく運命にあるのです。

本人も自分の中に二つの人格があり、それぞれに違うゴールに向かっているという感覚を持つでしょう。それらが機会あるごとに顔を出すので、周りの人はこの人が二重人格ではないかと指摘するかもしれません。いずれにしてもこの運命を背負った人は、死ぬまでにどうにか二つのテーマに取り組み、解決を目指さなくてはなりません。

この魂は、一つの人生で二つのテーマに取り組むことを選択したのです。あなたがこの運命を持っていたら、同時に二つの人生をコントロールしながら歩んでください。人生のテーマは一つとは限りません。二つの仕事や趣味、2種類の社会的環境を同時に持つことの自由と喜びを満喫してください。

この運命の下に生まれたことを自覚できない場合は二つのテーマが無意識下で進行し、統合失調症のような現れ方をすることがあります。無自覚にこの運命を生きると、波乱に満ちた人生の浮き沈みに翻弄（ほんろう）され、苦労が絶えません。

しかしながら月蝕の二重効果を受けることイコール統合失調症的な人格を持つというわけではありません。人生で追いかけるべき二つのゴールを自覚し、主体的に取り組んでいる限り、多様な活動を一つの人格の中に統合することができるでしょう。二つのうちどちらかのテーマを無視したり、追求する責任を放棄すると、統合失調症に似た症状が現れることがあります。

ハウス

日蝕が起きたハウスを知ることで、あなたが人生のどんな分野で宇宙の贈り物をみんなと分かち合うことになっているかがわかり、月蝕が起きたハウスを見ればあなたが人生のどんな分野で自分の魂の課題に取り組むことになっているかがわかります。

ここでは簡易式のハウスの割り出し方を説明しています。詳しくは、「第三部の使い方」（434ページ）を参考に、著者のホームページからバースチャートをダウンロードするか、ご自分でバースチャートを作成してご活用ください。

◎出生時刻からハウスを割り出す

バースチャートをお持ちでなくても、出生時刻がわかるという方は、240ページのチャートを使って大体の予想をつけることができます。

このチャートから自分の出生時刻を見つけ、そこに太陽星座を記入してください。続いて12星座の自然配列に従って反時計回りに星座を記入してみてください。たとえばあなたが朝9時に生まれ、太陽星座が獅子座だった場合、11番の枠内（第11ハウス）に獅子座と記入します。自然配列によると獅子座の次に来るのは乙女座ですから、12番の枠内に乙女座と記入します。このように順に星座名を記入していきます。

◎アセンダントからハウスを割り出す

また自分のアセンダント（上昇宮：誕生時に東の地点にある星座）がわかるという方は以下のチャートからハウス番号を割り出すことができます。

ハウス番号1のところに、アセンダントの星座を記入してください。そして2、3、4とホロスコープの自然配列にしたがって反時計回りに星座を記入してください。12星座の配列には始まりも終わりもありません。このため、あなたのアセンダントにあたる星座が始まりの星座となり、自然配列の順に次の星座が続いていきます。

◎自然配列

自然配列とは、牡羊座→牡牛座→双子座→蟹座→獅子座→乙女座→天秤座→蠍座→射手座→山羊座→水瓶座→魚座と一巡して、また牡羊座に戻るサイクルです。

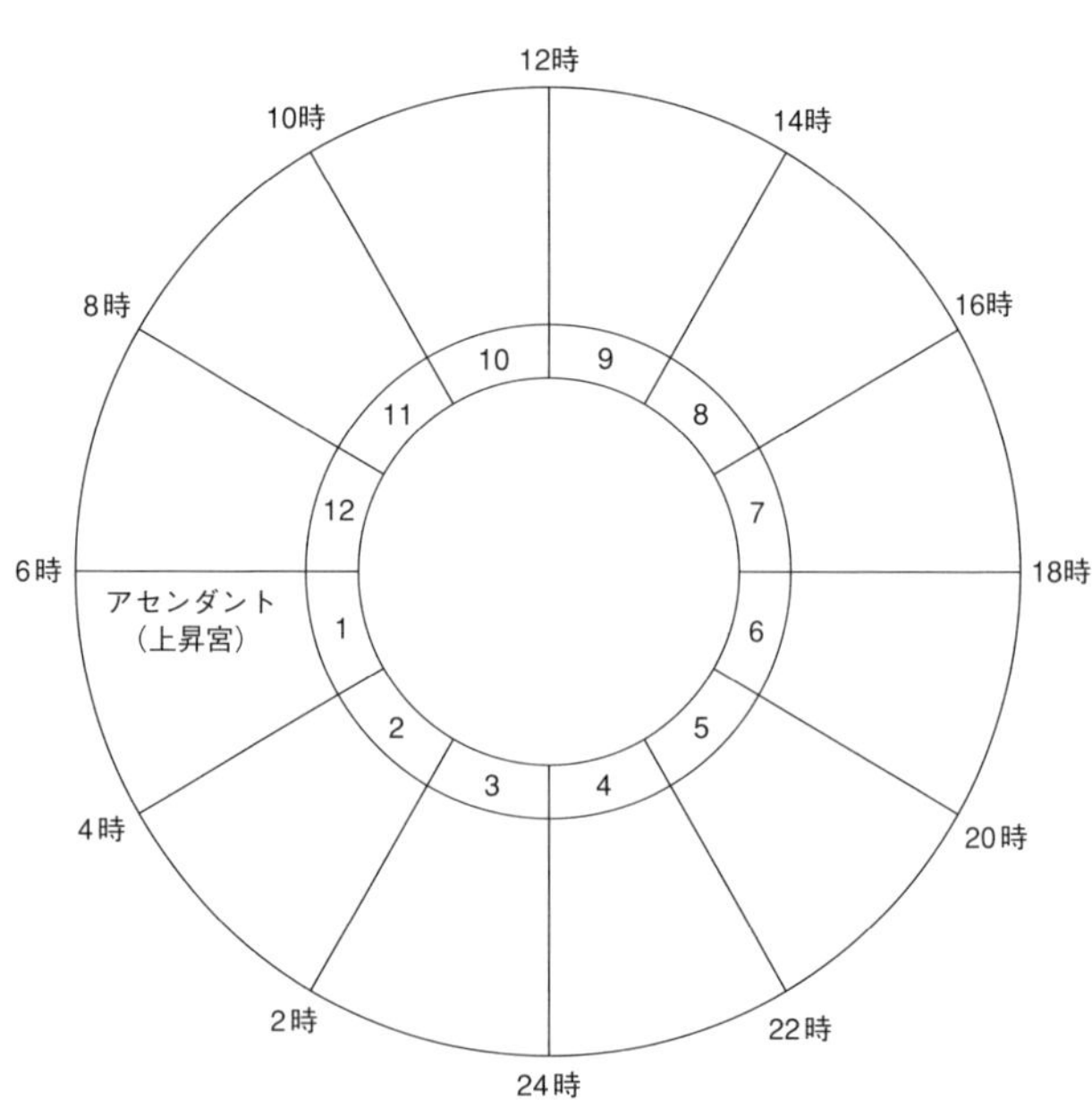

日蝕と月蝕

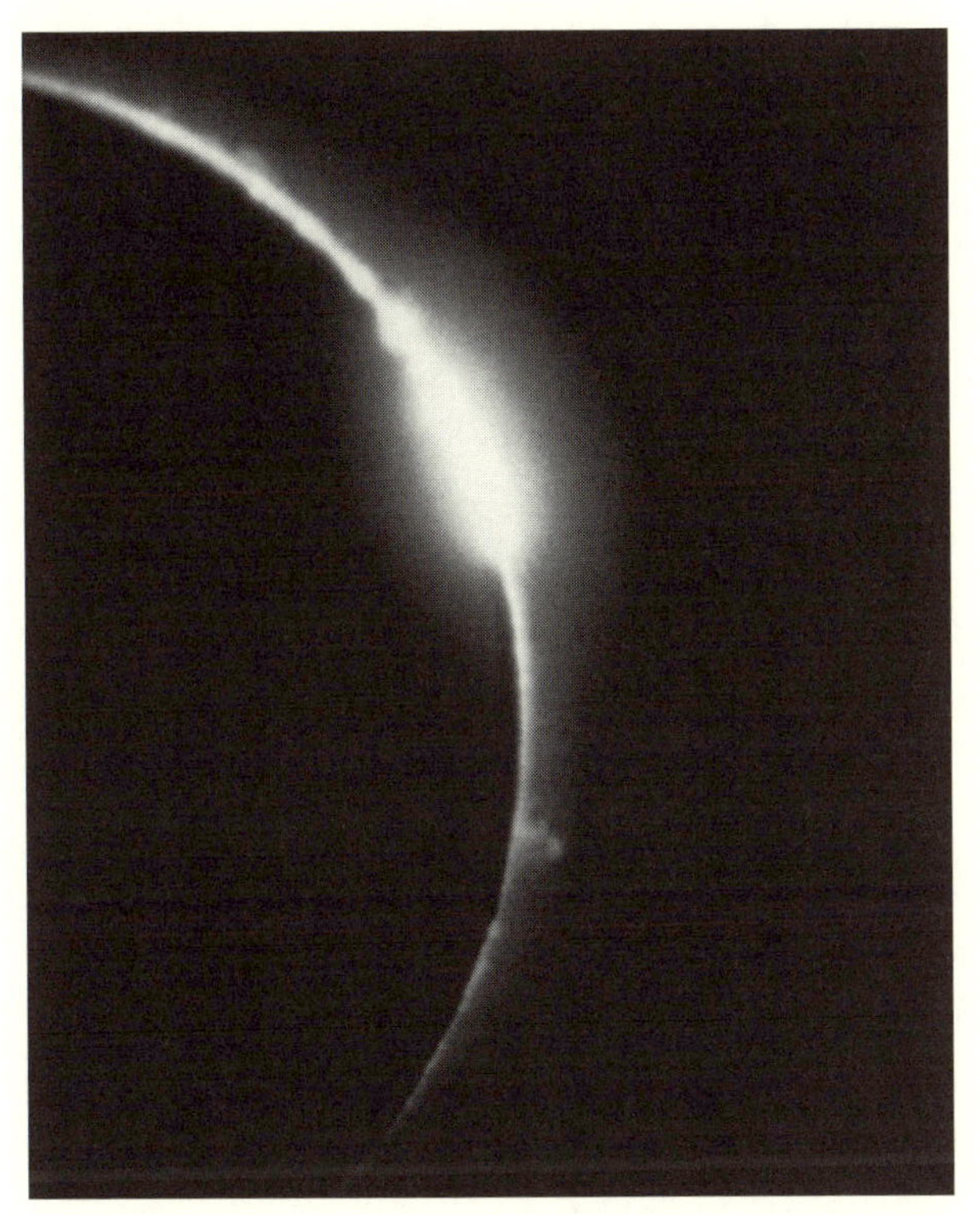

牡羊座

●日蝕

あなたが地上に生きる人々に教えるテーマは自己主張、自立、勇気と信念、前例のないことを始める恐れや不安に打ち克つ力などです。この使命を果たす過程で、あなたの周りには自立心に欠け、他人に依存する傾向の強い人々が集まってきます。あなたの仕事はこの人たちが自分の足でしっかりと立てるようにサポートすること。ただし彼らがあなたに仕掛ける罠――あなたが彼らの面倒を見すぎて、彼らの人生の主導権を握ってしまうこと――にはまらないよう十分気をつけなくてはいけません。

自分を信じ、頼ることを身をもって教えるには、あなた自らが決して他人に依存せず、完璧に自立している必要があります。そして人が築く関係というものは、ばらばらに存在するものではなくみんなどこかでつながり合っていて、永遠に続くものだという信念を持ってください。パートナーとの関係でも、両方が別の人々とつながりを持ち、そこで得た経験を持ち帰ってパートナーと分かち合うものです。こうして外の人間関係で学んだ知識や経験を別の人間関係にリレーすることで、人は自分の存在価値を高めていくのです。

自立することや、自分で自分のニーズを満たせることの価値を、あなたは直感的に知っています。あなたの周りにはなぜか、複数の人と一緒にいるとすぐにべったりと寄りかかろうとする習性を持つ人々が引き寄せられてきます。自立心と自己主張を発揮して、あなたは彼らに、どんなに大きな障害があってもやるべきことは決してあきらめずに実現させることの大切さを教えてあげてください。あるいは逆に反面教師として、やるべきことを先延ばしにしたり、それに関する情報収集ばかりして、始めるにはまだ情報が不十分だと感じ、決して行動を起こさないというやり方を人々に見せることもあるでしょう。いずれの場合でも、よい教師が務まりますが、あなたが前者を選択し、主体的に周りを導こうとすると、その過程は日に日に進化していきます。人生は1分ごとに再生を繰り返し得るものだからです。

彼らに自分の信じる道を突き進む勇気を教えるにあたり、あなたが持って生まれたフェアプレイの精神を忘れないでください。自分の力で自分を守れない弱者をやさしくいたわり、護ってあげる反面、自力で生きていく勇気を教えること――自分の力で切り拓くべきところまで頼られないよう留意してください。弱いからと言って彼らが戦うべき戦いを、あなたが代わりにやってはいけないことを、あなたは心の奥では知っています。それは長い目で見ると決して彼らのためにならず、あなたの力が強くなるだけだからです。

自分の足で立ち、前進するために必要な勇気や自信、主体性が心の奥で眠っている弱い人を奮い立たせ、強い人に寄りかからないよう促す過程は、傍から見ると非情な行為に見えることがあります。けれども目先のやさしさを示すために手を差し伸べることは、長期的に見て彼らにはこれほど残酷な行為はないのだというう視点を忘れてはいけません。他人の批判にさらされてもこの使命を貫くという意味で、これはあなたにとっても自立への戦いとなるのです。

教師であるあなたが身をもって教えるもう一つのテーマはリーダーシップです。地上でいろんな活動を起こし、推進していくリーダーとなるべき人々によきリーダーシップの心得を伝授するのは、あなたの大切な仕事の一つ。リーダーとなるべき人は陰に引っ込んでいてはならず、真のリーダーは他人をあれこれ操作する人とは異なるということを、あなたは生まれつき理解しています。

真のリーダーシップを示すため、あなたは正しい方向をみんなに指し示し、そこに向かうことで勇気と強さ、強い信念を周りに見せられるでしょう。あなたはゴールを目指す過程で、未知なるものを探るのに他人を遣わすようなことはしません。未開地の開拓者のように、あなたは人々があなたのあとに続けるように、道なき道を切り拓いていくのです。あなたは人々に「未知なるものや未経験のテーマに着手することを恐れるな」と教え、前に進むことの意義を伝え、そしてあらゆるものは変化し、静止した環境は存在しないのだということを教えてください。

●月蝕

今生のあなたが学びたいと選んだテーマは、自らの足でしっかりと立ち、自分を信じ、信念を行動に移す勇気です。これまでの過去生の中で、あなたは周りの人の意見に振り回され続けてきました。他人に比べ、自分は知性も能力も劣っていると思い込んでいたからです。同時に、あなたは他人に嫌われることを極度に恐れ、拒絶されたり、対立して険悪なムードになることを何より避けたいと考える人でした。

このような恐れの代償として、あなたは自分の人生の主導権を他人に明け渡し、他人の言いなりの人生を生きてきたのです。あなたは今の人生で、自分の考えることは誰にも引けを取るものではなく、この世に生きている人は誰でも自分なりの生き方を持ち、追求していく必然性を持って生まれているのだということを学ばなくてはなりません。あなたが自分の考えを他人に示した結果、対立や争いが起きたとしても、決して言葉を飲み込んではいけないということを、あなたは今生で学んでいるのです。

あなたが自分の考えを重視する過程そのものが、あなたの人生に変化をもたらします。ここでの変化とは成長の代名詞。そして成長なくして何物も存在し続けることはできません。宇宙ですら、常に拡大と縮小を繰り返しているのです。自分の考えを守ろうとしなかったら、それが間違っていたとしても改める機会は訪れないでしょう。あなたが自分より強そうな人に道を譲ってばかりいたら、あなたの周りで困っている人々をどうして支えてあげられるでしょうか?

あなたが学ぶべきもう一つの課題は自立です。他人に身を委ね(ゆだ)て生きてきた長い歴史があるため、あなたは独立した個人として一人で歩んでいくことに慣れていません。覚えておいてほしいのは、あなたが今生で幸せな人間関係を手に入れるためにはまず自分が一人で生きられるようにならなくてはならないということです。自分が誰で、どこに向かうのか、自分の定義ができる前に結婚してしまうと、あなたは過去生と同じわだちにはまり、相手に引きずられる人生に悩むことになるでしょう。そういう環境であなたは依然としてパートナー（あるいは友人、両親、雇い主など）に頼りきり、彼らがあなたを見放すまであなたは自分のアイデンティティーや能力を探そうとしないでしょう。彼らの家から追い出されるまで行動を起こさずにいると、そこから立ち上がるのはいっそう困難になるのです。それは宇宙が用意したシナリオよりずっと難しい道を自ら作り出しているようなものです。

　あなたが今生で習得すべきことは、独立独歩、一人で生きていける力を身につけてから人間関係や社会生活に向かい、人や社会に資する一方で人や社会からメリットを得ることです。誰かに依存する生き方を修正できないと、運命はあなたが依存している人からあなたを強引に引き離し、一人で生きることを学ばせることになるでしょう。

　ただし、自立を学ぶためにはずっと一人で生きていかなくてはならないというわけではありません。調和の取れた人間関係を続けながら個人のアイデンティティーを持つことは可能で、それがあなたの学ぶべきテーマです。たとえばあなたが家族とともに生きていても、あなたが自分の職業や何らかの創造的なプロジェクトを持ち、個人的に関心を持つ分野があれば、あなたはそこから自信を育て、自分の意思を培っていけるでしょう。自分ひとりで追いかけるテーマを持つことはあなたの世界を作り、あなたが人間関係を維持したまま自立の道を歩き出す助けになるのです。

　また、あなたは自己主張の仕方について学ぶ運命にあります。自分が正しいかどうか自信がないため、あなたはパートナーや同僚、家族など自分以外の人に決断を委ねてしまうことが多いでしょう。自分の意見より他人を優先させるのは前世からの習慣です。あなたはどういうわけか自己顕示欲の強い、強力なキャラクターを持った人を身近に引き寄せる傾向があるのです。

　宇宙の法則として、私たちは学ぶべきことを自分に引き寄せるものです。あなたが自己主張の仕方を習得したいという願いを宇宙に伝えると、宇宙はあなたのもとに、それを学ぶための恰好(かっこう)の状況とお手本を送り込んでくるのです。これを〝いい教材〟と捉(とら)えて習得するか、それの犠牲になるかはあなたの選択次第です。あなたが生き延びるためには、自分をきちんと主張する方法を学び取るか、あるいは強い相手に巻かれて自律性を失うか、二つに一つ。いずれの場合もあなたは自己主張や自己顕示というテーマと向き合う状況に押し出されるのです。

あなたは他人が怒りをあらわすことや、声を荒らげることに大変な不快感を覚えます。けれどもしっかりと自分の考えや立場を主張することを学ぶ過程で、あなたは相手が動揺し、大声を出したからと言って自分の望みをあっさり引っ込めたりせず、正しいものは正しいと主張することを学ぶのです。声高で強権的な主張がいつでも正しいとは限らないことや、自分のほしいものは手に入れようとしてかまわないということを、あなたは今生で学んでいます。あなたがほしいものと同じものを他人がほしがったからと言って他人に譲り、あきらめるのは健全とはいえません。あなたは現代の競争社会で健全に他人と戦っていく気力と体力を養っているのです。あなたにとって、相手に打ち負かされることや拒絶されることへの恐怖が余りに強いため、競争を強いられる状況に陥ると、あなたは条件反射のように譲ってしまうのです。あなたがほしいものを手に入れるために、時にはアグレッシブに他人と闘う必要があることを自覚しましょう。ほしいものが「さあどうぞ、取ってください」と言ってこちらに歩いてくることはありません。あなたがほしいものを探し出し、獲得するために行動しなくてはなりません。

あなたは勝負に出る前から負けることを恐れるという弱気な習慣を克服する訓練をする必要があります。競争に関わる唯一の屈辱は、競争をはじめからあきらめることだとわかれば、あなたは競争に参加する勇気を持ち、他人と張り合う喜びさえ感じられるようになるでしょう。

同時に、一度失敗してやり直すことを恐れないということも学んでいます。牡羊座のエネルギーは新しい始まりを象徴しています。あなたの魂が成長するためには牡羊座の力強いエネルギーが不可欠なのです。

あなたは前世の習慣から、何かに踏み出す前にすべての情報を手に入れなくては気が済まないため、何かを新たにスタートすることが大変苦手です。新たな出発にはいつでも未知な要素が含まれています。そこで必要になるのは、何が起きても自分には対処する力があると信じることです。この自信を身につけるまで、あなたの人生には避けられない恐怖を伴う、スタートの経験が続くでしょう。

多くの場合、この自分ではコントロールできない何かが始まる体験は、根拠もなく唐突にやってきたとあなたには感じられるでしょう。就職する会社が次々に倒産したりリストラに遭ったり、受け持った仕事が次々に縮小や統廃合の対象になったり、好きな人に出会ってもすぐに別れなくてはならなくなったり、せっかく友達になったのに引っ越してしまったり……あなたはいろんな分野で人生の袋小路に何度も出会うのです。

けれども、あなたが袋小路に向かうのは、自分の心の声や、ワクワクするような心の予感を無視して他人に差し出された道を選んだときに限られます。あなたの中でエネルギーが湧(わ)いてくるような対象に向かって進むことを選択したとき、あなたはがっかりさせられることなくその目標を全(まっと)うでき、心の奥でそれを直感していた自分に気づくでしょう。

あなたが拒絶されることや競争に揉(も)まれることへの恐れを克服し、自分を信じて直感の導く道を突き進むようになるまで、袋小路に迷い込み、途方にくれる苦悩が続くでしょう。あなたはどの道、自分の信条をかたく信じて実践し、それが失敗してもめげずに試みを続ける勇気を持たなくてはなりません。あなたにとっては自分を信じ抜くことが恐らく最大のハードルとなるでしょう。これをクリアすれば、もうあなたにできないことはほとんどないことがわかるでしょう。

●無意識のステージ（自覚する前のあなた）

他人に拒絶されることに対する無意識の根強い恐怖から、あなたははったりの自立を装い、そばにいてほしい大切な人々を遠ざけてしまいます。あなたから先に彼らを遠ざけておけば、あとであなたの心に土足で入ってくることはないだろうと考えるからです。しかしながら、人生に何が起きても自分の力で道を切り拓いていけると信じられるようになり、不慮のアクシデントを恐れなくなれば、あなたは自分の弱いところを他人に見せられるようになり、人生の醍醐(だいご)味(み)を味わえるようになっていくでしょう。

あなたは今生で、自立することの深い意義について学んでいます。長い過去生にわたり依存を続けてきた経験から、あなたは他人と不健全な関係を築く癖ができていて、自分ひとりで生きていく方法を知りません。この癖を治さない限り、他人の欲望やニーズに振り回され続けるでしょう。この無意識のステージを抜け出さないと、身の回りで次々にあなたを規制し、抑圧するものが現れるので、あなたの自由はほんの限られたエリアでしか得られないでしょう。そこまで自由を奪われるとあなたはついに怒りを外に爆発させますが、それはさながらの火山の勢い。この状態のあなたは暴力を振るうこともあるでしょう。

その一方で、あなたは暴力や、あからさまな敵意を恐れています。あなたは自分の人生と尊厳を守るために闘うことを恐れていながら、こういう怒りを心にくすぶらせ、不適切なところで爆発させています。あなたが怒りをぶつける対象は、たいてい子供や、レストランのウェイター、ウェイトレスといったあなたより立場の低い人々で、サービスが遅いとか、料理に苦情を言うといった形で噴出します。

あなたの怒りはどんなシチュエーションでも噴出しますが、肝心なところ——あなたが従属する関係を許してしまった相手——に対しては出せません。そういう関係はあなたの結婚生活や、仕事など、本来あなたが自分の力でするべき仕事を誰かにやってもらっている状況で起きています。あなたがその相手に対して怒りを抑えるのは、その相手や状況を失うことへの恐れがあなたの心でくすぶる怒りの原因だからです。こうしてあなたは怒りの矛先を、あなたが失ってもかまわないと考えている人間関係や、あなたが主導権を持っている状況に向けて爆発させるのです。

あなたは怒りのエネルギーの爆発を単なる八つ当たりやガス抜きとして放置せず、怒りの発生源に目を向けなくてはなりません。その過程で、あなたの人生の他の部分のバランスも取れていくでしょう。よい解決法としては、あなたが正しい自己主張エネルギーの発散の仕方を早急に習得する必要のあることをきちんと認識することです。ガス抜きのようにあちこちで現れるあなたの怒りは、自己主張エネルギーが抑制されることなく野放しになっている結果だと自覚することです。あなたが自分を信頼することを覚えれば、自己主張エネルギーを正しい形で発散させる方法が見えてくるでしょう。そこに到達するまでは、あなたのほしいものを他人に譲り、その怒りを心に溜(た)め続ける生活が続くでしょう。

前世ではあなたが主導権を譲った相手があなたに必要なすべてのものを用意してくれました。今生のあなたの運命は、この世に頼れるのは自分だけで、ほしいものはすべて自分で手に入れなければならないと教えています。つまり、あなたは自分のほしいもの、自分の幸せを自分で手に入れる力があると信じ、積極的に世間の競争に参加しない限り、幸福を自分のものにすることができないというシナリオです。

　自尊心が低く、自分を信用できないという傾向は、月蝕エネルギーの否定的な側面です。この傾向から、自分自身や他人を欺くという悪しき習慣が生まれます。これは他人があなたの人生を支配し、あなたのためにいろんな決断を下すのを許すところから起こります。そしてあなたは自分では決断する能力がなく、信頼するに足りない存在だという認識を自らに植え込み、信じ始めるのです。無意識の中で、あなたは自分には真実を見極める能力がないという認識をインプットします。けれども無意識の中で作られたこの認識は、あなたに〝意識〟されることがなく、ある種の自己防衛本能から自分では「決してそんなことはない」という嘘を、自らにつくことで事態が込み入ってきます。嘘の認識が現実に露呈すると、それが〝真実〟として定着するという逆転現象が起こります。あなたは自分にとって一番悪い形で真実を歪曲し、そこから恐れが生み出され、得体の知れない不安に駆られた行動を起こすときに露呈します。自分の心が本当はどう感じているのかわからなくなって混乱することがあるのは、あなたが心の奥にある真実を見失っているからに他なりません。

　牡羊座の月蝕エネルギーが無意識に眠っているとき、そのネガティブな影響はあなたが人間関係を築くパターンに表れることがあります。あなたは身近な人々、たとえば雇い主、配偶者、恋人、あるいは友人や子供でさえ、現実の姿よりも理想化して捉える傾向があります。そして彼らがあなたの期待するほどの実力を発揮しないと、その人の高い地位はガラガラと崩れ落ちるのです。多くの場合、あなたはその人のすぐ下に構えているため、共倒れになってしまいます。するとあなたの心にある怒りのエネルギーが頂点に達し、ものすごい勢いで相手をののしり、期待を裏切られた恨みを爆発させるのです。こんな様子を見た周りの人々は恐れをなしてあなたから遠ざかり、あなたは孤立という過酷な〝自立〟を強いられるでしょう。

　そうならないために、もっとポジティブなアプローチを取ることも可能です。それは自分が独立した行動

――単独である必要はありませんが、リーダーとなって行動する必要があると意識することです。あなたの役割は人々を後ろから追い立てることではなく、自らが先頭に立つこと。つまり、あなたの意識は他人への期待ではなく、自分自身への期待に集中するべきなのです。

心の奥にある真実と、そうでないもののカムフラージュの区別をすることは、あなたにとって非常に大事なことです。それには心に浮かぶ直感に耳を傾け、その声を信じ抜くことです。この習慣が身につけば、あなたは自分の心の無意識がいつでも正直に真実を伝えるようプログラミングしなおすことができるでしょう。あなたの無意識は真実とは異なるサインを発信するようにプログラムされているので、はじめのうちはなかなかうまくいかないかもしれません。あなたの意識が、真実を正しく受け止められるように変化したことがはっきりすれば、無意識はあなたを守るために真実を歪曲することをやめ、ありのままの真実を発信するようになっていきます。ただし、この方向転換期には釈然としないサインが発信されるため、心の奥にある未知なるものを積極的に受け止める勇気が求められるでしょう。

カムフラージュされていた真実がひとたび白日の下にさらされるようになれば、再び暗黒に逆戻りするケースはほとんどありません。

覚醒のステージ

月蝕エネルギーの示すテーマが無意識から意識レベルに上がってくると、あなたは自分の人生では自立が大切だということが自覚できるようになります。とは言え自立するより誰かに頼ったほうがずっと楽だという感覚は根強いでしょう。この誘惑に打ち克ち、自立への道を歩む過程では、依存とは無縁の親切なサポートも一切拒絶してしまうことがあります。自立した人生を築くにあたり、依存の古いわだちにはまることなく、善意の協力はありがたく受け入れるという選択を学ばなくてはなりません。

このステージのあなたは他人の影響を強く受けることへの恐れと戦っているため、誰かのために働くよりは、一人で仕事をするほうが心地よく過ごせます。自分を信じ、毅然(きぜん)とした態度で他人と向き合えるようになれば仕事もうまくいき、あなたの達成願望が成功への機動力となっていきます。

あなたは自分の傾向を認識し、克服しようと努力しているため、安らぎを感じられる家庭や避難場所から遠ざかり、自らを外界に押し出そうとするでしょう。あなたはもともと成功や達成を求める目的志向の強い人です。このため、努力が過ぎて過労になったり、仕事にウェイトを置きすぎる生活に陥らないよう気をつけなくてはなりません。自分の才能や存在価値を見つけ、自立しようとするあまり、あなたは往々にして肉体を酷使することがあります。自立に向かおうとすること自体は大変よいことですが、すべてを一気に進めようとしてはいけません。

あなたは自分の心の奥にある真実だけでなく、他人の心の真実も見極める才能に恵まれています。ぬくぬくとした依存の巣から首尾よく這(は)い出したあなたはきびきびと行動できるようになり、ぐずぐずしている人たちにつらく当たることもあるでしょう。自分が克服したからと言って、うまくできない人々に対する思いやりを忘れてはいけません。

自分を信じ、世界にひとかどの地位を確立できるようになると、あなたはほぼ確実に、弱者の救済に心を砕くようになるでしょう。あなたは自分の力で立つことのできない、弱い立場の人々を支えたいと心から願い、支えを必要とする人々のために献身的な活動を始めるのです。光を求める弱き者たちの心強い友として、あなたは彼らをやさしく導き新しい一歩を踏み出すよう支援するでしょう。

あなたは他人に拒絶されることを極度に恐れ、何か他の人と違う意見を言うと否定されるのではないかと恐れてばかりいた過去生のパターンを打ち砕き、人生のあらゆる局面で、自分ひとりで対処できるよう経験を積んでいます。あなたは今これ以上ないほど強く魅力的な自分自身を作り上げようとしていて、その新しい自分を誇らしく感じ、他人の考えに同調できないときはきっぱりと自分の意見を伝える必要性を理解しています。月蝕エネルギーを意識レベルで受け止められるあなたは、確固とした人格を維持し、自分の正直な気持ちを随時周りに明らかにして生きるほうが、言わずに過ごすよりずっと生きやすいと知っています。心にあるものを表現することはもちろん重要ですが、言葉にする前に自分の考えをまとめるようにしましょう。

自分の意思を効果的に表示するには、考えを整理して伝えることが不可欠です。

バースチャートで牡羊座の対極にある天秤座のエネルギーは、言葉にする前に情報を集める必要性を司（つかさど）ります。そして牡羊座の月蝕エネルギーの影響下に生まれたあなたも、対極の天秤座から学び、行動に出る前によく考える必要性を持っています。牡羊座の得意分野である自己主張と、天秤座の戦略上手という二つの資質を併せ持っていれば、あなたの人生は磐石（ばんじゃく）と言えるでしょう。

新しい自分のアイデンティティーで未踏（みとう）の分野に足を踏み入れるとき、ワクワクとした期待とともに、うまくこなせるかという不安もあるでしょう。けれども自分を信頼したいという欲求が非常に強いため、あなたは次々と新しい経験の中に飛び込んでいけるでしょう。その過程で自分を心から信頼し、強い自我が育っていくのです。十分な自信が備わったとき、あなたは自分を未知の分野に追い立てることはしなくなるでしょう。あなたはもうそれ以上何もしなくても自分に不足を感じることはなく、何か不都合が起きればいつでも行動を起こす自信があるからです。

●超意識のステージ

この段階までくれば、あなたは地球全体の意識の波動を高めるという大いなる目的を体現する生き方を習得しています。地上に生きる人々は魂のふるさとを見失っているという感覚が芽生えるため、あなたは天真（てんしん）爛漫（らんまん）で素朴なやり方で、すべては宇宙の法則に導かれていると信じるよう、人々の心を引っ張っていきます。

今生で、あなたは自分の信じることを多くの人と分かち合う運命にあります。あなたは自分と接するすべての人々を家族のように親しみを持って受け入れます。なぜなら、私たちはみな魂の部分でつながる心の家族だということを、あなたは心の奥で理解しているからです。

もちろん人には欠点があり、あなたにはそれらがよく見えますが、地上の人はみな宇宙の法則や制限について学んでいる最中で、成長の途上にある子供のようなものですから、理想に達していないからといって批判をするには及びません。あなたの命は、自らがよき手本となって、人々がもともとはみな一つの大きな家

Aries

族のメンバーで、意識の中に神が宿っているという感覚を呼び覚ます役割を担っているのです。あなたは人々に、心の〝家族〟同士でみんなが助け合わないと、心のどこかが空虚になることを教える使命を持っています。遊びが得意で、楽しげな魂を主に持つあなたは、宇宙の根源のエネルギーに非常に近いところから生まれてきているため、混じりけのない宇宙の愛のエネルギーを誰よりもよく理解できるのです。だからこそ地上に生きる人々が心のきょうだいたちをいたわり、慈しみ合うよう導くことができ、魂の輝きにより、未来を照らす方法を示してあげられるのです。

●身体に現れる兆候

肉体のレベルで、あなたが注目すべきところは頭、顔、そして左目です。あなたが自分に与えられた経験や教訓をきちんと受け止めていないとき、またあなたが人々を導くと宇宙に約束したことを守っていないとき、左目の筋肉にトラブルが発生する場合があります。心の声や直感にきちんと注意を払わないとき、あるいはその声にわざと従わないとき、左目の周りの筋肉がピクピクする、不注意で頭をぶつけるなどといったトラブルに見舞われるでしょう。これらの身体に与えられるサインはみな、あなたの心の奥に住む魂の意向に注意を払い、尊重しなさいという、あなたに与えられたレッスンの一環です。

あなたが心の奥の声を長い間無視し続けた場合、その怠慢の度合いによって、ちょっとした偏頭痛からずきずきという重い頭痛まで、悩まされることになるでしょう。あなたが自分の考えや判断力を信用せず、周りの人々の意見に振り回されるという形で自分の学ぶべきテーマを無視したとき、頻尿になったり胃の裏側あたりに痛みを感じるでしょう。身体が感じるこれらのサインは、自分の魂のニーズからあなたが外れないために、自動的に鳴るアラームのようなセンサーなのです。

♉ 牡牛座

●日蝕

あなたの周りにいる人々は、あなたを通して健全な豊かさとは何かを学びます。あなたは生まれつき、安定した常識の概念や経済観念、精神的価値観などを持っています。あなたには、自分の経済観念を見直す必要のある人々を身近に引き寄せる傾向があります。たとえば借金に追われている人、自分の資産管理ができない人、正しい蓄財の仕方を知らない人などが集まってくるでしょう。あなたは何を築くにもしっかりした基礎さえ作れば、あとは難なくクリアできることを本能的に知っています。この知恵を彼らに伝授すること——一度にたくさんの仕事をしようとせず、一つずつ煉瓦(れんが)を着実に積み上げ、しっかりと固定させていくことの重要性を教えること——が、あなたの今生での役目です。

あなたが持って生まれた「経済の仕組みに関する豊かな知恵を周りの人々と分かち合う」仕事に消極的な態度をとったり、拒否したりしていると、その悪影響はあなたの家族に及びます。たとえばあなたの配偶者、子供、両親などに、経済観念が破綻(はたん)している人が現れるのです。仮に親族でなくてもあなたのごく身近にいる人が倒産や詐欺に遭うといった苦労をする羽目に陥ります。こうしてあなたは自ら行動を起こすことで、彼らを導くよう運命に強(し)いられるのです。もしあなたの周りに寄って来た経済観念が未発達な人々に対して、あなたが積極的に支え、導く意思を持った場合、あなたは人道上の義務感をはるかに超える貢献ができ、そのプラスの影響があなたの人生の他の分野にもよい変化をもたらします。

大事なのは、経済危機の渦中にいても、あなたの価値観を常に見失わないこと。この姿を見せるだけで、彼らにとっては経済的なストレスに打ち克(か)つ忍耐力や安定した生き方を学ぶ大きな機会となるのです。あなたの周りには、金銭に関してせっかちで、自己抑制のほとんど利かない人が多く集まってきます。あなたがどっしりと構えてゆっくり確実に経済・金融の目標を実現していく姿を見るだけで、この人たちは忍耐の大切さを教えられるのです。身の回りのすべてがばらばらに崩れ去ったとしても、あなたは人生諸共(もろとも)崩れることはなく、依然としてしっかりと立っているでしょう。これを見て彼らは自分の足場固めという基礎のプロセスがいかに重要かを習得し、あなたは彼らの人生に安心という要素を加える手助けができるでしょう。

　あなたは金融分野の貸付担当、ファイナンシャルアドバイザー、会計士、簿記担当、管理職や、建設業などの仕事につくと大成するでしょう。財源について生来の理解力を持つあなたがこれらの職業を選ぶと、あなたが社会や顧客に貢献する機会はさらに広がり、才能を最大限に生かせるでしょう。これら以外でも、しっかりとした基礎を必要とする仕事なら、十分な社会貢献ができるでしょう。仕事を通じて人々を導くというルートを選択しなかった場合でも、あなたは普段の生き方を通じて周りの人々に基礎を築くことの大切さを教えるでしょう。仕事であれ家庭であれ、あなたは「仕事の最終責任は私にある」と宣言する潔さを備えているのです。

　あなたがもし経済観念を無視した行動を反面教師として周りに示した場合、あなたの身近な人の身に経済的破綻が起こるでしょう。生来の経済観念をポジティブに生かして人々を導けば、親族や知り合いに大きな貢献ができるでしょう。あなたはどこに投資すれば大きな見返りが期待できるかが本能的にわかるのです。あなたが彼らの財政プランの立案に協力し、しっかりと基盤を築きながら実用的な方法で未来の資産形成の仕方を示すと、それは彼らにとってこの上なく貴重な経験となるのです。あなたは他人の資産を危険にさらすことは決してしないでしょう。12星座の特徴からいえば、あなたはギャンブラーというより建設者だからです。

　あなたが潜在的に持っている常識の概念を悪い方向に示した場合、あなたは倫理観の低い人物として周囲に受け止められるでしょう。偏った価値観により、あなたは身近な人々をがっかりさせ、彼らに苦痛を与えることになります。けれどもこの路線をたどりながらも、あなたは人々の眼前に、自らの人生を台無しにする悪い例を提示する形で、彼らを導く使命を果たすのです。逆に模範的な倫理観を示すという路線をたどると、あなたは非の打ちどころのない人物としての評判を手に入れるでしょう。この路線を歩むあなたは結婚しても配偶者だけを一筋に愛し、家族に忠実で、家族と家庭の安全を第一に考える家庭人となるでしょう。この路線で生きている限り、あなたは生来の常識人としての資質をフルに発揮し、家庭内だけでなく、地域の有力者として、それなりの責任を持たされる立場になっていくでしょう。

この他、あなたが教えるべきテーマには精神的価値があります。これがマイナスの路線で現れると、あなたは共同体意識のかけらも持たず、自分と宇宙に遍在する聖なる存在とは何の関係もないという態度をとります。あなたは自尊心が低く、他人を尊重する方法も知りません。あなたが行動するのはすべて利己的な動機からで、家族や友人、社会にとっての利益を考慮できません。逆にプラスの路線で現れると、あなたは宇宙との一体感を原動力に、万人の利益を視野に、万人にとってよりよい社会を作ろうとするでしょう。意識拡大のアプローチはあなたの家族から始まり、その輪を少しずつ社会に拡げて行くでしょう。あなたは人々に、他人を思いやり、敬意をもって接することは、そのまま自分を大切にすることにつながり、そして宇宙全体を愛することにも直結しているという真実を多くの人に教えるのです。あなた自らが精神的価値の権化として、縁のあった人々の目に映ることでしょう。

この日蝕エネルギーに当てはまるグループの魂はほとんどが非常に進んだ意識を持って生まれているので、否定的な路線を生きる人はごく稀にしか存在しません。たいていは自らの生き方を周りに見せることで人々を導くという方法を選び、人々の精神的価値観を強化し、自らが社会の貴重な宝物的存在となっていきます。

あなたは人々の資質の中から長所を見つけ、それを引き出してよい方向を目指すよう促すという特技を持っています。あなたはごく当たり前のように、どんなものにもよい側面を見つけます。重要なのは、人の精神や心理、願いといったものはすべて人を自然によりよい方向へと駆り立てるエネルギーを内包しているということを、あなたが本能的に知っているということです。この理解と、人の長所を見出す眼識を通じて、あなたは人々を自らを大切にするよう導くでしょう。自分を大切にできないと、今よりよいものを手にする価値がないという認識を持つため、自分を向上させることが困難になるからです。

あなたは人生の途上で、落ちぶれて自暴自棄になっている人に多く遭遇します。こういう人々の中で眠っている自尊心を目覚めさせ、立ち直らせる才覚をあなたは持っています。デリケートな感性と忍耐力を駆使してあなたは彼らがすっかり見失っている魅力を掘り起こし、神聖な命の輝きを思い出させるのです。そして忍耐力と論理性をもって、彼らの目を曇らせているさまざまな否定的な要素を取り除き、自らの真価を見出す手助けをするでしょう。

あなたはまた、地球の自然の美しさに共鳴するエネルギーを持っています。この資質から、あなたは地球上を旅し、そののどかで平和な自然の恵みを心から楽しめるでしょう。あなたは五感が発達していて、身体をもって外界と触れ合う喜びを周りの人々と分かち合おうとするでしょう。自然の美しさを愛し、芸術に表現することを愛するあなたは、芸術家としても大成する能力を備えています。芸術家として、あなたは作品を通じて多くの人々に身の回りにあふれる美しきものたちへ愛を注ぐことを教えるのです。あなたは生まれながらの彫刻家、建築家、エンジニア。あなたはモノづくりの達人としてこの世に生まれてきたのです。

●月蝕

あなたが今生で学ぶべきレッスンは、健全な豊かさとは何かを知ることです。あなたの前世経験では、非常に豊かな精神性に恵まれた反面、物質的には極貧の環境を余儀なくされていました。あなた方の中には、高い精神性を習得する修行として、物質的な困窮生活を誓った人もあるようです。このため、あなたは高い精神性と物質的豊かさは両立できないものと考えていることが少なくありません。あなたはこの誤った考えを改めるために生まれてきました。あなたの持って生まれた精神性の表現として他人を助けると、金銭などの物質的豊かさはその行為の当然の見返りとしてついてくるものなのです。あなたが学ぶべきことがらの一つに、「金銭は卑しいものではない」という概念があります。金銭は人生であなたが熟達すべき要素の一つに過ぎません。

あなたは前世で、財産をまったく持たなくても高い精神性を維持できることを体得しています。今生の課題は、「財産を持つ」経験をすること。これを学ぶ過程で見えてくるのは、財産を持つこと自体よりもどうやって財産を築き、どう生かすかが大切なのだということです。精神性を研鑽してきたたくさんの過去生の経験の中で、あなたは財産を悪用する人々を何度も見てきました。このため資産家だというだけで自動的に不信感を抱く習慣ができています。この偏りの影響から、あなたは今生で金銭が絡む場面で、自らの資産形成に不利な行為を無意識にしてしまう傾向があるのです。

あなたはすでに、自分が学ぶべき課題は金銭の扱い方だという自覚を持ち、熟達したいという欲求を持っているかもしれません。けれどもせっかく物質的に豊かになる道筋がついても、「高い精神性を維持したい」という無意識の意思が働いて、物質的豊かさを自ら台無しにしてしまう傾向があります。ここでの学びの第一歩は、豊かになってもかまわないのだと認識すること。宇宙が注目するのはどうやって豊かになるか、そしてそれをどう使うかだけです。宇宙が惜しみなく与える豊かさを、あなたは遠慮なく受け入れ、心地よい人生を謳歌していいのです。

この過程であなたが学ぶべきことがらには、物質的豊かさの量で自分や周りの人々の価値を測らないということが挙げられます。懐具合や実績で人格を品定めするというやり方は、あなたの自由と尊厳を制限するので、避けなくてはなりません。あなたは身の回りの人々の品定めをすることなく、自分の財産を築く練習をしています。持ち前の洗練された思想や倫理観をキープしたままで、あなたは人にはそれぞれ違った道があり、今生のあなたの道は財産を築くことにあると認識してください。そしてあなたのもとにお金が流れ込んでくるのを止めることなく、その対価としてあなたが提供した精神エネルギーや労力の価値を正当に評価してください。あなたが他人や社会のためにいいことをすれば、それに見合った報酬を与えるのが宇宙の自然な摂理だということを体得してください。

あなた方の中には、前世経験の中で他人の資産を悪用したり、自分の労働に対して不当に高い報酬を受け取ったりという経験を持つ人がいます。これに対する罪の意識から贖罪行動として、また再び不当な行為をしないために、この人たちは自分の労働の対価を通常より低く要求します。正当に受け取るべき対価より低い金額を請求するということはあなたが過剰労働していることを意味し、自分の時間と労力を無駄にしていることに他なりません。労働と報酬の正しいバランスを取るには、正しい報酬というものは労働に見合った金額でなくてはならないと認識してください。

　正しい倫理観を持って人々と接する経験を積むにあたり、あなたの周りには倫理観の低い人が多く集まってきます。あなたは今生で、健全なセックスを覚える運命にあります。あなたは彼らに性的に遊ばれた経験か、あるいは逆に過去生での失敗を繰り返し、異性の心情を踏みにじるような身勝手なセックスにふけったことがあるでしょう。自分の欲望を満たすだけのセックスから脱却するには、相手の望みやニーズに目を向け、尊重する姿勢が不可欠です。この過程で、あなたは自分の性的ニーズの細かな部分にも気がつく繊細さが身についてきます。パートナーの反応に注意深く耳を傾けられるようになれば、今生のあなたはこの上ないセックスの喜びを自分とパートナーに与えられるようになるでしょう。

　倫理的責任に配慮した人間関係が築けるようになると、あなたは自分の人格や肉体が以前より好きになっていきます。倫理観を学ぶという経験が否定的ルートで行われた場合、あなたの財政は破綻し、生活のあらゆる面がギクシャクしてきます。倫理意識、財政観念、そして精神的価値観はどれも関連性があり、同時に習得されるべきテーマなのです。

　霊的なレベルで言えば、あなたは精神エネルギーの使い方を誤った前世のパターンを矯正する時期にあります。前世であなたはいわゆる霊感商法で人々をだまして不当に金品を得るなど、自分の特殊な霊的エネルギーや能力を何らかの形で悪用した経歴を持っています。このため今生であなたは自分の霊的エネルギーについて語るとき、正直でなくてはならないという使命を持っています。本来自分のものでないものを他人から取り上げた、あるいは自分の霊感を利用して他人をあなたに依存させたという前世の罪を償うために、善行を積む責任が問われているのです。

　今生という修行の場で、あなたは他人を利己的な目的のために利用しないことと、自分の私有財産をすべて否定するという極端な〝自己破壊行為〟の間で、ちょうどよいバランス地点を見つける訓練をしています。あなたは自分自身を含め、人それぞれの存在価値があることを知り、中庸（ちゅうよう）の精神的豊かさのあり方を会得（えとく）する過程にあります。前世で金銭や人々を悪用した罪の意識を浄化するために、あなたは今生で自分の価値や他人の価値を認め、それらを生かす必要があるのです。

　あなたがこの世に誕生したとき、前世から持ってきた自尊心は非常に低いものでした。自尊心を高め、自分を心地よく受け止めることは、あなたが抱えるたくさんの課題の一つです。あなたが自分自身を肯定的に評価し、他人の評価を受け入れることは大変重要なステップです。あなたにとってハードルとなるのは、自尊心を高められるような経験が得られる機会を自らに与えられるかということです。あなたはただ毎日食べて働いて寝るだけの存在ではなく、周りの人々に愛されていることを自覚すること——自分が社会にとって財産なのだという認識を持つ必要があります。自分が好きになる糸口としては、他人の役に立ち、感謝の言葉やお礼を受け取ること。こうして自尊心が高まっていくにつれ、あなたの実際の存在価値もまた高まっていくでしょう。

　肉体を持って生まれたあなたという魂が経験する運命にあるもう一つのポイント。それは身体を使って得られる快感を味わい尽くすこと。この過程であなたは地球という惑星や大地についての理解を深めていくのです。地球に親しむにつれ、あなたは土に触れるだけでも、地球をわが故郷と感じられることに気づくでしょう。吸い込んだ空気の芳（かぐわ）しさに、この地に生きるすがすがしさや喜びを感じられるでしょう。鼻の穴から入ってくる酸素が肺で吸収されることを実感するでしょう。足の下に広がる大地の雄大さ、そして私たちに実りをもたらす豊穣の大地に感謝することを、あなたは今生で学ぶのです。

　あなたは地球の自然がもたらす豊かさ、食物を味わう官能的な喜びなどを受け止める運命にあります。見渡すと、世界はとてつもなく大きく美しいものにあふれ、大自然は調和に満ちたハーモニーを奏（かな）でていることに気づくでしょう。そのとき、あなたは宇宙が人の魂の成長を願い、膨大なプレゼントを差し出していることにはじめて気づくのです。そしてそれに応えるために、あなたは地球の美しさを大切に守り、身近なところからさらに美しい世界を作ろうと努力するようになるでしょう。自然と親しむことは、あなたに大きな喜びを与えます。五感をすべて解放し、敏感に自分の反応を見ているうちに、何があなたに大きな喜びをもたらすかがわかってきます。これを他人と分かち合うことにより、あなたは人々に自然と上手に付き合う方法を示すでしょう。あなたは自分の魂が地球と深くつながり、身体という〝乗り物〟を得て地球上に生きることの快感を味わう喜びを、多くの人々に教える運命にあるのです。

●無意識のステージ（自覚する前のあなた）

魂の課題を知らない状態のあなたは、あなたに向かって流れてくる豊かさを遮断しようとするでしょう。あなたは豊かであることの意義を学ぶために今生に生まれましたが、自分の生活のよりどころとなる経済基盤作りを自ら否定している限り、何度でも経済危機に陥るでしょう。あなたは経済的に豊かになれる機会に恵まれるたびに、うまくいっている計画をわざわざ手放したり、基礎作りをおろそかにしたり、あるいは先を急ぎすぎて台無しにしてしまうのです。

この月蝕の影響下にありながら、それに無自覚な人々は高い確率で破産や倒産を経験します。また、自分は華々しい達成や成功に値しないと考える人も多いでしょう。あなた方の中には、前世で非常に高い霊感の持ち主だった人もいます。あなたは他人の目にひとかどの人物として見られたいという欲求を持っているので、他人に積極的に奉仕しますが、魂の使命を自覚できないうちはその対価としての報酬を受け取ろうとしません。

あなたの魂が、金銭や財産をめぐる学びを最も過酷な方法で経験しようと選択している場合、あなたは「この世はお金がすべて」だと考えるでしょう。このように金銭に関する誤った考えを持っているうちは人々の存在価値を、どれだけ財産を持っているかで判断します。このグループの人の中には巨万の富を稼ぐ才能を持つ人もいますが、拝金主義の哲学が災いして、いくら物質的に豊かになっても少しも幸福を感じることができません。

拝金主義のものの見方を変えないと、あなたは無慈悲で冷酷無比な人々――人の弱みに付け込んで金品をむしりとる、禿げ鷹のような人々を身近に引き寄せるでしょう。まっとうな労働の対価として財産を築く感覚を身につけられないうちは、あなたはどれほどお金持ちになっても心が幸福を感じられず、生きる喜びとは無縁でしょう。今生のあなたは、自分の財産を形成し、同時に倫理的・精神的価値観も発達させる必要があるのです。

物質的豊かさの必要性に気づいていても、あなたはなぜかお金を蓄えることが不謹慎であるような感覚をぬぐいきれません。これが災いして、あなたは成功に手が届きそうになるたびに、無意識に自己妨害をして成功の芽を摘んでしまいます。あなたは自分が築いた実績も財産も過小評価し、投資を怠って放置するため、またゼロから始めなくてはならないのです。あなたには無から有を生む力が備わっていますが、あまりにも同じことを繰り返しているうちに疲弊し、やる気も失せてきて、前ほどうまくいかなくなっていきます。あなたが財産を持つことへの偏見を正すまで、そんなことが続くでしょう。財産に対する見方を変えると同時に、倫理的・精神的価値観を見直すと、他人と自由に分かち合う姿勢が生まれます。これができると、あなたの蓄財への道が開かれるでしょう。

魂の使命が意識できないうちは、他人を操作し、詐欺行為を行って他人の財産を掠め取ったりだまし取ろうとする人もいるでしょう。これは自分の資産形成に対する否定的な考えから起こります。このような違法行為に走る魂は、自信や自尊心があまりに低いために、ごく基本的な倫理観までが狂ってしまった例といえるでしょう。これらの魂の金銭感覚や常識の概念、精神的価値観などは、存在し得る最低レベルにまで落ちていて、いわゆる社会の恥部と呼ばれる輩にまで身を落とすでしょう。自分の力で生きていく自信がないために、寄生虫のように誰かに依存し、他人のものを奪うことでしか自分が存続できないという人々です。他人を操作して生き延びようとするやり方は、餌食にされる人も自分自身も蝕み、自分が学ぶべき道そのものを壊していくのです。このようなケースでは、再び自分を肯定的に見られるようになるために、全面的に自分を見直して正しい思考と行動の習慣を新たに築かなくてはなりません。破壊的な行為を改め、自分を肯定して生産的な行動ができるようになったら、世の中に受け入れられる人の道に戻っていけるでしょう。

●覚醒のステージ

魂の使命が自覚できれば、今生のテーマは自分の精神性だけでなく、経済的、物質的な面での自分の暮らしを再評価・再構築することだという認識が生まれます。幾多の過去生の経験から、過剰なほど比重が重くなった霊的価値観を持ち、肉体や物質的な豊かさを切り離した精神性を重視する哲学が染み付いています。あなたという魂がバランスの取れた成長をするには、あなたが肉体を持つ存在であるという自覚を持ち、身体で感じる快適さを手に入れるための経済基盤を持つこと、そして肉体が喜びを感じることは決して罪悪でないと知ることが必要です。

今生であなたが学ぶのは、豊かさの〝水〟をくむのにあなたがスプーンを持っていこうがバケツを持参しようが、宇宙は関知しないということ。あなたがどれほどの豊かさを自分に許すかを宇宙は尊重し、その入れ物を黙って満たしてくれるのです。正しい方法で手に入れ、正しく使いさえすればバケツの水をトラック一杯ほしがっても一向に構わないし、遠慮は要りません。

人生の途上であなたが財政難に陥ると、そこには必ず新たな解決方法が見つかります。心を解放して宇宙の導きに従うと、あなたが経済的に安定するためにどうすればいいかが見えてくるでしょう。その通りに実践していくと、あなたのもとには大きな富が流れ込んできます。あなた方の全員が大金持ちになるというわけではありませんが、共通するのは宇宙の中でお金が果たす役割を理解することです。自覚してほしいのは、お金があなたを支配するのではなく、あなたがお金をコントロールしなくてはならないということです。魂の使命が理解できるようになれば、前世の呪縛（じゅばく）が解け、お金に対する誤解が解けていきます。前世での呪縛とは、財産を持つと物質界に縛られ、神の領域から遠くなるという誤った認識を指します。

セックスと官能的喜びに関する誤った認識も改める必要があります。あなたは前世で完全な禁欲生活、あるいは自堕落なセックス漬けの生活という両極端を続けてきました。このため失われてしまった五感の喜びを、再び肉体を通じて感じる訓練を、あなたは今生で受けています。五感から伝わる生の喜びを味わうことは、肉体を卑下する前世の偏った認識にバランスをもたらします。身体は崇高な魂に不可欠な〝着物〟であり、地球に滞在している間は大切に扱うべきものという認識を持ち、身体を持つ喜びを心地よく受け止めることが、あなたの学びの一環なのです。

過去のたくさんの人生で、あなたは肉体をひどく酷使したか、あるいは肉体を持つ存在であることを必要以上に無視して生きてきました。今あなたはこの両極端の真ん中、中道の生き方を習得するための〝実験〟をしています。物質界で生きる機会を得たことへの感謝の心を持つと同時に道徳的責任も果たすという勉強をしています。これらのニーズが満たされる必要性がわかると、官能的欲求の扱い方がわかるようになると同時に、自分の行為には社会的・道義的責任がついてくることも理解するようになるでしょう。

●超意識のステージ

高次の意識に達したあなたが周りの多くの人々の意識に働きかけるのは、彼らの道徳観と豊かさの捉(とら)え方です。あなたが彼らに教えるのは、私たち一人ひとりがほかの人々に対して道徳的、経済的、物理的に連帯責任を負っていること、そしてその責任を果たすにはどう生きればいいかを身をもって示すことです。同時に、地球の恵みに気づき、感謝して受け止めること――地球は単に私たちの生命を維持し、豊かな生活環境を提供するというだけでなく、宇宙の中で大切な存在意義を持つことを、あなたは地球に生きる人々に教える使命を持っているのです。

どんな人にも、どんなものにも長所を見出す能力を自然に身につけているあなたは、周りの人々を自分の価値に気づかせてあげられる人です。あなたには非常に論理的な理解力が備わっていて、物質中心の俗世界と神の領域の精神世界の両面から、人やものごとの価値をくみ取る洞察力を持っているのです。それは難解な哲学ではなく、やさしく噛(か)み砕いて子供にも伝えられるものです。

あなたは身体、心、そして魂が、物質界でどのように機能するかについて、経験的に知っています。あなたは人間が地球とどう関わるかについても理解し、地球の環境が生き物に与える豊かさと安定観を感謝して受け止める方法にも精通しています。肉体を取り巻く現実と精神のバランスが崩れたときは、大地を求め、土に触れることでバランスを取り戻せることを知っています。身体を持って生きている以上、物質界の現実を受け入れられないうちは、真の意味で、物質界の制限から解放されないことをあなたは熟知しています。地球上に生きているという現実を感謝して受け止め、楽しめるようになるまで、地球の次元が私たちを魂の成長の旅から引き戻そうとするでしょう。

　高次の意識を持つあなたは、私たちに命を与え、育んでくれる母なる自然に敬意を表するまで、自分の身体を愛し、大切に管理できるようになるまで、私たちの魂は何度でも生まれ変わり、輪廻転生の輪から解放されることはないということを知っています。精神領域で生きる魂にとって、物質領域で経験を積むことの価値がどんなものか、それらの領域がどのように絡み合って豊かに成長する環境を作っているかについて、人々に知らしめるでしょう。最終的には、感謝する心の大切さを教え、感謝する気持ちが物質界への執着を断ち切るエネルギーとなっていくという深い教えをもたらす人となるのです。

●身体に現れる兆候

　あなたの魂が学ぼうと決めたことがらは、あなたの人生のシナリオとして否応なく次々に展開します。これらの経験を受け入れず、抵抗していると、あなたは身体の感覚器官を通じてそれを思い知らされることになります。豊かさに対する考え方を学べないとき、それは耳、首、喉の各器官が非常に敏感になるという形で現れるでしょう。五感の心地よさや身体を持つ喜びを拒絶していると、それは感覚に直結する器官である皮膚からサインが現れ、あなたは汗疹や湿疹といった肌のトラブルに見舞われるでしょう。あなたが他人の意見や主張に耳を傾けないでいると、耳が炎症を起こすかもしれません。味覚の喜びを素直に受け入れられないとき、喉の炎症や口内炎といった痛みがもたらされる場合もあるでしょう。現世で成功するためのサインを見逃していると、目が腫れたり炎症を起こしたりします。あなたが自分の本当の価値を忘れ、自尊心が失われるとき、鼻にアレルギーなどの不快な症状が現しょう。

れるでしょう。あなたが現世に生まれた目的を果たすのを拒絶していると、五感のうちのどれかの感覚器官が何らかの兆候を起こしてあなたに気づかせようとするでしょう。

あなたの魂が成長するための軌道に乗っているかを知る目安として、五感を司(つかさど)る器官には特に注意を払うようにしてください。これらの器官の反応から、あなたが左脳を通じてくみ取ることのできない知恵を学ぶことができるでしょう。身体を通じて得られる感覚を学ぶ月蝕の影響下にあるあなたの感覚器官は非常に敏感で、誰よりバランスを崩しやすいということを自覚しておきましょう。

身体を魂の着物として現世でどれほど快適に過ごせるかという学びの度合いにより、甲状腺ホルモンの過多や過少という問題が起きることもあるでしょう。豊かさに対する認識のバランスが崩れているときには耳、首、喉の各器官に注意が必要です。これらの器官はあなたの価値観がバランスを崩しているときに過敏になるところだからです。身体に何らかの兆候が現れたとき、それを見逃さないことが、その先に待っている障害や深刻な事態をあらかじめ回避する予防策となるで

双子座

●日蝕

　あなたは現世をともに生きる人々に、コミュニケーションについて教える運命を持っています。人の口から語られる言葉や、書面に書かれた言葉の大切さを熟知しているあなたの現世での仕事の一つに、言葉や情報を伝達・流通させることが挙げられます。あなたはそれぞれの場にふさわしい言葉を完璧なタイミングで放つ天性の才能を持って生まれています。あなたはまたどんな人とも、どんな話題でも楽しく会話を続けられる才能を授けられています。

　あなたはどういうわけか、ある時刻にある場所に居合わせて、そこでたまたま小耳にはさんだ情報が誰かにとって非常に大切な情報だったということがよくあります。そして誰かに何気なく伝えたことが、その人の人生を変えるほどのインパクトを持つことが少なくありません。人々は自分に完璧なコミュニケーション能力が備わっていること、そして人々が自分で築いた人格について、その全責任を負わなくてはならないということを、あなたを通じて理解するのです。天性の教師であるあなたは、人々の人格や精神に成長を促すよう、刺激を与えることができます。あなたは流暢な母国語を効果的に操り、あなたの周りにいる人々が自分の精神性を高め、より洗練された人格を作りたいという欲求を呼び覚まします。その過程で人々の視野を拡大し、意識の幅を広げるサポートをしていくのです。こうしてあなたは身近な環境に人類愛を目覚めさせ、お互いを思いやる、やさしい社会の構築に貢献していきます。

　一生のうちのどこかで、あなたは行動の自由の大切さを人々に教えることがあるでしょう。あなたは今生の語り部であり、道化師であり、また権威者からの通

Gemini

達を市井(しせい)の人々に触れ回るメッセンジャーの役目を帯びている身の上ゆえ、どこかに閉じ込められていては仕事になりません。あなたの仕事の一つに、軽妙さやユーモアのセンスを磨くよう、人々を導くというものがあります。気まずい雰囲気になって、あるいは事態が深刻になりすぎて会話が途切れそうになったとき、それを打ち破るのがユーモアです。あなたは人々を笑いに包み、沈滞しそうな気分を変えてコミュニケーションをスムーズに運ぶ才能も授けられています。

　あなたの日蝕パターンが受け継いでいるのは、人類の有史以来最大のスケールで、多くの人々が地球上の長い距離を自由に移動するというダイナミックな動きを扱う大仕事です。これは人類が限りなく多くの情報を求める強いニーズに駆り立てられて、行動半径を拡大し続けた結果、起きた現象です。人は生まれると、赤ちゃんとして生活の大半を家の中で過ごしますが、大きくなってくると家から幼稚園、学校と活動の場を拡げ、さらに近隣のコミュニティーへと足を伸ばしていきます。やがて子供は成長し、大学に行き、社会人となって実業界に入り、結婚し、別の都市に引っ越していきます。このように人が知覚し、活動する世界はコンスタントに拡大を続け、多様な経験を積みながら幅広い知識を吸収していきます。あなたの仕事は、この拡大と成長のプロセスを広めることです。

　それにはプラスの方法とマイナスの方法があり、どちらを選択するかはあなた次第ですが、どちらも選択しないという選択肢はありません。視野を拡げ、行動半径を拡大していくことの価値を教え、それとともに増えていくコミュニケーションの仕方、刻々と変化する状況に注意を払うことなどを実践して見せて身近な人々の手本とするというのが一つの方法です。あるいは、悪い見本を呈(てい)して人々に学んでもらうというやり方もあります。具体的には厳格でがんじがらめの考え方、反社会的な姿勢、他人を笑いものにして軽蔑(けいべつ)する態度、活発に行動してもそこから得られた知識を誰とも共有しない生き方などを周囲に体現して見せるという方法です。

　あなたにとって関心のあるいろんなテーマのうち一つでも追求し、熟達するにあたり、人に与えられた寿命は短すぎるということを、あなたは本能的に知っています。あなたは今生のライフプランとして、一芸を極めるのではなく、幅広くいろんなことを少しずつ経験する人生を選びました。あなたは周りの人々に、多様な経験をたくさんすることの喜びを伝えながら、自らの経験で得たものを人々と共有しています。あなたがいろんな分野の経験のサンプルを人に提示することで、人々は自分がどの方面を追求すれば世界観を拡大できるかを検討する際の参考にしていきます。あなたはいつでも「世界はあなたが考えるよりずっと多様で広大なところです」というメッセージを人々に投げかけるでしょう。実際のところ、あなたの役目は人々が一つの分野、一つの場所に定着し、どっぷり浸かってしまう前に立ち止まり、あたりを見渡し、耳を澄まして自分の選択肢の幅に目を向けるよう導くことにあります。彼らが自らの選択肢の幅を認識し、その中から知的な決断を下せるよう導き、一つの選択肢を選んだあとでも路線変更はいくらでもできるという軽い足取りで生きる人生を示唆するのです。

あなたは人々に、人生で達成し得るのは一つのテーマとは限らないという発想を広めています。また、無限に広がり、さらに拡大を続けている宇宙のように、学びの経験にも終わりがないことを教えるでしょう。私たちには行くべきところがたくさんあり、学ぶべき情報も知恵も限りなく存在し、それを伝えるべき人々も無数にいることを、あなたは私たちに見せてくれるでしょう。それは永遠に続く宇宙の営みであり、あなたは無限の宇宙の一員であるという意識を私たちの心に映し出してくれる人なのです。

●月蝕

あなたが学ぶべきテーマはコミュニケーションです。あなたは言葉を正しく使う方法を学び、適切なマナーや態度を身につける途上にあります。ものごとを勝手に推測し、他人も自分と同じような考えを持っていると決めつけてはいけないということを、あなたは学んでいます。その過程で、あなたは過去生で慣れ親しんだ〝隠者の意識〞を手放し、社会の中で生きる人としての姿勢を身につけなくてはなりません。あなたの選んだ課題を習得するにあたり、あなたは自分が過去生で培ってきた知恵を周りの人々に伝えるため、彼らと共有できるような意識を持つように心がける必要があります。

日常の中で、あなたは時折、自分の言動に誤解が生じていることに気づくでしょう。他人があなたを誤解する理由は、あなたの前世の隠遁(いんとん)生活にあります。あなたは心の中であれこれ思いをめぐらせる習慣ができているため、説明したつもりでも相手には十分に伝わっていないということがよくあるのです。あなたが言った通りに人が動かない様子を見てイライラし、そこではじめて伝わっていないことに気づくのです。あなたが言ったつもりで言っていないことや、不十分な説明に終わっていることはないかを確認するために、相手の理解を常に確かめることを、あなたは今生で学んでいます。コミュニケーションとは単なる言葉のキャッチボールではなく、明快で効率のよい情報の交換なのだということを学んでいます。

他人に誤解されるというフラストレーションを減らすには、絶えず相手からフィードバックをもらうようにするとよいでしょう。相手が聞いたことをあなたに返すことで、あなたはより上手に相手に伝える方法を模索していくのです。熟達するにつれ、フィードバックをもらう回数も減らしていけるでしょう。

あなたは無意識の中で、今生のテーマは社会に出て行くことだと知ってはいても、社会に対する大きな恐怖感を抱えています。その理由は、自分の意識の信憑性(しんぴょうせい)がまだ社会で検証されていないこと、そして自分が築いてきた信条が社会でどこまで通用するかわからないことにあります。あなたは社会でたくさんの人々と話しているうちに、彼らの考えに染まってしまうのではないかと恐れているのです。また他人とのコミュニケーションを通じて多様な価値観が流れ込み、知らないうちに洗脳されてしまうのではないかと恐れるのです。あなたは他人の意見に簡単に言いくるめられてしまうという弱点を持つため、それを防御するメカニズムとして他人の声から一切耳をふさぎ、心を閉ざしてしまうことが時々起こります。

あなたは現実に起きていることではなく、起きてほしいことを口にする傾向があります。これは、自分にとって望ましい情報だけを心に留めておきたいという欲求から起こります。あなたが望ましい方向に進むために、時にはよくない情報を取り込む必要があるということを、あなたは今生で学んでいます。あなたはいいことばかり見るのをやめ、現実に何が起きているかをそのまま見聞きし、受け入れると同時に、社会活動の中でなぜそれが起きているかについて考える訓練をしていきます。これはあなたが現世で生きながら、魂の成長を遂げるために大きな力となっていくでしょう。あなたの精神の成長には、ものごとの悪い面を直視することが不可欠なのです。

社交的な人格を身につける訓練の途上で、あなたは他人の目にあなたがどう映っているかに気を配り、いろいろな状況にすんなり溶け込めるよう努力する必要があります。これは社会経験とともに自然に身につく資質ですが、あなたの場合は特に人格に取り込む必要があるのです。あなたは「礼儀正しい人」とはいいことばかりを言う人だと錯覚することがありますが、時にはＮＯと言えることが相手に対する礼儀である場合もあるのです。あるパーティーに誘われたとき、本当は行きたくなくても断ったらもう二度と誘ってもらえなくなることを恐れて出かけていくより、丁重にお断りすることのほうがずっと相手に対する礼を尽くしていることになるのです。人間関係の中で、あなたは往々にして相手の気分を害することへの不安や恐れに駆られて相手にこびて、正直な気持ちを伝えません。と言っても、不正直でありたいと思っているわけではありません。あなたは心のどこかで社会とつながっていなくてはならないという自らが立てた計画を知っているので、相手の機嫌を損ねて機会の窓を閉ざしてしまいたくないだけなのです。

人々と気さくで明快なコミュニケーションをとる方法を身につけていくにつれ、あなたは次第にＮＯと言うべきときがあることがわかってきます。それが自然にできるようになると、あなたの人付き合いはバランスの取れたものになっていき、いつでも人々とともに過ごすのではなく、時には一人になる時間も尊重できるようになります。無闇に相手に迎合（げいごう）しない習慣が身につけば、あなたが人間関係で負担を感じることは少なくなり、社交上の失敗も減るでしょう。都合が悪いときは躊躇（ちゅうちょ）せずに断れるようになると、もう交際は悩みの種ではなくなります。あなたは社交の楽しさを覚え、自分が望むときに好きな相手と接するようになり、恐怖に駆られて行動することはなくなるでしょう。

あなたは一人になる時間の大切さについても認識する必要があります。なぜなら、あまりに多くの貴重な時間を他人のために使ってしまうと、それに対する不満から他人との約束をすっぽかす習慣がついて、他人の信頼を欠いてしまいかねないからです。時にはタイムアウトをとることが必要だという自分の欲求を満たし、同時に社会生活の経験を積みたいという二つのニーズをともに尊重することを覚えると、あなたの心はバランスが取れてきます。あなた方の中には、自分の時間の大半を他人のために使い、几帳面に他人との約束を守り、期待に応え続けた末に大きなストレスを抱え、他人の犠牲になっていると感じる人もいるでしょう。こういう人々は一時的に体調を崩すという形で自分の時間を持つことの大切さを宇宙から教えられることになります。

自分のニーズをきちんと満たせるようになると、あなたは社会で人と接する経験は大切だけれど、大勢の人が集まるところは苦手だという自分の気持ちにも耳を傾けられるようになります。そういう自分の希望やニーズを正直に、隠さずに主張できるようになることが、あなたが学ぶテーマであるコミュニケーション能力をマスターすることにつながります。つまり、それはあなたが自分自身と対話するという、コミュニケーションの最終章を克服したことになるのです。

あなたが一人の時間を愛し、自分の内面に向かおうとする姿勢は、今生で非常に重要な意味を持っています。自分と静かに対話することにより、あなたの魂の本質を知るという、今生のあなたの大きな目的が果たせるからです。あなたは前世経験から、修道院の修行僧や隠者のような考え方をする癖を持っています。人里離れた山奥で瞑想を日課とした隠者の経験や、研究室で哲学書などの古い文献に囲まれ、ひとり研究に没頭し続ける学者など、生涯を精神修養に費やした過去の記憶が根強く残っているのです。当時の社会はあなたの精神の探求を見守るという形であなたを支え、その成果はすべて今のあなたの魂が現世に持ち込んでいるのです。あなたは過去の無数の人生の機会を投じて、宇宙の中で人類が果たす役割や、存在の意味について取り組み、魂の内面に光を当ててきました。あなたはこれらの過去生に与えられた長い長い時間を費やして深い洞察と真理を手に入れたのですから、今度はそれをどこかに還元しなければ、この壮大な探求の過程は完結しません。自分の魂が長い時間をかけて蓄積した人類のためになる知恵を、あなたは今生で人々と共有する運命にあるのです。

あなたの魂が手に入れたのは、多様な民族や地域、信条などに分断された人類の意識の中に共通して流れる、いわば地球上のすべての人が共有できる普遍的意識です。あなたの魂が持つ知恵には偏見がなく、すべての人々を平和な一つの地球家族にまとめることに役立つのです。あなたに課せられた仕事は、人類の宝とも言える、この高次の意識を、あなたの日常の中で人々と分かち合うことにあるのです。とは言え、あちこちで声高に辻説法をしなさいというわけではなく、あなたの生活態度やものごとに対する反応を身近な人々に示すことにより、あなたの世界観や宇宙観を自然に共有していけばいいのです。その前提として必要なのが、社会人としてのエチケットやルールを尊重するという課題をクリアすることです。あなたの持つ精神性や宇宙的視野でものごとを捉える才能など、あなたが人々に伝えるべきメッセージが重要であればあるほど、あなたの言葉が他人の誤解によって閉ざされ、歪むことのないよう、明快なコミュニケーション能力を身につけることが何より重要になってくるのです。

●無意識のステージ（自覚する前のあなた）

あなたが今生に持ち込んだテーマを自覚できないと、病的と言えるほどの大嘘つきになる可能性があります。これはとにかくいいことばかり求め、周りにも好かれたいあまり、ものごとの悪い面や厳しい現実から目を背けるという道を選んだ場合に起こります。あなたの口から出るのは耳に心地よい美しい話ばかりで、常に相手が聞きたいことを選んで語る言葉。こうして嘘を口にして得られるのは、一過性の平和だけです。誰かを見てげんなりしていても、「まあ、あなたは何て素敵なんでしょう！」という褒め言葉が口をついて出てきます。相手が笑顔を返してくれる様子を見て、あなたはいいコミュニケーションをしていると満足するのです。あなたは否定的なことを口にするのも耳にするのも嫌いなのです。

あなたは今生で、自分のコミュニケーションスキルを社会の中で磨く訓練をしています。けれども、相手に拒絶されるのを恐れるあなたは相手が機嫌を損ねたり反発したりしたとき、それを受け止める自信がありません。相手が拒絶の態度を示したとき、それは必ずしもあなた個人に反発しているわけではないということを、あなたは自分の中で冷静に判断し、受け止めなくてはなりません。まず、交わされる言葉を文字通りに受け止め、相手はお世辞が聞きたいのではなく、会話を通じていろんな情報を収集しているという事実を客観的に認めなくてはなりません。こうしてどの会話にもいろんな気づきのきっかけがあり、それが成長と学びをもたらすのだということがわかってくるでしょう。相手の話す言葉に客観的に耳を傾けると、そこからあなたの成長に必要な情報がいろいろと得られるようになっていきます。心地よいことだけに限定して語り合うコミュニケーションでは、ものごとの真の姿も全体像も見えることがありません。そこにはお互いが成長するような深さも正直に相手と向き合う勇気もなく、本当のコミュニケーションとは呼べません。

　あなたは日常生活を真面目（まじめ）に送りながら、何となく損な役回りをしているのではないかと感じることがあります。そしてそれを取り返そうと、本来はあなたのものでないものを着服してしまうことがあります。これはもともと他人のものだけれど、自分はこんなに一生懸命働いているのだから、時にはいい思いをしてもいいだろう、と手が伸びるのです。この〝自虐行為〟は無意識に刻まれた行動パターンで、あなたはあなたの父親が築いた地位を超えて出世してはいけないという暗黙のルールを持っています。このルールに従って、あなたはそれと気づかずに、成功への道を見つけながらわざわざ台無しにしたり、落とし穴にはまったりして信用や財産を失い、またゼロからやり直すことになるのです。そしてちょっと安定してきたかと思うとまたすぐにそれをぶち壊すような行為を知らずにやってしまい、何もないところからのスタートが始まります。具体的には何か新しい事業を始めたかと思うと失敗し、次々にベンチャーを繰り返す、あるいは職を転々とする人もあるかもしれません。

　あなたは無意識にこのような自虐行為を繰り返しているのですが、このパターンさえなければ、あなたには父親の地位を軽く超えていける才覚が身についているのです。あなたの無意識の中で、権威の頂点にいるのが父親です。そしてあなたの無意識の信条によって、あなたは父親よりも大きな権威と力を手に入れることを禁じられているのです。これは過去生の記憶からきているもので、あなたがいくつもの生涯をかけて追求し、親しんでいた神学の世界では教父（ゴッドファーザー）の権威はまさにあなたを取り巻く世界の頂点でした。さて、その理想の教父のイメージと、現世の一般人であるあなたの父親との間で、あなたは混乱をきたしています。無意識下で、この二人を混同していることが、あなたを実の父親より劣る存在に縛ろうとしているのです。けれども社会経験を重ね、自分を見つめて人格を研鑽(けんさん)するにつれ、あなたは自らの精神性を目指す道を再発見していくでしょう。そこでようやく神の権威を持つ理想の教父と、現実の肉親である父親を区別して付き合えるようになっていくでしょう。それができれば、あなたはもう父親の地位を気にせず、伸び伸びと自分の成功への道を歩んでいけるのです。この時点で、何度やってもゼロに戻ってしまうという努力が空回りするパターンが浄化されるため、〝損な役回り〟をしている感覚は消えていきます。あなたはようやく自分に成功を〝許す〟ことを覚えたのです。

　あなたにとって何より重要なことは、社会の中でも、自分の心の中でも、あらゆるレベルにおいて正直に取り組むことです。嘘が横行すると、あなたが責任ある個人として生きていく道が閉ざされていきます。これが意味するのは宇宙からの〝戦力外通告〟のようなもの。あなたの魂が今生に持ち込んだ崇高な精神的価値観を、それ以降の人生をかけて人々に伝えるための品格を持たない人物とみなされるということです。

　この世に生まれてから56年間をかけてあなたは自分の成長の路線を見出(みいだ)し、信頼に足るひとかどの人物としての社会的地位を築き上げることになっています。56歳の時点で社会的信用が身についていない場合、恐らく不名誉な事件や出来事を自らの元に引き寄せ、自分の運命を必要以上に過酷なものにしてきたことを意味します。これはあなたの魂が前世から持ち込んだ崇高な精神性を現世のあなたの意識が否定し、裏切ったことの代償なのです。あなたの場合、最も肝心なのはあなたがいつでも正直な人であり、善良な人格を備えていると自他ともに認められることなのです。50代半ばまでには適切な社会生活を営む方法も板につき、やさしく真実味のある語り口で人々の心の琴線に触れるコミュニケーションの仕方も習得していることでしょう。その社会的立場と信頼性の高いコミュニケーション能力を駆使して、いよいよあなたの人生のメインテーマである、宇宙の真実や人の持つ精神性について広く伝える、宇宙の叡智(えいち)の語り部として生きることがあなたの運命なのです。

●覚醒のステージ

持って生まれた運命に覚醒しているあなたは、誰かに誤解されるとすぐに悟り、自分の主旨を明確に伝えることができます。あなたが自分の意見や考えを、聞く人に効果的に伝えるために論理的な思考は不可欠であり、その意味であなたにとって教育は非常に大きな意味を持ちます。コミュニケーションの奥義を学ぶのに、文章を書くことも大変有効です。ペンを手にとり、紙に文章を書いているうちに、自分の考えが次第に明らかになっていくからです。この表現方法は、実際に人と対面して行うコミュニケーションより気楽で、対人恐怖を伴わないというメリットがあります。文章を書く力をつけるとともに、言葉に対する自信が増すので、社会のいろんな状況の中で、上手なコミュニケーションができるようになっていくでしょう。

あなたが選ぶ仕事の傾向としては、カスタマーサービスなどの接客中心のサービス業か、あるいはあらゆる階層の多様なジャンルの人々と接する機会を持つ職業につくことが多いようです。読書が好きで、文学から雑誌まで多種多様な読み物を読み漁り、しかもテレビを見ながら新聞を読むというようなことも楽にできる人でしょう。いつでも何かに熱中していて、よく質問をする人です。あなたはコミュニケーションを芸術の域にまでつきつめることが自分の本分だと知っているので、情報源に直接切り込んでいくのです。講義やセミナーに参加し、テレビ、本に新聞など、常に情報源に囲まれています。新しい情報を求め、未経験、未体験なゾーンにはいつでも果敢に踏み込む姿勢を持っています。あなたにとって、テレビやPC、DVDのモニターを同時に2、3台、あるいは4台見ることも稀ではなく、読書に至ってはいつでも読みかけの本が4、5冊はあるでしょう。こういう情報収集の仕方は、あなたの頭脳を活性化するのです。

身体を使うこともあなたには重要な要素です。前世では山奥や僧院などの隔離された場所にこもってばかりいたので、その反動で世界中を自分の足で歩き回り、見聞を広める欲求があり、その行動があなたのコミュニケーションスキルを磨き、人格の成長の過程を早めていくのです。

あなたは心やさしく、いろんなことに目が行き届く魂で、しかも宗教的権威である教父との心の絆が前世の名残として根強く残っているため、非常に謙虚な気持ちを持っています。この謙虚さのために、あなたは自分の知識や見解を他人と分かち合うことをためらう場合があるのです。無意識の中で、あなたには自分が父親の役割を奪ってはいけない、あるいは自分にその権利はないという抑制が働いています。あなたの心は偉大な父親像への畏敬の念に縛られ、同時に越えられないものに対する怒りを内包しています。現世での肉親である父親と、精神的な指導者としての父親との識別という問題を反映したこの心の問題を通じて、あなたは現世の物質的世界観と、スピリチュアルな精神世界の価値観との区別を会得していくのです。あなたがこれらの二つの意識領域をしっかりと分けられるようになると、それぞれの領域をよりよく追求していけるようになり、それらから得る恩恵もまた倍増していくでしょう。

●超意識のステージ

あなたが今生きているのは、地球に生きる同胞にコミュニケーションの意義を伝えるためです。現在の地球上の人々の意識を変革する必要性はこれまでになく高いため、あなたに課せられた仕事もまた重大です。あなたは現代の人々の間で行われるコミュニケーションの質に変革を起こし、古代バビロニア（訳注：栄華と奢侈と罪悪の都とされる、南西アジアの古代帝国）以前の太古の人々が普通に持っていた単純明快なコミュニケーションの仕方を取り戻すために働いています。当時の人々は部族や種族、話す言語によって生活圏が細かく分断され、相互の対話は不可能でした。あなたの深層意識の中には、異なる言語や信条、思考パターンなどによりばらばらに分断された人々を再び一つにまとめるために必要な要素が備わっています。端的に言えば、あなたの仕事はバビロンの人々が陥った悲劇を癒すことと言えるかもしれません。

あなたのコミュニケーション能力には、宇宙全体を包み込む共同体意識が根底に流れ、私たちを分断するあらゆるものを乗り越えてお互いに理解を深めるよう促す力があるのです。エゴの境界を越え、人類共通の意識を語るあなたは、優れたコミュニケーション能力と鋭い感性を合体させ、私たちが身体こそ別々でも、魂はもともと一つであり、大いなる宇宙家族の一員なのだというインスピレーションを世界に広めていきます。この意識が広く浸透すると、人々はお互いを信じ、愛する絆をもって助け合い、人の心の奥にある魂同士の触れ合いが実現していくでしょう。

●身体に現れる兆候

あなたの魂が宇宙と約束したコミュニケーションの学びを現世のあなたが拒否すると、肺、神経系、手、腕、肩などに故障が起きやすくなります。あなたが宇宙からの呼びかけに答えずにいると、宇宙はあなたの身体を通じてあなたとのコミュニケーションを始めます。あなたの体内の〝コミュニケーション〟がスムーズに行われないことからくるトラブルを通じて、身体があなたの目を覚まさせようとするのです。たとえば神経は身体中に情報を伝達する機能です。肺は体内に入ってくる空気を〝処理〟して酸素を血中から全身に届け、手、腕、肩はボディーランゲージで直接他人とのコミュニケーションに貢献する部分です。これらの器官の不調を通して、あなたの身体はあなたの心に警鐘を鳴らし、コミュニケーションに取り組むための道がブロックされていることを知らせるのです。

これらの器官の不調に思い当たる人は、健康を取り戻すために日頃の自分のコミュニケーションのとり方に目を向け、自らの運命の仕事について考えてみる必要があります。不調が起きたら、こう自問してみてください。「自分は知っていることのすべてをみんなに明らかにしているか、それとも隠しごとをしているか?」「私は積極的に人とコミュニケーションをとっているか、それとも相手に拒絶されることを恐れて言うべきことが言えなくなっているか?」「私は自分の人生と正直に向き合っているか、それとも自分をだまし、私の人格の未熟な部分が他人の言葉に動揺しないよう、あらかじめ相手の言葉を予測してコントロールしているか?」

心の健康と身体の健康は、コミュニケーションがスムーズに流れるように努力する過程で改善します。大事なのはどんなときも正直であること、そして言葉にして伝えること、他人の洞察を取り入れるよう心がけることです。多様な人々の視点でものごとを客観的に見ることで、あなたは自分の心の中で本当の自由を手

に入れるのです。外から入ってくる多様な情報を吸収し、意識の中で統合していくにつれ、あなたは肺と神経系に伝達エネルギーを吹き込み、自らの身体を解放していきます。すべてのコミュニケーション・チャンネルの滞りと閉塞（ブロック）をなくし、勢いよく流れるようになると、そこを生き生きとエネルギーが通り、あなたは心身ともに完璧に調和していくでしょう。

あなたは身体、心、魂、すべての次元において効果的なコミュニケーションを学ぶために生まれました。その途上で、あなたが他人の言うことはあてにならない、意味がないと感じているとしたら、あなたは無意識に、人々はばらばらの存在で、つながるべき絆はないと言っているようなものです。この無意識のメッセージを身体が受け取ると、身体は心との調和を失い、心は魂とのつながりを失います。身体と心と魂が三位一体（さんみいったい）の調和を維持する代わりに、三つのばらばらの存在のように機能し始め、身体は混乱して不具合が次々に発生します。そうなると身体は自らに何が起きているかを把握できず、それを身体の別の部分に正確に伝達できなくなります。こうして身体全体へのエネルギーと情報の伝達を網羅（もうら）する神経系統をはじめに不調が起こります。あなたが他人のインプットの意義を認め、バランスよく取り入れていくことを覚えることで、あなたは自らの身体の各部分に、全体の調和を考慮して機能するという方法を教えるのです。

蟹座

●日蝕

あなたは現世をともに生きる人々に、心に湧き起こるいろんな感情を受け止め、理解し、表現し、上手にコントロールする方法を教える運命を持っています。あなたは身近な人々の感情を癒すヒーラーです。あなたがそばにいることで、彼らは自分の感情を鎮め、平和な気持ちになるのです。

あなたの周りには、外界のいろんな現象に心があまりに囚われているために、自分の情緒が不安定であることにすら気づかない人々が引き寄せられてきます。こういう人々は激しい感情が湧き起こるとき、それをどう受け止めればいいのかがわかりません。あなたは多くの場合、動揺している人々の近くにいて、怒りや不安などの否定的な感情を引き受けるのですが、それが知らずに彼らを癒すのです。あなたは彼らの否定的な感情エネルギーを吸収し、あなたの中で分解してプラスに変え、癒されたエネルギーを宇宙に還元する力を持っているのです。

天賦のヒーラー体質を持つあなたは、人々の感情と魂を癒します。悩みに沈む人の心を軽くし、悲しみに暮れる人にそっと肩を貸してそばにたたずみ、涙を流して悲しみを発散させる手助けをして、バランスを崩している感情に調和を取り戻してあげるのです。

あなたが宇宙と交わした約束は、地球に生きる人々の感情的負担や動揺を軽くしてあげることです。この仕事をうまく成し遂げるため、宇宙はあなたに人の否定的な感情を宇宙に還元するという特技を授けたのです。この仕事の契約として、宇宙はあなたの持つ否定的な感情を引き受けることを約束しました。あなたが抱える怒りや悲しみ、不安などの心の負担を誰かに背負ってもらう必要はありません。なぜならあなたが他人の否定的な感情エネルギーを引き受け、宇宙に還元するとき、あなた自身の否定的感情も一緒に処理されていくからです。

あなたの周りには、現状維持を好み、実務的で、世間の評判に敏感に反応する人々が集まりやすいという傾向があります。感情を乱される場面に遭遇しても歯を食いしばって平静を装うこの人たちは自分の不安や怒りなど、否定的な感情ですら手放すことができないほど、ものを〝捨てられない〟人です。このため彼らの心が傷つくと、どこかにその感情を吐き出す〝受け皿〟が必要になるのです。実務に秀でている彼らは効率を好み、あらゆる無駄を省こうとします。このため彼らは自分の否定的な感情でさえも、何かプラスの価値に転換させようとします。そこにあなたの役割が生きるのです。

その際、あなたが心に留めておくべきことは、相手が共鳴するようなサポートの形を取ることです。彼らは何でも抱え込む体質を持っていて、否定的な感情の残骸(ざんがい)を心に溜(た)め込むことが自分のためによくないということを理解していません。彼らは心に淀(よど)んでいる否定的感情をどこかに放出しなくてはならないため、あなたの元に引き寄せられてくるのです。そういう人々を母親の愛情で包み、苦悩や悲しみを受け取ったあと、その否定的なエネルギーを宇宙に放出するのがあなたの役割なのです。

人々のつらさや悲しみ、悔しさなど、不快な感情を引き受けてばかりいると、自分が気の毒になってしまうかもしれませんが、それが宇宙から与えられたあなたの役割なので、割り切って考えてください。それが〝仕事〟と言っても人々の感情の問題に深入りするのではなく、彼らの心の重荷を背負い、ひととき共感したあとは気持ちを切り替えて自分の人生を歩めばいいのです。この過程のどこに焦点を置くかが非常に大事で、「みんなが自分のところに心のゴミを捨てにくる」と捉(とら)えると、あなたは本当にゴミ箱にされたような気分になってしまい、宇宙から託された「否定的な感情エネルギーをプラスに変えるリサイクル工場」としての機能を見失いかねません。宇宙があなたに、人々の心の病を受け止める仕事を与えたのは、あなたが自分や他人の心の痛みを外に放出する能力を持っているからです。あなたが宇宙との契約にしたがってその仕事を全(まっと)うすると、その報酬として与えられるのは、あなたが助けた人々とのこの上なく親密で愛情深い心の絆（きずな）です。

あなたが人々の心の支えになることは、あなたが考える以上に大事なことです。人々が否定的な感情を心にたぎらせ、くすぶらせたまま外に出さずにいると、彼らの感情エネルギーは出口を失い、心に溜まっていきます。それでも彼らは感情を外に放出する回路を見つけられず、心の扉をぴったりと閉ざしてしまいます。閉じ込められた感情が障害物となって、豊かな感情が生まれたり流れたりするスペースを奪うため、この人たちの心は冷たく、計算高く、ロボットのように無機的になっていきます。あなたには、彼らの心の閉塞（ブロック）を解きほぐし、再び外界の刺激に反応する心を取り戻す力が授けられています。あなたは彼らの心の不均衡を正すことができ、彼らと気持ちを通わせることにより、あなたの感情エネルギーもまた豊かに流れ出すのです。

あなたのオーラには、人々が無条件に安心でき、心地よい気持ちになれる癒しのエネルギーが漂っています。人々の波打つ感情を鎮め、否定的な感情を浄化するための手助けをするという天命を理解するにつれ、あなたは静謐（せいひつ）な湖のように澄んだ穏やかなエネルギーを放つようになっていきます。精神世界の領域で、あなたは地球の母、地球の父として認識されています。

あなたは生まれながらに情緒が豊かで繊細な心を持っています。このためあなたの心にひっきりなしに湧き上がる多様な感情をプラスに維持できるような行動や姿勢を常に心がける必要があります。あなたの豊かな感情エネルギーは宇宙からの贈り物で、これを他人と分かち合わずにいると、あなたは次第に他人と気持ちを通わせられなくなっていき、神経過敏に陥ります。そうなると何かにつけて自己防衛的な態度を取り、外界の刺激にいちいち過剰反応する扱いにくい人物として孤立します。これではせっかく宇宙に託された、誰とでも温かい絆を築ける才能を封印することになります。

他人の感情にデリケートに反応するあなたの感受性をどうコントロールするかという課題は、あなたにとって重要な問題です。感情の調和が取れていない人をなだめるとき、あなたは大体において彼らの否定的な感情エネルギーを上手に処理できます。しかし他人の動揺に共感するあまり、あなたはそれが自分個人に向けられているもののように受け止めることがあります。

このときあなたはその人に協力を求められる前に、その人の抱える否定的エネルギーを自分に取り込んでしまうのです。つまり、あなたは人が自分の否定的な感情と向き合い、自分の力でコントロールしようとする時間を与える間もなく協力の手を差し伸べるため、せっかくの親切が相手にとってはプライバシーの侵害と受け止められる場合があります。相手の自立とプライバシーを尊重するため、相手が本当に困っているか、あなたに協力を求めているかをよく見極めてから介入する必要があるのです。

他人が自分の感情と向き合うという自由を奪ったとき、あなたは自己防衛的になり、傷つく結果につながります。あなたは天性の感情エネルギーのヒーラーなので、あなたの周りに自分の感情に無知な人を引き寄せるのです。彼らはこんがらがっている自分の感情エネルギーを解きほぐすのにたくさんの時間を必要としています。彼らが自分の否定的な感情と向き合い、手放す準備ができるまで、静観する時間を取らずに彼らから否定的感情だけを取り除こうとすると、あなたは必要以上に痛みを被るることになるのです。相手を救い出そうと行動を起こす前に相手の感情のプライバシーを守ることを忘れないようにしてください。あなたは他人の感情を受け止める「受け皿」であり、メスを持って他人の心を切り裂く「外科医」ではありません。他人があなたに否定的感情をぶつけることはあっても、他人の許可なしにその感情を奪いに行く権利はないと心得てください。

ヒーラーとして接する際、気をつけるべき点がもう一つあります。他人の情緒のバランスを取り戻そうとする過程で、あなたにとっての善悪の概念を無視しないことです。あなたが助けようとしている人があなたの友達ではないからといって、あなたが考える道徳心や倫理観を無視すると、その否定的な考えや行動はあなたのもとに留まることになります。物質面で言えば、あなたが相手の都合や価値観に合わせて行動することを理由に自分の正直な言動を制限すると、あなたの身体には水分が溜まっていきます。他人は思い思いにやってきては否定的な感情を捨てていきますが、あなたはその衝撃を、自分の正直な気持ちをもって受け止めなくてはなりません。

いつどんなときにも、例外なくあなたは決して偽ることなく、正直に自分の気持ちや考えを表現していかなくてはなりません。相手があなたに否定的な感情をぶつけてくるとわかっていても、それで傷つけられそうだと思ってもあなたはあなたらしい態度を変えずにいる責任があるのです。あなたの仕事は他人が自分では抱え切れない否定的な感情を吸収してあげることで、彼らの情緒的負担の責任を引き受けることではありません。そうすることで、あなたは自分の倫理観を維持しながら彼らの心の傷や偏り（かたよ）を癒してあげられるでしょう。これはヒーリングの過程であなたが相手に対して同情などの不要な感情移入をせずにいられるというメリットもあります。常に心に留めておいてほしいのは、人々が心の苦痛を抱えているとき、そこには明確な宇宙の意思が働いているということ。宇宙は苦痛体験を使って、その人が地上に降りてきた理由を思い出させ、あるべき道に戻そうとしているに過ぎないということです。

●月蝕

あなたが今生で学ぶべきテーマは、他人と気持ちを通わせ、安定した情緒を育む（はぐく）ことです。

あなたは過去生で繰り返された、気性の激しさを今生に持ち込んでいます。あなたは他人に受け入れてもらうために、いつでもきちんと自分を取り巻く人々や状況をコントロールしていなくてはならないという感覚をいつでも持っています。あなたは幼少の頃、家族という集団の中で自分の果たす役割が見つけられず、疎外感を感じていたのではないでしょうか。あなたはどんな集団でも、その一員として認めてもらうためには大変な努力をしなくてはならないものだと決めつけているところがあります。あなたが他人の役に立つ何かを提供する能力と、豊かな情緒を経験する能力とを区別することを覚えないと、次第に気難しい気性になっていきます。

無意識のレベルでみると、あなたが生まれ落ちた家族は、これまでの過去生で縁のなかった人たちです。このためあなたは自分の家族でありながら、何となく他人と暮らしているような居心地の悪さを感じるのです。あなたにはここで学ぶべき感情の経験が山ほどあり、お互いに対する感情面の責任について学習することになっています。

家族とともにあっても所在無い感覚を覚えることが、

あなたの意識を感情に向けさせます。あなたは自分の気性が激しく過敏であることに自ら責任を負い、自分の態度や言葉をきちんとコントロールして家族とうまく折り合っていくことを選択するか、あるいは折あるごとに家族全員とぶつかり、常に不機嫌にさせられる経験の連続を選択するか、どちらかの方法で気質や感情について学んでいくのです。

　自分の感情と付き合う方法を学ぶ端的な方法は、あなたが怒りや動揺を発散させるとき、それが周りにどんな影響を及ぼすかを観察することです。あなたに理解してほしいのは、人は思い思いに勝手な感情を持ち、それらを好きな方法で発散させる権利を持っているということです。感情エネルギーに過敏なあなたは、ある状況が発生するとその全体像を把握するより前に感情が噴出してくるという傾向を極力抑える訓練をしなくてはなりません。あなたが学んでいるのは、本来あなたが反応する必要のない感情を持たないようにすること、あなたのおかげで誰かが機嫌を損ねたと勘ぐらないこと、そして家族の誰かが怒ったり動揺したからといってあなたの立場が危うくなったり責められたりするものではないと知ることです。

　他人の否定的感情に対していちいち自己防衛的な態度をとっていると、あなたが教えを請うべき人々をうっとうしがらせ、遠ざける結果を招きます。すぐに興奮して大騒ぎする癖が高じると、他人があなたを困った人物だと考えることにも敏感になり、次第に孤立していきます。多くの場合、あなたが家族や集団から孤立していく本当の理由は、あなたの人格そのものではなく、あなたの自己防衛過剰な態度にあることにあなたは気づいていません。あなたが乗り越えるべき課題は、身近な誰かが怒っていたとしても、ある状況について人がどう感じようとまったくその人の自由であり、認めてあげなくてはならないということです。あなたが他人の感情の起伏に反応することをやめ、自己防衛的な態度をとらなくなれば、人々はあなたの周りに戻ってくるでしょう。その環境で、あなたは自分が学ぶべきレッスンを、苦痛を伴わないプラスの経験として取り入れていけるでしょう。

　あなたは幾多の過去生において事業を成功させ、世俗的な豊かさをほしいままにした経験を持っている反面、家庭を顧（かえり）みず、家族の団欒（だんらん）や安らぎを知らずに生きてきました。仕事一辺倒で家庭をないがしろにした結果生まれた人格の不均衡を修正すべく、あなたは今生で人の感情ととことん向き合う運命を背負っているのです。あなたは実のところ家族に愛されているのですが、家族の温かい感情に不慣れなため、それに気づかないことが多いのです。あなたは今生では、もう以前のように人間関係の感情のあやから逃れ、仕事を隠れ蓑（みの）にして生きるという選択肢はありません。そのパターンを克服することこそが、あなたの魂の仕事なのです。

あなたには他人は他人、自分は自分という意識が乏しいため、親しい集団の中にいてもなお孤独を感じることがあります。あなたの情動を成長させる第一歩は、どんな集団の中にいても、心を自分の身体の中心に据え、安定した心地よい気分でいられるようにすることです。自分自身を落ち着いた気持ちで受け止められるようになれば、他人との付き合いの中で自分の存在価値にも気づくようになっていきます。そうするとどんな状況に遭遇しても、それまでのように避けたり逃げたりせず、まっすぐ受け止めて対処する姿勢が生まれます。あなたが自分を、愛される価値のある存在として認められるようになれば、あとは学びの道が自（おの）ずから開けていきます。

あなたが自分の感情を表現することを恐れて殻にこもり、内弁慶になるのは、自分の心の内なる平和を持たないことに起因しています。心が落ち着かず、いつでもざわついているために他人が寄ってきても、どう応えていいかわからず居心地の悪い思いをするのです。何かのリアクションとしての感情を持つ以前に、あなたは心の〝初期設定〟として、他人の問いかけや期待があっても十分応えられるという、自分に対する安心感を持たなくてはなりません。この過程で、あなたは時に冷たく計算高い人のように振る舞うことがありますが、本当のあなたはマシュマロのように甘くやわらかな感性の持ち主なのです。

感情の領域だけについて言えば、あなたは未発達な子供といえるでしょう。社会でのあなたは事業経営や組織管理の素養を持ち、高度な仕事を平然とこなしていける人です。けれどもそんなあなたが家に帰ると、自分の気持ちの表し方やコントロールの仕方がわからず、感情的には未熟な場合が多いのです。あなたが男性なら、妻に母親の代わりを求め、あなたが女性なら、夫を自分の親と捉え、子供のように甘えるのです。あなたは配偶者や身近な人間関係を通じて、子供の頃に親に甘えられなかった分を取り戻し、心の充足感を得ようとしているのです。この感情的依存の構図を壊し、自分の足でしっかり立ち、それを心地よく感じられるようになることが、あなたには何より大事なことなのです。でないとあなたは一生、愛する人を保護者としていちいち許可を得ないと前に進めない人生を送ることになるでしょう。そしてちょっとした行き違いや軽い批判でもすべて自分が拒絶されたと受け止め、ますます殻に閉じこもる人生を送ることを余儀なくされてしまいます。

あなたは自分自身を、他のすべての人々同様、毎日の暮らしの中で多様な経験をし、喜んだり悲しんだり、間違いを犯したり、いろんな場面に遭遇しながら生きているということをごく当たり前のこととして捉えなくてはなりません。あなたが間違いを犯したからといって、愛される資格がなくなることはなく、人間としての価値に変わりはありません。人間である以上失敗はつきもの。いつだってやり直しができるのだと達観する大人の心を、あなたは少しずつ習得していくでしょう。

●無意識のステージ（自覚する前のあなた）

あなたが自分の幸せを台無しにする一番の理由は、自己憐憫（れんびん）にふけることです。あなたは自分にこうつぶやきます。「誰も自分を愛してくれない。みんなが自分を批判する。みんなして自分を利用しようとする。誰一人としてあるがままの自分をわかろうとしてくれない」と。自分では意識していなくても、あなたはこういう恐れを周りじゅうに発信しています。もちろんこれは客観的事実ではありませんが、あなたの恐れが強く具体的なほど、それは〝予言〟となって現実化していきます。あなたがいろんな悪い出来事や人々の悪い面を心に描いていると、そういう状況や人々があなたの元に引き寄せられてきます。あなたが自分をかわいそうな人間だと自己憐憫に浸っていると、宇宙はあなたのそういう予測に応えるように、あなたを利用し、使い倒そうとする人々をあなたの元に送り込んでくるのです。あなたは他人に利用されるだろうという不安に駆られていると、あなたの元には情的な強姦に近い状況や、あなたを蹂躙（じゅうりん）しようとする者が現れるでしょう。

自己憐憫に囚われていると、あなたは過去に傷ついた経験を何度も蒸し返し、長い期間を悶々と悩みながら過ごすことになるでしょう。あなたが幸福な人生を手に入れるために一番大きな障害となるのが、この自己憐憫です。なぜこれに陥りやすいかというと、憐憫の情が自分をいたわり、慈しむ感覚に似ているからです。自己憐憫に浸っているうちは、あなたは成長軌道に乗ることができません。自分の無力さや無能さを悲しみ、哀れむという不快な経験に別れを告げたいという強い意思が、自己憐憫のぬかるみを脱する原動力になるからです。

あなたが自分の幸福を遠ざける第二の理由は、現状（仕事、状況、人間関係など）に固執する姿勢です。長い間に停滞を生み、不満を感じるようになった状況や対象でも、あなたが手放したがらないのは、それがある種の安心感を提供するからです。けれども古いものに固執している限り、あなたが求める幸福は現在も今後も訪れません。あなたが日々の暮らしを楽しみ、その経験から成長していけるような人生にそぐわない、古くなって機能しなくなった対象や人々をすっきりと手放すことにより、あなたは情緒的に満ち足りた、豊かでワクワクする未来に向かって前進していけるでしょう。

あなたの幸福を遠ざける第三の理由は、あなたが無意識に、自分の不安な気持ちを過保護にしていることです。あなたは自分のいる環境が、すでに今のあなたにそぐわないと知りつつ、それを捨て去り、新しい環境に移ることを好みません。これが極端に出たケースとして、この月蝕パターンの人の中には広場恐怖症の人がいます。あなたの漠とした不安と、外界から拒絶されることをひどく恐れる気持ちは、あなたの心に満たされない感覚を生み出します。この不足感を補うためにあなたは時に過食症に陥り、食物を大量にとることで満たされない心を癒そうとすることがあります。

このような過剰補償行為のもう一つの形として、水分の過剰摂取という傾向をもたらします。母親の愛情に対する無意識の枯渇感から、牛乳や酪農製品を取りすぎることもあるかもしれません。このように満たされない思いを別のもので補おうとする行為は、あなたが自分自身を豊かな愛情で包めるようになるまで続きます。

●覚醒のステージ

運命の道への覚醒への第一歩は、自分自身を育む姿勢を持つことです。安定し、均整の取れた心を築くには、他人とのやりとりの中で感情面でのリスクを恐れない心が不可欠で、それにはまず自分を愛し、自分の心を安心させる必要があります。

自分を愛するための心理学のテクニックとして挙げられるのは、創造的視覚化による方法です。子供の頃の記憶の中から、あなたの両親、あるいはどちらかの親から愛されていないと感じたときのことを思い出してください。そしてその記憶を書き換えて、あなたがしてほしかった通りの愛情深い親の姿をイメージし、たどっていきます。そしてこの視覚化が自然にできるようになるまで繰り返します。次に、大人になったあなた自身が、子供の頃のあなたのところに歩み寄る姿を視覚化し、抱きしめてあげる様子をイメージしてください。これらのエクササイズを通じて、他人に受容されることへの渇望感が中和され、気持ちが解放されることであなたは自由な自分自身を感じられるようになるでしょう。

自分を愛するもう一つの方法は、身近なパートナーに自分の恐れや不安、愛情などの感情を包み隠さず見せ、相手に対する自らの感情の責任を負うことで情緒の安定を図ることです。自分の感情を言葉にして表現することで、あなたは自分の感情を認め、感情の発信源である心という確かな存在を身体の中心に意識できるようになるのです。自分の中心にしっかりと心の在り処(ありか)を意識できれば、他人からの拒絶や落胆を感じても、それまでのように傷ついて殻に閉じこもることはなくなるでしょう。

あなたの情緒領域を拡大するために勇気を出して行動を起こすと、心から喜びが湧いてくるような豊かな人間関係を築く機会が訪れます。無意識のレベルで、あなたは情緒的に満たされる関係を持ってもいいのだということや、自分にはそういう感情を受け止める能力があると信じることで、情緒的充足感を自らに教えています。

情緒的に困難な場面をいくつも潜(くぐ)り抜ける経験を通じ、あなたはそれまでのように現象にいちいち反応し、感情の流砂に飲まれるという危機を繰り返すステージを脱し、安定した情緒と不屈の精神で何があっても落ち着いて対処できる人格を身につけていくのです。あなたは今生で、不要な感情の〝ゴミ〟を放出し、心を浄化するという課題を背負っています。それをクリアするには、何かにつけて心が傷つくという不安定な状態から這い上がり、情緒的成長を遂げることが大前提なのです。あなたのために用意された情緒的成長へと続く道程は確かにやさしいものではありません。けれども一歩ずつ着実に歩を進めていけば、あなたの生得権である心のこの上ない充足感を存分に味わえるでしょう。

●超意識のステージ

このステージに達すると、あなたは自分の感情の表出を個人的な所産ではなく、宇宙とつながるチャンネルとして捉えるようになります。あなたは心に感情が生まれると、それに耳を傾け、編集することなく自然に、あるがままに表現します。どんな場面でもそれは真のあなたを反映し、周りの人の情緒の健全なバランスをとり戻すのに役立ちます。こうしてあなたは自分の心に浮かぶ感情をそのまま外に表現することにより、身近に起きている微妙な情動を人々の意識にのぼらせ、そこにいる全員の情緒のバランスをとれる人になるでしょう。

あなたは特定の個人に対する反応としての感情をぶつけたり、心にくすぶらせたりすることはありません。あなたは今生で、人々とともに感情のグループカルマを浄化するという目的のために力を注いでいることを理解し、人々の割り切れない否定的感情を嬉々として引き受け、浄化しながら、地球という大いなる意識領域の感情エネルギーを浄化していきます。あなたは地上に生きる人々の密かな感情、傷ついた心、あこがれ、落胆など、心に隠された多様な感情を受け止める感受性が備わっていて、これらを宇宙規模の客観的視野に立って俯瞰し、統合する能力を持っています。このステージに立つあなたは、自らを通して宇宙の無条件の愛と受容を体現し、あなたが出会うすべての人々の心の痛みを癒す存在となるでしょう。

この月蝕の影響下に生まれたあなたは、人の感情エネルギーに非常に敏感なエーテル（天空を満たす精気）のオーラをまとって地上に降りてきました。この敏感さが自己防衛を目的として内側に向かうと、内面の感情の枯渇と孤立が起こります。逆に外側に向かうと、その繊細な能力は自我の境界を越えて他人の情緒の核心に触れ、あなたの心の清らかさがあなたの最強の武器となるのです。あなたのその感受性は、人々の感情の乱れや心の傷を癒したいという欲求から生まれています。それを行使するとあなたの内面では、自らの心をやさしく包み、いたわる癒しが起こり、心の内側からひたひたと満たされる、究極の充足感を経験するでしょう。

●身体に現れる兆候

あなたに課された課題を拒絶すると、胃潰瘍（かいよう）、胃炎、消化不良、胸焼け、げっぷ、あるいは体液の増加によるむくみや水肥りなどの身体症状が起こります。このほか、蟹座の月蝕エネルギーの不均衡が引き起こすのは、膿瘍（のうよう）、良性・悪性の腫瘍（しゅよう）、すい臓の不調、子宮の痛みなどが挙げられます。乳房のトラブルが起きることもあるでしょう。カルシウム摂取に問題があると、骨髄や膝の故障、歯のトラブルなどが起こります。あなたは、他のどの月蝕グループよりも、海や大きな湖など大量の水があるところに行くことが強く身体にプラスの影響をもたらすので、定期的に海に出かけることをお勧めします。

総体的に言えば、身体は各部をいたわり、いたわれるという過程を統合しようとしています。体内のすべての細胞はこの過程に結びついているため、身体は常に他人の否定的エネルギーや栄養素、水などを細胞内に取り込み、吸収しています。このため、あなたは水分を過剰吸収する傾向を持っているのです。あなたの身体は、あなたが感情エネルギーの問題を統合し、愛し愛される必要性を大げさに主張しなくなるまで、この〝水分吸収〟を続けるでしょう。あるいはこれとはまったく逆の形で現れると、あなたは非常にやせた体格を持ち、栄養素も水分もほとんど吸収できない体質を持っていることがあります。この場合の身体の主張は、他人の愛情を受け入れられないという不均衡を表しています。

深層心理のレベルで言えば、体液の増加は細胞が身体の組織に向かって「お前たちを愛しているよ、やさしく育んでいるから感じておくれ。抱きしめてあげる

♋
Cancer

よ」と言っているようなものです。精神の次元であなたが自分を愛し、育むようになると、細胞レベルでの水分過剰吸収はなくなっていくでしょう。

獅子座

Leo

●日蝕

獅子座の日蝕エネルギーの影響を受けたあなたは現世をともに生きる人々に、愛を受け入れることを教えるために生まれてきました。

あなたの周りには、冷淡でよそよそしく他人の好意を受け入れられない人々や、自分が愛情過多に陥っていると感じている人々が多く引き寄せられてきます。彼らは愛情とはしがらみに過ぎず、自分を縛るものだと捉えています。彼らは人の愛情を次々に断ち切り、自由に生きる人生を送りながら愛情を受け入れることが可能であることを学ぼうとしません。

あなたはこの人々を、多様な方法で導く運命にあります。一つのやり方としては彼らが拒絶しても、それを額面通りに受け取らず、相手が冷淡な反応をしても忍耐強くあなたが感じる愛情を投げかけ続けることです。そして、相手のいいところを見つけてほめてあげることで愛情を分かち合い、その人が愛情を受け入れる価値のある存在だということを教え、愛情を受け入れても自分を見失うほど弱い存在ではないということを自覚させてあげるのです。あるいは〝悪い例〟を見せるという方法もあります。愛情のマイナス表現として嫉妬心、独占欲を発揮し、相手の不快感を煽るというやり方です。この方法で行くと彼らはそこから逃げ出し、自分に自由を与えてくれる愛を模索することになるでしょう。

あなたには人生を明るく捉え、軽い足取りで快活に生きていく知恵が授かっています。あなたと接する人々は、あなたからその知恵を学びますが、あなた自身が自分の人生を深刻に捉えていると、教えることができません。あなたの近くには、誰かに元気づけてほしい人や、単調な毎日を義務的に暮らし、楽しみを少しも感じられない人が集まってきます。あなたは生きることの喜びを見つけるという特技があるので、その知恵を分かち合うことが人助けにつながります。この日蝕の影響を受けていれば誰でもそれらの才能を授かっているのですが、これを自然に発揮しないことを選ぶと、それは否定的な形、つまり嫉妬や欲望をむき出しにする行為として現れます。その様子を見た人々はあなたから遠ざかり、自分の道を模索することになるでしょう。

あなたが自分の教えるべきテーマに気づかないと、孤独と自己憐憫（れんびん）という袋小路に迷い込むでしょう。そのままで行けば、恐ろしいほどの不幸と孤独の連続の人生になるでしょう。あなたの場合、どんなに悪いことが起きても本来の明るさを決して見失ってはいけません。あなたは創造力豊かで、人々の中に愛を見出（みいだ）す才能があるので、ツキに見放されたような人々があなたに救いを求めて近づいてきます。肝に銘じてほしいのは、どれほどそういう人々が周りにきても彼らに影響されることなく、あなた本来の人生の捉え方を崩さないということです。あなたは彼らに快活に生きる道を示し、自分を愛することを教えるためにそこにいるからです。

あなたが孤独感に襲われたときは、周りに恋愛の対象となりそうな人を探すだけで、心に眠っている豊かな愛情が目を覚ますでしょう。あなたの好意を周りの人が拒絶したときは、あっさりあきらめずに別の分野での好意を届けるようにしてください。自分を愛せない人々との関係を終わらせないという意思を持っている限り、あなたは彼らに多様な愛と創造力の贈り物を届けることができるでしょう。あなたは子供と接する仕事の他、教鞭（きょうべん）をとる仕事、創造力を生かせる芸術、演劇などの分野に適性があります。あなたは持って生まれた豊かな創造力を開花させて、ありとあらゆる分野で自分がこの世に存在する喜びを味わう機会を広め、眠っている人々を刺激することができます。もしあなたが陰気な毎日を送っていたとしたら、それは誰のせいでもなく、自分の責任です。あなたには本来喜びと充実感に満ちた人生を創る才能が豊かに備わっているのですから。

あなたにとって、楽しい時間を確保することは大変重要です。山羊座の日蝕の影響を受けている人々が社会的に成功しなくてはならないのと同様、獅子座の日蝕の影響下にあるあなたは心の内なる子供、インナーチャイルドを自由に遊ばせる必要があるのです。あなたの無邪気で楽しげな姿から、人々は人生とは本来楽しむべきものだということ、そしてものごとをそれほど深刻に捉える必要はないという知恵を学び取るのです。

あなたが子供のように無邪気で明るいエネルギーを発散していると、それにつられて創造力が泉のように湧いてきます。あなたは創造力が非常に豊かで、周りの人々の子供心を刺激し、見出すことにより、彼らの中に眠っている創造力も引き出せるのです。子供の頃の私たちは、日々の心配ごとや悩みに自らの創造力を曇らせるようなことはありませんでした。ちょうどそんな才能を持つあなたが子供のようなエネルギーを他人の上に振りかけると、彼らは日々の悩みを忘れ、あなたとともに無邪気な気分になってくるのです。無邪気さのエネルギーの心地よさを教えるにつれ、あなたの周りの人々の創造力はどんどん発達していきます。

あなたは人々に人生を軽い足取りで歩み、自らに備わっている創造力を磨くことを教え、人々の心根は本来善なるものであることを示し、それを引き出す道筋を示します。その意味で、あなたは12星座の日蝕エネルギーのうちで最も崇高な叡智に人々を導く教師といえるのです。あなたには、人が持っている自分の存在意義に目覚めさせ、それを誇りにそれぞれの人生を嬉々として歩み、社会に還元していくことを諭す潜在能力が授かっています。

すべての日蝕エネルギーに言えることですが、教師としてのあなたはいい例と悪い例のどちらかで〝生徒〟を導く選択肢が与えられています。愛と感性、受容を分かち合い、自分に誇りを持ち、愛する姿勢や創造的に生きることを教えながら、周りの人々と豊かな日々を共有するというのがいい例の教え方。一方で、他人をけなし、他人の創造力を過小評価し、周りの人々の存在価値を貶めるのが悪い例。この路線で行くと、人々は追い詰められた末に自己弁護と擁護に立ち上がり、「自分はそこまで捨てたもんじゃないさ」と言うでしょう。いずれの選択肢をとるにしても、あなたは自分を愛し、誇りに思うこと、自分らしさを人生に反映させることの価値を人々に教える運命にあるのです。

●月蝕

　あなたが今生で学ぶべきテーマは、愛情を受け取ることの価値を知ることです。前世のあなたは、人類の意識改革に寄与する重要な役割を果たす、強力な人格を持つ人として生きていました。あなたの関心は世の中全体に向けられ、個人的な愛情や誇り、自我の存在価値などといった個人レベルのものに時間を費やすことがほとんどありませんでした。打って変わって今生のあなたは自分のアイデンティティーを受け入れ、個性を育成し、もともと持っている人類共通の意識を発揮し、最終的には個性を十二分に発揮することを通じて人類全体の存在の素晴らしさを表現することを課題としています。あなたは自分の持てる能力を出し切ることが自分の生命エネルギーを輝かせ、世界は一つだという共同体意識を支えることにつながることを少しずつ理解する途上にあります。自分の中に集合体意識を持つと、私たちは自分にできることを他人に提供し、お互いを尊重できるようになっていきます。

　ベストを尽くすように促す原動力は、エゴ（自我）の開発にあります。言い換えれば、利己主義に陥ることなく自分を慈しみ、自我を発達させるということです。あなたは自分自身の中に、自ら誇りに思える要素をいろいろと見つけようとしています。あなたは自分を誇りに思う訓練、自分を表現する訓練をしていますが、一番はじめに取り組むべきなのは自分を愛することです。

　あなたは自分が愛されるに値する存在であること、愛を受け入れるのは何ら後ろめたくないということ、そして自分を誇りに思うことを少しずつ習得しているところです。あなた方の多くはあまりにも地球的スケールの意識を優先させてきた過去生の記憶のために、自分を大切にすることや、自我の発達に関心を寄せるのは瑣末（さまつ）で忌（い）むべきことだと考えているのです。私たちは確かに地球という大きな単一の共同体の住人ですが、同時に個人でもあるという事実を、あなたは見失っています。あなたは、人々が深いところでみなつながっていて、お互いに協力し合う必要があることをよく知っています。しかしあなたは自分の個性や自我のエネルギーを、他人のために効果的に生かす責任を背負っていることにはなかなか気づくことができません。

自尊心や自己愛を教え、分かち合う過程で、私たちはそれぞれの生命エネルギーをスパークさせてお互いを叱咤激励しているのです。

どういうわけか、あなたは社会の〝捨石〟になることが自分の使命だという誤った認識を心に抱いています。このため、あなたが自分を好きになったり尊重したりすると、社会の共同体よりも高いところに自分を置くことになると感じているのです。あなたが今生で学ばなくてはならないのは、あなたが自分を愛し尊重できなければ、社会の役に立つことはできないということです。人というものは内なる自信に裏打ちされてはじめて自分の能力を最大限に発揮できるからです。

社会や共同体に向けて真の愛を捧げるために、あなたが最初にしなくてはならないのは自分を愛することです。手始めに、自分の個性を育て、開花させ、大きくしてくれた身の回りの多様な要素に感謝を捧げてください。そして自分の存在価値、あなたにしかない個性や豊かな創造力をきちんと評価できるようになっていくにつれ、あなたは自分という花を咲かせることを通じて世の中を明るくしていけるようになります。創造し、愛し続けるあなたの姿に触発された人々はあなたに倣うでしょう。こうして人々に貢献するチャンネルを見つけると、あなたは多くの人にインスピレーションを与える稀有な教師となっていきます。

あなたが心の底から自分を愛することを許すようになったとき、他人の愛を受け入れられるように変化が起こります。あなたに与えられた教訓は、他人の愛を受け入れ、同時に自分を愛するということ。あなたは無意識に、愛情に満ちたやりとりをすると自由を束縛されると感じるため、愛情豊かな状況に背を向ける傾向があります。あなたはこの過ちを正し、いつでも愛情に満ちた心を持っていてもいいのだということを習得しなくてはなりません。あなたには愛される資格があり、愛されるために完璧な人格を築く必要もありません。あなたは自分に少しでも落ち度があると、気後れしてしまうことを恐れ、誰かと心の絆を結ぶ前に自分磨きをしなくてはならないと感じるのです。

この誤った考えは今生で矯正されなくてはなりません。私たちはみな他人からの愛と協力を受け入れ、協力し合うために生まれてきたのだということを、あなたは知る必要があります。この相互の協力態勢があれば私たちの人生はずっと生きやすく、もっと愛情に満ちて意識改革を進めやすくなっていきます。私たちは周りの人々に愛され、支えられていれば、心地よい環境の中で最良の成果をあげられるものなのです。あなたはこの愛され、支えられる環境の恩恵を自らに許すことを学び、現実離れした〝厳しい現実〟認識に囚(とら)われて孤独に暮らすことをやめなくてはなりません。

愛を受け入れるには三つの基本的な心のステップがあります。第一に、私たちはみな一つの大きな地球共同体に生きる、独立した個人であるという認識を持つこと。それぞれの個人が神の輝きのひとかけらを持っていて、自分のかけらを輝かせるためには周り全体の愛と協力が不可欠なのです。独立して生きている人はどこにもなく、私たちは全員、周りからの愛と支えを必要としています。

第二のステップは、愛を分かち合い、愛されることはいいことだという認識を持つこと。それは弱さではなく、人間として自然で健全な行為です。

第三のステップは、あなたが今生で学ぶべきもう一つのテーマに直結しています。それは子を産み、育てること、あるいは個人の創造力です。あなたが地球に滞在している間に、およそ価値のあるものを創造するとしたら、あなたの周りの人々の愛と支えを受け入れることは必要不可欠な条件です。あなたの魂が完全に均衡(きんこう)と調和を実現するまで、あなたに子供は授からず、本当に価値のある創造活動はできないでしょう。それが子供であろうと、絵画、書物、庭作りであろうと、無から有を生む創造力を正しく開発するには、第三のステップの意識に到達し、周りから愛情を受け入れることを学ぶ必要があるのです。

子宝に恵まれることと創造性に取り組む過程で、あなたは自分の創造エネルギーを活性化することを覚え、あなたの心の目で見た美しさを、新しい生命に託すことを学ぶのです。そしてあなたは創造エネルギーを芸術や文学に傾け、子供を育て導き、あるいは演劇人として多くの人々と愛と幸福、笑い、人間ドラマを分かち合う人となっていくでしょう。

獅子座は生命の誕生を司(つかさど)るため、その影響下にあるあなたは創造エネルギー、キリストの意識、神の意識につながっています。あなたは自分が奉仕する対象に同化して自らのアイデンティティーを失う可能性も持っていて、それはさながら俳優が演技を通じて一般大衆に奉仕する結果、自分個人の生活やプライバシーを失う現象に似ています。

前世で自分個人の人生を社会全体のために捧げてしまったあなたは、個人という概念を理解できないまま今生に生まれてきました。このため、あなたは今生で、大いなる集合体としての神の輝きが体現されるには、一人ひとりが持っている輝きのかけらの存在を認識し、それを輝かせなくてはならないという構造を学ぶ必要があります。あなたには、自分の意識が自分の肉体の中に収まり、自我を芽生えさせることへの恐怖がありています。あなたは無意識の中で、こう感じているのです。「制限だらけの肉体の中に入ってしまったら、自分のアイデンティティーを見失ってしまう」。あなたの潜在的な恐怖心が、自分の収まるべき領域に入ることを拒絶しているのです。けれども実際に自我領域を受け入れると、そこにあるのは抑制ではなく無限の自由です。

個人としてのアイデンティティーを受け入れる際の恐怖のもう一つの理由に、個人に期待されることの多さ、そしてそれらの期待に応えられないかもしれないという恐れが挙げられます。あなたは個人としての能力を全部使って期待に応えていく責任に足をとられるのではないかという恐れを抱いています。そしてそこにもう一つ、学ぶべき課題が隠されています。個人として努力した結果、未来に何ができるかについて悩むのではなく、今の自分にできることを全力でやり、あなたの自我が高揚感を感じ、幸福感を得られる方向を目指して進むことの大切さを習得することです。自分の生命エネルギーの源である魂に喜びを与えると、あなたはそれまでに感じたことがないほどの充足感と内なる喜びが身体にみなぎってくるのを感じ、そのエネルギーはあなたの周りの人々の生活の質も向上させるでしょう。

今生のあなたの人生には、愛と幸福が約束されています。あなたにはその価値があり、それを今生で手に入れる義務を帯びています。なぜなら、それがあなたの魂の成長に欠けている要素だからです。度重なる過去の人生で、あなたは社会に対して多大なる貢献をすることで、魂の負債を返済してきました。そして今、あなたの魂の成長過程で支払うべき負債は、集合体としてではなく個人として、一人の人間の愛を育(はぐく)むことです。あなたは個人という枠組みの中で、創造エネルギーを開花させたいと願います。なぜなら、神の領域の意識に到達するにはまず自分が創造し、生み出す必要があるからです。あなたの仕事は自らの心に湧き起こる喜びを共有し、創造することです。

その過程は、あなたが自分自身を愛するというレッスンに直結しています。獅子座の月蝕の創造エネルギーは非常に強いため、あなたの自我形成の確立が遅れると、あなたの創造エネルギーが無自覚に主張をはじめ、それはあなたより先に周りの人の注目を集めることになるでしょう。これが起きると、あなたの創造力を見出した他人があなたの人生を操作するという、あなたが何より恐れるシナリオを生きる羽目に陥るので注意してください。

●無意識のステージ（自覚する前のあなた）

無意識のステージにいるあなたは、人間関係が非常に不安定です。あなたの前世経験において人間関係は諸悪の根源でした。あなたは他人の思惑や愛情に巻き込まれると、その期待や責任を果たさなくてはならなくなることをひたすら恐れていたのです。他人と心を通わせ、気持ちを分かち合い、差し出された愛情を受け止める行為は、人間であることの証（あかし）だということを、前世のあなたはすっかり忘れていたのです。あなたは共同体意識が強く、個人の希望よりも集団の総意を常に心に留める必要があるといつも肝に銘じていました。共同体の一員としての認識は非常に明確にある反面、個人の存在価値や自分を愛すること、他人があなたを愛することを許すといった経験を避けるという前世からの傾向を、あなたは今でも持っているのです。

この傾向を払拭（ふっしょく）するには、他人からの愛情や支えはあなたのエネルギー源だということに気づく必要があります。好意を拒絶しているあなたはパワー半開の状態で、いずれパワーが出なくなり失速するでしょう。人が愛なしに生きられないことは科学的にも証明されています。他人と心を通わせ、愛情の交換をするのに一番簡単な方法は、抱擁セラピー、つまり誰かと抱き合うことです。

自尊心と自己愛に欠ける傾向のあるあなたが陥るもう一つの問題点は、自分の力を他人に委（ゆだ）ねてしまうことです。あなたは自分が持っている創造力の真価を知りません。あなたは関わりのある全員にとって有意義なものを作り出す創造力を持っていますが、その力を他人の手に引き渡してしまうと、せっかくの創造力が建設的に使われる道を閉ざすことになるのです。あなたは自分が創造したものが他人の手柄になっていくのをしばしば容認しますが、他人に委ねずに最後まであなたが関わっていれば、それはもっと有意義な方向に発展し、大成功していたかもしれません。あなたが自分の個性にもっと注目し、その能力を正しく評価していれば、せっかくの創造力を周りに無料開放することなく、その功績がもたらす報酬を自分のものにできるでしょう。そしてあなたは自らの豊かな才能を他人と分かち合う喜びを享受できるのです。

自尊心が低く、宇宙の真理について仰々しい深刻さを無意識に抱いているあなたは、身体をもらって地上に滞在している短い間、私たちはみな人生を謳歌(おうか)してもいいのだということを忘れています。あなたは無意識の中で、楽しみに興じることを自分に許してしまうと、魂の成長の周期が逆行するのではないかという恐怖感を持っています。けれどもあなたが今生で直面する経験はすべてが人の愛情を受け入れる経験、そしてあなたという人格を尊重し、傷を癒(いや)し、バランスの取れた心を自然な過程で作っていくという経験に結びついています。

もしあなたがこの流れに逆らって他人の愛情を拒絶する道を選ぶと、その行為はあなたの人生を中枢から破壊していきます。この破壊の過程では、一人で抱え切れないほどの悲しみが生み出されるでしょう。あなたが他人の愛情に背を向けた代償として、長い期間を絶望のふちで生きることになります。しかし絶望感は自分が引き起こしたのだということがわかってくれば、自力でそこから脱することができるでしょう。

愛なしに生きるという経験は今生のあなたには不要なだけでなく、不健全で、運命のシナリオにも書かれていません。あなたの運命は、あなた自身の中に眠っている大いなる愛情の美しさに気づき、その愛情があればこそあなたには生きる価値があるのだということに気づくことに向かっています。それに気づくと、自分で作り出した絶望のベールを脱ぎ、あふれんばかりの創造力を世の中に向かって発散できるようになるでしょう。人々とともにある喜びを感じながらあなたが何かを創造すると、あなたの中には多くの人に愛される要素があることに気づくでしょう。獅子座の月蝕エネルギーを持つ人は、個人の価値を見失った人道家。

今生であなたは個人的愛情をしっかりと自分の心で受け止める経験をしなくてはなりません。社会奉仕ばかりに熱中してきた過去生の記憶から、あなたは自我に目を向け、個性を育てることをすっかり忘れているのです。

運命の道の反面教師のルートをたどると、あなたは無感情で冷淡で、誰とも関わりを持ちたがらない人物になります。あるいは神経質で無感動、自己防衛的で狡猾(こうかつ)な性格を持つ場合もあるでしょう。あなたは孤独で心貧しく、自分の創造力を過小評価していますが、他人の創造したものを盗むことに良心の呵責(かしゃく)はありません。こんな逆説的な経験から脱却するまで、あなたの周りには空虚感が漂っています。運命の道をまっすぐに受け止める方法を見出すと、あなたは心の渇きを癒すように恵まれない人々に対する人道的愛情を注ぎ、それまでの孤独の苦しみを癒すように活動を始めるでしょう。あなたは献身的な人道家として、斬新(ざんしん)なやり方で多くの人々に貢献し、喜びと娯楽をもたらす人になるでしょう。

自分の中に眠っている愛情を無視し続けると、あなたは大変意地悪で反抗的、嫌味っぽくて強引で、強欲な人格になっていきます。このような性格が現れるのは、自分の真価を認められないため、他人があなたを心配して手を差し伸べてもその好意の価値に気づくことができないからです。あなたは不遜(ふそん)な態度で敵意をむき出しにして自分の欲求を満たそうとしますが、もしも心を開いて人々に接していれば、彼らは喜んであなたの欲求に応じてくれるでしょう。あなたがもし自分の創造力に蓋(ふた)をしなければ、非常に活発で楽しげな愛すべきキャラクターがすぐに顔を出し、多くの人を喜ばせるからです。

あなたの心に流れる大いなる創造力を引き出すチャンネルを見つけるにあたり、お勧めしたいのは、何かをする前に、それをすると自分の心がしっくりくるかどうか確認することです。自分の身体が持っている直感を信じる習慣をつけることです。何かをするとき、それをすると自分を含む関係者全員にとっていい結果が得られそうだ、と感じられたら迷わず実践してください。そういう直感が得られないときは、誰が何と言っても中止してください。意思決定をするあなたと、身体が感じる直感を発信する魂との信頼の絆を築くことはあなたにとって非常に大切です。あなたの直感は、あなたの自尊心と自信を高める方法を知っているからです。直感に従っているうちに、あなたは心の内なる子供の声に導かれ、至福の人生を歩み始めるでしょう。

●覚醒のステージ

覚醒のステージにあるあなたは、自分の創造力は他人の期待に合わせるのではなく、自分自身の中にある愛と喜びに導かれて使うものだということを理解しています。あなたは地上の人々と、愛情とあなた自身を分かち合うために地球に降りてきたのです。実際、あなたという人格を人々と分かち合うこと自体が一つの創造の形。なぜなら私たち人類が地上に生まれたのは宇宙の大いなる愛に満ちた創造の結果だからです。そしてその愛情を自分の中に見つけられないうちは、純粋な創造力が発揮されることはありません。宇宙から授けられた大いなる愛を、私たちを通して他人と分かち合い、再び一つの共同体意識に目覚めるためには、私たちの中に息づく愛を感じることから始めなくてはなりません。そのためには、意識的に愛を経験する必要があるのです。

創造力を開花させる旅路のはじめに、あなたは絵画や演劇、子育て、文筆などの表現の中にあなたの愛を織り込んでいき、日常のさりげないシーンで、創造力を発揮して人々を楽しませるでしょう。いつでも泉のように湧いてくる創造力と、心の奥で燃えている人類愛に根ざした共同体意識に気づいたその日から、あなたはワクワクするような出来事の連続を、一生涯にわたり経験するでしょう。

あなたはまるで子供が何かに熱中するような集中力で、人生を歩み始めるでしょう。生きることへの熱意が芽生えるにつれ、あなたは人生をジェットコースターに乗っているような体験に変えていくでしょう。あなたの創造力は人の創造し得る枠組みを飛び越えて飛翔(ひしょう)します。あなたにとって、創造することのない単調な人生ほど耐えがたいものはありません。

あふれるほどの愛情を受け止め、その責任を果たす過程で、障害物がまったくないわけではありません。月蝕エネルギーを自覚していてもいなくても、あなたはどの道、愛の受容を学ぶ運命にあります。自覚しているあなたは、何らかの障害物に遭遇したとき「この経験をする意味はどこにあるのだろう?」と自問するでしょう。こうしてその答えを求めながら、あなたは多様な人間関係に身をおくことになるでしょう。その過程では、瞑想(めいそう)やヨガなど、あなたを外から俯瞰(ふかん)する方法論をあれこれ探ることになるかもしれません。問題に直面したとき、あなたは自我の枠を飛び越えて、高い視点から自分自身を見下ろすというやり方に親しんでいます。こうして全体を見渡し、問題の所在を確認すると、あなたは簡単に自らを癒せるでしょう。

あなたは自我意識に目覚め、愛情を分かち合う回路を阻害する要素にも精通していきます。誰かがあなたに愛情を向けるとき、それはあなたには何らかの愛されるに足る美徳があることの証左です。そしてあなたが得意とする地球規模の共同体意識から見れば、あなたも、隣りの誰かもみな同じように価値ある存在といえるではありませんか？

こういう個人に光を当てる考え方はあなたの価値体系を損なうものかもしれませんが、度重なる過去生で築き上げた宇宙意識を通じて、あなたは大いなる共同体を構成する、素晴らしい輝きを放つ個人でもあるということを見失い、各自に小さな輝きを放つ個人もまた承認を求めているのだということを忘れているのです。あなたは自らの心が自然な流れに乗って動き出すために、他人の愛情を受け入れる必要があることを少しずつ理解していきます。その意志に基づき、あなたは外界の出来事の自然な成り行きに身を委ね、心の中では感受性を高めていきます。このように外界の出来事と呼応(シンクロ)するように心の中の活動を進めていくことにより、精神の化学変化が起こり大きなエネルギーが生まれ、それが多くの人々の癒しにつながるのです。

覚醒のステージにあるあなたは、あなたを愛する人々は心からあなたに愛情を注ぎ、彼らもまたあなたの愛情を受け入れる心を開いていると信じることを学んでいます。あなたの中にきらめく神の輝きを他人の目にさらすとき、周りの人々があなたを真に認め、愛しているかどうかがわかります。あなたの周りの人々を信じ、調和の取れた関係を築くために、もう彼らを支配する必要はないのだということを、あなたは学んでいくでしょう。あなたの人生が調和が取れていくに従い、あなたは自らの中に真の創造力が育っていくのを感じるでしょう。

●超意識のステージ

意識を超越したあなたは、自分の中にある神聖さを強化し、尊重し、高めることにより、宇宙意識の崇高さを尊重するという学びに入ります。万人の心に等しく住んでいる神の輝きの片鱗(へんりん)を祝福し、あなたは人々に子孫繁栄のエネルギーを説いていきます。子孫を作る創造力という神の所業が命あるすべての生き物に息づいていることを、あなたは霊的なレベルでよく理解しています。私たちが日々の生活を精一杯生き、愛し愛される喜びを味わい尽くし、自らの創造エネルギーを地球上を生きる仲間と分かち合うことにより、このエネルギーを授かった幸運を祝福し、それぞれの心に存在する神の片鱗を尊重するかどうかは私たち個人の裁量にかかっています。

あなたには途方もない創造力が宿っているだけでなく、人々の創造力の扉を開ける鍵を持っています。あなたは周りの人々が実現し得る最高の人生を生きることを心から願います。なぜなら、一人ひとりが能力を出し切って生きていれば、それが地球の共同体に貢献することになると、あなたは熟知しているからです。あなたは地球や社会という共同体のどの部分を担(にな)う個人なのかを常に自覚していて、あなたの命は愛情から生まれた命なのだということを知っています。愛情のエネルギーは、すべてに生命と精気を吹きかけます。子孫、概念、行動、すべてです。宇宙生命誕生の構造は宇宙の大いなる愛が源泉となっているため、宇宙に存在するすべてのものは、愛なしには存在し得ないのです。俗界の意識領域を超越したあなたは、純粋な宇宙の愛情エネルギーの体現者となるでしょう。

●身体に現れる兆候

あなたが自分を愛することを拒絶したり、他人の愛情を拒否したりして自らの運命を否定したとき、あなたの心臓の筋肉が弱ってくるという形で身体が反応します。心臓の筋肉は、あなたが他人を愛する能力、そして他人に愛される能力に結びついているからです。愛情エネルギーは、あなただけでなくすべての人間にとって、生存に直結している、最も重要なエネルギーです。愛のない暮らしをしていると、次第に生きる希望を失っていき、身体はあちこちで機能不全を起こし、故障して生命エネルギーを消耗するのです。

運命の道に逆らうと、脊柱（せきちゅう）が問題を起こすこともあるでしょう。心臓のチャクラから生き生きとした愛情エネルギーが遮断されると、心臓は他の臓器や身体全体とのつながりを遮断するのです。そして心臓は、脳から脊柱を通して送られる情報を受け取らなくなり、伝達のチャンネルもエネルギーも遮断し、弱っていくのです。

あなたに与えられた運命を受け止め、障害物を乗り越えることにより、心臓の状態は回復し、身体全体がバランスを取り戻していきます。そうする意思とエネルギーを得るためにも、まず愛情が必要なのです。あなたがその気になるだけで、健康の回復のみならず、どんな目標も実現できるだけの創造エネルギーを、あなたは潜在的に持っています。

乙女座

●日蝕

　あなたは現世をともに生きる人々に、ものごとを客観的に分析する方法を教える運命を持っています。この運命の影響下にあるあなたのもとには、情報を正しく整理して判断する能力を持たず、だまされやすい人々が引き寄せられてきます。あなたの周りには、現実を直視できず、自分の行動に責任を負えない人々があなたの教えを請いにやってくるのです。あなたはほとんどの場合において、状況を論理的に分析し、順序立てて問題解決の糸口を探る能力を持ち合わせているので、自分の進むべき方向を見つけられない彼らを導く灯台の役割を果たせるのです。

　日蝕エネルギーの贈り物を自覚している場合、あなたは生まれながらのカウンセラーとしての才能を発揮します。迷う彼らがどこに目を向ければ問題を解決していけるかがあなたは本能的にわかるのです。彼らが答えを見つけられないのは、往々にして、状況に感情的に反応するために明確な視野を持てないことに起因します。あなたは感情をさしはさむことなく論理的に状況を分析し、鋭い洞察で彼らの行く手に光をもたらすことができます。人々のちょっとした言葉の選び方やボディーランゲージなどを見ているだけで、あなたには彼らの人生を困難にしている弱点の在り処を示すことができます。あなたは人がどんなときに感情的になるかがわかるので、それに足を取られ溺れることなく上手に避けて、さっさと問題を解決するよう人々を導く才能に恵まれています。必要とあれば、あなたは彼らの思考回路の組み換えまでやってのけるでしょう。

　あなたは助けを必要とする人々に、地に足をつけた生き方を教え、即物的になりがちな彼らに精神世界の叡智を説いて意識の枠組みを拡げることもあるでしょう。彼らの毎日の生活を立て直すための道筋をつけ、地球全体がよりよい住処（すみか）となるように、彼らが果たすべき本分に気づかせてあげるのです。あなたは誰より勤勉に働き、仕事が抜かりなく進行するよう細部にも注意を払います。働き者の見本のようなあなたは、間違いを犯すことが滅多になく、常に客観的な視点を失うことがありません。あなたがそういう生き方を実践して見せることで、周りの人々は効率よくものごとに取り組み、成果をあげる方法を習得していくのです。あなたは彼らに、自分を哀れんでばかりいないように、幻想を追いかけないように、そして情緒過敏にならないように、と教えます。あなたの人生哲学はこんな感じでしょうか。「誰だって働かなくちゃならないんだよ。くよくよ言っても仕方ないさ。やるべきことはここにある。君たち一人ひとりが自分の義務を果たさないとみんなが迷惑するんだよ」

　あなたはいつでも鋭く人や状況の欠点を指摘するため、時々誤解を受けることがあります。あなたの心に浮かぶ洞察をやんわりと伝えないと、助けているつもりでも相手に感謝されるどころか、反感を買うことがあります。

　あなたが誕生する前、あなたの魂が宇宙と交わした契約は、ものごとが正しく進むように、誤りを見つけて正す仕事をすることです。この契約に基づいて、あなたはすべての活動、すべての人々がスムーズに目標達成に向かって効率よく進むことに大きな関心を寄せているため、ごく自然に「うまくいっていないところ」に目が行ってしまうのです。これはともすれば、あなたが人のあら捜しばかりをしているように見える場合があります。間違いを指摘された人は、その場では迷惑そうな顔をするかもしれませんが、あとになってあなたの真意がわかるとき、感謝の気持ちを持つでしょう。

　あなたが取り組んでいる仕事はすぐに評価が現れるものではないため、あなたは「嫌な顔をされてでもやる価値があるのか」と自問することがあるかもしれません。けれどもあなたが宇宙と交わした約束は、宇宙に秩序を取り戻すこと。あなたはやむにやまれぬ欲求に駆られて人の欠点や問題点を見つけては指摘することをやめられないでしょう。適性のある職業はカウンセラー。人々の心と向き合い、正しい方向に意識を向けるサポートができるでしょう。あるいは人々のよき友人として、ものごとへの効率よい取り組み方を伝えるかもしれません。あなたにはものごとの全体像が見えるため、各部分をどのようにすれば全体としてしっくり収まるかがわかるのです。どこにいても、あなたは細部を調整して全体の調和が取れるように骨を折らずにはいられません。実際、あなたの仕事の大半はこの調整作業に費やされますが、それが人々と分かち合うべきあなたの特殊技能なのです。あなたが毎日を生きる過程で接する人々に、その時々で必要な調整を行うよう意識を向けさせるのです。変化を促されると人々は不快感を示しますが、新しい態勢に慣れてくれば、早晩あなたがしたことに感謝を捧げるのです。人々はいつでもあなたが観察したものを伝えたことを最終的に感謝するのだということを忘れないでください。

ただし、あなたが欠点を指摘した相手に煙たがられ、〝誤解〟がなかなか解けないと感じたときは、あなたの側に何か問題がないかを分析する必要があります。もしかしたら分析過剰に陥っているか、伝え方に配慮を欠いているかを見直すときかもしれません。いかに身体のためになる良薬でも飲んでもらえなければ意味がありません。その点、糖衣錠なら飲み込みやすいもの。相手が受け入れやすい伝え方を常に心に留めておけば、あなたの鋭い洞察はもっと多くの人の役に立つでしょう。

伝え方以上に重要なのは、伝えるタイミングです。人の至らない点を批判するには、それにふさわしい時と場所というものがあります。人の欠点をいかに上手に指摘しても、伝えるときと場所を誤ると、その人をひどく傷つける結果を招きます。たとえば、これから大衆の面前で発表をしようという人に向かって「君、口が臭いよ」とやってはいけません。その場ですぐに修正できない問題点を、その状況で指摘しても相手をいたずらに追い詰めるだけです。何かを指摘するときは、その人が自分のやり方で問題に取り組むための時間と心の余裕を持てるかどうかの配慮が必要です。タイミングを考えずに批判を口にすると、その衝撃で人はバランスを失い、それまで順調にやってきたことすら遂行できなくなってしまう場合があるのです。言うべきタイミングとは、相手がしっかりと足を地につけて、その批判を受け止める余裕を持っているときに限られます。相手があなたの言葉に従ってすぐに行動を起こすとき、あなたの観察能力は最大限に生かされるのです。

人間関係以外では、組織やシステムの分析の仕事に優れた才能を発揮します。あなたは大きな会社組織の中で働くことが得意で、細部に緻密に配慮できる人材として大きなプロジェクトを推進する役割を担うと成功します。あなたはプロジェクトとスタッフを有機的に結びつけ、機能させるのが得意です。あなたには多様な仕事の異なる進め方が理解できるため、その枠組みにどんな仕事とどんな人を配置すれば最高のパフォーマンスができるかが見えるのです。あなたは人材分野でも組織の構築や分析を担当し、ディレクターやアナリストとして成功できるでしょう。

あなたにとって職業を持つことは非常に大事で、仕事がうまくいっていることが他の分野の調和に不可欠なのです。仕事の環境であなたの鋭い洞察や観察力が生かされていれば、家に帰ってまで口うるさくあれこれ指摘する必要はありません。家庭内に批判の目を持ち込まないことで、仕事場でのあなたの分析能力は最大限に生かされ、家庭内には不要なストレスを起こさずに済むのです。あなたの幸せのためには、家族など身近な人々に対してはあまり批判の目を向けないこと。よほど熟練したコミュニケーションの仕方をマスターしているのなら別ですが、家族に批判の矛先を向けると、家庭内であなたが孤立する危険性があるからです。ただし家庭環境でもあなたの批評家精神を生かしてほしい分野があります。それは食生活の分野で、家族全員が健康で幸福に暮らしていくためにはどんな栄養素をどのように摂ればいいかをあなたが担当するといいでしょう。また家族の精神面で、家族同士が常にコミュニケーションを取り、活発なやりとりをするよう促し、家族間で誤解や行き違いが発生すれば、その滞りを修復する才能にも恵まれています。この才能一つをとっても、あなたはどの家族、コミュニティー、企業組織でも貴重な人材として厚遇されるでしょう。

●月蝕

今生であなたは、他人の言うことや目についた情報を簡単に鵜呑みにしないしたたかさを学ぶ運命にあります。あなたは度重なる過去生で、宗教や精神世界の領域に深く踏み込んだ人生を送ってきました。今生は打って変わって人の世の中に溶け込んで、地に足をつけて生きていく経験をすることで魂のバランスをとろうとしています。あなたの魂が今のあなたの心に持ち込んだ高い精神性を失うことなく俗世間で生きるのは可能だということを、あなたは学ぶ必要があります。実際、精神界と物質界のバランスをとることが今生での学びの大きなテーマの一つなのです。肉体をもらって地上に滞在している間、私たちは肉体としての欲求を持っています。あなたが決断を下すとき、ほかの人々の欲求を考慮しないところにあなたのだまされやすさの原因があります。あなたはどの人にも神聖な心が宿っていることを知っていますが、肉体を持つ人々にはそれぞれの生活や経験があり、神聖さにもいろんなタイプが存在することに気づかなくてはなりません。あなたはものごとの全体像を見極める習慣を身につけ、人々にはそれぞれ異なる動機や欲求があることを学ばなくてはなりません。

あなたは生まれながらの霊能者で、直観力も鋭いのですが、あまりにも精神世界に偏った前世経験のため、現象から受け取る洞察を正しく解読できず、混乱が生じます。あなたの霊的感性を理解し、生かすための基準は、浮かんだ洞察の内容にあります。実行することが自分のためになるなら、その洞察は宇宙から届けられた本物のメッセージで、信用してもいいということです。逆にそれがあなたにとってマイナスになるものなら、無視してください。あなたはこうして洞察を選択しながら実行に移すことで、物質界に生きる知恵を身につけていくのです。

あなたは確かにだまされやすいのですが、どの人があなたをだまそうとするのかを探るのはあなたの仕事ではありません。今生のあなたにはそれを識別する能力はなく、ただわかるのはどんな人にも神聖さがあるということです。このため俗界で多様な人々と接する中で、あなたが人の言葉を聞いて真実か嘘かを判断するのはほとんど不可能です。方策としては、意識を発信源に向けるのではなく、あなたに届いた情報が「あなたにとって」価値があるか否かに注目するようにしてください。有用だと感じたらそれを生かして実行し、そうでなければ、その情報がいかに正確で、どれほど他人や世間一般にとって重要なことであれ、採用してはいけません。却下することで、あなたに本当に必要な情報が入ってくるスペースが生まれるからです。あなたは今生で、自らの心の知恵のみに導かれていた前世のパターンを脱却し、外界からの情報を上手に取り入れる訓練をしているのです。

あなたの日頃の生活に分析的な要素を取り入れ、考えることにより、あなたの生活はもっと安定し、明確な目的に向かって整然と進んでいけるように変化するでしょう。前世から持ち込まれたあなたの性格は非常に優柔不断で、事実確認もせず簡単に人を信用してしまうので他人に翻弄(ほんろう)され、利用されやすい特徴を持っています。今生のあなたはこの傾向を払拭(ふっしょく)するという闘いを自らに挑んでいるのです。すぐに信用する前に事実確認をするという習慣を身につけると、あなたを利用しようと群がる輩(やから)の餌食(えじき)になることはなくなります。あなたは自分の人生の舵取り(かじとり)を他人に委ね(ゆだね)たり、誰かに無批判についていったりしなくなり、自分の人生の責任を引き受けられるようになります。

あなたは複数の次元で物質界との調和に取り組んでいます。あなたが自分の行動パターンに論理性を取り入れられるようになったとき、あなたは大人の自覚を持ち、社会にひとかどの人物として存在し得るようになるでしょう。自分の身体を大切にするのも重要なレッスンで、この月蝕パターンの人は特に消化器系に弱さを持っています。このため、自分の身体に取り入れる食物を吟味するのは非常に大切で、これは多様な考えを自分の意識の一部として採用する際に心の〝スクリーニング〟を経る必要があるのとまったく同じ原理です。あなたには自分の身体を健全で衛生的に保つ責任があり、あなたの環境に持ち込むすべてのものについても同様の責任を負っています。

細部にも気を配る訓練をするうちに、あなたはものごとを理路整然と捉え(とらえ)、計画的に生きていけるようになっていきます。それは消化器官が、食物から取り込んだ多様な栄養素を必要とする各器官に送り込む手際に似ています。肉体、精神の両面で、あなたはこう自問してください。「これは何だろう？　どんな価値を持っているのだろう？　どこに使われるべきものだろう？」と。物質界での生活を秩序正しく送れるようになるにつれ、あなたは精神的にも明晰(めいせき)な秩序意識を備えるようになり、それぞれの価値の相対的位置付けを考え、論理的に考える土壌が築かれていくでしょう。

あなたは前世で築いた強い霊感を、今生で左脳の論理性と合体させるというテーマを持っています。前世でのあなたは精神世界の領域にどっぷりと浸かっていたため、いつでも白日夢を見ているような習慣が身についていて、今、目の前で起きている現実を的確に捉える能力が退化しています。この影響から、今生のあなたはいつも夢想にふけり、日常の現実のディテールを見落とすことが多いでしょう。この弱点を意識してあなたは自らを律し、周りの人々と社会に生きる責任を果たさなくてはなりません。あなたの専門分野である精神意識を物質界の人の営みと統合することができれば、あなたは宇宙の意思を伝えるメッセンジャーとなれるでしょう。地上でのあなたの仕事は、人々の夢やあこがれに向かう努力を実らせること。それは彼らの夢のビジョンを現実に当てはめる作業とは異なり、現実に夢のイメージを吹き込んでいく仕事です。この任務を果たすために、あなたは人間社会のもろもろのルールやしきたりを習得し、スムーズに泳ぎ渡れる技術を習得する必要があるのです。

●無意識のステージ（自覚する前のあなた）

あなたが魂の運命の流れに逆らうと、あなたの人生は自己憐憫や殉教者の苦難の道を歩むような感覚に囚われ、自分との対話の果てに現実逃避の手段としてアルコールやドラッグ、あるいは食物に依存する過食症などの依存症に悩むことになるでしょう。あなたは物質界に生きる苦痛に耐えられず、現実を直視する代わりに薬物などに逃避するようになるのです。極端なケースでは妄想の世界に浸り、自分の身体を顧みず健康を害し、地上でのレッスンを拒否して自ら死を選ぶこともあるかもしれません。肉体を持って物質界に生きることは確かに苦痛な面を伴いますが、そこから逃れるための方法があるとすれば、それはあなたの心にある幸福のイメージを地上に再現するために、日常の現実をコントロールすることにあります。

　他人に奉仕することは、あなたの愛情を他人に注ぎ、彼らの意識を浄化する過程に他ならず、それゆえあなたの精神性を高めます。彼らが目標を持って前向きに日々を生きる姿を見ることで、あなたは地球に生きるという自覚を芽生えさせることができるのです。覚えておいてください。あなたの今生は「奉仕すること」か「苦しむこと」、そのどちらかしかありません。

　魂の道を自覚できないうちは生活のバランスがとれ

ず、何かにつけて不満や批判が噴出する傾向があるでしょう。自分の批評家精神と他人に対する言葉や態度のマナーを磨かないと、あなたが他人の態度に幻滅しない日はないでしょう。他人の言動をいちいち自分に向けられたものとして受け止めず、さらりと受け流すことを覚えると、あなたの人間関係はずっと調和に満ちたものになっていきます。時として、あなたは厳しい批判や苦言が毎日のように飛び交う家庭に生まれてきます。そんな家庭環境を生き抜くために、あなたは繊細な心を封印し、家族に倣って批判を繰り返し子供時代を過ごします。この場合のあなたは非常に冷淡でがさつな人柄になり、いつでもどこでも不満と非難を口にします。あなたは自分が生きている現実と折り合っていくことに耐えられず、相手や状況に配慮することなく気づいた欠点や弱点を次々に指摘するでしょう。

自分のしていることを客観的に見られるようになると、少しずつ他人の心情に配慮し、自らの態度を矯正できるようになっていきます。他人の心情が視野に入ると同時に自分の気持ちにも意識が向くようになり、デリケートな感性をかくまっていた固い鎧が少しずつ瓦解していきます。自分や他人が持っている繊細な感性を尊重し、いたわることを覚えると、あなたは心に浮かんだことを他人と分かち合えるようになり、それがあなたの人格を強くし、現実の生活環境をずっとスムーズにしていきます。それこそがあなたの今生での学びのシナリオなのです。

この月蝕パターンが意識されない人の中には、「空っぽの筒」現象が起こることがあります。地上に生きていることを全否定してそこに存在しないかのごとく生き、周りで起きる一切の刺激に反応せず、精神界でも物質界でもない、どこでもない世界にふわふわと漂うのです。そこまで行かなくても、このグループの人は時々生きる目的を見失い、人間として地上に暮らす理由を見出せなくなることがあります。自分がどこにいるのかさえわからず、深い霧の中にいるような状況に陥ると、もう自分の精神性すら見失ってしまいます。あなたは安住の地を渇望しながら、どこに行けばいいのか皆目わからず、途方に暮れて佇むでしょう。

物質界で感じる不均衡感を克服し、地上に生きる目的と意義を見つけるというチャレンジは、時としてあまりにも前途遼遠なテーマのため、あなたはもうお手上げ状態ですべてをあきらめ、無関心を装い、空っぽの筒の中に逃げ込んでしまうのです。しかしあなたが地上に滞在している間は、地球こそがあなたの唯一の故郷です。あなたが地球を我が家として受け入れ、地に足をつけて積極的に人間の営みに参加できるようになるにつれ、精神界と物質界、両方に錨（いかり）を降ろし、魂の知恵の真価がはじめて見えるでしょう。

●覚醒のステージ

覚醒のステージにあるあなたは直感に導かれ、今生のあなたの学びにつながる経験に引き寄せられていきます。地上に生きる同志である周りの人々に対する責任も積極的に果たそうとするでしょう。あなたは家族や仕事場、社会のいろんな場面で自分の分析能力を当てはめる必要性を感じます。あなたは自分の能力を生かせる場面に引き寄せられるたびに、人々の役に立つため、ものごとを見極め、識別する能力を早急に高めたいという強い欲求に駆られます。

あなたは他人の欲求を直感的に察知し、それを満たしてあげたいと考えます。あなたは誠実で、奉仕の精神にあふれています。けれども時として、奉仕の仕方の指導を仰ぐ必要があります。人々がこうしてほしいという欲求を言葉にすると、あなたは喜んでこれを満たそうとします。あなたは自分が習得しようとしているのはものごとを論理的に整理する客観的視野だと認識していて、それを自分の人生を実験台に取り組もうとしている、向上心旺盛（おうせい）な人です。あなたは前世で愛情に満ちた精神性を極めてきたので、今生ではそれを今、目の前にある現世の現実の中で表現しようとしています。あなたは周りの人々をやさしく受け入れ、広く人類のために奉仕したいという姿勢を持っていて、いつもその方法を探っています。あなたが今生、地上に降りてきたのは、この奉仕活動のためなのです。

あなたは今生でとてもよく働きますが、自分の運命に覚醒し、その道で精進している限り、問題が起きることはほとんどありません。あなたは生産性の高い人間の一人として、前世から持ち込んだ高い精神性を俗界の文脈に統合していくのが人生最大のテーマだと自覚しています。あなたは宇宙と心地よく調和し、宇宙のすべての要素には、それらが反映される物質が地上に存在することを理解しています。

学びの道の途中では、カウンセリングを必要とする

♍ *Virgo*

場面に遭遇することがあるでしょう。これはあなたが人の心がどのようにして情報を吸収するのかについて理解するにあたり、専門家の指導を必要とするからです。あなたは自分の心が調整を必要としていることを自ら判断できるので、他人に指摘されることなくカウンセリングを求めることができます。この自発性はあなたの強さといえるでしょう。あなたはすべてのニーズを自分ひとりで満たす必要はないと知っていて、自分が理解できない分野を紐解くべく、しかるべき人材の協力を仰ぎます。自分の成長過程で他者の協力を求めるとき、あなたは感情に足を取られることなく、最短距離で望む目標に向かうことができます。一度専門的指導を受けると、同じ指導が再び必要になることはありません。カウンセリングを通じて習得するのは、あなたの理性的判断力をいかに多様な対象に生かすかというプロセスで、これをマスターしたあなたは多くの人に手を差し伸べられるようになるでしょう。

　あなたは幼少の頃から人の心に関心を持つでしょう。あまりに好奇心旺盛のため、大人からやんちゃで詮索好きだと指摘されたこともあるはずです。けれどもそれはあなたがたくさんの情報を収集するという、運命に裏書された必要性から起きていることで、まったく悪いことではありません。ものごとを正しい順序で、あるべき場所に収めるという情報処理の仕方を学んでいるあなたは、自然にたくさんの情報を集めようとするのです。これはあなたの人格形成にも深く関わっています。論理的な思考や行動パターンがマスターできると、あなたの人生の自由度が格段に増大するからです。あなたの注意力が向上し、自動的に情報の選別、吸収、仕分けなどができるようになったら、細部のすべてに注目するという疲れるプロセスは割愛してもいいでしょう。日々の経験の中から必要な情報をスムーズに吸い上げることができるようになると、あなたは今、目の前にある現実に１００％集中して生きることの、無上の喜びと生き生きした生命の臨場感を楽しめるようになっていきます。

　この月蝕パターンのもとに生まれた子供の場合、次々に湧き起こる興味を抑制してはなりません。この子供を育む大人たちは、自分の価値観を子供に押しつけず、自由に興味に従って行動する姿を見守る必要があるのです。あなた方の場合、早い時期に社会性を身につけられないと、外界とのコミュニケーションの回路が機能不全に陥り、敏感な感受性を封印し、無意識の中に埋没してしまうという危険性があるのです。一度この無意識モードに陥ると、魂の課題を表層意識に戻すのは容易ではありません。幼い頃の好奇心を抑圧され、無意識モードになっていると思われるあなたは、あなたが人の役に立っていると感じさせてくれる人々や、あなたに何らかの責任を任せてくれる人々との親交を深めることにより、表層意識のモードに戻すことができるでしょう。魂の課題を常に意識しているためには、いつも何らかの目標やゴールを具体的に掲げ、自分が歩んでいる路線に注意を払うことが有効です。

●超意識のステージ

このステージまで到達したあなたは、心、身体、そして魂の三つの次元での〝消化と吸収〟の過程について、人々を導くことができるでしょう。雑然としたもののごとをある秩序に従って整理する方法を説き、身の回りにあふれる食物のどれを摂取すれば身体の健康が保てるかについて教えるために、あなたは今を生きています。あなたはアメリカの著名な消費者運動家、ラルフ・ネーダー氏のような活動を地球規模で行い、食品添加物や有害物質の監視、飲料水の水質改善、大気汚染の防止などに心血を注ぐでしょう。あなたは私たちの魂が安心して成長と進化を続けるために、その〝乗り物〟である肉体の健全な維持を脅かすすべてのものを糾弾し、根絶させるために敢然と戦います。あなたは人々が地球環境や大気圏にかける負荷について責任を持ち、人々が身体や心に取り入れ、吸収するものを十分吟味するよう指導することで地球を解毒し、バランスと調和を取り戻すという大いなる課題に貢献します。心、身体、魂のレベルで、「何を摂取するべきか」、「何を摂取してはいけないか」を広く地球の人々に教えるために生きています。

この習慣を正しく身につけることが未来に起こる問題を予防することを、あなたは人々に教えます。食べすぎの習慣は、栄養の過剰蓄積から不本意な肥満を招きます。宇宙の〝身体〟の一つである地球でも同様の現象が起こります。本能的にどんな物質が人体や地球という身体に統合吸収され得るかを察知する洞察力を持っているあなたには、人が何を食べ、地球環境や大気に何を放出するべきか、してはいけないかを指導す

Virgo

る義務があるのです。吸収されないものはそのままそこに留まり、やがて問題を引き起こすからです。

魂の存在である私たちがその運命を果たすために、その舞台となる地球環境を安全で快適なところにしようと、あなたは働き蜂やアリのように身を粉にして働きます。肉体を盛んに働かせ、みんなが幸福に共存するために不可欠な愛で地上を満たす仕事を通じて、あなたは精神エネルギーを地球にもたらします。あなたは宇宙の精神エネルギーを目に見える形で地上に再現し、人々を助ける責任を帯びてこの地に生きています。私たち一人ひとりがお互いのために喜んで働き、ともに協力し合う意思があれば、真の精神性が宿るということを、あなたは私たちに教えます。ハチやアリが集団の生活構造を持っているのとまったく同じように、私たち人類も、みんながそろって生き延びるために一致協力して生きていくように作られているのです。地球上に身体をまとって滞在している間じゅう、私たちはみな地上の同胞の身元保証人なのです。同じ目的と責任を背負う同士、至福に満ちた未来を目指して手を取り合って協力し合うことの大切さを、あなたは身体を張って私たちに示してくれるでしょう。

●身体に現れる兆候

あなたが今生で学ぶべきことがらと、あなたの消化器官には深いつながりがあります。従って、あなたが運命づけられている学びがうまくいっていないとき、身体は消化器系の不調を起こし、あなたに揺さぶりをかけるでしょう。不調は消化器系全体に及びます。たとえばあなたが現実を論理的に受け止めようとしないと、大腸はもちろん、時には脾臓（ひぞう）がキリキリと痛み、あなたの活動を抑制します。あなたが精神的、感情的レベルで情報を取り込もうとするとき、その行為は消化器系が肉体の諸器官に栄養素を効率よく取り込もうとする活動をプログラミングしているのだということを忘れないでください。

あなたが否定的なパターンで物質を吸収する方法を伝えると、身体は消化器系を通じて反抗します。この場合の問題の多くは排泄（はいせつ）のトラブルとして現れます。食物が適正に消化されないと、その結果として便秘（問題に気づかず、処理しないとき）または下痢（問題を過剰分析して正しい結果を引き出せないとき）が起こります。

　あなたが取り入れるべき思考の形態を意識に統合するのを怠ると、腸の痙攣（けいれん）や重症の胃炎を起こします。腹部の膨満はあなたがある状況の調整と統合に着手するために、情報を分析しなおす必要があるとき、身体が送る合図です。虫垂炎の炎症もまた、あなたの人生で起きている出来事をもっとよく観察し、再評価するべきだという警戒音を身体が発しているのです。

　あなたの精神があるべき軌道を外れたときに起きる身体からのサインを無視し続けていると、消化器系だけでなくリンパ系にも異常をきたします。ここまでくると身体の免疫力が弱まり、感染症に負けて免疫システムの崩壊を招きます。月蝕パターンのエネルギーに直結した身体の各器官は、あなたに運命づけられた学びの道を積極的に極め、身体のサインを早期から見逃さずに対処できれば、最も調和の取れた頑強な器官ともなり得ることを忘れないでください。

Virgo

♎

天秤座

●日蝕

　あなたは現世をともに生きる人々の人生や生活にバランスと調和を築くというデリケートな仕事の仕方を教える能力を天から授かっています。人生のあらゆる分野で、特に人間関係の中で、均衡と調和が乱れているとき、あなたにはそれが直感的にわかります。あなたはその稀有な才能を人々と分かち合う約束をして生まれてきました。このため、あなたの周りには利己的な人や、過剰なほど自立している人、未熟で子供っぽい人が引き寄せられてくるでしょう。あなたがこれらの人々に人生におけるギブアンドテイクの法則を教えるとき、彼らは激しく抵抗します。1対1の人間関係において、与えることと受け取ることのバランスは非常にデリケートで、あなたの近くに寄ってくる人々はどちらか一方に大きく偏っています。あなたは性分として、ある人には多くを捧げ、もう一人からはもらう一方というような不均衡を容認できないため、結果的にこれらの人々の間を極力平等にせわしなく渡り歩くことになるでしょう。

　あなたには二つの明確なニーズがあります。自分の持っている時間やエネルギーのうち半分を人間関係のために使い、残りの半分は完全に自分の領域として確保したいというニーズです。他人が半分以上をあなたのために使いたいと言っても、あなたはちっともうれしくありません。なぜなら、それを受け入れると、今度は自分のためにとってある半分を相手に捧げなくてはならないと感じるからです。あなたが人々に教えるテーマとは、ゆるぎない自分をしっかりと維持しながら、良好な人間関係を続けることの極意です。

　これを教えるにあたり、あなたは自分のバランス感覚を健全に保つ必要があります。これに失敗すると、あなたはバランスを崩した悪い例を人々に見せることになるからです。自らのバランス感覚を維持し、宇宙との契約を積極的に遂行しようとする人々は、優秀な弁護士やカウンセラー、あらゆる分野のアドバイザーとなれるでしょう。あなたは対峙(たいじ)する両者を公平な目で判断し、双方の歩み寄れるポイントを探る天性の才覚を持ち合わせているのです。

あなたは公平さに対するこだわりが非常に強いため、あなたの側の奉仕が半分まで達すると、もうそれ以上びた一文だって出さないとばかりにテコでも動かなくなり、相手の目には非常に頑固で利己的に見えることがあります。あなたを取り巻く人間関係の中で、相手が応分のものを出さないとわかると、あなたは急速に関心を失っていきます。あなたは大事な人々には惜しみなく奉仕しますが、相手があなたと対等な立場を超えた奉仕を要求するや、あなたは関係を絶ってしまいます。あなたのそばにはいつでも誰かの存在がありますが、その人が公平なギブアンドテイクをしないと、公平な関係の築ける別の人を求めるのです。このとき、あなたは彼らに、公平な付き合いをしないと相手の気持ち、あるいは相手との関係そのものが失われるのだということを身をもって教えているのです。

不公平感に怒りを感じているあなたをなだめ、人々はあなたの行動の理由を訊(たず)ねるかもしれません。けれどもそこまで行ってしまったあなたはまるで戦争を始めた将軍のように決然とした態度になり、絶交を言い渡しながら相手がいかに不公平だったかをはっきりと知らしめようとします。場合によっては、あなたが相手にされたことをそのまま返し、「目には目を」の精神で思い知らせることもあるでしょう。

あなたにとっての理想は、愛するただ一人の人とすべてを公平に分かち合って生きることですが、それが叶(かな)わないからといって、不公平な関係に甘んじることはありません。あなたは人生のニーズによって人を使い分けることができます。たとえば経済的な理由だけのために愛のない結婚をして、経済面でのニーズを互いに分かち合い、フェアな関係を維持します。そして別の異性との婚外関係をもち、互いに愛情を分かち合って恋愛を楽しみます。愛と経済の両方を一人の人で満たすことがあなたの理想ではありますが、それが実現しなければ一夫一婦制度を外れることもやぶさかではないのです。あなたにとってそんなことよりもフェ

Libra

アプレイや公平さ、バランス、調和といった要素のほうがずっと大切で、そういう生き方を通じてあなたは人々にその大切さを示しているのです。

仕事の分野でも同様のことが見られます。ある仕事の契約をした結果、期待通りの利益が得られなかった場合、あなたは二度と同じ相手との契約をしないでしょう。

あなたは身近な人々が理解できる限界に合わせて、公平さの教訓を与えることができます。たとえば気前よく与えすぎる人々と付き合う際、あなたは相手が「それじゃあんまり不公平じゃないか?」と不満を言い出すまで受け取り続け、逆に受け取りすぎる人を相手にするときはあなたが不満の声を発します。どちらの役回りになっても、教訓は相手に伝わります。

調和やフェアプレイの概念を人々に教えるという天賦の仕事を拒否した場合、あなたは非常に利己的で鈍感な、また自己破壊的な人格になります。あなたは誰とも何も共有したくないという意思を発散するため、あなたに関わろうとする人はいなくなります。誠実な人柄の中でフェアプレイの精神を体現することを拒絶すると、あなたは傲慢でひとりよがりになり、公平さの概念を人々に教える方法も自己中心的な主張に留まるでしょう。

あなたは多様な次元で分かち合うことの価値を人々に教えるでしょう。すべてのニーズを自分ひとりで満たそうとせず、他の人と協力する意思を持つと、その可能性や能力は2倍に増大するということを、あなたは私たちに教えます。思考の過程でも、一人で考えるより誰かと相談し合うことにより豊かな発想が加わり、よりよい考えが生まれます。財産も単独で投資するより共同出資すれば、それだけ大規模な事業が実現します。あなたは本能的にこのような共有の無限のメリットを理解しているので、人々がそれぞれの持ち味を生かして、協力し合うように導くことができるのです。個人プレイよりチームプレイのほうが楽しく、さらに大きい目標が実現することを、あなたは人々に示します。仕事でも恋愛でも友情でも、誰と誰がチームを組むとうまくいくかが見通せるあなたは、結婚カウンセラーやビジネスコンサルタント、縁結びサービスなどで優れた才能を発揮します。

天秤座の日蝕エネルギーを受け入れる人々はコミュニケーションの活用を芸術の域に発展させるでしょう。

意思疎通の重要性や交渉の意義を熟知しているあなたは、自らコミュニケーションの手本を示すことで人々とノウハウを分かち合うでしょう。仕事上の付き合いでも恋愛でも、気さくな友人関係でも、あなたは多様な人々が集まり、語り合うことで問題を解決していく方法を示し、人々にコミュニケーションのメリットを十二分に伝えます。一人が抱える悩みや問題を他の人に見せると、感情のあやに囚われず、客観的に捉えなおすことができるため、現状で最も知性的な解決方法を生み出せるのです。教師としてのあなたは、他人の言動を鏡となって映し出すことで、彼ら自身を振り返るきっかけを演出します。

あなたは人々に共存共栄のモデルを示し、異なる個性が協力することの意義や、同時に自立した自我を維持していくことの大切さを示します。そして独立した個人として学び、成長を続ける道の途上で、いつでも他人と支え合って生きていけるということを人々に教えるのです。このバランスを崩し、自分の自立した道を追求することをおろそかにしてパートナーに過度に頼る習慣に陥ると、その人の個人としての資質が磨かれず、パートナーを支えることができなくなります。そこに相互にプラスになる協力態勢は生まれず、関係は次第に崩壊していくでしょう。あなたはこの支え合うことの極意を前世から持ち込んでいて、今生で多くの人々に気づかせる使命を持っています。あなたが人間関係を上手にこなす方法を伝授しつつ、自分だけのスペースを必ず確保しようとするのはこのためです。自分個人としての成長をしていないと、他人と分かち合う宝物がなくなってしまうことを、あなたは無意識に知っているのです。あなたが人々に授ける知恵は、一言で言えば、自分や自分の歩むべき道を決して見失うことなく他人と協調するということなのです。

●月蝕

あなたは人生のすべての面において、公平であることの意味について学ぶ運命を持っています。あなたは自分の心にあることを他人と分かち合い、自分の思考過程に他人のインプットを取り込むことの意義を、折に触れて学ぶでしょう。これを習得すると、他人の洞察や意見を取り入れて、より正確な判断や決断が下せるようになっていきます。

♎ *Libra*

人間関係であなたが学ぶのは、ギブアンドテイクのバランス――あなたが差し出せる以上の価値のあるものを相手から引き出そうとしてはいけないこと、そして相手から受け取るよりも多くを差し出してはいけないということ――です。その過程では、あなたが相手に対して差し出せる以上の価値のあるものを相手から受け取ろうとすることは〝情緒的窃盗〟行為で、慎むべきだということを学びます。あなたが誰かの愛情をほしがるばかりで相手を愛するという〝お返し〟をしないとき、あなたの人生は〝情緒〟を失った空虚な〝身体〟で生きていくような人生になっていきます。

逆に、愛情を受け取ることを恐れてあなたからの好意を拒絶する人々に対して手を差し伸べ続けると、あなたはやはり〝情緒〟を失い、〝身体〟だけの空しい人生が残されるでしょう。不公平な関係にあっても、あなたはその相手を失うと、そこにぽっかりと空いた穴を埋めてくれる人はもう現れないのではないかという不安から、一度愛着を感じた人をなかなか手放しません。けれども愛情や好意を返さない相手に尽くし続けると、しまいにあなたは精根尽き果てて、誰も愛せなくなってしまいます。あなたはそうやって利己的な人に一方的に尽くす経験か、またはあなたが利己的になり、相手をとことん利用して非難される経験のどちらかにより、公平な人間関係を維持することの重要さを身をもって体得するのです。

仕事を通じてバランスや調和を学ぶというケースもあります。複数のスタッフがともに一つの目標を目指して働くとき、力を合わせるという機会が訪れるのです。仕事をするとき、あなたは個人プレイを基本形としている場合が多く、誰かと一緒にやると手柄も共有しなくてはならず、集団の中に埋もれてしまうという恐れを抱いています。けれども心を開いて人々と知恵を出し合っていくことを覚えると、一人でやるよりずっと大きな成果が生まれることがわかるでしょう。

ただしこの学びの過程では逆にバランスを崩し、仕事では手柄をすべて相手に渡してしまったり、また結婚生活ではすべてパートナーのおかげと考えるといった極端なケースに陥ることがあります。試行錯誤しながらあなたは適正に自分の権利を主張するバランス感覚を身につけていかなくてはなりません。仕事でもプライベートでも、あなたは自分の時間とエネルギーのすべてを人間関係につぎ込んで、自分のニーズを満たすために必要な余力を残さない傾向があります。あなたが公平さの教訓を取り入れることを拒否すると、あなたにとって不公平な出来事が降りかかります。宇宙はあなたが不公平な言動をしているか、あるいはあなたが誰かの不公平な言動の犠牲になるか、どちらでも関知しません。月蝕エネルギーに関して言えば、宇宙があなたの運命に与える意思はあなたの持ち物や利益を守ることではなく、あなたが分かち合うことの大切さを学ぶという一点にあります。

　あなたは幾多の過去生において、非常に自立した人生を繰り返し送ってきたために、その習慣を今生に持ち込み、他人と協調することを困難にしています。誰かと、あるいはグループで一緒にやりたい気持ちは山々でも、すべて一人でやることに慣れすぎているあなたは他人を頼る方法を知りません。てきぱきと一人で何でもできるあなたが、相手の協力を仰ぐためにわざわざ歩みを遅くするのは不合理な気がするかもしれませんが、他人があなたに協力する機会を提供すれば、相手にとってはそれがあなたと関わる理由となり、その結果あなたはその人とのつながりを得られるのです。あなたがすべてを自給自足態勢で生活していると、周りにいる人々はあなたと関わる理由を見つけることができません。ペースを落として生活をすることはあなたにとって非常に大事なことだと覚えておいてください。でないとあなたは他人と関わる機会を作れず、その結果あなたが今生で学ぶと決めた大事なレッスンを経験する機会も奪われ、孤独な人生を歩むことになるからです。あなたが今生で学ぶべき最大の課題は「他人と関わり、人間関係に調和をもたらすこと」です。自分の心の中に調和を見出し、他人と関わることの意義に気づくことがしっかりできたとき、自我の外に出てパートナー候補を探してください。

　未開地の開拓者のようなあなたの生き方は前世の習慣そのものです。目指すものに向かって突き進み、多様な地域の人々の領域に踏み込んでいき、他人の迷惑には無頓着。あなたの行動の原理は粗野で荒削りな本能なので、それも無理はありません。今生でまず習得すべきなのは社会でのマナーや言葉遣い、デリカシー、他人への配慮というべきでしょう。あなたが人間関係を軽視した人生を送ると、晩年になってから以下のどちらかのことが降りかかるでしょう。孤独な老人となり、人生が不完全燃焼だったという忸怩たる思いに駆られる。あるいは、一人で生活できなくなり、他人に大きく依存せざるを得ない状況に陥ることで、他人の世話になることの意義を学ぶ生涯最後のチャンスを経験する。

あなたの人生のどの分野でも、意欲を向ける対象に注ぐエネルギーの配分を考えることが要求されます。ある一つの目標に熱中しすぎて、それ以前の目標をすっかり忘れてしまうとか、目先の目標に執着しすぎて、それなしで生きていけなくなるということがあってはいけません。ここでもキーワードはバランスと公平さです。あなたが責任の概念を受け入れ、それに基づく適正な要求ができるようになるまで、それが口約束であれ、正式契約であれ、あなたがコミットする対象にはトラブルの危険が潜んでいます。あなたが果たすべき役割をきちんと果たし、同時に相手が果たすべき役割を果たすよう要求することを肝に銘じてください。集団で何かに取り組むとき、全員がそれぞれの役割を遂行する必要性が理解できれば、あなたは集団に縛られることがなくなり、関わることからプラスの成果を引き出せる人になるでしょう。

●無意識のステージ（自覚する前のあなた）

魂の決めた今生のテーマに目覚める前のあなたは、ありとあらゆる人間関係のトラブルに見舞われるでしょう。あなたは一つの人間関係がうまくいかなくなるとすぐに次の人間関係を探し求めるという行為を繰り返し、うまくいかない理由にまったく気づきません。無意識のステージの一つの表れとして、あなたは恐らく非常に利己的で、無意識に相手に対して不公平な態度を取っています。自分のことにしか関心が向かず、自分のほしいものを理不尽に相手や人間関係からもぎ取るばかりで、相手の心情や一方的に損害を負わせていることにも一向に関知しません。こういう無神経なことが仕事上の人間関係で起きると、あなたの仕事に悪影響を及ぼします。こうしてあなたのこの傾向は自らの財政面だけでなく、すべての分野に多大なトラブルを引き起こすでしょう。あなたは一つの職場に長く留まることができず、いろんな仕事についていては離れ、「どうしてみんな私に対して不公平なことをするんだろう？　どうしてみんなは私のあら捜しばかりするんだろう？　どうして誰も私の利益に無関心なんだろう？　どうしてみんな私に要求ばかりしていじめようとするんだろう？」と頭を抱えてしまいます。

無意識のステージにいるあなたは数分間でも立ち止まって、自分の周りを見渡してみましょう。後ろを振り返って、たった今あなたが早足で目の前を横切った知り合いの表情を見てください。あなたは今「失礼します」とか、「こんにちは」とか、「お久しぶり」とか、ちょっとした挨拶を口にしましたか？　あなたは対人マナーについて見直す必要があります。なかでも一番大事なのは歩みを遅くして、周りの人々と言葉を交わす余裕を自らに与えることです。

無意識のステージのもう一つのパターンは、これとまったく逆のアプローチをとります。あなたはまるで殉教者のように相手に与えるばかりで、何一つ見返りを期待せず、しかもそれに気づいてさえいません。あなたが何かを差し出した相手にも同じことをお返しする機会を与えないという行為は、相手があなたにとっても大切な存在であると感じられる機会を拒否していることに他ならず、それも一つの利己主義だということにあなたは気づきません。これも、先ほどの自分勝手にほしいものを他人から奪い取るだけの人生と同じくらい理不尽なものです。あなたは付き合う相手を無意識にコントロールして、相手に必要だとあなたが考えるものをすべて準備してあげて、一言「あなたに必要なのはこれですか？」と本人に確かめることをしません。あなたは自分を犠牲にして相手のために尽くしているのだから、これ以上素晴らしいパートナーはいないと考えるかもしれませんが、実際のところあなたがしているのは相手の承諾も得ずに、関係を支配していることに他なりません。相手をリードしていないように見えても結果は同じ。あなたは前からではなく相手の後ろから強引に背中を押しているのです。

これら両極端のケースに陥っている場合、あなたが学ぶべきなのは、人間関係の形を決めるときに相手にもっと配慮することです。先を急ぎすぎる傾向があるあなたは立ち止まり、周りを見渡し、関わりのある人々の声に耳を傾けてください。相手の自然な姿や発言に注意を払うだけで、相手を引っ張る独裁者にも、相手にすべてを捧げる殉教者にもならない中道の付き合い方が見えてくるでしょう。

あなたにお勧めしたいテクニックとしては、1対1

のパートナーシップを始める前に紙とペンを用意して、あなたが相手にどんなことをしてあげられるか、そして相手からどんなことをしてほしいかを全部リストアップしてみることです。こうして言葉にして列記することで、その人間関係の構造が理解できるでしょう。人間関係に向かう前に、相手に守ってほしいルールを考えてください。たとえば「私の性格は○○だから、あなたには××してほしい、あなたが△△することを私は容認できない」など。このようにうまく折り合っていく方法を明文化することで、あなたは相手との関係に注意を払い、同時に自分の領域を守ることができるでしょう。

●覚醒のステージ

覚醒しているあなたは、人間関係でバランスを取ることが苦手だという自分の問題を理解しているため、これを克服するために頻繁に相手があなたについてどう思っているか質問をして注意深く付き合いを進めます。今生であなたは自分の人格のどの部分の成長を目指しているかをよく理解しています。あなたの前世の生活はせわしなく、いつでも先を急いでいましたが、今生のテーマは人々とともに過ごすことの意義を学ぶこと。人生とは長い旅のようなもので、この旅を快適に進めるためには、同行者がぜひとも必要です。でないと、あなたの旅路はどこまで行っても安住の地が見つかることのない孤独なものになるでしょう。

覚醒のステージにあるあなたは、楽しい人生を送るためには傍らに伴侶が必要だと感じます。けれども、あなたはこれまでパートナーと理想的な関係を築いた経験がないことも自覚しています。他人に心を開くにあたり、はじめのうちはちょっと開いては閉じ、一人の世界にこもって自分の経験を振り返り、また他人のもとに帰っていく、という試行錯誤を繰り返すステージがあるでしょう。この時期のあなたは相手からくる刺激にどう反応するかを模索しているので、時々一人になる時間を持つことには大きな意味があります。この不安定な時期に、人と関わることを負担に感じないように努めることはあなたにとって非常に大事です。あなたの場合、自分ひとりで気楽に生きていく自給自足の人生への誘惑があまりにも強いことを自覚しておいてください。魂の目的を満たすために、あなたの心にある「他人と心を通わせる喜び」を常に意識するようにしてください。

あなたが前世で親しんだ独立独歩の人生に戻ろうとする誘惑が作用して、ぎこちない人間関係を進めようとするあなたの未熟さを理由にして、理性が他人を排除することを正当化しようとすることがあります。これを防ぐには、対人関係の出来事を解釈するのではなくありのままを正直に受け止める姿勢が不可欠です。あなたは相手との対等な関係構築の勉強をしているので、相手と同じ程度に歩み寄り、相手のニーズに自分を柔軟に合わせる訓練を積む必要があるのです。これが自分の魂が決めたテーマだと重々知っていても、他人に自分を合わせる作業は簡単には進みません。しかし心の奥にしっかりと学ぶ意思を持ってさえいれば、いつかあなたはその目標を達成できるでしょう。

他人との距離感を測りつつ接近していくうちに、うまくいかせる鍵はコミュニケーションにあるということに気づきます。疑問に感じたら質問し、答えを聞く。その答えの中には、相手の目に映ったあなたの姿がくっきりと浮かびます。あなたは今生に、自分のことをよく知らずに生まれています。あなたの姿を映し出してくれる他人との交流ができないと、あなたは今生で自分を深く理解する機会に恵まれないでしょう。より深いレベルで言えば、あなたは本当の自分と出会うために、他人と心を通じ合わせ、折り合っていくという困難な試練を自ら選んだのです。

仕事を通じて、同僚やビジネスパートナーとの間で共通の目標に向かいながらよい人間関係を築くというテーマもあるでしょう。共同であるプロジェクトを進めるうちに、他人が試行錯誤して学んだ知識や経験を分かち合うことで、あなたが他人の知恵を自分のものにできることは、プロジェクトの成功に加えて喜ぶべきことです。このように他人と関わることが、あなたの仕事、恋愛や配偶者との暮らし、社会生活にごく自然に組み込まれていくと、あなたは人付き合いの達人になり、身近な人々に注意を向けることの深い意義と喜びを周りじゅうに教える、熱心な伝道師となるでしょう。

●超意識のステージ

自我の意識を超越したあなたは、周りの人々のニーズや対人関係の微妙なバランスをよく理解しています。あなたにとって人間関係はすでに個人対個人のやりとりではなく、それぞれの人間同士の輪の中で、互いに表現し合いながらより純度の高い調和を引き出すための場となっています。

集合意識のレベルで、あなたは一つの集団と別の集団との相互理解を深めるためのコミュニケーションを引き出すよう、人々を導きます。あなたは直感と洞察力で人々を観察し、尊重し、それぞれの個性を育むことを教え、地球に滞在している間は互いに協調して生きていく必要があることを人々に示します。地上の人々がそれぞれの目的を果たし、願いを叶えられるよう支え合うためには相手のニーズを尊重し、明確にしていく努力が必要だということを、あなたは熟知しています。あなたは私たち全員が魂を通じて宇宙と一つに結ばれていることを理解していて、この自分の本質である魂の意向にいつでも忠実に現世を生き、より高い覚醒に向かって地上を旅していく意思を持っています。

あなたのバランス感覚は宇宙に達し、地上に生きる人々に物質界と精神界との相互の関係への理解を深めるよう促し、同時に銀河系宇宙の法則の中で地球が果たす役割にも意識の拡張を図ります。地上の人々の意識の中に、すべてのものが相対的に他の存在に対して持っている意義についての理解を浸透させることができたら、あなたは真に徳の深いスピリチュアルリーダーとなるでしょう。

身体に現れる兆候

あなたが肉体の発する微妙な反応や変化に気づく繊細さを身につけることができたら、それはあなたが分かち合うことやコミュニケーションの真髄を理解し始めた証拠です。肉体はたくさんの組織が複雑に絡み合ったコミュニケーション・システムから成り、そこが発するサインを読み取ることでどこかでバランスが崩れていることを察知できるからです。

身体がバランスを崩すと腎臓や副腎を通じて不調が現れ、女性は卵巣、男性は前立腺にも症状が出ます。外界でバランスが乱れ始めると、物質界のコミュニケーションの道具としてこれらの臓器に異常や不具合を起こして、身体の持ち主に注意を促します。私たちが日常の中で、プラスやマイナスの影響を与える人間関係をそれぞれ判断し、処理しながら進めていくように、腎臓や副腎は身体の内面で同様の〝仕分け〟活動をしています。腎臓は欺瞞（ぎまん）（自己欺瞞、そして接する人々の嘘や詐欺行為など）という不純物をろ過します。身体は決して嘘をつかないので、自分の身体の発する声に耳を傾けるだけで貴重なメッセージをたくさん読み取ることができるでしょう。あなたが嘘をつくとき、それは嘘をつかれた相手に大きな損害と不公平を与えるだけでなく、あなた自身の身体もそれに反応して不調を起こし、あなたが嘘をつかないように教えようとするのです。あなたがこの教訓を聞き入れず、外界で欺瞞的な行為を繰り返していると、あなたの内面の宇宙である身体が反乱を起こすでしょう。

天秤座の蝕の影響下にある人々は、自分の心に正直であることが健康と幸福の基本だと心得てください。あなたの内的調和であれ、対人関係であれ、あなたのエネルギーのバランスが崩れているとき、そしてあなたが自分や周りの人を正直に見極め、それに忠実に行動しないとき、あなたは自らの身体の繊細な調和をかき乱しているのです。その結果、あなたは身体を壊し、外界に弱々しく翻弄（ほんろう）され、しっかりと歩むことがおぼつかなくなり、至るところでバランスを崩し、事態が急速に悪化していくでしょう。これはあなたの内的宇宙である肉体が、あなたが外界ですることのすべてを映す合わせ鏡の役割をしているからであり、あなたが外界で完璧（かんぺき）な調和のエネルギーの中に自らを置いていれば、体内のデリケートな組織も美しく均衡を保つのです。

Libra

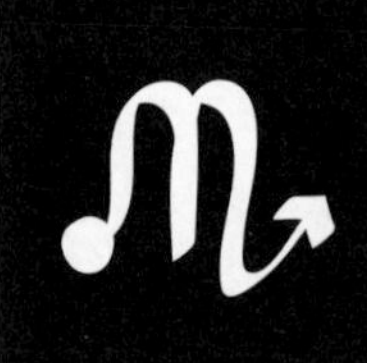

蠍座

●日蝕

あなたは現世をともに生きる人々に、責任の大切さを教える運命を持っています。私たちは自分以外の人に対する責任と同時に、自らの運命を切り拓き、他人の運命や願望を尊重しながら自らの願望を地球上に実現していく責任を持っています。あなたは周りの人々に、自分に関わる全部のことを自分で管理すること、自分の行動に責任を負うこと、そして自分の蒔いた種はいつか必ず自分で刈り取らなくてはならないということを教えます。人の身体、心、魂のどの次元からでも、発信されたエネルギーは遅かれ早かれ必ず発信源に返ってくるという概念は非常に重要で、蠍座の日蝕エネルギーはこのブーメランのようなエネルギー帰還現象（カルマ）を司ります。あなたは、私たち全員が自分の行動、願望、そして創造物など、自らが明らかにしたすべてのものに対する責任を背負わなくてはならないことを教えます。あなたには人の本質的な部分が透けて見える特殊な才能が授けられているため、目の前の人のどこが〝壊れて〟いて修復が必要なのかをすぐに悟ります。その才能ゆえに、あなたは人々に道徳的、経済的、精神的責任について説くことができるのです。蠍座のエネルギーは、人の弱いところを察知するため、そのエネルギーを帯びて生まれたあなたの周りには機能不全に陥り、〝修復〟を必要とする人々が引き寄せられてきます。あなたが心得ておくべきなのは、あなたの仕事は彼らのどこが不健全で、治療する必要があるのかを診断し、患部に光を当てるということであり、不用意に彼らに苦痛を与える権利を持っているわけではありません。あなたの日蝕パターンは外科医の役割と言えますが、生身の身体をメスで切り裂く行為自体にも大きなカルマが伴います。切り裂いて患部を露出した者の責任として、自らの全力を尽くして〝患者〟の変革と再生に努めない場合、あなたにもマイナスのカルマが降りかかるのです。

　あなたが日蝕に刻印された運命を否定的に行使しているとき、あなたは他人の持ち物を無遠慮に扱い、それが相手に与える悪影響に配慮しません。あなたは他人を自分の意のままにコントロールしようと策を弄し、自分の自由意思を偽ってまで人々や状況を途方もない方向に持っていこうとします。他人からあなたが期待するような言動を引き出したいという動機に基づいて、自分の態度や行動を変えていると、あなたは出口のない悪循環に足をすくわれることになるでしょう。あなたには人々の心の奥にある本質が見えるという特権が備わっているため、それを自分のエゴのために悪用すれば、穴に落ちるのは相手だけではないということです。自分の作為が及ぼす悪影響は相手にも自分にも降りかかることに気づくまで、あなたは他人や状況を自分の思惑に従って操ろうとするでしょう。具体的には、他人を操作するたびに、あなたの経験の範囲が著しく狭められていきます。

　あなたの周りの人々があなたと同じ願望を持っているか否かにかかわらず、あなたは自分の願望に忠実でなくてはなりません。人にはそれぞれ異なる願望があり、それを追求する自由を持っています。あなたは人々の願望を捻じ曲げて違うものを目指すように仕向けたいという欲求を克服する必要があります。あなたが最も強いパワーを発揮するのは、自分自身に対する純粋さや高潔さを根底に持っているときなのです。

　自分に正直でいれば、あなたは宇宙の摂理や精神世界の叡智、生と死の無限の周期、そして人々の動機の背後にある行動パターンなど、あなたの深い知識や洞察を人々と共有する道が開けていきます。そうやってあなたは他人の自由意思に抵触する誘惑に屈することなく、人々の意識を高め、より明晰な世界観を作り上げていけるのです。高潔な姿勢を維持している限り、あなたは人々のどの分野に癒しが必要なのかを指摘し、彼らが自分の夢の実現に向けて具体的に行動を始められるよう支援する力を持っています。自分が何を目指しているのかという動機が明確になると、人々は自分の行動に責任を持つようになり、より重厚な人格が身についていきます。

　あなたは身の回りに、豊かさの概念を理解できない人々を引き寄せる傾向があります。自らの無知が原因で経済的泥沼に陥ったこれらの人々に、あなたは人生を建て直す道を説くのです。あなたには、彼らがどこで価値判断を誤ったかが手に取るようにわかり、彼らの生き方や道徳的信条に合致した方法で生活を再建するにはどんなサポートが必要かがわかります。あなたは現在の行動がどんな未来につながるかが見えるため、普通の人なら怖くて踏み込めないような領域に、人々を先導して入ることができるのです。あなたは人が進路を誤っているとき、それが見える稀有（けう）な才能を授けられていると同時に、彼らの過ちを指摘し、元の道に戻る方法を示唆する勇気と誠実さを備えています。あなたが人々に教えるのは、要領よく立ち回り、障害物を見て見ぬ振りをすることより、人の行く手に障害物を見つけたらそれを知らせ、取り除く手伝いをすることのほうが大事だということです。

　人生の道を踏み外し、戸惑っている人々を救う才能ゆえに、あなたのそばにはありとあらゆる種類の〝迷える子羊〟たちが集まってくる傾向があります。迷っている人々を操作するのはたやすいだけに、あなたが自分の天命を悪用し、彼らの弱さにつけこんで自分のエゴの道具にすれば、そのカルマは非常に重篤（じゅうとく）なものになります。あなたは人々に力の正しい使い方を示す立場にあり、自らも厳しく律する必要があります。でないとあとになって手痛い運命の報復を受けることになるからです。

　今生のあなたには、泉のように豊かなヒーリングのエネルギーが授けられています。このエネルギーを使って、あなたは人々の道徳、経済、精神といった価値観の領域を癒します。その過程で、あなたは彼らの創造力を引き出し、そのまま成功への道を歩み始めるよう支援するのです。職業としては、あなた方の多くは財産管理、カウンセリング、リハビリテーションなどの分野で頭角を現しますが、物質、精神、財政のどの領域でも力を発揮できるでしょう。具体的には金融コンサルタントや税務徴収関連の仕事、臨床心理士などの精神医学系カウンセラーや医療関係の仕事、そして探偵や研究機関などが向いています。

　あなたのそばには、社会通念と相容（あいい）れない価値観の持ち主が集まってきます。この人たちは社会の一員として自分の力を遺憾なく発揮するために、価値観の調整と癒しを求めてあなたのもとにやってくるのです。

彼らは社会にとってマイナスになるエネルギーを持ちながら、魂のレベルでは社会に悪影響を及ぼすことを望んでいません。このため自分の中の調和を図るためにあなたの協力を求めています。宇宙は、その懐(ふところ)に生きるすべての生き物を癒す意図を内包しています。その目的を達成するために、宇宙はあなたに特別なエネルギーを授けました。このエネルギーを使って、あなたは自分の価値観がわからなくなったり混乱したりしている人々と向き合い、彼らがほかの人々や社会全体に与える影響に気づくよう導く義務を負っているのです。

あなたが人々に教えているのは、自分の価値観が宇宙の摂理や広く人間社会全般と整合性のあるものになるまでは、どんな行動も自分にとって役立つどころか、むしろマイナスの結果を生み、がっかりさせられることになるという宇宙の真実です。あなたは彼らが本来持って生まれた力を育て、確立するためには、他人との関わり方をどのように修正する必要があるかをさし示すことができるでしょう。

あなたは、人間がなぜ本能的に他者の肉体を求めるかがわかるため、人々にセックスのエネルギーを正しく使う方法を教える役割を持っています。肉体を身にまとい、地上に生きている限り男女どちらか一方の性別を持つ私たちですが、あなたは無意識のレベルで、私たちが肉体を離れると、男女両方のエネルギーをバランスよく持っている両性具有の存在になることを知っています。地球に誕生し、肉体をもらった瞬間から私たちはどちらかの性に属します。男性として生まれた人の場合、女性エネルギーは心の奥深く潜行しますが、その自己主張は異性に投影するという形で現れます。意識が進化していくと、眠っていた女性エネルギーが徐々に表面化し、異性への投影はなくなります。

しかしその進化の過程で、精神レベルでの結合を経験するために、男女が身体を結合させる体験が必要なのです。男女の肉体の結合の結果、新しい魂が地上に誕生することから考えても、セックスにはとてつもなく強いエネルギーが含まれていることがわかるでしょう。男女がセックスをするとき、二つの魂が溶け合う瞬間があることを、あなたは無意識で知っています。だからこそ男性エネルギーが女性エネルギーと溶け合うとき、男女双方に完結の喜びが宿るのです。

性の交わりは肉体の結合であると同時に、二人の人

Scorpio

間の精気が混ざり合うことでもあります。このためセックスには深い責任が伴うのです。結合のとき、男性の精液が女性の体内に流れ込み、それよりはずっと微妙な形で女性の体液が男性の身体に混ざります。このような生命エネルギーのエッセンスともいえる体液の融合を通じて、肉体、精神、そして魂の三つの次元での二人の合体が起こり、エネルギーが絡み合います。これらの次元で二人の相性が合えば、この上ないエクスタシーの感覚が二人を包みます。相性が悪い場合は、どちらもが体内に不協和音を感じます。あなたはセックスの肉体的側面だけでなく、精神の結合としての意義を理解しているので、この知恵を人々と分かち合う術(すべ)を持っています。セックスは精神性を完成させる行為だということを、あなたは心の奥で知っているのです。

●月蝕

あなたが今生で学ぶべきテーマは価値観です。価値観をめぐる多様な側面、たとえば何かが起きるたびに基本的価値観がぐらぐらと変動しないこと、自分の価値観を他人と共有すること、他人の価値観を自分に沿わせようと操作しないこと、そして性にまつわる行動に責任を持つことなどを学ぶ運命にあります。あなたはものごとの精神的価値について理解を深め、複雑に絡み合った全体の中にある一部としての自覚に目覚めることを人生の課題としています。あなたが放ったエネルギーが自分に返ってくることに気づくと、自分の行動すべてに責任を持つことを身をもって学んでいくでしょう。そしてプラスのエネルギーを発信することを覚えることが大きなテーマ。なぜならマイナスのエネルギーを発信すると、それは栄養を与えなくても雑草のようにみるみる育っていき、あなたの足元を揺るがせることになるからです。

あなたは前世で、自分と家族の価値基盤を築き、守ることを大きな使命としてきたため、今生のあなたが自分の信条や価値観を自ら問い直し、調整を加えることは簡単ではありません。今生のあなたのテーマは、社会というものは多様な構成要素から成り立っているということを理解すること。だからこそ、あなたは自分ひとりの責任に留まらず社会に対する責任も持っているということを学ぶ必要があります。社会の一員として互いに配慮し合い、強い者は弱い者を助け、弱い者は強くなるために努力をしなくてはなりません。

あなたはまた、自分と他人を分ける自我の境界線と、人のプライベートな領域について学ぶ必要があります。あなたにはものごとの限界を知りたいという強い欲求があるため、人をギリギリのところまで追い詰めてしまう傾向があります。「どの辺まで押していいのかな」「どこまで攻めたら折れてくれるかな?」「あなたはどこまで私のわがままに付き合ってくれるかしら?」そして相手があなたに譲った時点であなたは相手に興味を失い、次の新しいターゲットを探しに行くのです。あなたには「これ以上は不適切」あるいは「力の限界」という歯止めがないため自分の力をコントロールできず、相手の示す限界によって自らの行動の限界を知ろうとしているのです。あなたは概してパワフルで、そのエネルギーは奔流(ほんりゅう)のように制御が利きません。荒馬のようなあなたの暴走を制御する人が現れるまで、あなたは周りに嵐と混乱を巻き起こすでしょう。あなたは自分のエネルギーが収まる場所を見つけると、非常に安定します。ここまでやめなくてはならないという限界点を知れば、自分のエネルギーを自ら制御できるようになるからです。それまでは自分の力を全開にすることに不安が付きまとうでしょう。

この月蝕パターンに生まれた子供が自分の限界や境界線を学ぶには、特別な注意と指導が必要です。どんなことであれ、限界を決めたら必ず守らせること。そして成長とともに行動の範囲が拡大すれば、限界が拡がったこと、そしてなぜ拡がったかについて言葉ではっきり言い聞かせなくてはなりません。こういう指導があれば、子供は家庭内での自分の立場を守り、同時に学校や社会での自分の立場の範囲内で行動することを習得していきます。

この月蝕の影響は非常に強いため、子供は限界を知っていてもなお、その〝壁〟の強度を試そうとします。その場合は親が繰り返し「それ以上はやってはいけないよ。その線を越えたらお仕置きが待っているからね」と言って聞かせる必要があります。越えてはいけない一線を一度でも越えることを許したが最後、もう後戻りはできません。この子供は親の弱いところを嗅(か)ぎつけると、次は2倍の強さで押してきます。不屈の精神で押しまくり、ついに「いい加減にしろ」としかりつけるまでやめないでしょう。

Scorpio

そんな子供だったあなたが大人になっても押しの強さは変わらず、両親、恋人、上司はあなたに負けそうになるでしょう。彼らが自分の領域をしっかり確保し、あなたに自分の境界線を踏み越えないように教えると、あなたはそれを聞き入れ、その人を信頼するようになります。あなたは彼らのためならどんなことでも協力を惜しまないため、あなたは彼らにとってかけがえのない味方となるでしょう。あなたの忠誠心は途方もなく大きく、一度信頼した相手は一生涯の友人となるのです。もしある状況で彼らがあなたを笑いものにしたら、そのあとで彼らが思い知ることになるのは、あなたがそれまで彼らの決めた節度を守っていたのは彼らを尊重していたからに過ぎないということです。

他人を尊重することは、あなたが学ぶべきテーマの一つです。あなたは人類の資質の中に、尊重するに足る要素を探しています。あなたに限って言えば、その要素とは破壊エネルギーで、あなたは今生に「地上にあるものはどれも悪いものだから、すべて破壊して再建する必要がある」という考えのもとに生まれているのです。こうして生まれたため、あなたはどの人のどんな部分が尊重すべき価値を持っているのだろう、と探っているのです。そう考えることの背後には、自分の価値観を浄化し、悪いものを破壊して新たに構築したいという欲求があるのです。あなたは地球上で自分が尊敬するに足る人や対象物を物色しているのです。見つかったらそれを大切に守りますが、そうでないと判断したものには容赦のない一撃を加えるのです。

価値あるものを他人の資質の中に見つけると、あなたはそれを定義して、自分の中にも組み立て始めます。あなた流の見つけ方とは、相手をじわじわと追い詰めて、誠実さや強さ、価値観、道徳観などの限界点を試すという方法です。あなたは身の回りに価値のあるものはないかと探し回り、それを見つけたらそれが口先だけでなく本当にゆるぎないものか、人に教えるほどいいものか、と追い詰めて検証しようというわけです。あなたはどんな価値観が人々を強くし、人々に自信を与え、地球に平和をもたらすような善行に人を駆り立てるのかを探り、それに倣(なら)おうと考えるのです。

今生のあなたは、前世で自分が犯した大きな過ちに気づく運命にあります。あなたは無意識の中で、過去生の複数の人生で自らの権力を乱用したことへ強い反省の念を抱いています。あなたか、身近な誰かが利己的な目的で他人を支配した過去の悪行と、その罪の意識から逃れるために今生では自分の魂のあり方をすっかり変革したいという願望を持っています。変革と再生のエネルギーに満ちたあなたは、地球上で価値あるものはないか、美徳と呼べるものはどこにあるかと必死に探し求めます。あなたは自分の中にある邪悪なもの、価値のないものを捨て去り、人々や社会にとって有用な徳のある人格をゼロから築きたいと渇望しているのです。

もしあなたが今生で学ぶテーマに気づかず、自らの力を節度を持って使う術を持たず、あなたを制御する人にも出会わなかった場合、あなたの人生は困難を極めるでしょう。あなたのエネルギーの規模からすれば、刑務所や精神病院などに収容されるほどの事態を引き起こし、そこでの厳格な規則や社会のルールを叩き込まれるという形で節度を学ばされることになりかねません。しかしあなた方のほとんどは人々や社会の中に善良なものをどこかで見出し、それを支持することで新たなよりどころを見つけていくでしょう。あなたが見つけた美徳に満ちた信条が検証され、非の打ちどころがなく、心から価値のあるものだと確信できたとき、そしてあなたのエネルギーがその信条に従って使われるようになったとき、あなたは全身全霊を込めてその信条を支えようとするでしょう。その信条や思想、尊敬すべき人物、目指すべき目標が、あなたの価値観を支えるようになっていきます。その価値観があなたの奔流のようなエネルギーをコントロールし、膨大な力を活用する基準値となるので、あなたは平和な日常を送れるようになるのです。

蠍座エネルギーを持つ人がもの静かで控えめな様子でいるとき、それは怒りを内面に蓄えている証です。あなたは自分の中にあるとてつもないパワーがどんな影響を及ぼすかを知っていて、それを野放しにすると社会があなたをどこかに収監するだろうということがわかっています。あなたが静かな怒りを湛えるのは、その膨大なエネルギーを振り向ける対象が見つからないことへの苛立ちなのです。あなたは自分のエネルギーを吸収してくれる対象や理由を必死に求め、その目的を見つけて自分と統合していく過程で、独自の燦然とした表現力を発揮します。蠍座が「陰の実力者のエネルギー」といわれるのはこのためです。あなたの力はあまりにも強いため、あなたがこれと思い、信じた人ならどんな人でも軽く玉座に持ち上げるほどのパワーを持っているのです。あなたの場合、自分がスポットライトを浴びたいという欲求はありません。しかしあなたが心から信じ、尊敬できる人や対象がないと生きていけません。

　あなたは今生で、地球はまんざら悪いところではないということを学んでいます。あなたは人の世の悪徳について熟知していて、どこをどう修復すればいいか、あるいは修復不可能なものは破壊するべきだということを本能で知っています。あなたが今の人生で悟るべきなのは、地上にはあなたが信じるに足る、確固としたよりどころが存在するということです。蠍座のエネルギーは二つの価値が合体・融合することを促すエネルギーなので、あなたは自分の大きなエネルギーがどこかで、誰かと結びつくことを渇望するのです。あなたは自分が全身全霊で信じ、愛せる誰かを見つけ、二人で強靭な基地を地上に築きたいと願っています。

　自分に注目が集まることに、あなたは関心を示しません。しかしものごとを動かす力の源泉にいることには強い執着を持っています。この動機があるため、あなたは人生の途上で自分が信用できる人々を集め、集団を形成していくのです。あなたは人を容易に信じる人ではないため、あなたの眼鏡に適った人物は相当な信頼に値する人に違いありません。全面的に信頼するのではなくある限定的な分野において信頼できると判断する場合もあります。その場合、あなたは常にガードを下げることなくその人を監視するでしょう。全幅の信頼を置けない人物を玉座に持ち上げることは決してしませんが、その人の中に何らかの価値を見出すことができれば、自分の〝兵隊〟の一人としてキープしようとするのです。あなたの親衛隊のメンバーはどの人もあなたに何らかの負い目を持っています。あなたは金銭問題や社会的信用、仕事関連でのトラブルや苦境に対する過剰なまでの不安を持っているため、何か問題が発生したときにすぐに手を打つことができるよう、あなたに負い目のある〝兵隊〟を束にしてポケットに持ち歩いているのです。

　あなたがいろんなことに常に恐れおののく習慣を改めるためには、もっと宇宙を信頼することを覚えなくてはなりません。宇宙があなたをやさしく包み、手を差し伸べていることを信じられれば、あなたが穏やかに生きる喜びを味わえるような価値のある人生を作るため、宇宙は協力してくれるでしょう。あなたはそれをリラックスして受け止めればいいのです。心に留めておくべきなのは、あなたのとめどないエネルギーに歯止めをかけ、限界を設けるのは他人ではなくあなた自身でなくてはならないということ。自分の限界を決めるのに他人をあてにすることはできません。あなたは自分にとってよいことの範囲を自ら定義し、その範囲内で行動することで自らのパワーの責任を取らなくてはなりません。

　人とはかくも弱き存在で、あなたはそれに耐えられません。あなたが目指しているのは完璧な自分自身を作ること。そして肉体の脆弱さはあなたの強さに制限を加える不都合なものだと考えています。あなたは自分自身の克服と自分の環境の完成を目指し、肉体も鍛え上げて、どこに自分の限界があるかを探ろうとします。あなたは他人も限界に追い込みますが、自分自身が試した以上の限界点まで追い詰めることはありません。自分の肉体の反応に注意を払うことは重要で、これができればあなたは肉体の限界を知り、身体を壊すほどの無理をしなくなるでしょう。あなたの激しさゆえに、肉体の限界を超えるほど苛め抜いて壊してしまい、またゼロから肉体を鍛え直すことになるというケースもあるでしょう。いざというとき、自分の肉体にどれほどの忍耐力があるか、普段から知っておく必要があるとあなたは考えます。限界を追求する傾向の強いあなたが最初に注目するのは肉体的限界でしょう。

　経済的な面を見ると、あなた方の多くは大器晩成型といえるでしょう。あなたは自分の要塞を築くために奔走し、人々に奉仕して、その見返りに自分のために働いてくれる兵隊集めに忙しく、自分の直接的利益になることに関心が向かないのです。あなたは警戒心が強く、足元を誰かにすくわれるのではないかという恐れを常に持っているため、たくさんの時間とエネルギーを費やして人々に恩を売って、代わりに彼らに守ってもらおうとするのです。けれども事実上あなたがしていることとは、自分の力をちょっとずつ無償で他人にばらまいているだけ。あなたが自分自身を信頼できるようになれば、転んでもすぐに自力で立ち上がるだけの強さを持っていることに気づくでしょう。あなたはまるで発電所のように大きなパワーの源泉なのですから、周りにあなたを支える兵隊を作っておかなくても、一人で十分やっていけるということがわかります。

あなたが自分の中にある力の源泉にアクセスできるようになり、魂の道を歩むようになると、あなたは自分の中にも地球のあちこちにも、善良なものがあること、そして宇宙があなたを支えてくれることを悟るでしょう。あなたは自分の中にある美徳を発見し、それを信じるために生まれてきたのです。

あなたが信じるべき対象を求め、他人にばかり注意を払うのではなく、自分の中によりどころとなる価値を見つけることもあなたが学ぶべき大きな課題です。自分の中にある長所を尊重し、自分を信じて支えていると、あなたは自分の領域を築き、その中に自分のエネルギーを収めることを覚えるでしょう。これができれば、あなたはもう他人に自分の力を無償で配る必要がなくなるので、周りの人々をもっと信頼する自由を得ることになります。同時にあなたは自分が成功してスポットライトを浴びることになってもかまわないということに気づくでしょう。そしてあなたは自分の〝陰の実力者〟となり、成功を収めることになるでしょう。そこまでくればあなたは純粋な動機から周りの人々を支えられるようになります。こうして人々に恩を売っていた以前のパターンは消失し、彼らを兵隊としてでなく友人として心から支え、自分の力を他人に委ね(ゆだ)ねることはしなくなります。

あなたが変化するにつれ、周りの人々の能力にも変化が現れます。あなたが自分自身の力に自信がないために周りの人々の協力を必要としている限り、あなたはあなたの力をあてにして群がってくる人々の世話を続けなくてはならず、あなたは無意識に自分を制限しています。この態勢にあるうちは、あなたは人間に失望する場面に多く遭遇します。あなたが彼らに対して純粋に無償の協力をする代わりに、彼らに差し出した労力をいつか自分に返してもらうという〝ひも付き援助〟をしていると、あなたが困ったときに彼らが自分の自由意思と愛情からあなたに手を差し伸べようとする行為を封じ込めることになるからです。「あるものを与えれば、同じものを与えられる」というカルマの法則に従い、他人のお返しの行為も善意のないギブアンドテイクの一環になっているのです。

あなたが差し出したものは必ずいつかあなたのもとに返ってきます。あなたが差し出した同じ相手を介さなくても、あなたが必要とするときに誰かから必ず返ってくるのです。あなたがひも付き援助をやめ、自発的に人々への協力を惜しまなくなると、相手の中にもやさしく善良な面があることが見えてくるでしょう。そしてあなたは彼らに惜しみなく支えてもらうことになるでしょう。この善意の応酬は、あなたが売った恩に負い目を感じた彼らが嫌々ながら義務感で負債を返済する行為とは雲泥（うんでい）の差です。ここでの重要な学びは、あなたが人々の中に悪徳を見出している限り、あなたは彼らを挑発し続け、しまいにあなたが最も恐れる仮想イメージを現実にするということです。そして反対にあなたが彼らの中に美徳を見出すと、あなたの力なら容易に人々の資質の中から美徳を引き出すことができるのです。

　隠された動機を持たず、気前よく人々に手を差し伸べることを覚えると、あなたは人を操作する習慣を手放せるようになるでしょう。あなたは周りの人々を自分の意のままに動かしたいという欲求が強いので、多くの時間とエネルギーを費やして他人の人生の操作や監督ばかりしている一生を送りかねません。これが続く限り、あなたは自らの成長に使うエネルギーの余力がありません。他人を操作するという悪癖を手放してみると、人々がそれぞれの人生を歩んでいるからといって、あなたに無関心でいるとは限らず、互いに協力し合うことも可能だということが見えてくるでしょう。彼らがあなたのことを本当に大切に思っていれば、あなたが困ったときには必ず助けにきてくれること、そして助けにこなかった人は日頃口で言うほど、あなたに関心がないのだということがベールをはがすように見えてくるでしょう。こうしてあなたは真に大切にするべき人々とそうでない人々を識別し、人々が示す愛情と親密さの表現の多様性について学んでいくでしょう。

　意識がそこまで拡張すると、あなたはもう自分の力を自ら抑制する必要がなくなります。そして全力をどのようにコントロールして最大の効果を発揮するかを残りの人生をかけて学んでいくのです。あなたは自分の強大な力を人々の弱さに振り向けてはいけないこと、人々の中にある強さとあなたの力を融合させて、彼らをさらに強くしてあげることにこそ使うべきだということを学んでいます。他人の中にある強さや長所をあなたの力で拡大し、支えてあげる過程で、あなたは自分に対するゆらぐことのない自信と自尊心を育（はぐく）んでいくのです。

●無意識のステージ（自覚する前のあなた）

魂の道に目覚める前のあなたは、他人の不幸の上に自分の成功を築こうとするタイプの行動パターンを持っているでしょう。あなたの周りには否定的な思考を持つ人々が集まり、あなた自身もまたそういう発想を持つでしょう。他人の弱みに付け込んで自分の利益を得ようとする、高利貸しやポン引き（売春斡旋業）、ドラッグディーラー、スリ、悪徳弁護士などの仕事に手を染めている場合もあるでしょう。この他新興宗教や黒魔術など、心霊的詐欺行為や霊感商法で人の心を操作するパターンも挙げられます。

月蝕エネルギーを意識する前のステージでの影響は否定的な形で現れるため、あなたに課せられる学びは「他人を意のままに操る行為の結果を受け止める」という形で提示されます。地上に生まれた以上、私たち全員が経験的に習得するテーマを持っています。その経験から逃れることはできませんが、どのように学び取るかは私たち次第。学びのテーマを自覚して受け入れればプラスの経験、無自覚な場合は厳しくつらい経験として学ばされるのです。従って、自覚する以前のあなたは他人を操作した結果、同じ目に遭うという経験をするでしょう。恐らく刑務所や精神病院などに収容されて更生プログラムを課せられるか、自分の蒔いた種により多大な被害を受けることになるのです。

あなた方の多くは、価値観や倫理観に大きな欠陥やひずみを持つ前世を持っています。倫理意識が根幹から間違っていたために道徳・経済観念や精神活動が破綻した経験を持っていて、あなたは今生で建て直すという大きな課題を背負っています。このテーマを前向きに受け止めないことを選択した場合、あなたは自らを軽蔑すべき存在に貶めることになるでしょう。この路線上にいると、あなたは健康を害し、頼れる人などどこにもいないという認識通り、他人はおろか自分さえも頼ることができなくなるのです。あなたは前世から持ち込んだ倫理観通り、この世に価値あるものなど何もないと感じ、地上にあるものすべてを破壊すべきだと考えるでしょう。

身を持ち崩し、どん底まで落ちたところであなたは信じられないような起死回生のパワーを発揮しますが、この底力は他のどの月蝕エネルギーよりも強く現れます。あなたが運命づけられた学びに気づくためにはどん底体験のような危機の経験を必要とする場合もありますが、そこまで行かなくても身近に尊敬できる、信じられる人物の導きがあれば、進むべき軌道を見つけることができます。身体的・情緒的に、あるいは経済的に落ちるところまで落ちたとき、または身近な人の中に希望や美徳の明るい価値を見出したとき、あなたは上昇軌道を歩み始めます。余力があるうちに上昇軌道を見つけられない場合は、再生のチャンスはありません。

人生の建て直しを促進する方法の一つとして、自分を決して卑下しないことが挙げられます。この世に自分が生きている価値を見つけることができれば、あなたには自分自身をどん底から引っ張り上げる力を誰より持っているからです。あなたは自分の欠点の長いリストをつくることができるでしょう。けれども今のあなたに必要なのは、あなたの中に長所があることに気づき、自ら引き出そうとすることです。あなたにはやさしさがあり、宇宙の摂理に対する大まかな理解があり、態度に表すことはないけれど内面は繊細で、無神経なふりをしていても本当は他人に対する配慮ができ、行動の背後に悪意はありません。あなたが繰り返し否定的な行為をしていても、その中に一握りのいい側面を誰かが見つけてあなたをほめてあげることができたら、あなたは一連の反社会的行為を肯定することなく、自分の中の善良な要素に気づくことができるでしょう。ほんの一点でも自分の長所の輝きを認めることができさえすれば、あなたは最悪の事態から這い上がる力を持っているのです。たいていの人なら沈んでしまうような苛酷な環境にあっても、あなたがその意思を持てば、立ち直れるでしょう。

学びのテーマを自覚できないステージにいるあなたは他人の嫉妬をうまく処理できません。これはあなた自身が嫉妬を克服する訓練の途上にあり、あなたにも自分より成功している人に対する嫉妬の念があるからです。正直なところ、あなたは嫉妬する自分が好きではないため極力克服しようと努力はしていますが、あなたは自分に対して厳しい批判の目を向けてしまいます。

あなたが怒りを感じるとき、多くの場合その原因となっているのは自分が被害者になっているのではなく、傷つけられた誰かを守ろうとしているとき、あるいは

Scorpio

その人に同情しているときです。誰かが傷ついたという状況にどう反応していいかわからないため、闇雲（やみくも）に反応しているうちに反社会的な行動に出ているという場合も少なくないでしょう。身近な誰かに対する愛情があまりに深いため、その人を傷つける理不尽な権力や暴力を見ると猛然と立ち向かい、敵を倒さずにはいられないのです。あなたは心の根底に悪徳を根絶したいという強い欲求を持っているからです。

この月蝕エネルギーは強い破壊力を持っているため、あなたは自分自身の長所を認めることが不可欠です。輝くような美徳を自分の中に見出すまで、あなたは自分の人生を破壊し続けるでしょう。前世の影響から、あなたは他人に指摘されるまでなかなか自分の善良な側面に気づきにくいでしょう。あなたは今生で、社会の役に立つあなた、人間としての価値のあるあなた、他人の役に立つあなた自身を見つける運命にあります。

●覚醒のステージ

あなたは持って生まれた変革と再生のエネルギーをプラスに生かす方法を探るという人生のテーマを潜在的に知っています。変革のエネルギーは同時に破壊のエネルギーでもあります。あなたは何かが新しく生まれ変わるためには、何かが死に絶えなくてはならないことを本能的に知っています。あなたは前世で価値観をめぐる過ちを犯し、自分の魂の成長に最も大きく作用する部分が欠落していたことを自覚しています。魂の成長に不可欠なのは、自分の価値観を他人のそれに照らし、分かち合うことです。今生で、あなたは自分にとって価値のあるもの、そして世の中全体にとって価値のあるものを見つけるという目的を持っています。その過程で、あなたは自分の意識の中で有用性を失ったものを捨て、そこに新しい価値を植えつけようとする傾向があります。

蠍座のエネルギーはパワフルで、たとえるなら土石流のようなコントロールしにくい勢いを持っています。このため社会でのあなたの言動は普通の人より激しく映るので、自分でエネルギーを制御できなくてはなりません。無尽蔵（むじんぞう）の力の持ち主であるあなたは社会の規則により、あるいはあなたが信頼する人の言葉によりストップがかかるまで、止めることを知りません。あなたは相手が自分を守るために「もうやめてくれ」と言わない限り、止めるタイミングがわからないので、周りの人は恐れることなく率直にあなたに主張する必要があります。暴走するあなたの犠牲になった人だけでなく、あなたにとっても何のプラスにもなりません。

　覚醒のステージにおいて、あなたは自分がしてほしいことを他人にしなくてはならないという黄金律を自覚しています。対面する相手があなたにストップをかけないから、あるいはあなたの行動を上手にコントロールしないからといって、その相手を破壊してはいけないと知っています。あなたが勢いに任せて破壊活動に及ぶと、後日、それよりもっと強い力を持った相手があなたを破壊しにやってくるでしょう。この宇宙ではすべてが循環していて、あなたが発信したものはいずれ返ってくるということをあなたは知っています。身体、心、そして魂の三つの次元であなたが生み出し、送り出したものはすべてあなたのもとに返ってきます。善良な行為や思考、感情など、プラスのものを発信すれば同じプラスのものが早晩あなたのもとに届けられるでしょう。これを理解すると、あなたは自分の力を正しく使う方法を習得していきます。

　力を合わせて何かを顕在化することもあなたの課題の一つです。誰かとの共同作業で二人のエネルギーを合体・融合させるとき、あなたは相手を信じ、相手に信用してもらうことを学びます。ここでのあなたの学びは、前世で横行していた独占欲と、その先にある嫉妬心を調整することです。執着心を手放すことを覚えないと前世の嫉妬深さが逆戻りし、あなたの成長を阻むので、ぜひとも克服する必要があります。他人や自分自身、自分の運命を信じることを覚えると、否定的な執着心は自(おの)ずから離れていきます。これができると、あなたは共同で何かに取り組むのに必要な強さを身につけられるようになります。誰かを心から信じることとは、心底自分を信用することに他ならないからです。

　他人を信用しないとき、それは無意識の中で他人があなたの人生を左右する力を持っていると自分に言い聞かせ、実際に決定権を他人に手渡しているようなものです。この反対に、あなたが他人を信じるとき、あなたは最大の力を自分のものにするのです。そうなればあなたは彼らの行動にいちいち翻弄(ほんろう)されることなく付き合えることがわかり、自分の力だけではものごとに対処できないという無力感も消えるでしょう。この過程を乗り越えると、あなたはどれほど深い谷底でも、摩天楼の彼方の上空でもほしいものを追いかけて好きなだけチャレンジできるほど、自らの価値観と能力を深く信頼できるようになるのです。あなたが今生で体現するエネルギーは、地を這う蠍が空を自由に舞う鷲に変容し、やがて死をも克服する不死鳥へと至る大いなる変革のエネルギーなのです。

●超意識のステージ

自我の領域を超越したステージに到達したあなたは、どの人にも宿る善良な価値を見つけ、尊重することを人々に教えることができます。一人ひとりが自分の存在価値を認めることにより、全体を尊重することにつながるということを人々に気づかせるのです。自分を否定し、弱体化させるような考え方を捨て去り、魂の可能性を実行に移せるようあなたは人々を導きます。人々が自分の中にある長所を認められれば、世の中のいいところにも気がつくようになります。あなたは私たち全員で一つの大きな意識領域を形成し、一人ひとりの中にある神聖な輝きは、私たち全体の意識領域を映し出していることを教えます。このため自分の中にある生命の輝きを磨くことは、私たち全体が向上することに寄与するのです。あなたは自分の力を使って、個人の魂の成長や、地球を住処（すみか）とする魂の意識領域の浄化を阻んできた古い無意識のパターンを壊し、人類の意識改革を進めていきます。ものごとの真髄（そこ）まで見通せるあなたの慧眼（けいがん）は、健全な肉体、精神、魂を損なう病理を鋭く掘り起こし、浄化と癒しをもたらすでしょう。あなたの魂の波動が宇宙意識と同化するとき、あなたは霊的ヒーラーとなり、精神を再生し、孤立した人々の魂を再び地球意識の故郷へといざなうでしょう。

●身体に現れる兆候

私たちはみな宇宙の計画の一部として存在しています。このため私たちはそれぞれに宇宙の自然な流れに沿う霊的責任を持っています。あなたがそれをないがしろにしていると、あなたが自らの魂と統合する運命にある宇宙の創造と発展のエネルギーに直結した身体器官、生殖器の機能が低下します。創造と発展という魂の学びのテーマを日頃の精神生活に取り入れ、特に人間関係の面で生かすようにしてください。自ら創造した作品や成果を手放し、信頼できる身の回りの人々に委ねることや、よりどころとしている信条や精神的価値を共有することはあなたにとって重要な課題です。あなたの魂の成長に必要な価値観の共有という課題を無視していると、身体は生殖器官の不調という兆候を起こし、あなたの注意を促すでしょう。

変革と再生のエネルギー、つまり古くなり機能しなくなったシステムを破壊し、新しいシステムを生み出す再生の力を自分の中に取り入れることができないと、肛門や大腸、小腸などにトラブルが起こります。精神面で何らかの閉塞(ブロック)があると身体がそれに反応します。精神面の障害を解消し、手放すべきものに執着することから起こる身体的問題を予防するには、身の回りのものすべてを自分の思うように動かしたいという欲求を捨てることが大事です。

♏
Scorpio

♐ 射手座

●日蝕

あなたは現世をともに生きる人々に、地上にあふれるありとあらゆる思想や宗教に共通して流れる考え方や価値観を教えるという仕事を宇宙に約束しています。地球に生きる人々はもともと同じ一つの意識の集合体から生まれたこと、みんな同じ方向を目指していること、そして地上ではみんなそれぞれの人生を歩みながら何かを学ぼうとしていることなどを、人々に気づかせることがあなたの役割なのです。私たち全員が帰属する地球の集合意識は私たちの心の中にしっかりと息づいていて、その片鱗(へんりん)をうかがうことができることを、あなたは人々に示します。私たちは互いに同胞をいたわり尊重し、それぞれたどる道は違っても同じ最終目的地に向かっていることを悟らなくてはなりません。登山口は人それぞれ異なっても、同じ一つの山の頂上を仰ぎながら日々精進(しょうじん)しているのです。

あなたと出会った人々はみなあなたの影響を受けて、より高い意識を持つよう刺激されるでしょう。あなたはまったく偏見を持たずに生まれてきました。魂の道を全(まっと)うするために、あなたは今生で経験を積むうちに人種や信条などによる差別や偏見を心に作らないよう自らを戒(いまし)め、あなたが生まれつき持っている哲学がすでに完璧(かんぺき)なものだということに気づいてください。あなたの生き方や人生哲学の性質上、あなたの周りには議論好きな人が集まってきます。彼らは社会的な関心と強い出世志向を持っています。彼らはあなたと出会い、あなたの博愛的で平等を愛する思想の影響を受けるために引き寄せられてくるのです。彼らと意見を交わすとき、あなたは相手の影響を受けてはいけません。彼らよりあなたのほうがより普遍的で、高次の意識を持っているからです。あなたは彼らの俗っぽい考えに同調したり、影響を受けたりすることなく、彼らの意識を高めることが求められていることを肝に銘じてください。

あなたが自らの魂の成長を図る途上で、ある一つの方法に固執しないよう常に心がける必要があります。あなたはどの魂も成長を求め、いつか神聖な意識領域にたどり着く日を目指していることをよく理解しています。あなた方のうちで人々の魂を導く機会を持つ職業を選んだ人は、とりわけ明確な目的意識を持ち、偏見と無縁であるよう常に心がけてください。その姿勢を示すことで、あなたは彼らの意識の純度を高め、人それぞれが選んだ魂の精進の道を見守り、導くことができるのです。あなたは彼らをあなたの信奉者にする誘惑に打ち克ち、彼らなりのルートで頂上を目指す努力を支援する強さを持って生まれています。

若いうちは、何らかの信条や宗教に過剰に傾倒する経験があるかもしれません。この経験があなたに教えるのは、厳格な制約に縛られることの苦痛をばねに、自由を求めて世界の見聞を広め、どの宗教や思想にも共通する普遍的な価値観を見つけることです。どの一つの宗教や信条にも帰属することなく普遍的価値を伝えるあなたは多様な信条に対する寛容さを備え、それらを統括する宇宙意識とも言える哲学の最良の理解者であり、語り部なのです。

あなたは身体を健全に維持することに関心を持つかもしれませんが、多くの場合それは目的達成のために首尾よく機能させるという意図からです。変化は世の常だということをあなたはよく承知していて、宇宙に変化しないものは一つもないということを自らの魂の成長を通じて経験的に知っています。身体という〝着物〟を着たまま崇高な宇宙の輝きを表現しようとする魂にとって最も都合のいい身体とは、物質界に課せられた制限を最小限に留め、どんな状況でも柔軟に行動できる身体です。自由な行動を確保できれば、多様な考えに触れ、追求していくことができます。人々が究極の表現の自由を得られる環境を作ってあげると、彼らはユニークで貴重な考えをあなたと分かち合うようになるでしょう。

適職は思索能力を生かす仕事、カウンセラー、大学教授、霊的指導者など。あなたはたくさんの人々を惹きつけ、魅了するオーラを放っていますが、人々を自分の配下に従えることには関心を持ちません。あなたの目的は自分が精神的リーダーになることではなく、人々が精神性を高め、心を解放することにあります。ただし精神性を高めた結果、彼らが一人の宗教的リーダーや偶像、神体の類いに帰依することを望みません。既存のグルを信奉し、忠誠を誓うのではなく、自分自身の中に宿る神聖さを見出すことを理想とするあなたは人々がそれぞれ独自の魂の道を歩むことを望んでいるのです。その意味で、あなたは人々が現実認識を拡張し、自由な環境の中で精神性を高められるよう支援できる職業ならどんなものでも心地よく務められるでしょう。あなたはまた人々が未踏の分野に踏み込むことを支援し、他人と異なる道を歩む人々が経験する社会の逆風とともに闘います。あなたは他人と異なることに少しも抵抗を感じないため、マイノリティの道を行く友人たちが伸び伸びと自己表現することを応援するのです。

あなたにはものごとの表面に惑わされず、真髄を見抜く眼識が備わっているため、あるべき姿勢や考え方を阻む偽りのベールを取り除く方法を人々に教えます。論理的にものごとを捉え、演繹法で先を読むあなたは、現実を誰より正確に把握でき、そのテクニックを多くの人と分かち合えるでしょう。あなたの指導により人々は情報を的確に判断・処理し、知的な決断ができるようになっていくでしょう。あなたは真実を見抜き、雑多な情報から有効なものだけを抽出する才能に長けていて、広い視野に及ぶ知識を人々に見せることで、彼らが夢を実現するために必要な世界観や視点を示すことができるのです。

あなたは広い範囲を視野に入れ、しかも正確に状況の実態を認識する能力を持っているため、類い稀な判断力を備えています。あなたにぴったりついていれば、人は基本的な論理の展開法についてマスターでき、あなたも教えを請いにくるすべての人々と自分の能力を分かち合うことに喜びを感じるでしょう。ただしあなたは時に熱が入りすぎる傾向があるので、自説をあまり強調しすぎないように心がける必要があります。あなたの熱弁に気圧されて臆病な人々は引いてしまい、せっかくの自由を得るための気づきや知恵を手に入れそこねてしまうからです。あなたには博愛精神があふれ、地上に生きる同胞たちの意識を高め、解放に導きたいという愛情と欲求を持っています。

あなたは日常の環境の中で、ある態勢が型にはまってきたと感じるとすぐに壊し、あなたを縛る〝型〟から逃れようとします。あなたはこうして社会の規範に留まりつつ社会通念を破ろうとする独立した姿勢を持っているため、一般の人々はあなたのユニークさに注目するのです。彼らはあなたの生き方を見て疑問を投げかけ、その答えに彼らが学ぶべきテーマを見つけるでしょう。あなたは自分から生徒を募ることがなく、お互いに自由な関係でいれば依存態勢を生む心配から無縁でいられるので、生徒のほうからあなたを探してやってくるというこの関係があなたに合っているのです。中には自分が生徒だという自覚がない人もあり、あなたがどこかへ行ってしまった後であなたという偉大な教師の存在に気づくという場合もあるでしょう。

あなたがもし、この運命を全うすることに気づかず、人々の意識を向上させる仕事を怠り、魂を眠らせたまま人生を生きる場合、あなたは思慮の浅い人物として広く認識されることになるでしょう。あなたは人々が忌み嫌う生き方の例を示すことで、依然として魂が定めた仕事を果たすことになるのです。

●月蝕

あなたが今の人生で学ぶのは、すべての差別や偏見を捨てることと、地球上の多様な思想、宗教、信条に共通する概念や、分断された無数の個人の意識を一つに束ねる共同体意識です。あなたには知識への飽くなき欲求があり、人の意識を高みへといざなう洞察を何より求めています。

あなたの仕事は、前世で身につけた差別や偏見を今生では一切捨てることにあります。前世のあなたの視野は限られていて、了見の狭い人格を持っていました。あなたは自分が属するごく限られた環境の中で得られる情報に基づいてすべてを判断していたのです。小さな世界しか知らなかったあなたは人の個性の多様性を容認できず、他人の生き方やものごとの進め方をあなたの価値観に照らし、いちいち批判的な目を向けていました。そして今、あなたは打って変わって広い世界に触れ、見聞を広める運命にあります。あなたは一度自分の生まれ育った狭い環境から飛び出すと、あなたの好奇心は水を得た魚のように活気づき、それからは

Sagittarius

加速度的に視野を拡大できるでしょう。それはさながらあなたの意識を拡大するための短期集中特訓コースに参加しているような展開になるでしょう。広い世界の情報吸収の過程は、その時々で違った様相を呈しますが、限られた知識と経験しかなかった前世の不自由な自我意識が広大な宇宙意識から遮断されていたことへの反動から、喉（のど）の渇きを潤（うるお）すように多様な知識と情報をむさぼる姿勢は生涯一貫して変わらないでしょう。

あなた方の中には外国を旅行し、異文化の中に身を投じて多様な考え方や宗教観を学ぶ人もあるでしょう。それぞれの宗教や信条に触れ、歴史を探求していくうちに、あなたはそれぞれ固有の規律や思想を学びながら、その違いの向こうにどれにも共通する概念があることに気づくでしょう。たとえばこんな具合にです。「どうしてカトリック教徒は金曜日に肉を食べてはいけないのだろう？」という宗教的な戒律に関する疑問も、実用的側面から考えると、肉を消化するとき、身体に負担がかかるため、休息日を設ける必要があったのでしょう。けれどもこの戒律が作られた頃、人々の知識はそれを客観的に理解するところまで洗練されていなかったのだということがわかります。このように組織化された宗教に実利的な光を当てて解体して見ると、どの宗教も一様に人々に社会化を教え、エチケットやマナーを身につけ、身体を健康に保つよう心がけて、その中に棲む魂が目的を達することができるように人々を導いていることがわかるでしょう。

あなたは外国を旅し、その国の人々が何を考え、どんな文化や政治背景を持ち、何を夢見て暮らしているのかを直に体験するのが大好きです。こうして多様な人々の生き様に直接触れることが、あなたの人生観、哲学、世界観を形成していくからです。あなたの場合、書物や映像で見るだけでは不十分です。あなたは実際にその地を踏みしめ、そこに息づく文化がどのように機能しているか、そこに生きている人々の価値観に共感できるか、自分で確かめる必要があるのです。あなたは人々の価値観と文化のつながりを解き明かしたいと考えます。この信条、この宗教を持つ人々は自分が書物で勉強したことを実証しているだろうか？　この価値観に基づいた暮らしはどんな人々、どんな意識を作り出すのだろう？　あなたは世の中には多様な人種や文化による住み分けがあることを表面的に了解しています。あなたの課題は、この理解を一段深め、より高い視点から俯瞰（ふかん）することで人々の意識のパターンを把握することです。どんな社会や文化にも、どこかに共通点があり、地球に生きる人々はどの道、同じ人間なのだと感じることが好きだから、あなたは海外旅行に惹かれるのです。それはすべての社会を一つに束ねる、共同体意識に帰属するという感覚が得られるからです。

あなたはいろんな社会や人種、文化に対する見聞を広めながらそこにある価値観や人生観を統合し、どれがあなたに一番合っているかをサンプリングしているため、サンプルとなる経験は多いほどいいのです。あなたは今生で行くべき方向を見失っているため、社会勉強を通じて自分の哲学や自分らしい生き方を模索しているのです。あなたは前世で日常の些細（ささい）なことがらに埋没した暮らしに慣れ親しんでいたため、人生を表面的にしか捉えることができず、自己実現のテーマを忘れてしまいました。そして今生のあなたが自分の真価を再発見するための唯一の方法が、世界の多様な信条や思想、宗教観に触れ、その中から自分に合ったものを選び取るという方法です。あなたの価値観に合いそうなものをいくつか見つけたら、それらの精神的価値、論理的有効性、そして実用性などに照らし、検証してみてください。どの国のどんな生き方があなたに幸福感と自信を与えますか？　偏見を介在させることなくいろいろ検証しているうちに、個人のレベルでは相性の合う宗教や思想とそうでないものがあることがわかってきます。この過程であなたはあなた独自の精神哲学を編み出し、自らの魂とつながろうとしているのです。

狭い了見を打ち破り、差別や偏見を持つという誘惑と闘い、ものごとを皮相的に見る習慣をやめるという課題は今生のあなたにとって大変重要です。世界の人々の信仰する宗教や思想をよりよく理解するために、あなたは次々に浮かぶ疑問を解決していこうとするでしょう。前世経験ではものごとの表面の瑣末（さまつ）なことがらにしか関心が向かなかったため、今生では目先のディテールの奥にある本質に迫りたいという欲求が非常に強くなっています。あなたはすでに入手したたくさんの情報や異なる社会習慣の底流を流れる、どの地域や文化にも通用する普遍的な価値を探ります。あなたは今生に、社会構造は固定的なものだという認識を持って生まれています。あなたは生まれ落ちた自分の家族を見て、そこに流れる価値観と秩序を理解します。また友達を見て、その家族に共通する別の価値観と秩序を見つけ、その違いに疑問を抱くでしょう。あなたの思考体験は「どうして自分の家族と友達の家族は違うのだろう？」という若い頃の疑問から始まります。

多種多様なものがあふれる社会でも、共通する価値を見つけられるとあなたは平和な心で過ごせるようになるでしょう。あなたの場合、肉体を持って地上に滞在している間じゅう、宇宙、あるいは神と呼べるような父親的存在と切り離されている感覚を持っています。あなたは魂の故郷を目指し、行動したいと感じますが、その方法を知りません。そこであなたは答えを求め、世の中に氾濫（はんらん）する雑多で無秩序な情報の中から、より崇高な情報や真理をかぎ分けようとするのです。そして真実と出合う方法は自分の目で見て、足で探すことだとあなたは知っています。これはあなたが分別のある決断を下すために必要な調査活動といえるでしょう。

あなたには精神世界の叡智（えいち）が備わっていて、周りの人々の精神意識を高める能力を潜在的に持っています。けれども自らその能力に気づくには少し時間がかかります。知識を求める探求の過程で、あなたは少しずつそれに気づき、どんな機会に人々をどう導けばいいのかが見えてくるでしょう。その際に避けるべきことは、どれか一つの方法に固執し、傾倒し、客観性を失うことです。あなたは前世でものを売る仕事で多くの経験を積んでいるため、何かを他人に勧めるのが非常に巧みです。しかし今生のあなたが積むべき経験は、自らの心の機能を鍛えることにあります。

あなたが他人を導く最良の方法は、人それぞれが目指すべき道を見つける手伝いをすることです。人には独自の運命と学びの過程があり、どれ一つとして同じ道はありません。それぞれの道に用意されている経験が、その人独自の意識を形成していくのです。一つの魂が完璧なバランスを見つけるためには、自分の人格の研鑽（けんさん）すべき課題に取り組み、原点に立ち返る必要があるのです。あなたが今生で取り組み、他人と分かち合うべき課題には無数のアプローチがあり、目指すべき対象も数え切れませんが、核になっているのは一つしかありません。だからこそ、あなたは得意の雄弁さを駆使して他人をあなたの道に勧誘しないよう、注意を払わなくてはなりません。あなたの言葉次第で、自分の進むべき道を捨ててあなたの運命に参加してしまう人を作りかねないため、あなたは自分の言葉には十分気をつける必要があるのです。これが起きると、あなたは他人を支えるどころか、他人の運命を妨害することになってしまいます。

あなたに他人のニーズや動機、置かれた立場などをよく観察する習慣ができるにつれ、人の進むべき道がなぜ他人と共有できないかがわかってくるでしょう。人々が自分の進みたい方向に進む自由を許すことで、あなたは地球上の「ハーメルンの笛吹き」（訳注：ドイツ民間伝説上の魔法使い。無責任な企てに人を誘い込む扇動者）の役柄を返上できるでしょう。そうしてはじめてあなたは自分が手に入れる運命にあるもの――個人の自由――を手に入れられるのです。あなたは今生で、他人の人生という重荷を背負い込むことなく、自由を謳歌する喜びを学んでいるのです。

今生のあなたの一番大きな仕事は、他人を自分の意のままに動かそうとせず、自由にそれぞれの道を極めていくことの極意を人々と分かち合うことです。これを心に留め、あなたは身近にいる人々を自由に羽ばたかせ、自分の魂の道を見つけられるよう支えてあげてください。あちこちからかき集めた多彩な情報を全部ひとつの〝鍋〟に放り込み、煮詰めていくうちにすべてが溶け出し、やがて最後には〝金塊〟が残るでしょう。あなたが今やろうとしているのはちょうどそんな作業です。あなたの知性と感性の〝鍋〟で煮詰められ、醸成された雑多な情報は、やがていくつかの輝く真実としてあなたから発信されていくのです。あなたは世界に存在する多様な信条や宗教、思想に触れ、それぞれを吟味してどこが人々のためになり、どこが人々の自由な成長を妨げているかを見通し、前者を広め、後者を駆逐するでしょう。あなたは人間の頭脳の産物である宗教や信条の弱点や狭量さを補い、宇宙の意識と一体化し得る信条へと昇華させていきます。それがあなたの見出すべき運命の道なのです。

あなたはその過程で、同じ志を持つ仲間を求めますが、出会うことはあまり期待できません。あなたがたどるべき道は孤高の道。似たような運命を持つ人は滅多にいないからです。あなたが偏見と無縁の視点を持ち、新しい経験を積極的に取り入れるとき、あなたの周りの人々が放つ個性の輝きがすんなり見えるようになるでしょう。身近な人の輝く姿をうれしく眺めるとき、あなたの孤独感は癒されていくでしょう。

●無意識のステージ（自覚する前のあなた）

　あなたが今生で学ぶことになっている課題は、あなたの魂が持っている差別や偏見の意識を手放し、狭い視野を打開していくことです。この課題を前向きに受け止めない場合、あなたの周りには差別と偏見に満ちた了見の狭い人々があふれ、過酷な人生を強いられることになります。あなたはちょっとした考え方の違いで簡単に他人と激しいぶつかり合いを引き起こし、あなたと同じように知識が少なく偏見に満ちた考えの持ち主と言い争うでしょう。こうして運命は、あなたに知識が乏しいことや偏見を持つことの否定的側面をあなたに知らせようとするのです。

　あなたに課せられた課題を無視しようとすると、あなたには国籍を理由に差別され、蔑(さげす)まれる経験や、あなたが信じ、大切にしている宗教を他人からあからさまに愚弄(ぐろう)されるという厳しい経験が待っているでしょう。あなたはものごとを表面的に解釈する傾向があり、たとえば地方の訛(なま)りのある人々は、標準語を話す人より知性が劣っていると考えがちで、ゆっくりとつとつと話す癖のある人は頭の鈍い奴だと馬鹿にします。人間関係でも自分と異なる外見や話し方、出身などの人を信用できず、敬遠するでしょう。このようなマイナスの先入観や偏見で人を判断していると、あなたに協力してくれる最も優秀な人を遠ざける結果を招きます。前世でのあなたの偏見的態度が特に強かった場合、あなたは今生で被差別対象の血筋や階級に生まれ、前世であなたが犯した罪を、今度は逆の立場で思い知らされることになるでしょう。

　あなたはこの人生を生きる間に、変化や多様性を認めない狭量な考え方を捨てる運命にあることを受け入れなくてはなりません。あなたは他人に批判的な態度を改め、自分がいつでも正しいと考える癖も治さなくてはなりません。あなたのやり方以外にもいろんなやり方があることを認めてください。あなたは自分と同じ分野、同じ道を歩む人としか付き合おうとしない傾向がありますが、あなたとは違う分野の人々からでも学ぶことができることに気づく必要があります。あなたに会得してほしいのは、私たちは誰もがかけがえのない存在で、私たちの心の奥には一つの宇宙を共有する神聖な集合意識を形成するチップが埋め込まれているのだということ。意識しているいないにかかわらず、私たちはみな潜在的に独自の人生のコースを持っていて、それは魂が成長するために組まれた完璧なシナリオなのです。一人ひとり違う色や形の花を咲かせるために独自の道を歩んでいて、開花の場所と季節は人によって異なるのです。

　あなたの社会意識は、ある意味で超エリートしか入れないソサエティーや、お金持ちの会員限定のカントリークラブに似ていて、閉鎖された小さな集団の中の人間関係しか受け入れようとしません。自分と同じ種類の仲間とばかり付き合おうとする価値観の持ち主には、世の中のいろんな人々が差し出す目新しく意外性に満ちたワクワクするような価値観の貢献を評価する度量がありません。あなたは予想外のことや変化を嫌い、いつも同じ顔ぶれで同じことをする生活を優雅だと感じます。あなたはこの現状維持志向をどこかで脱却し、狭い世界に引きこもっているような孤立感と閉塞感を打開しなくてはなりません。あなたが世界に目を向け、視野が拡大してきたら、新しい感覚を〝外〟の人々と語り合い、あなたの認識を調整するようにしてください。その際、心理学や社会学を持ち出したりせず、ごく一般的な人間としての会話を交わす必要があります。あなたの場合、専門用語を使い始めると話が複雑になり、他人とスムーズなコミュニケーションができなくなる傾向があるからです。

　あなたが注意すべき傾向としてもう一つ挙げられるのは、何かに熱中し始めると他人の声がまったく聞こえなくなることです。自分の道を見つけると、あなたは夢中になって打ち込み、先を目指したいあまりに視野がトンネルの中から外を覗くように狭くなり、遠くの一点に集中してしまうのです。自分のゴールに集中しているとき、あなたは成長の機会は他人と触れ合い、あなたの言葉を彼らの価値観や信条に照らすことから生まれるという事実を忘れてしまいます。同時に意識を拡大するという目的にばかり目を向けて、人間としての喜びを味わうことをないがしろにしないよう注意してください。また、目からウロコの知識を得たとしても、その上を行く情報にオープンな気持ちを持ち続けないと、あなたはせっかく得た情報に縛られ、他の可能性を受け入れる柔軟性を失ってしまいます。あなたの魂が成長し、幸福な人生を歩むためには、一生他人とのやりとりを続ける必要があることを覚えておいてください。

狭い世間の中で暮らしていた前世の社会観の影響から、あなたは慣れ親しんだものの外に出るとき、不安に襲われることがあるでしょう。知り合いの少ないパーティーに出席するとき、食べたこともないような料理を出されたとき、あなたの心に起きる最初の反応は不安です。新しいものに触れる喜びを味わい損なったとき、またあなたの知らない人々がもたらす未知の世界の多様なことがらに関心を示せないとき、あなたは自分を現状の小さい世界に閉じ込めているのです。あなたが心の底から喜びを感じる経験やインスピレーションは、目の前にある自分の現実を超越した先で、あなたを待っているのです。

●覚醒のステージ

魂の道に覚醒しているあなたは自分の知的好奇心を積極的に満たし、着々と学び、成長していく軌道に乗っています。正式な教育機関で哲学や文化、社会学、神学などを学ぶ人もあれば、世界各地を旅しながら人々の生き方や心の真実を学ぶ人もあるでしょう。あなたは自分の殻を破り、周りに注意を払う習慣を身につけつつあり、多様な人々と接し、彼らの考え方に耳を傾けることがあなたの意識を拡大することを知っています。

あなたの意識はものごとの精神的側面に向けられ、「肉体という物質を乗り物として生きている精神的存在」といえる人間の中で物質界と精神界がどのように交差しているのかに強い興味を持ちます。あなたは今生で肉体、心、そして魂の三つの領域を統合するという大きな課題に取り組まなくてはなりません。このためあなたはこれらを統合できるような環境を志向し、実現に向けて努力を惜しみません。あなたは肉体を持っているからこそ味わえる多様な経験を楽しみ、身体の機能をよく理解しています。あなたは心が感じることをそのまま現実に反映させるためには敏捷(びんしょう)な肉体が必要だと知っています。あなたは神聖なものを大切にする心を持ち、あなたもまたその神聖なるものの一部であるという集合意識を持っています。あなたはあなたの魂が今生で取り組むべき課題があることを知っていて、肉体、心、魂という人の三つの側面について積極的に追求し、これらを統合できる経験——どのようにこの3要素は関わり、相互に作用するかについて掘り下げようとするでしょう。

覚醒のステージにあるあなたは、人はそのときに見えているものだけを現実として、その中で人生を生きているのだということを理解しています。人は自分の頭の中に描けないことを夢見ることはできないと、あなたは知っています。少しでも高い覚醒の高みへと昇りつめるためには、一生を通じて視野を拡大させることが何よりも不可欠です。知識と視野が拡大すれば、そこからあなたの選択肢は無限に拡がっていくのです。

あなたは今生で意識レベルを高め、もう地上に再び降りてさらなる経験を積まなくてもよくなるほど神聖な意識まで到達したいという意思を持っています。このためあなたの魂が完璧な自由と解放を手に入れるためのすべての選択肢を得ようと、多くの時間とエネルギーを費やして探し続けるでしょう。宇宙意識と同化する意思、個人として分離したくないという欲求は非常に強く、その現れとしてあなたは孤独からくる悲しみを極度に恐れるでしょう。あなたは自分の心の中にある真実を求め、宇宙意識とつながる真実の自分自身を求める道を歩みます。あなたは自分が進むべき軌道を歩んでいるかを確認するために、周りの人々の魂の軌道についてよりよく理解したいと願うでしょう。

●超意識のステージ

個人としての意識を超越したあなたは生き生きと真実を取り入れ、自らに統合していきます。あなたはどの人が歩んでいる道もその人にとって唯一無二の道だという認識を持ち、彼らがあなた同様に覚醒した意識を得られるように協力を惜しみません。私たちの意識を制限するものは自らのせまい現状認識以外にないことを熟知していて、人々の認識の枠を打ち破るために努力します。認識の範囲が拡がれば、可能性の幅もこれに比例して拡大します。あなたは人同士の競争の無意味さを理解し、全員にとってプラスの結果を引き出す行為でなければ、それは究極的に全員にとってマイナスになるということを知っています。あなたは生きることを喜びとする基本姿勢を維持し、その軽快な姿勢は未来へと至る道程を冒険の旅へと変貌（へんぼう）させるでしょう。あなたは真実を自分のものにしたお陰で日々を軽妙に、しかも一つひとつに喜びを見出しながら生き

Sagittarius

るようになり、周りの人々の気分を軽くする才能を発揮するでしょう。厳格なものの考え方や差別や偏見といったものから自らを解放する自由なあなたの姿は、あなたの人生哲学以上に人々を鼓舞するでしょう。

あなたは物質文明が終わり、精神性を重視する時代の到来を意識し、その中で生きる姿勢と、あるがままに生かされる姿勢を人々の前に体現します。前世のあなたに染みついていた古い考えや差別、偏見を捨て、進歩的で柔軟な精神を築くことで、あなたは前世のカルマを解消しようとしています。あなたは常に変化を取り込み、人々を古いパターンから救い、新しくより柔軟で幸福に満ちた意識へと導き、未来へといざないます。あなたは自由を広め、自分の信条や思想を持ち、それに従って生きる責任を人々の心に浸透させるべく働きかけます。射手座の月蝕エネルギーを煎じ詰めると、そこには自由と個人の責任という二つのキーワードが浮かび上がってきます。

●身体に現れる兆候

あなたの身体があなたに何かを訴えかけるとき、それはあなたの腰、太腿、肝臓を通じて伝えます。あなたが差別や偏見を捨てようとしないとき、血液を浄化する役割を持つ肝臓が機能不全を起こすでしょう。こうしてあなたは差別や偏見を持つことはそれを被る相手だけでなく、あなたの精神の健康にも悪影響を及ぼしていることを知らされるのです。

あなたが前世のパターンに留まり、周りに目を向けることなく人間関係や社会環境において現状維持を志向していると、腰の関節の不具合や、動きにくい身体になることがあります。あなたの心と魂が固まって動けなくなっていることをあなたに知らせようと、肉体の側面である腰や太腿が動かなくなるのです。程度によってちょっとした不快感という軽い症状から体力の著しい低下を引き起こす場合もあります。差別意識や凝り固まった考え方を手放し、意識を柔軟に構えることで、心の側面の停滞は解消されるでしょう。

あなたが古い考えや現状に合わなくなったやり方をなかなか手放さずにいると、皮膚のトラブル、特ににきび、吹き出物、おでき、湿疹などの腫れ物が起こります。肉体は両親からのプレゼントですが、細胞が持っている意識や記憶はあなた独自のものです。あなたが抱える差別や偏見の対象が、生まれ育った家族のものと異なっている場合、その根拠がこの細胞の持つ記憶といえるでしょう。古い考えに固執することはあなたの心身の健康を害するため、身体は皮膚からできものを通じて膿(うみ)を出すことにより有害なものを手放すようメッセージを発信するのです。あなたの身体は自らの中に留めておきたくないものを、にきび、吹き出物、おできの類いを通じて外に追い出そうとするのです。あなたが家族から多くの差別や偏見の意識を細胞のレベルで受け継いでいる場合、皮膚のトラブルは必然的に起こります。

●日蝕

あなたは現世をともに生きる人々に、良好な評判を築き、維持することの大切さについて教える運命を持っています。公共の場で自分を正しく主張しておかないと、あとで絶対に起きてほしくないという場面で悪いことが起こり、ツケを払わされることになるという法則を、あなたは本能的に知っています。

あなたが日蝕エネルギーを自覚できていないとき、この法則に従わない場合に起きるつらい顚末（てんまつ）を受け止める羽目に陥るでしょう。あなたが公の場でしかるべき態度を取らなかった結果、社会的に辱（はずかし）めを受ける姿を見て、他人はその法則の大切さを学び取るでしょう。

あなたが授かった日蝕エネルギーを自覚していれば、威厳（いげん）と慎みをもって家族や他人と接すること、自分の言動が相手に与える印象を考え抜いた上で行動することの大切さを人々に知らしめることができるでしょう。公の場での振る舞いに自制心が働くあなたは、たとえば恋人でない異性の友人を空港に見送りに行っても、決して別れ際にキスをしたりしません。万が一にも誰かがその様子をどこからか見ていて、「ジョンが空港でメアリー・ルーにキスしていたのを見たよ」とおしゃべりな友人に告げ口したりすることがないように、あなたは気を配っているのです。社会的な評判に非常に敏感なあなたは、他人があなたの評判を落とすきっかけを決して作りません。いつでも抜かりなく振る舞うため、あなたは公の場で大変静かです。その反動で、他人の目のないところでのあなたは非常に大胆になります。ベッドルームのドアを閉め、カーテンを閉めると、あなたは檻（おり）から放たれたトラのように豹変（ひょうへん）します。

あなたは外交儀礼の何たるかを人々に教え、人が成功の階段を着々と昇るためには一定の外交手腕や礼儀作法が不可欠だということを教えます。社会的地位の階段の高いところを昇り続けている人が下を見ることを恐れる様子を見て、あなたは転がり落ちることの恐怖を学び取るのです。

目指す分野が物質界でも精神界でも、あるいは単に気持ちを満足させるという意味でも、人は誰でもごく自然に、より高いところを目指すという成功志向体質を潜在的に持っています。成功軌道に乗っている人との出会いは、人に自らの相対的な立場に目を向けるきっかけを作るか、あるいは世間の評価を得られないことへの恐れを呼び起こします。自分の現在の地位に不安を抱える人は、最も避けるべき敵となる可能性を秘めています。なぜならこの人たちは不安にとりつかれているため、そばにきた人を道連れにして落ちていこうとするからです。その様子はちょうど溺（おぼ）れかかっている人が、助けにきた人にすがり付いてもろともに溺れていくことに似ています。

他人の成功を客観的に評価することの大切さを知っているあなたは、身近な同僚のために快適な環境を作ります。不要な邪魔が入らないよう（誰かと比較して不要な不安を煽（あお）らないように）配慮されたその環境で同僚たちは不安を感じることなく仕事を進め、自らの目指すべき道を見極めていきます。すべての人がその行動を他人に認められ、評価されなくてはならないということを直感的に知っているあなたは、成功への階段を大体において楽々と昇っていくでしょう。外交儀礼の必要性を熟知しているあなたは先輩をたて、その功績を十分に讃（たた）えることを他人に示すことができるため、あなたが選んだ成功への道程は一点の曇りもなくあなたを待っているのです。

今生で成功を収めたいのなら自分の行動の一つひとつに十分気をつけて、いつでも誰かに見られているという感覚を持っていることが大事だということを、あなたは人々に教えます。あなたがどのような例を体現するにしても、今生のあなたは実際に人々の注目を集めるでしょう。あなたは何をするにしても、自分のしたことはいずれ人々に知れ渡ると思った上で行動したほうが身のためだと知っています。あなたの周りの人々も、頂点を極めたいなら、自分の生活のすべての側面がテレビで生中継されているくらいのつもりで、決して後ろ指をさされない行動を心がけなくてはならないことをあなたから学びます。世間の評判を高くしておく必要性を教えるというあなたの役割ゆえに、あなたは何をしてもごく自然に人々の注目を集めるのです。世間の評判の重要性をあなたから学ぶために人々はあなたに注目しますが、よい例を示すか、あるいは悪い例で示すかはあなた次第です。

あなたは生活のすべての面において、世間の評価を上げる方法を人々に教えます。プライベートのちょっとした人間関係でもビッグビジネスでも、足場を固めないことには先に進めないことをあなたは本能的に知っています。仕事上の次のステップにかかる前に、あるいは人間関係の親密度を上げる前に、今の自分の足元がしっかりしていることを確認しなくてはならないことを、あなたは人々に教えます。その様子は滑りやすい岩場を行ったりきたり、時には後戻りしながら地盤のしっかりしているところを探し、確かな足取りで頂上にたどり着く山羊に似ています。

あなたは今生で、自分の信条に従って模範的に生きる姿を広く一般に見せるという経験をしています。あなたは理想のために自分を律する能力を授かっているため、あなたが描く理想の未来に向かって気高く生きて見せることにより、あなたは人々に自分の人生を生きながら、個人の人生よりもっと重要な命題、つまり社会としての理想を追求するために人生を捧(ささ)げることが可能だということを示します。あなたには自分の決めた目標を常に心に描き、ぐらつくことなくその目標が実現するまで歩み続ける意志の強さが備わっています。それはコミットメントの大切さを人々に教える役割を引き受けているからに他なりません。あなたは目標達成願望が非常に強いため、目の前にやってくるどんな機会も、目標達成の道具として活用する力を持っているのです。こうしてあなたは逆境さえもプラスに転化できるということを人々の前で実演して見せるのです。

あなたの元に引き寄せられてくる人々は、ひどく感情的だったり、過敏だったり、社会的環境で大人として振る舞えない人が多いでしょう。あなたは持ち前の礼儀正しさや社会的責任を果たす姿勢を彼らに教え、不器用なところを修復していきます。あなたは彼らに社会性を教え、外交上の言葉や出来事をあまり個人的に受け止めないように指導します。こうして人々はちょっとしたことでいちいち傷ついたり動揺したりする習慣を改めていくでしょう。

人は自分の行動を常に他人に評価されるものだと知っているあなたは、人々を自分の行動に責任を持つよう導きます。あなたは社会の評価というものが往々にして批判的になることを了解しているので、人々を上手に社会を味方につけて、折り合いながら成功への道を歩んでいくよう導くでしょう。人々は社会が決めた規範の中で生きることにより、周りの人々から評価されることを、あなたを通じて学びます。あなたは人々に「他人や社会の役に立つ人であれ」と伝え、その仕事があなたにとっては社会に対する責任を果たす行為となるのです。

あなたにとって、社会の役に立つことが最も重要なポイントです。あなたは自分の生活のすべての面が、何らかの役に立たなければ気が済みません。あなたはあらゆる無駄を嫌い、とりわけ忌み嫌うのは持って生まれた資質を生かさず、持ち腐れにすることです。人が潜在能力を眠らせたままでいること、能力を全部出し切ってチャレンジしないこと、社会的評価を台無しにすること、これらはみな由々しい無駄とあなたは考えます。社会はあなたの人格を見ているだけでなく、誰と付き合うかでも評価することを知っているあなたは、ひとかどの人格を持ち合わせていない人と無駄な時間を費やすことはありません。

あなたが基本的に教える運命にあるテーマは、私たちが所属する社会と上手に付き合い、責任感のある姿勢を保ちながら目標を実現することの大切さを人々に教えることです。

●月蝕

あなたが今生で学ぶべきテーマは、社会的評価を勝ち取ることの大切さです。あなたに与えられた試練は、社会からはみ出さずに生きること、自分の行動に責任を持つこと、そして社会や他人の役に立ち、社会に生きる大人としての誠実さを身につけることです。あなたの過去生は、活動の中心を家庭内で過ごし、守られた狭い環境で快適に過ごした人生でした。そして今、あなたは家庭という小さな世界を飛び出し、家庭や母親への依存を解消し、社会の一員として立派に責任を果たす人物へと脱皮する機会が与えられているのです。

♑ Capricorn

これらの試練をまっすぐ受け止められない場合、あなたは何らかの形で社会的に抑制されることになるでしょう。場合によっては犯罪者として投獄されるといった極端なケースに発展することもあるでしょう。あなたは周りの人々から繰り返し侮辱され、社会的評価が著しく低下し、あるいは人々があなたを社会に何の役にも立たない人物だと評価し、それを遠慮なく面と向かってあなたに告げるでしょう。そういう厳しい経験を通じて、あなたはほしいものを手に入れるだけでなく、他人に差し出すことも必要だと悟るでしょう。

自分の思うままに生き、他人への配慮を怠っている間、あなたは周りの人々の怒りを買い、あなたに制限を加えるよう、自ら働きかけているようなものです。自己中心的な生き方をやめ、社会の一員として求められることを果たしてさえいれば、あなたは社会での居場所や進むべき方向、心地よく自己主張できる場を得られるのに、あえて社会を無視して生きようとするあなたは自分の魂のシナリオにまったく気づいていません。

あなたが自分の学ぶべきテーマを受け止める意志をもつ場合、はじめのうちは人間関係での試行錯誤が続くでしょう。人々や社会に背を向けることなく良好な評判を維持するよう努め、社会の恩恵に浴するだけでなく自分から奉仕もして、自分の属する環境に貢献し、豊かさを人々と分かち合って生きていれば、社会の一員としてみんなに受け入れられ、居場所を与えられるでしょう。世間の評価をそのままあなたの存在価値と受け止めるのではなく、あなたが社会の一員としてあるべき軌道から外れていないかのガイドラインとして捉えることを、あなたは学んでいます。つまり、人々の評価が下がってきたら、それは「一歩下がって周りを見渡し、何らかの調整が必要かどうか検討しなさい」という警告なのです。

成功や達成は、あなたの人生に重要な学びと成長をもたらします。あなたはゴールに向かって先を急ごうとしますが、進歩するには忍耐と責任を習得しなくてはなりません。先を急ぎたがる人々は、往々にして先駆者や先輩たちへの配慮を怠ります。一呼吸おいて先輩に気を遣うことが、あなたに対する協力と支援の道を開くのです。あなたがあなたより先に成功を収めた人々やあなたに手を差し伸べる人々を無視して先を急いでいると、あなたに無視された人々の中に、あなたの行く手を阻む大きな力を持っている人が現れるでしょう。あなたが周りの人々の存在を認め、尊敬し、しかるべき挨拶をすることを覚えると、あなたのゴールへの道程はずっと楽なものに変化するでしょう。

あなたは自分の環境をコントロールして、自分の望みを叶えやすい環境に変えていく方法を学んでいきます。自分の環境を良好に維持するためには自分の行動に責任を持つ必要があることに少しずつ気づいていくでしょう。自分でコントロールするという課題はあなたにとって大きなテーマです。前世のあなたは、自分でコントロールするのではなく、環境があなたをコントロールするに任せていたからです。今生であなたがマスターすべきことは、自分で自分をコントロールし、決して他人をコントロールしようとしないこと。他人をコントロールすると、あなたの人生は失速し、深刻なものになっていきます。あなたは人々に足を引っ張られ、寄りかかられて失速し、あなたに降りかかる山ほどの負担に怒りと落胆を覚えながらも、人々があなたに依存するように仕向けたのはあなた自身だということに気づかないのです。あなたが自分のエネルギーを他人ではなく自分自身をコントロールするために使うと、あなたは次第に忍耐力と強さを身につけ、どんな分野でも頭角を現すようになるでしょう。

よくも悪くもあなたは常に人々の注目を集めやすい人生を歩んでいることを自覚すると、あなたはいつでも最良の行動を取ることの大切さがわかるようになるでしょう。あなたの魂は今生で社会的評価を得ることや成功することの意味について学ぶ決心をしているため、社会はあなたのすべての行動について（プライベートでも仕事でも）、常に責任ある社会人であることを求めるのです。あなたのプライベートライフがあなたの職業上の成功に影響するとか、あるいは逆に仕事上の評価がプライベートライフと折り合うかといった点について、社会は関知しません。あなたは体験を通じて、どんな場合にも社会の良好なイメージを維持していることの大切さを学ぶでしょう。あなたは運命的に注目を集める人生を歩んでいるため、人々はとかく批判の目をあなたに向けやすく、あなたも無意識に人々の評価の意見を求めようとするのです。あなたの社会的態度が妥当であるかどうかを判断する物差しとしてただ一つ有効なのは、あなたが属する社会の人々があなたをどう評価するかです。あなたが成功したかどうかは、人々があなたを尊敬しているかどうかによって明らかになるでしょう。あなたにとって、社会に承認してもらうことや、社会に生きること、生かされることを学ぶ経験は非常に大きな価値を持ちますが、そういうことに重点をおかない人々も世の中にはたくさんいるということを認識する必要があります。

あなたが今生でなぜ成功する必要があるのかについては、あなたのゴールが成功だけではないと気づいたときに明らかになるでしょう。あなたがほしいのは成功の他に、人々の承認、尊敬のまなざし、そして社会の役に立つ自分自身です。これを明確に自覚すると、あなたは社会に必要な人物としてしっかり根を下ろし、安定した地位を築くでしょう。あなたはゴールを目指す過程で、自らの人格を研鑽（けんさん）していくことを学ぶでしょう。

●無意識のステージ（自覚する前のあなた）

あなたの魂が選んだ学びの経験を自覚できず、自分をぞんざいに扱い世間での評価を無視していると、次から次へと困難の続く人生になるでしょう。あなたが最初に自覚すべきなのは、あなたの人生はよきにつけ悪（あ）しきにつけ、他人の注目から逃れられないという点です。このためあなたは自分の一挙手一投足に至るまで、行動の責任を負わざるを得ないのです。あなたが今生で学ぶべきレッスンは、社会で良好な評価を得ることの意義を体得することですから、あなたの魂は、あなたが人生のあらゆる面で他人の評価にさらされるという運命を選択しているのです。自分の行動に責任を持ち、他人の評価に身を委（ゆだ）ねるというルート以外に、あなたの人生を幸福に導く道はありません。このルートをたどるうちに、あなたは自分が学ぶべき社会的評価の価値を習得するのです。無目的に、場当たり的に生きるのはやめ、あなたはこのルートを自覚して自分を研鑽し、世間の評価にさらされることで自らの成長の道を極めていかなくてはなりません。

自分の人生の意味を考えず、社会の役に立つこともせずに生きていると、あなたは次第に社会にとっての〝お荷物〟になっていきます。たとえば病気でもないのに定職につかずにぶらぶらして、生活保護を受けたりすることもあるでしょう。社会人としての責任を果たさず、その恩恵にも無縁なあなたは社会の人々から無視され、蔑（さげす）まれる存在に身を落としていきます。恵まれない環境から盗みや横領、着服などの犯罪に手を染め、社会に害を及ぼす人物として刑務所に入れられることもあるでしょう。社会参加して自分の居場所を築く勇気がないため、家に引きこもる人もあるかもしれません。このような形で、自覚のないあなたは自立の方法を学ぶ機会すら作れず、社会はもちろん家庭内でも〝お荷物〟となり、不本意な人生を送るでしょう。このような人生を避けるためのキーワードは、「奉仕」。家庭でも社会でも、あなたが誰かの役に立つことです。あなたが子供の頃、両親から家族への奉仕の仕方を教わらなかった場合、方向転換はいっそう困難になるでしょう。無自覚なあなたが、社会的責任に目覚め、幸福な人生を歩み始めるには、少しずつたゆまぬ努力が必要です。

あなたの今生のテーマの一つに、自分の尊厳を維持することの目的と必要性を学ぶという経験があります。このためあなたは自分より権威のある人々とうまく折り合えないという傾向があります。あなたは前世で権威を持った経験がありません。あなたが出会うほとんどすべての人があなたより上の立場にあったため、あなたは簡単に自分の能力や尊厳を他人に渡してしまう習慣が身についていました。今生のあなたはほとんど反射的に、権威に対する反発を持っています。これはあなたが運命を自覚して自分の中に尊厳を認め、魂の成長の軌道に乗るまで続くでしょう。自分の中に尊厳を見出す(みいだ)ためには、あなたが属する集団の中で、人々に尊重され、役に立つ存在として大切にされることが何より重要な条件なのです。

無自覚なステージで仕事をすると、あなたはあちこちで人や状況を自分の有利に運ぼうと作為的な動きをするでしょう。これは、所属する組織の中で価値ある存在として仕事をする自信が持てない時期のあなたが陥る典型的なパターンです。あなたは情報を操作し、他の人々にはことの全容を明かさず、しかも最も重要な情報を独占することにより、存在感をアピールするでしょう。大事な情報をなるべく他人より多く抱え込むことにより、自分がそこになくてはならない存在だと自他ともに認めさせようとするのです。あなたが自分の力と存在価値をもっと信じ、持っている情報をすべてみんなと分かち合おうとすると、あなたが渇望する他人の承認が得られるでしょう。

社会的に抑圧を感じているうちは、過剰な成功願望

Capricorn

に支配されることがよくあり、どんなに犠牲を払ってでも成功したいという危険な欲求が起こります。この状態にいるあなたは、社会的に不謹慎、不道徳とされることを平気で実行に移します。あなたには大きな成功を手にする能力がありますが、方法を誤ると、社会の最も底辺をさまよう、人の道を外れた蔑むべき人物にもなりうるのです。創造力がマイナスに働いている この状態で、あなたは他人の人生を台無しにするほど残酷な詐欺行為や汚い手口で金品をだまし取ることもあるでしょう。この状態に入ると、どれほど罪のない遊びの中からでも他人をだます行為が自然に起こり、ちょっとしたトランプゲームでも友人からお金を巻き上げることになりかねません。けれども遅かれ早かれ、あなたは自分の蒔いた種を刈り取ることになります。あなた自分の悪事に気づき、反省の念が生まれれば、あなたには自分が積み上げた社会に対する〝負債〟を返す度量は十分備わっているのです。

自覚するまでの過程で、犯罪に手を染めるほど落ちぶれなかったとしても、他人を操作してことを有利に運びたいという願望は非常に強く、常に他人の人生を意のままに操ろうとするでしょう。その背後には、あなたが支配しようとしている身近な人々がもし自立していったら、恐らく自分を簡単に超えていくだろうという恐れが、あなたの心には常にあるのです。他人を支配したいという欲求を克服することができると、あなたには品格と威厳が備わってきます。自分の支配欲、操作欲を克服する最もよい方法は、他人の仕事の手助けやボランティアなど、他人が自立するための支援を積極的に行うことです。そういった活動を通じて、あなたは自分のプラスのエネルギーや経験を社会に還元できるのです。

覚醒のステージ

責任ある行動を自分の人格に取り込んでいく必要性に目覚めたあなたは、社会活動や人間関係での自分の行動に責任を持つことから始めます。家族とともに暮らしている少年期に目覚めた場合は、家族の一員として、責任ある行動をするようになります。その典型が新聞配達や近所の店でアルバイトをするような子供。彼らは自分の家庭に何が必要かをよく理解し、協力を惜しみません。こういう子供には何か家の仕事を与え、その見返りとして大人のように人格を尊重し、その仕事の出来ばえをほめてあげてください。これができれば、この子供は魂が決めた道を早い段階で見極め、歩み始めることができるでしょう。

あなたは生まれつき勤勉で、社会の評価の持つ意味をよく知っています。あなたにとって仕事で成功することは何より大事なことで、実際に成功を手にするには、人目に触れる自分の行動すべてに注意を払う必要があることも知っています。責任感の強い人でも、この教訓は厳しい経験を通じて訪れることがあります。また、成功するためには踏み出す前に両足でしっかり大地を踏みしめている必要があることを、あなたは学んでいくでしょう。こうした経験から、あなたは自分の足場を固めながら前進し、人間関係でも自分の居場所を確保していくのです。あなたは前世で非常に感情的な人でした。この記憶が残っているため、今生のあなたは激しい感情に恐怖を感じます。他人の目を意識しているときのあなたは感情を外に表さない人でも、心の奥には波打つような感情があふれ、感性も非常に豊かです。

あなたが自分の目指す成功に向かって進化し続ける過程で最も貴重な学びとは、他人を尊重し、承認することの大切さといえるでしょう。成功する自分にばかり焦点を合わせ、エリート志向に傾くと、荒涼とした孤独しかなくなります。大事なのはあなたよりも弱い立場の人や同レベルの人、そして目上の人たちを一様に尊重すること。ゴールを目指しながら、身の回りの人間関係を荒らさず一人ひとりを尊重するよう気をつけていると、あなたが成功したとき、人々はあなたに賞賛の言葉を伝え、あなたを温かく受け入れてくれるでしょう。

心の成長については、あなたが持って生まれた控えめなところ、他人の承認を求める心、そして成長を続ける感性とのバランスをとることが課題となるでしょう。あなたが学んでいるのは、自分が成功を収めるまでは他人と愛情を育む（はぐく）ことをお預けにしなくてはならないと考える必要はないということ。実際、あなたがゴールを目指す過程を支えてくれる、立派な人格を持つやさしく繊細な異性と出会う可能性は高いといえるでしょう。愛する人が隣りにいると、あなたは最も強くなれるのです。しかも外の世界で最高のパフォーマンスを上げるためにはなおのこと、心が安らぐ安定基

♑ *Capricorn*

盤が必要だということにも気づくでしょう。

世間的な成功を収めたあと、あなたは自分の組織の中で、あるいは属するコミュニティーの中で父親的な役割に収まろうとする傾向があります。こうしてあなたは次世代の人々があなたのようにチャレンジするために資金や機会の提供をしたり、自分の財産を地域に寄付したりして、社会還元を始めるでしょう。

しかるべきところに偽りのない賞賛と承認を惜しみなく与えると、あなた自身が大いなるインスピレーションを得るだけでなく、その対象から貴重な情報がもたらされることにあなたは気づくでしょう。他人の成功を高く評価し、讃えるという行為が、宇宙からさらに大きなサポートを得る道を開き、あなたはそれによりさらなる成長を遂げることができるでしょう。こうしてあなた自身が自らの行動に責任を持ち、社会の役に立つ奉仕活動に積極的に従事することにより、社会から尊重される存在になれ、という宇宙からのレッスンは順風満帆（じゅんぷうまんぱん）の人生の中で進んでいくでしょう。

世間の評価というものは固定的で厳格なものではなく、その時々の自分の行動を他人がどう見ているかの一時的な指針に過ぎないということを、あなたは体得していきます。その意味で、あなたはどんな辛口の批評も拒絶も甘んじて受け止め、自分の行動の中から反省点を見出し、微調整を繰り返しながら成長の軌道を着々と前進していかなくてはなりません。

●超意識のステージ

最も浄化された高次の意識に到達したあなたは、新しい時代を切り拓く精神的価値観の先駆者となるでしょう。あなたは生まれながらに教師や道案内の役割を担っていて、崇高な精神性を日常生活に取り込む方法を示し、日々の生活の中にある精神的価値の大切さを人々に気づかせるでしょう。

あなたは地球上に生きる人類全体が共同体意識を持ち、地球の環境やコミュニティー全体に対する責任を果たすようみんなに自覚を促すことの重要性をよく理解しています。あなたは人々に自分の責任を果たし、それぞれの道で成長を遂げ、学ぶべき使命を果たしながら地球全体、宇宙全体としての意識へと自らの魂を統合していくという大きな課題を教えます。宇宙レベルに拡張されたあなたの意識は、人々に、私たち一人ひとりが残りの人々に対する責任を負っていることを教え、一人でも落ちこぼれると、共同体は不完全なものになるということを示すでしょう。

　優れた寛容の精神と決断力を備えるあなたは、私たちは自分の考え、行動など、すべての行いに責任を持ち、どの人も同じように大切な存在で、命に貴賤はないことを認識しなくてはならないと人々に教えるでしょう。その平等な意識の中から、ともに戦い、ともに目指し、愛情と協力を分かち合い、宇宙を共有する仲間としての共同体意識が生まれるのです。

●身体に現れる兆候

　人の肉体でいえば、骨格は安定と責任を表します。骨格が不安定だと、身体は動くことができず、自らの存在に責任を持つことができません。骨格のない身体はぐにゃぐにゃした肉の塊に過ぎません。あなたが魂の軌道にあるとき、責任を持つことの重要さを本能的に理解できるでしょう。あなたが受け入れるべき責任を拒否したり、責任を教えるべきところで黙っていたりするとき、あなたは自らの身体に責任を負わないよう導いているのです。こうして骨格の機能不全が引き起こされ、あなたに起こるのは膝の故障、あるいは全身の骨や歯、あるいはカルシウム組成の器官のトラブルです。また痣や発疹、湿疹、皮膚がん、乾燥肌、脾臓のトラブルやリウマチに悩むこともあるでしょう。

　これらの症状は、あなたが自分の人生に威厳ある態度で向き合い、それをきちんと維持し、主張しているかどうかを再検討するよう要求する、身体からのメッセージなのです。あなたが身につけている尊厳は厳格、閉鎖的、あるいは恐怖心に覆われた権威になっていませんか？　それとも他人や外的状況に対して柔軟かつ開放的な姿勢を内包した権威といえますか？　あなたが後者の権威から遠ざかっていると、あなたの身体には怒りが溜まっていきます。怒りのエネルギーはカルシウムを破壊し、関節炎や骨髄炎を発症し、あるいは骨格全般や歯、下あごの輪郭などに傷ができたり、形が壊れることもあるでしょう。魂のあるべき軌道に乗っているとき、あなたは身体が頑丈で無限のスタミナを感じるでしょう。この軌道にいる限り、あなたは健康で長生きするでしょう。

　あなたの身体に怒りのエネルギーが蓄積されてくる

と、身体のどこかから何らかのサインにより警告が発信されます。このときに立て直せば、致命的な障害にはならずに済むでしょう。

あなたの場合、警告が現れやすいのは胃です。胃の調子が悪いとき、あなたは自分の生活を振り返り、学ぶべきレッスンを受け入れるようある変化を取り入れる必要があるのです。あなたが起こした変化が正しい行為だった場合、胃はすぐに回復するでしょう。

水瓶座

●日蝕

あなたは現世をともに生きる人々に、執着を断つことを教える運命を持っています。あなたの鋭い認識能力は、まるで転がり続ける小石のように常に活動している姿勢や、多種多様な人々と接し、どの一人にもべったりと執着することのないさらりとした姿勢から形成されることを本能的に知っています。あなたは人々に、ある信条に凝り固まった考え方や態勢を打ち破り、柔軟で麗(うるわ)しい人生を楽しむよう導きます。この教えはあなたの行動のいろいろな側面から引き出されるでしょう。たとえば身近な人々があなたを持て余し、匙(さじ)を投げるまで、あなたは彼らの忍耐力を刺激します。それにより、彼らは自分を困らせ、自分の成長を阻む存在を切り捨て、都合の悪い存在から影響を受けることをやめることを覚えるのです。また、あなたは他人を顧(かえり)みず、ひたすら自分の道だけを見つめて生きることにより、周りの人々に客観的になることを教えます。こうしてあなたは自分が自由を謳歌(おうか)することにより、あるいは不自由な人生を生きて見せることにより、人々に宇宙の摂理と人の人生のリズムについて深い洞察を与えるでしょう。

水瓶座の日蝕エネルギーに触れる人が学ぶのは、何かに向かって進んでいるときには、途中で囚(とら)われないことの大切さといえるでしょう。何かを成し遂げるには、立ち止まりたくても手放したくなくても、時には非情にばっさり切り捨てていく潔(いさぎよ)さが必要になるのです。水瓶座の日蝕エネルギーを自覚していない人は、根無し草のようにふわふわと漂い、どこにも腰を落ち着けることができません。それでもあなたは接するすべての人に活力を与える天賦(てんぷ)の才能が授けられています。以前覚えたことを今の環境で生かし、今の環境で集めた情報や学んだ経験を次の環境に生かしていくのです。

水瓶座の日蝕エネルギーに触れると、人の人生経験を小さい枠にはめようとする因襲や固定観念を完膚なきまでに打ちのめし、自由な未来へと解放する経験が引き出されることが多いでしょう。このエネルギーを持っているあなたは爆発物のように過激な行動で人々をかき回し、爆風に煽られて我を忘れた人々は嵐が去ったあとで、自らが自由になったことに気づくかもしれません。

あなたの周りには、わがままで自意識過剰、所有欲が強く嫉妬深い人々が引き寄せられてきます。そしてあなたは彼らに、ものごとに執着しないことの大切さを教えるでしょう。あなたはごく自然に博愛的な人間関係にシフトさせるよう彼らを導くことができます。一人の人間に対する忠誠心ではなくもっと普遍的で自由な友情やきょうだい愛を持つことができれば、人を〝支配する〟という不健全な関係に陥ることなく自由人同士として深く親密な関係を築けることを、あなたは知っているのです。あなたはどの人にも神々しいまでの美徳が備わっていることを本能的に知っています。これはあなたの魂が宇宙的意識とつながっていることに起因しています。あなたは次々と目新しく前例のないアイデアや理論を発表し、水瓶座の時代の到来を人々に知らせるでしょう。

人や物に対する執着を断つことを教えるあなたは、この世で築いた物質を死後の世界に持ち込むことはできないという真実を広く伝えます。地上でどれほどたくさんの財産を築き上げても、私たちはみなそれを残して旅立たなくてはならないのです。持っていけるのは経験だけ。つまり私たちが生きている間に本当の意味で所有しているのは時間だけということになります。私たちは貴重な時間を十全に生きるために、過去に囚われていてはいけないこと、そして現在選択しうる最良の経験を自らに与え続けなくてはならないということを、あなたは本能的に知っています。発明家を象徴する水瓶座のエネルギーを授かっているあなたは発明と革新の精神が備わっているため、私たちが古い慣習に囚われる必要はなく、より自由で快適な環境を創出していけることをよく知っています。常に新しい経験を渇望し、求めていく生き方により、あなたは人々を狭い世界に閉じ込める古い考えやしきたりを壊し、自由で開放的な明日に向かっていくことを教えるのです。

あなたの周りには、現状よりもっといいやり方があることを認めたがらず、目の前の小さな現実以外は見ようとしない人々が引き寄せられてきます。あなたは彼らに、新しいものの見方、考え方を提示します。新しいアプローチに対するあなたの熱意があまりに強く、決してあきらめずに彼らに示すため、しまいに彼らは変化を受け入れ、あなたのやり方を受け入れざるを得なくなるでしょう。

あなたは公平さに対する思いが非常に強いため、世の中に起きる不公平を見ると黙っていられません。あなたは自ら万人に平等に接し、公平さを人々に体現して見せ、接する人々にも自分と同じように公平な付き合いを期待します。身近な誰かがこれを破り、不公平な事態が起きたら、あなたはそれをストレートに進言する勇気を持ちあわせています。あなたにとって、初対面の人とは真っ白なページのようなもの。ゼロから付き合いが始まり、新しいページに何が書かれるかは相手の行動次第です。相手が不公平なことをしてあなたに損害を与えると、あなたはそれを許しません。真っ白なページにそのことが記載され、その人の〝成績表〟としてあなたの心にずっと残るのです。

あなたの意識の中では、どの人との付き合いも最初はまったく対等な関係から始まります。はじめからどちらかがより強い立場にあるということはなく、付き合いを続けていくうちに、私たちは自分の権利を獲得し、あるいは自らの愚行により失っていくのです。この考え方を通じてあなたが人々に示すのは、人生の運不運や、快適な人間関係といった人生全般のコンディションはすべて自分で作っているという真理です。私たちが正直で誠実で、他人をきちんと尊重できる人格を持って日々を生きてきたのなら、私たちの人生のコンディションは概（おおむ）ね良好で甘美なものとなるはずです。人生をもっとよいコンディションに変えていきたいと願うとき、私たちは自分の行動を振り返り、より洗練されバランスの取れた人格を生きることによって、それを変えることが可能なのです。

●月蝕

あなたが今生で学ぶテーマは、執着を断ち切ることです。断ち切るべき最大の課題は、あなたの所有欲と嫉妬心です。あなたは今生でたくさんの経験をして、たくさんのことに気づく、盛りだくさんのカリキュラムを持っています。このため、目の前に展開する状況や人との出会いを抵抗せず受け入れる気持ちを持つことが大切で、あなたの経験と学びは年とともに加速していくことになるでしょう。今生のあなたはものごとをじっくり醸成(じょうせい)している暇はありません。またあなたが今生で下す決断は、自分ひとりのためであってはなりません。あなたは何をするにもみんなのために何が最良かを考えて行動するように運命づけられていて、それが実行できるようになったとき、宇宙はあなたの人生を快適で幸福なものにしてくれるでしょう。今生であなたがもろもろの執着心を完全に手放すことができたら、あなたの死後、あなたという魂はさらなる研鑽(けんさん)と浄化のために再び地上に舞い戻る必要はないでしょう。

執着を断つ経験の一つは、古い思考回路、機能しなくなった考え方を捨てることにあります。あなたは前世で、古いしきたりに縛られている家柄に生まれ育ちました。貴族や旧家といった、伝統を重んじる家風の中で、「ご先祖様がやってきたことだから、あなたもこうしなくてはなりません」と言われ続けてきたのです。あなたは今生で、これまであなたを縛ってきたあらゆるしがらみを断つという課題に取り組んでいます。これには社会、宗教、家庭を問わず、あなたを縛ろうとするすべてのものが含まれます。あなたは他人の信条に従う必要などないということを今生で学びます。自分が属するコミュニティーや社会全体にとってよいことを望み、社会や他人に有害なことをしなければ、あなたは自由に好きなことを目指し、探求し、喜びを求めてもかまわないし、またそういう権利を持っているのです。

あなたは自分の課題をこなす過程で、飽くことのない好奇心を満たしていかなくてはなりません。あなたはどんなことにも疑問を感じ、その答えを求めようとします。その答えが見つかれば、現状をもっとよくしていけるという直感があり、あなたの心の奥にはいつもものごとを改善したいという欲求がふつふつと湧(わ)いているのです。あなたは生まれながらに博愛精神のかたまりのような人なのです。

あなたが持って生まれた人道的な精神を実践するにあたり、あなたは大衆の意識を観察し、自分の考えに照らし、調和させていく必要があります。あなたは利己主義的な考えを捨て、世の中全体のためによかれと行動を起こす人格を築く過程にありますが、実際に行動するとき、それを首尾よく成功させるためには強い自我を社会に向かって打ち出していかなくてはなりません。

あなたが今生で実現する課題の一つとして、自分や家族だけのことを考えて行動する姿勢を改め、人類全体を意識して行動する人への変革が挙げられます。あなたは周りの人々を、地球レベルでものごとを考えられる人になるよう促し、自分の家族を大切にするという狭い集団認識を、血族から地球家族へと拡大させるよう、意識の拡大を促す責任を自覚していくでしょう。あなたは人類愛を心に温め、この課題を常に第一に考えながら進んでいかなくてはなりません。

あなたは愛情を1対1の卑近なものから、宇宙的意識の中で捉(とら)えなおすことを学んでいます。手始めにあなたは自らの中にある「愛とはこうあるべき」という固定観念を捨てる必要があります。愛情に関していえば、あなたは前世で非常に独占欲が強く、嫉妬深い人でした。「これまでこうやってきたのだからこれからも現状維持が妥当だ」という考えに凝り固まり、人の成長の余地すら認めない人だったのです。けれどもあなたの今生の焦点は別のところにあるため、人の心の問題にそれほど深く関わらなくてもよいという運命を持っています。あなたが真に価値のある未来の価値観のメッセンジャーになるためには、あなたの周りにいるすべての人々に自由を与えなくてはなりません。より自由な世界を作ろうと人々を導く立場にあるのですから、あなたは自らの人間関係においても自由で開放的な付き合いをする必要があるのです。あなたが愛する人をそばに置きたくて相手の自由を奪おうとすると、その人はあなたのもとを去っていくかもしれません。

相手があなたを愛してくれるかどうかにこだわることなく相手に愛情をそそぐという経験は、また別の課題を示唆しています。あなたは無意識に自分を認めてほしいという承認願望を根強く持っていますが、これがあなたにとってマイナスの影響を与えていて、あなたは今生でこれを手放すことを学んでいます。あなたの今生の課題は人類共通の目標に向かって決断し、行動していくことにあり、個人レベルの愛情に満たされることではないのです。あなたは地球的意識を人々の心に根付かせる役割を受け入れる途上にあり、あなたが自由な立場で博愛精神を実行に移すとき、あなたは自分個人の利益を考えることなく行動することを学んでいるのです。あなたが人々に感じる愛情は、ともに経験し、ともに目指す喜びであり、特定の集団に期待をかけるとか、特定の個人を強く求めるといった愛情を生まないよう心がけなくてはなりません。

　あなたは前世で他人の賞賛を浴び、注目と歓声に慣れ親しんできたため、人々の関心を集めることに対する執着を持っています。他人に賞賛されないとき、あなたはこの賞賛への執着と人に対する忠誠心を混同する傾向があります。あなたは時々他人があなたに忠誠心を持つことを求めすぎるため、人々の忠誠心を勝ち取るために、あなた自身も彼らに対して忠実でありたいと考え、道を踏み外すことがあるのです。こうした混同が起きると、あなたはすでに克服したはずの古い因襲の中に自ら舞い戻ってしまうことがあります。覚えておいてほしいのは、どの人も自分ひとりの運命の道を全(まっと)うすべきだということ。あなたにとって非常に重要な学びは「自分に忠実であれ」ということです。忠誠心に関する誤った認識に囚われてしまうと、あなたは人生の袋小路に向かってしまい、長い間抜け出せなくなるのです。あなたに対する忠誠心を他人に求め、自分も他人に対する忠誠心を重視しても、自分自身への忠誠心をないがしろにしてはいけません。

　執着について、あふれるばかりの若さと美しさで周りの人々を魅了し、注目と賞賛を集めるハーレムの女性の例で示してみましょう。やがて時が経(た)ち、彼女は自分より若い少女たちに道を譲り、教師の役割を引き受けることになりました。注目のスポットライトを若い少女に譲ったとき、彼女には二つの選択肢がありました。ハーレムでベテラン教師となって、役に立つ存在として前向きに人生を楽しみながら暮らすこと。もう一つは少女たちにつらくあたりながら苦々しく孤独に暮らすこと。あなたは自らがステージ上でスポットライトを浴びないで、他人を支えることになったとき、どちらを選択するでしょうか。

　これを前向きに受け止めるとき、あなたはこの経験から人生の周期とタイミングについて学ぶことになります。人生にはスポットライトを浴びる時期があり、舞台裏に引き下がるべきときがある。その経験を後続の人々に教える仕事があり、分かち合い、愛し合う時期がやってくる。人の価値に対する需要が変化するにつれ、少しずつ自分も変化し、過ぎ去ったものに対する執着をその都度捨てて次の役割に生きていくのが人の道なのです。

今生のあなたにとって、純粋な愛情に対する枯渇(こかつ)感は非常に強いでしょう。あなたに恋をした異性の人生を引き受け、支配しようとする傾向を、あなたは意識して自粛する必要があります。前世であなたが愛されたのはあなたの人柄に対する無垢(むく)な愛情ではなく、あなたが相手に与える愛情の見返りの魅力、あるいはあなたの高い地位や財力の魅力が理由でした。今生で素のままのあなたを愛してもらうためには、前世から持ち込んだ不純な愛と支配のパターンを自覚し、手放す必要があるのです。これができればあなたは負担を感じることのない純粋で軽やかな愛情を誰かに注ぐことができるようになるだけでなく、あなたの役割や肩書きの魅力に惹(ひ)かれるのでなく、生身のあなた自身を愛してもらうための回路を開くことになるのです。国王はその地位と名誉ゆえに人から愛される。リーダーはその強さとリーダーシップが人々の愛と尊敬を集める。……今生のあなたは、ついにあなたの地位でも役割でもなく、ただそこにいるだけで愛されるという経験が運命づけられているのです。

あなたは身近な人々を自分の思い通りに動かしたいという欲求を持っていますが、これをあきらめることは今生のあなたが乗り越えるべき課題の一つです。相手の行動パターンに干渉することなく愛することを学ぶ過程で、あなたは生きることと生かされることについて、少しずつ理解できるようになっていきます。この軌道にあるあなたは自らの運命を全うしていることを意味し、あなたは非常に愛すべき、美しい自由人になっているはずです。あなたの成長は大きな変革であり、芋虫が美しい蝶に生まれ変わるような劇的な変化です。愛とは蝶のようにはかないもので、求めすぎて強く握り締めると、愛そのものを殺してしまいます。手を離し、自分が必要とするのと同じだけの自由を愛する人に与えると、相手もあなたも心から満ち足りた関係を築くことができるでしょう。一生涯あなたのもとを去らない、誠実で愛情深い伴侶を手に入れるには、この方法しかありません。そういう相手なら、あなたも相手も成長を続け、それぞれの運命を生きながら愛を分かち合えるでしょう。

●無意識のステージ（自覚する前のあなた）

あなたに用意された経験を拒絶していると、あなたの人生から不意に大切な人や物が失われるという事例が続くことになるでしょう。これはあなたが執着心を断ち、手放す訓練をするという運命に気づき、受け入れるようになるまで続きます。自分が慣れ親しんだ人やことがらにしがみついて新しいものを受け付けずにいることで、あなたは自分に活気と成長をもたらす新しい人やことがらを受け取る回路を閉ざし、新しい価値観の入るスペースをふさいでいるのです。

あなたが今生で学ぶのは、新しいことに着手する恐怖は、二度目にはそれほど脅威ではなくなること、そしてはじめから完璧（かんぺき）な態勢を作っておく必要はないということです。あなたは見慣れないものに対する緊張感を解くことを学び、第一印象に従うことを覚える必要があります。水瓶座は不動の星座なので、この星座の影響下にある人には執着が起こりやすく、手放すことが得意ではありません。知らない人やものごとに慣れるのに時間をかけてもかまいません。けれども古くなったものにいつまでも執着していては、成長と活気、幸福な人生は訪れません。

あなたの前世での創作の過程は極端なもので、持てるエネルギーのすべてをかけてそれに打ち込んでいました。あなたはその一つのテーマに集中するために、他の関心をすべて放棄するよう自分を仕向けていました。あなたは今生に、その強力な創造力とともに、一時に一つのテーマにしか集中できないというバランスの悪さを持ち込んでいるのです。あなたは手放すことへの恐怖から気づかないかもしれませんが、あなたが今生に持ち込んだ創造力は、あなたの魂が長い時間をかけて磨き上げたものなので、どの分野で活用しても大きな花を咲かせる潜在能力を持っています。成功させる鍵は、創造力を自分のためだけに使うのではなく、人類全体にとって価値のあるものに使わなくてはならないということです。あなたが自分の人生の目標として人類の幸福を目指すことを学ぶと、あなたはゴールに向かって自然に動き出せるようになるでしょう。これが始まると、あなたは自分の人生が今までになく明確な目的意識を持ち、感じたこともないような安定感を覚え、去っていくものに対して無理やり引き剝（は）がされるような執着の痛みを感じることはなくなるでしょう。

しかしながら、昔ながらのやり方に固執し、自分だけの喜びを追求するステージは容易に絶ちがたいものです。あなたが他人に示したお手柄や好意に対し、恩恵を受けた人はあなたに敬意を表して当然だという考えはなかなか捨てられないかもしれません。この姿勢が頑固さと自己中心的態度を生み、あなたは他人に愛されにくい人柄を持つようになります。ここでもあなたは自分が学ぶべきテーマを突きつけられるのです。つまり、他人や社会全体が幸福になるために、自分ひとりの望みを手放すというレッスンです。あなたが自分の名誉を追求し、自分だけの利益を追いかける姿勢を改めるまでは、本当の意味であなたが幸せをつかむことはないでしょう。何かを行動に移すとき、他人や社会全体の喜びを考慮することを覚えると、それまで経験したことのない、ワンランク上の幸福を感じることに気づくでしょう。あなたはもう、コミュニティーの外側から、自分に注目してほしいという欲求を抱きつつ仲間に入れてもらおうとするのではなく、そこに存在しているだけでそのコミュニティーの大切な一員としての自信を感じられる人に変化していくからです。

古くなった考え方や人間関係に固執することをやめられず、革新的な発想を遮断していると、あなたは身近な他人の考えや意向に翻弄(ほんろう)され、従うことを余儀なくされるようになっていきます。あなたは無意識に他人に決められた役割の中で生きるようになり、絶えずイライラとした気分で神経質に過ごし、その理由が自分では理解できません。本当の理由は、あなたの心の奥底で、こんなつまらない人生を送っても時間の無駄だと感じているからです。

水瓶座は基本的に時間に非常に敏感な星座です。ある時間までにあることを成し遂げなくてはならない、という期限の感覚を、あなたは非常に強く持っています。あなたが運命のテーマを受け入れ、手放すべきものをさっさと手放して先に進めるようになると、無駄に過ぎていく時間はどんどん減っていくでしょう。時間が失われたのはあなたがなかなか執着を断つことができないからで、意味のある経験に費やされるためではありません。次の段階に移行できずにためらっている間に時間はどんどん過ぎていき、最終的に時間を無駄に使っていることに思い至り、あなたは自分の人生

Aquarius

に与えられた貴重な時間を、運命に導かれるという形で有効に使うことに気づくでしょう。

あなたが今生に生まれたのは、あなたの類い稀な創造力とオリジナリティーで地上に生きる人々の暮らしをより豊かにしていくためです。けれども、自分の心を開くことを覚えるまでは、自分の創造力を引き出すことすらできません。よりよい未来への道を開く最初のステップは、他人の理想に耳を傾けない習慣を改めること。そして長年親しんできた考え方ややり方が現状で機能しなくなったのに頑固に固執するのをやめることです。あなたが他人の意見に関心を示さないのは、他人の考えがあなたと異なるとき、あなたは彼らがあなたに挑戦していると受け止め、あなたの考え方を根底から揺るがす脅威を感じるからです。他人の考えとあなたの考えが合体するとき、そのインパクトや論理性、知性などの面で二つの和以上の力が生まれるということを、あなたは今生で学んでいます。二人寄れば、確実によりよいものが生まれるのは、互いの長所と短所を客観的に指摘し合えるからです。あなたは今生でそのことに気づく必要があります。

あなたが心を開放し、他人の意見を聞くようになったら、他人がもたらす情報を取り入れ、活用できるように、あなたの中で変化が始まるでしょう。古い考えを一つずつ手放し、新しい発想を少しずつ取り込むうちに、あなたは自分と外界の接点をコントロールして上手に新しいエネルギーを統合していく方法を習得するでしょう。新しい発想や概念を収めるためのスペースを心の中に作っていくうちに気づくのは、もともとあなたとともにあるべきものは決して手放せるものではないということです。すべての発想や考え方の出所は人ではなく宇宙です。あなたが新しい考えを取り入れるために、古い考えを〝捨てる〟必要はありません。必要なのは、新しい考えを取り入れるスペースを心の中に作ることだけです。これに気づけば、あなたは宇宙的意識と波動を合わせることができ、そこから新しい知識や考え方、発想を取り込み、あなたの魂の成長のペースはどんどん早まっていくでしょう。

魂の決めた運命を自覚する前のあなたは他人の意見に批判的で非常に不信感が強く、人はみんなあなたを利用しようとしているのではないかという不安を抱いています。あなたは社会の階層を厳格に受け止め、自分が生まれた階層を出ることは一生できないと考えています。この厳格な階層意識は、あなたの前世の家柄と関係していて、あなたはよい家柄に生まれているため、いつでも社会的な階層を意識して生きてきたからです。厳格な身分制度の下で、生まれた階級の中で一生を過ごした前世の階級意識を、今生のあなたは大切に抱え込んでいるのです。専制君主が国を治め、人々を抑圧した時代はもう昔のこと。近代民主主義の下、民衆は解放されたのです。あなたはもう古くなった階級意識を捨て、自分の中からマイナスのエネルギーを放出し、地球の外に追い出してください。

かび臭くなった考え方ややり方に固執することは、あなたの成長を確実に阻みます。あなたは現状維持路線の思考パターンを捨て、あなたを含むすべての人々の変革と成長を助長するような自由で開放的な思考パターンを取り入れることを学んでいます。私たちはみなまったく平等な存在なのだということに、あなたはいずれ気づくでしょう。

●覚醒のステージ

覚醒のステージにあるあなたは、人やものごとが来ては去ることを穏やかに受け止め、自然な流れを止めてまで固執すべきでないことを理解しています。この姿勢を持っている限り、あなたは多様な人生経験を次々に積むことができるでしょう。あなたの魂の成長に抵抗するあなたの肉体と感情を克服するために、その姿勢が必要だということをあなたは知っています。自分の成長軌道に乗るために真剣に行動できるようになると、宇宙はあなたを受信機のように捉え、多様な発信を始めるでしょう。

あなたは自分の意識を宇宙レベルにまで高めようと日々努力を惜しまなくなるでしょう。人々があまりに長い間、利己的な目的を追いかけて時間を無駄に過ごしてきたことを本能的に理解できるあなたは、自らがその悪循環を断つために働きたいという希望を抱きます。あなたは人道的な理想を心に留め、海外協力ボランティアに参加したり、人々を苦しめる疫病（えきびょう）の研究をしたり、動物愛護団体の一員として動物虐待撲滅（ぼくめつ）に貢献したり、あるいは生活保護家庭の社会福祉相談員になるかもしれません。あなたは人道的な目的を達成するために自分には何ができるかを知りたいと強く感じ、実際に行動に移すでしょう。

Aquarius

社会奉仕に目覚めても、個人として他人と愛情を育む経験は大変重要です。このステージにいるあなたは人道的な目的への情熱が強いため、自分のプライベートライフをないがしろにすることが往々にして起こります。あなたは同胞を愛し、人類全体に寄与する行動をするために自分の私利私欲を抑制する術を知っているのです。あなたは自分の恋愛にうつつを抜かすのは利己的な行為だと感じ、恋愛や個人レベルでの親密な付き合いから目を背けようとするのです。あなたは個人的な愛情が芽生えてしまうと、自分がこれから成し遂げようとしている大事業が完遂できなくなってしまうと恐れるのです。けれどもどんな人も愛情なしには生きられません。あなたは個人として他人と愛情を育みつつ、人類のためになる奉仕を続けるというバランス地点を探る必要があります。あなたは他人から愛されたいという強い欲求を持っているので、愛されるために誠心誠意、社会や人々のために尽くすのです。けれども個人レベルでの付き合いをないがしろにして、人々があなたに近寄る隙を与えないのです。

覚醒した意識のステージにあるあなたは、人間性というものは恋愛と同じくらいデリケートなものだということを理解しています。私たちはみな潜在的に魂の成長を目指して生きていると知っているあなたは、みんなが目的を達成するために互いに必要なことをしなくてはならないと考えています。あなたの自我意識は個人から共同体意識へと拡大し、地上の同胞一人ひとりが地球という共同体を守る責任を負う一員としての自覚を持つことが重要だと考えています。あなたは地球環境を守り、人々の意識を高めるために働く活動家や、学校教育の向上に奔走する教育者となるでしょう。水瓶座の月蝕エネルギーの影響に覚醒した人は、どこに変革が求められているかがわかり、人々に自覚を促す勇気を持ち、実際に変化を起こすエネルギーを備えています。あなたは世の中の停滞と不公平を看過できません。

あなた方の多くは、抽象的な学問や人道的な行為を通じて人々と関わっていくほうが、生身の人間として付き合うことより簡単だと考えるでしょう。誰かを助けたいと願っても、前世でのあなたのように相手を支配するほど接近しないように留意する必要があります。しかしそうやって距離を置いていると、結局のところ相手にとってたいした助けにならない場合もあるでしょう。こういうことが起こりやすい覚醒ステージの初期の段階では、自分自身や支援したい相手の立場や真意に関する情報を客観的に捉える〝道具〟、たとえば心理学の手法や調査機関、占星術、タロットなどによる情報収集が役に立つでしょう。あなたの自我が魂と同化し、宇宙意識に目覚めていく過程では、自分を客観的に見るための外部構造が必要なのです。この軌道に乗っているあなたは、他人の役に立つことに大きな喜びと満足を見出し、他人を助けながら自分も成長できることで、あなたはあるべき道に立っていることを自覚できるでしょう。

　あなたが今の人生を生きているのは、自分の中にある何かをまっすぐにするためなのだという感覚を、あなたは潜在意識の中に持っています。あなたが地上に生きる同胞と心がつながらないのは、今の社会に根強く存在する階級の壁に起因していると、あなたは心のどこかで思っています。私たちはどの人も対等な存在で、それぞれの心の奥には宇宙意識の片鱗が輝いているのだという真理に目覚めたあなたは、社会と心地よく関わり、社会にとって大切な一員として機能しながら自分の道を歩んでいけるでしょう。あなたは前世で他人より高い地位を得ていたために、自分は大方の人間よりも優れた、偉い存在だという過剰な自尊心を持っていました。けれども今生のあなたは自分の存在価値を社会の多くの人々の存在価値と協調させ、自分の願望のほうが他人の願望より大切だと思ったり、自分ひとりが認められたいという欲求に囚われないようにしなくてはなりません。前世では一般大衆より一段高いところで暮らしていたあなたの魂が、今生では一般と同じところに降りてきて、下々の生活体験をしているようなものです。

　このレッスンであなたが学ぶのは、人は誰も裸でこの世に誕生し、多くの人の世話にならなければ生き延びられないという事実に気づくことです。ある者はお金持ちの家に生まれ、無一文でこの世を去り、またある者は貧しい家庭に生まれながら、巨万の富を築いて死んでいきます。そして生まれ落ちた状況を何一つ変えずに死んでいく人もいます。これを見てあなたは、人はそれぞれ自分の選んだ道を歩んでいるのだということに気づくでしょう。生まれ落ちた階級や環境が人の幸福を左右するものではないということを、あなたは少しずつ理解し、いつでも幸福に生きている人たちに唯一共通しているのは、強い人格を築き上げていることだということがわかってくるでしょう。このように世の中の人々を観察しているうちに、あなたは人の所属する社会階級がどこにあるかよりも、その人がどんな人格を作ってきたかのほうがはるかに重要だということに気づくのです。強く安定感のある人格さえ身についていれば、自分の夢を実現するときにどんな障害が訪れても、それらから自らを解放することができるのです。これがあなたの今生の学びの中で最も重要なポイントなのです。

●超意識のステージ

宇宙には学ぶべきことが無限に存在していることを、あなたは直感的に知っています。このためあなたは自分の身に起こることや身の回りのすべてのものごとを積極的に受け止め、そこから学ぶ姿勢を身につけています。自我の枠を超越できるあなたは、現世の即物的な秩序を超えた宇宙の精神的秩序が理解でき、自らの魂が霊的に成長するためには地上の経験をすべて潜(くぐ)り抜け、乗り越える必要があることを知っています。そしてそのためには肉体の次元から発生するあらゆる執着や欲求を捨て去る必要があることを理解しています。こうしてエゴの欲求をすべて捨て去り、無我の境地に達した人は、宇宙で起きている「水瓶座の時代」がもたらす霊的次元の新しいニュースを地球にもたらすメッセンジャーとなるでしょう。

この次元で最も磨かれた魂は、宇宙からの情報をキャッチする受信装置のような働きを引き受け、その情報を地上の人々に向けて発信する放送局のような機能を果たします。あなたが自分の身体を肉体のしがらみから解放したのち、宇宙からの情報の受発信装置として捉えることができると、宇宙からの情報はあなたにどんどん流れ込むようになり、あなたは自らを道具として周りの人々の元に、貴重な情報や洞察を届けることになるでしょう。こうしてあなたは水瓶座の時代の新しいエネルギーを、宇宙から地球上に届ける、宇宙の扉となるのです。

●身体に現れる兆候

あなたの魂が決めた経験を拒絶すると、「執着を捨て、宇宙にすべてを委ねなさい」という教えが、警告となってあなたの身体を通じて降りてくるでしょう。警告は神経過敏、低血糖症、糖尿病、足首の腫れ、循環器の不調や、糖分を過剰に欲するなどといった形で現れるでしょう。血液の循環が順調に行われ、バランスを保つために、適度な運動や散歩などを欠かさないようにしてください。運動の経験は、宇宙のすべてのものには流れがあり、常に動いていて、どれ一つを取ってもどこかに貯めておくことはできないのだという、宇宙の教えに気づかせるきっかけにもなるのです。宇宙は常に変化を続けていますが、水瓶座の月蝕エネルギーを持つ人もまた、生きている間じゅうどこかに〝停滞〟することは許されません。この月蝕エネルギーを持つ人は、血糖値のバランスが不安定になっているとき、医療機関で精神が不安定なことが原因との誤診をされる可能性が非常に高いでしょう。

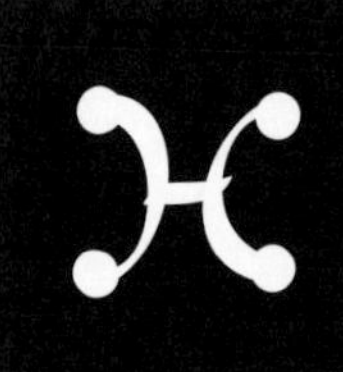

魚座

●日蝕

あなたは現世をともに生きる人々を、デリケートな感性を磨くよう導く運命を持っています。あなたのそばには、非常に批判的で何でも分析しすぎる傾向のある人々が引き寄せられてきます。あなたの仕事は彼らに、心の奥深いところの人間愛、同胞に対する共感を育てることの大切さを教えてあげることです。これに気づくと、彼らは自分の批評家精神や分析能力をもっとプラスに発揮するようになり、その結果他人の反発や拒絶に遭う回数が減っていくでしょう。あなたが自分の周りのエネルギーの微妙な変化に敏感なのは、霊的感度が他人よりも発達しているからです。このためあなたは他人の悪いエネルギーを吸収しないよう、特に注意しなくてはなりません。

持って生まれた霊的感性を使って、あなたはどんな人にも本来備わっている直感やデリケートなエネルギーの質を読み取る能力に気づくよう、人々に促すでしょう。あなたは直感力が優れていて、時々なぜ自分がそんなことをしたり言ったりするのか、どこから情報を入手したのかさえ自覚していないこともありますが、あなたが直感に基づいて口にしたことはほとんどいつでも正しいのです。いずれにしてもあなたは霊的感度が十分発達しているため、直感が降りてくればそれに従うことに抵抗はありません。たとえばある投資の話を持ちかけられたとき、あなたが「この銘柄はだめですよ。その代わり、こちらの銘柄に投資しなさい」と言ったら、人々はそれに従ったほうがいいのです。その言葉はあなたの理性ではなく直感から来ているため、なぜかと問われても説明はできません。その代わり、その信憑性(しんぴょうせい)は絶大なので、あなたの直感に基づく意見を聞いておくことはその人にとって大きな利益となるのです。

あなたのそばで誰かが落ち込んでいたり、助けを求めていると、一番先に気づくのがあなたです。あなたは人の心の状態を敏感に察知するアンテナを持っているため、カウンセラーやセラピストの適性を持っています。あなた独特のカウンセリングとは、落ち込み、悩んでいる人が他人にとやかく意見されることなく落ち込んでいられる自由を与えるという方法です。あなたは人生の途上で、自分の価値観に凝り固まって袋小路にはまっている人々によく遭遇します。さりげないやさしさを身につけたあなたは、彼らを広い視野で状況を見直すよう導き、自信を取り戻してあげられるでしょう。

この日蝕パターンの影響下にある人でも、時として未来を見失うことがあります。そして自己欺瞞（ぎまん）のもやに巻かれてしまうと自らを哀れみ、現実逃避に走る場合もあるでしょう。そんな状態の中でもあなたの近くには批判的な人々が次々に引き寄せられてくるため、彼らの〝毒〟に当てられて困った情況になることもあるかもしれません。このため、あなたが進むべき方向を見失ったと感じたら、迷わず心の専門家を訪ね、健全な社会活動に復帰できるように導いてもらいましょう。

あなたの心は大変デリケートなため、愛情のこもった適切なサポートが得られないと、問題が解決するどころかどんどん心の奥深くに潜行してしまう傾向があるのです。そこには自己陶酔的な殉教者の苦難が待ち受けている場合もあるでしょう。世の中は不公平なものだから、時にひどいことが降りかかることもあると感じるあなたは、いとも簡単に犠牲者の役割を引き受けてしまいます。皮肉なことに、あなたの場合悲劇の犠牲者になってもなお、その姿をさらすことで他人に対するやさしさや慈愛を教える手本となるのです。どの道、他人を導くという使命に変わりはありませんが、自分を犠牲にすることによって示すのも、もっと楽な方法で示すのもあなた次第なのです。

あなたは人々に同じテーマをいろんな表現を用いて伝えます。「私たちはどの人も神が作った子供であり、その子供を傷つけることは、神に対する冒瀆（ぼうとく）です」。「地上に生きる人々はみな、一つの宇宙意識の一部をなしていて、一人ひとりの心の中に神聖な輝きの片鱗（へんりん）を宿しています」。「道に迷った人にもやさしく接し、人として尊重してあげなくてはなりません」。「私たちは互いに尊敬と愛情、慈愛の心を持たなくてはなりません」。あなた自身が道に迷っていても、あなたは人々に「私たちはみな人生本来の目標を見失った迷える子羊」だと教えるのです。私たちはみな魂の存在で、今は地上に降りてきて肉体や物質界という不自由な制限の中で暮らしてはいるけれど、肉体の中に宿るどの魂も、互いの故郷を求め、魂の仲間たちを求めて再び一つになろうとしているのです。

あなたはまるで磁石のように人々の悪いエネルギーを吸収し、身体に取り込んで愛と理解、サポートのエネルギーに変え、その人の心の傷が回復し、元気になるような言葉を添えて戻してあげるのです。あなたは慈愛と癒しの特殊な能力を宇宙から授かっているため、人々はあなたのそばにいるだけで何となく気持ちが軽くなり、癒されていきます。人々はみなそれぞれの課題を持ってこの世の経験をしているということがわかるので、あなたは人々が自分らしくいる自由を尊重できるのです。

人と接する中で、人を分類し、違いばかりに目を向けていると人間関係にひびが入るので、あまり他人の分析ばかりしないようにとあなたは教えます。他人と共通するものをまったく持たないと、孤立してしまうので、自分と他人の共通点を見つけるようにとあなたは人々を導きます。

あなたは人々に、目に見える現実だけが現実ではないことを教え、ものごとの精神的局面に目を開かせます。あなたには霊的な感受性や直感的洞察力、他人と、そして宇宙とのデリケートな心のつながりがあるため、あなたは目に見える現実の世界とは別の、精神宇宙としての営みが存在することを理解しています。

あなたは人々に、自分の心の中に住んでいる魂の存在を感じ、そして魂とつながることで宇宙と一体化するよう導きます。あなたはこれを多様なやり方で表現することができます。霊的な教師やリーダーとして、慈愛と感受性を実践する人物の手本として、そして周りの人々の成長の過程を支え、応援する人として。どの方法をとっても、心の中に宿る神聖な存在を感じ、他人とのつながりを大切にするよう、人々を導くでしょう。

あなたが教えるテーマは、最も崇高で神聖な愛情に身を委ねるという生き方を体現することにあります。

人々はあなたから、わが身を投げ出して天に運命を委ねるという宇宙思想が、究極的に最もよい方策なのだという知恵を学ぶのです。あなたは自らの使命をプラスのメッセージとして、あるいはそれを受け止めそこなった姿を見せることで、人々に宇宙のインスピレーションを受け止めることの意義を教えるのです。否定的な路線を選択した場合、あなたは宇宙から授けられた霊的感受性という才能を無視し、宇宙からのメッセージも宇宙からの愛のサポートも拒絶し、悪魔の手先のような日々を送ります。他人があなたに差し伸べる慈愛の情も拒否し、誰とも心を通わせない孤独な存在として生きていくでしょう。反対に、宇宙との契約を積極的に受け入れる人生を選ぶと、宇宙からのメッセージもサポートも受け入れ、他人の愛情も受け取る回路を開き、完全に運命に身を委ねる人生を送ることになるでしょう。

　あなたは人々に、いつでもものごとの精神的局面に対して心を開くことを教えます。あなたがドラッグやアルコールなどの耽溺（たんでき）による現実逃避のパターンに足をとられた場合、それはあなたが何とか即物的世界を逃れ、霊的次元を求めてさまよっている証拠なのです。人生のどこかの時点で、あなたは〝至高体験〟をしたことがあり、再びそこに舞い戻れないとき、あなたは薬物という代用品で至高体験を再現しようとするのです。あなたが求めているのはドラッグやアルコールそのものではなく、それらの薬物が人工的にもたらす擬似至高体験で、宇宙の霊的存在と再びつながりたいと願っているのです。

　しかしながら薬物依存を通じて、あなたが求めるような霊的体験はできません。心の奥にある霊的な存在とのつながりが断たれると、その苦痛は耐え難いものです。薬物を使って可能になるのは、しばし現実を忘れさせてくれること、つまり苦痛を一時的に忘れるということだけです。あなたが心に抱くのは、肉体を乗り物として地上に滞在している間にも、魂の故郷の静けさと安寧（あんねい）を心に留め、霊的な次元で生きていきたいという願望です。

　あなたは人々に、宇宙の大いなる流れに身を任せるよう促します。宇宙の元ですべてのものは完璧（かんぺき）なタイミングとペースで変化を続けているのだという確信を、あなたは人々と共有し、身を委ねさえすれば、あとは宇宙の流れに乗って私たちはそれぞれの最終目的地に自然に到達するのだという哲学を世の中に広めます。宇宙の導きを信じ、受け入れ、自我の執着や欲求を手放すことで、私たちはみな自然に人生の理想的な波に乗り、私たちのものになる運命の幸福を享受できるという心理を、あなたは多くの人々と共有するでしょう。

●月蝕

あなたは今生に、繊細な感受性を学びにやってきました。前世のあなたは大変な批評家で、人々をいろいろなカテゴリーに分類する、分析好きな人でした。けれども今生のあなたは前世と真逆の経験が運命づけられています。今生のテーマは人々の違いよりも共通項を探し、すべては一つの大きな秩序のために、それぞれが持ち味を生かして共存していることを学ぶことです。これが見えたときから、あなたは自分の人生を天に委ね、自分の運命を信じて歩んでいけるようになるでしょう。

この月蝕パターンでの学びは、繊細な感受性を働かせて身の回りの出来事に注意深く目を向け、同時に心の奥でかすかに聞こえる直感の声に耳を傾け、真実と虚偽とを見分けることに終始します。その過程では、あなたの分析能力を生かしてそれぞれの情報があなたにとって有益かどうかを見極める必要があります。有益でないとすれば、それは幻想の産物です。この識別ができるようになると、あなたは宇宙から送られるインスピレーションを受け取る回路を開き、自らの行動の判断の参考にできるようになっていきます。この段階を経て、あなたは精神的叡智(えいち)と親しみ、感性が発達しすぎて今度は物質界から乖離(かいり)するのではないかという不安を取り除いていけるでしょう。あなたの場合、現世に足をつけたまま、宇宙の精神性を同時に保つことが許されている運命にあるのです。

もう一つの学びは、あなたの心に何らかの予感やイメージが降りてきたとき、宇宙があなたに見せようとしているものを恐れずに受け止めるということです。あなたが宇宙から降りてくる直感やインスピレーションを信じ、自分の運命を天に委ねることを覚えたら、目の前に起ころうとしていることが一時的に苦痛を伴うものであったとしても、それはあなたに苦痛を与えることが目的なのではなく、あなたや他人の人生の路線を修正して、もっと大きな不幸を回避するために必然的に起きるのだということがわかるでしょう。

　宇宙の摂理、あるいは神の意思とも呼べるものの基本は、私たちが成長するためにある経験を通じて学ぶ際、極力やさしい方法で乗り越えられるように、という善意が働いているということです。あなたが進む運命の先にあるのは、ある種の予言者の姿です。今生で魂の浄化が進んだあとで、あるいは来世で、あなたは人々が間違った方向に進むときに警告を発し、あるべき道に戻す役割を果たすでしょう。霊的感受性を持たない大半の人々は、あなたが自らの心に発達させた予知能力の導きに従うという恩恵に浴することができるでしょう。

　あなたが身の回りのいろんなことに敏感になるにつれ、些細(ささい)なことにも過剰反応するという弊害が起きる場合もあるでしょう。心に飛び込んでくるいろんな感情やインスピレーションのうち、すべてがあなたのいる環境に属するものとは限りません。そこで役に立つのは、あなたが前世で磨きに磨いた分析能力と識別の眼識です。有用なものと不要なものを識別する姿勢を、感受性を磨く訓練を積む間じゅう常に持っていないと、あなたはどれがどれだかわからない情報やインスピレーションの洪水の中で溺(おぼ)れてしまいます。

　自分の感性に敏感になっていくと、あなたの身近な人々の感情の〝残骸(ざんがい)〟を吸収しやすい体質に変化していくでしょう。あなたの生活環境は、恐らく他人の生活圏やさまざまな問題を抱える家族が暮らす集合住宅と十分な距離が置かれていないでしょう。自分から発したものかそうでないかをきちんと識別できないと、あなたは近所の他人の問題を全部吸収して、それが自分の悩みやトラブルであるかのような錯覚を起こすでしょう。ここでエネルギーの質を感じることよりも大切なのは、受け取ったエネルギーを識別することです。あなたが不意に何の脈絡もない怒りの感情に囚(とら)われたら、こう自問してください。「この怒りはどこからきたんだろう?」「自分が生み出した怒りだろうか?」「これは自分が処理するべき感情なのだろうか?」「それともたまたま近くにいる誰かが感じている怒りをキャッチしただけだろうか?」と。

　あなたの霊的感度が開発され、魂の波動が高くなってくると、常にあなたを守ってくれる味方とともにいることが不可欠になってきます。味方とは、あなたの目の前で何が起きているのか状況を整理する、あなたの分析能力です。あなたが前世で培った優れた分析能力を持っていなければ、宇宙があなたに霊的感性の研鑽というテーマを与えるはずがありません。あなたが取り組む霊的感性の研鑽は、足を大地に踏みしめていることにより進化していくのです。

身の回りの他人を信頼することも、あなたの課題の一つです。前世であなたは人々を過剰なまでに分析し、分類してきました。あなたは自分の中での秩序を保つために、人々をタイプ別に理解し、受け止めてきたのです。今生で他人との新しい信頼関係を構築するにあたり、宇宙はそれぞれの人に異なる課題、成長の場とペースを与えていると気づくことが必要です。これがわかると、あなたはますます宇宙の摂理や大いなる流れに対する信頼度が増し、そのことがさらなる宇宙的叡智を受け取る感度を高めるのです。あなたは宇宙から降りてくる知恵や導きを自分や周りの人々のために存分に役立てられるようになるでしょう。

あなたが自分の批評家精神を制御し、人の行動パターンをタイプ別に捉える傾向を抑制できるなら、地上に存在する希少な霊能者の一人になることも可能です。また、あなたの分類、分析、統合能力と他人のエネルギーを読み取る感度の敏感さを生かし、有能な診断専門医になることも不可能ではありません。

このような能力を極めたいと願うなら、自分の直感を信じて日常生活の中で実行に移してください。たとえば、普段の通勤ルートと違う道を行きたいと、ある日、何の脈絡もなく直感したら、その直感を信じてその日は違うルートを行ってください。普段の道を、その日あなたにたどってほしくないという宇宙の意思が、恐らくそこには介在しているでしょう。内なる導きに従うことで、あなたは自分のインスピレーションに正当性を与え、あなたは自らの根源的存在である魂に、宇宙からの導きを歓迎し、受け入れる明確な意思を伝えるのです。これはあなたの自我と魂とのつながりを深める重要なステップなのです。これを地道に繰り返しながら、あなたは自分のインスピレーションを鍛え、信頼感を深めていくのです。

訓練を効果的に始めるもう一つの方法は、心に浮かんだ直感を目に見える形で実践するという方法です。たとえば、心の内なる声が「○○さんがあなたと話したがっているよ」と伝えたら、すぐに受話器をとり、その人に電話をかけるのです。誰かに危害を与えるようなものでない限り、とにかく心の声に忠実に、実践してみてください。こうしてあなたは自らの魂に、霊的なメッセージをいつでも実践する用意があることを示し、それに従って日々を生きる意思を伝えるのです。

　また、夢の内容から宇宙のメッセージを読み解くという方法もあります。夢の情景や展開する内容に注意を払うことにより、自分が学んでいる、気づこうとしているテーマに対する認識を深めるのはよい方法です。夢の内容を「夢日記」としてノートに記録しておくと、あなたの直感のレベルでの認識と、現世レベルでの日常の展開を統合するのに役立つでしょう。これは霊的感受性を高めるとても簡単なやり方です。

　これら宇宙の精神エネルギーと親しみ、夢想状態でのものごとの継続性が見えてきたら、瞑想（めいそう）の習慣を始めるとよいでしょう。これにより、覚醒したまま精神エネルギーに触れられるようになっていきます。そして普通の日常の中で、精神エネルギーを自分でコントロールし、必要なときに自由に宇宙からの導きやインスピレーションを受け取れるようになっていきます。

　それができるようになると、あなたの過剰分析癖は解消され、自分の欠点の分析に延々と時間を費やすこともなくなります。あなたはまだ肉体を身にまとう現世の住人で、地上にありながら成長を目指す魂だということを忘れてはいけません。完璧でなくてはならないという欲求を手放し、天から降りてくる導きを受け入れ、成長の軌道を進んでください。これにより、あなたは他人に対してやさしくなり、地上での経験が緩やかなものになっていきます。あなたが罪の意識を感じることなく、自分を不完全な存在であると認められたら、あなたの元には宇宙からのメッセージが流れ込んでくるでしょう。それにより、あなたはより早いペースで成長し、完璧な存在に一歩ずつ近づいていくでしょう。

●無意識のステージ（自覚する前のあなた）

　魚座の月蝕エネルギーが無自覚に存在している状態にいるあなたは、他人に対して非常に批判的で、すべてを分析、分類することを好み、ものごとの精神的側面から目を背（そむ）ける生き方をするでしょう。宇宙から降りてくる精神性を帯びたものごとをいちいち分析し、否定する材料を探しますが、あまりに換骨奪胎（かんこつだったい）が過ぎ

Pisces

て真のメッセージを取り逃がし、分析する行為自体が意味をなさなくなってしまいます。この批判・分析の習慣が治らない限り、このステージのあなたは宇宙からの呼びかけや支援を受け取れず、地上に生きる同胞と一体感を感じることもないでしょう。

あなたは宇宙があなたを守り、運命の道に導こうとする意思が理解できず、その結果あなたが潜在的に持っている敏感な感性を開発するきっかけも見つかりません。このためあなたは無遠慮でがさつな人格を持ち、周りの人々の親切もはねつけ、精神世界と通じる糸口を自らの手で断ち切ってしまいます。この状態にいるあなたは、自らに害を与えるパターンに気づき、修正するために必要な新しい洞察を否定しているため、同じ過ちを何度でも繰り返すでしょう。

これとはまったく逆に、敏感な宇宙の感受性をはじめから意識してこの世に誕生する人もいます。ところが心、身体、魂の三つの次元を統合するという準備段階を踏まずにはじめから心を全開にして受け入れると、あまりに多くの玉石混交（ぎょくせきこんこう）の情報がなだれ込み、あなたの心の回線がパンクしてしまいます。こうしてあなたは過剰な外圧に押され、進むべき道から追い出されるように外れていく感覚を覚えます。あなたの周りにある多様なエネルギーを識別する訓練や、何が起きているのかを理解する眼識を身につける前に無防備に開放することは、決してよい結果を招きません。そうなった場合はいったん撤退する必要があります。現世にしっかり足をつけて態勢を立て直してから状況を再評価し、あなたの霊的感受性を開発するための段階的な開放を再検討する必要があります。つまり、精神世界一辺倒にならず、肉体を身にまとい、現世に生きる物質界の住人であることを忘れず、バランスよく宇宙に心を開放していく姿勢があれば、宇宙からのメッセージを受け取るアンテナは順調に精度を増していき、幸福な毎日を送れるようになるのです。

古い考えや機能しなくなっている〝常識〟に凝り固まっていることがマイナスの影響を与えるのと同様に、あまりに早いペースで進むこともよくありません。魂の成長は緩やかな過程をたどると知り、少しずつ意識を拡張していくことが望ましいのです。ものごとを見極める眼識が育つ前に先を急ぐと、現実逃避や耽溺が起こり、テレビや睡眠時間を過剰にとる、あるいはもっと病的になると過食症や拒食症などの摂食障害やアルコール・薬物に対する依存症を引き起こします。

人間関係において、デリケートな感受性を磨くというあなたの運命の学びを拒否していると、あなたはがさつで配慮のない態度で他人を遠ざけることになるかもしれません。あなたが今生で学んでいるのは、敏感な感受性を発揮して人々とコミュニケーションをとり、あなたの積年の望みを実現することです。……それは、人々がそれぞれの個性を極めて自己実現を果たすための支援をしていくこと、それが叶(かな)わないなら少なくとも彼らが自分の進むべき道を見つけ、自分を心地よく受け止められるようになることです。

あなたが自らの感受性や慈愛の心に気づき始めるとき、注意深く進めないと、あなたは他人の重荷を背負わなくてはならないという強迫観念に押しつぶされそうになる傾向があります。感受性を制御し、選択吸収できないうちは他人の否定的な感情エネルギーの残骸を無差別に取り込んでしまうので、必要以上に重圧を感じることになるからです。これが起きているとき、あなたはあなたに助けを求めに来る人たちに対して怒りを感じるので、すぐにそれとわかるでしょう。他人に対する怒りが心に湧(わ)いてくるのを感じたら、こう自問してください。「私は自分が受け入れたいと思う以上の負担を背負っていないか?」「自分から進んで悲劇の殉教者になっていないか?」「私は自分の心に生まれた怒りを、助けを求めてやってきた人たちにぶつけて八つ当たりしていないか?」

その答えがイエスなら、そこには重要な学びが隠されています。あなたは友達や家族、同僚の問題について、あなたが本当に手を差し伸べたいと感じたときに〝のみ〟、あなたが協力できる分〝だけ〟、支えるように変化していることを意味するからです。自分の持っている以上のエネルギーを差し出すと、あなたのエネルギーが枯渇(こかつ)し、それを要求する相手に対して怒りを感じます。このときあなたが気づかないのは、相手があなたから奪っているのではなく、あなたが自分から差し出しているということ。私たちはどんなときも、自分が差し出すものに責任を負わなくてはならないのです。あなたがここで学んでいる感受性とは、自分にも他人にもノーと言うべきときは毅然(きぜん)とした態度で言わなくてはならないということです。

何かが弱っていたり、調整を必要としているとき、あなたには自然にそれがわかります。けれども、その際に前世で磨いてきた批判や分析の能力を過剰に発揮すると、あなたはあらゆる人やモノのあら捜しを始めることになるでしょう。配慮のない非難ほど受け入れ難いものはないので、あなたがこの悪い癖を治せないうちは、人々はあなたから遠ざかっていくでしょう。

他人を支えるにあたり、あなたが観察したものを前世でしていた方法とは違う方法で表現することは、あなたの今生の学びのテーマの一つです。あなたが感じたことを伝える際、前世でしたようにこき下ろすのではなく、相手が反発せず、感謝してくれるような表現を用いたアドバイスを伝えることです。あなたが誰かの弱点を見つけ、指摘する際、冷たく辛辣(しんらつ)な言い方をすれば、相手は当然防御の壁を作るでしょう。あなたが感じ取った洞察を伝える際に相手を侮辱したり、落ち込ませたりしないよう、細心の注意を払う必要があるのです。そうでないと、せっかく相手のためになる洞察やインスピレーションも、相手が自分の感情が傷つかないように築いた厚い壁に阻まれて何の役にも立ちません。あなたが学ぶべきテーマの中核をなすのは、あなたの言動に細やかに気を配り、上手に相手と対話するテクニックを身につけることなのです。

●覚醒のステージ

運命の道に覚醒しているあなたは、日頃の自分の態度に細やかな気配りをする必要があることを知っています。あなたには宇宙から降りてくるインスピレーションを受け止める感受性があることを自覚していて、あなたが宇宙からのメッセージや洞察を探求する高度な装置となる意思を持ちさえすれば、それが開発可能なことを理解しています。それが実現したとき、あなたは精神世界の叡智を身近な人々のために生かすことができるでしょう。

何かが間違っていて、正す必要があることを発見すると、あなたは前世で研鑽した分析能力と、ものごとを微細にわたり観察する能力を合成し、事実を洗い出して必要なところに示すことができます。あなたが直感力を身につけると、あなたの助言は多くの人に感謝されることになるでしょう。あなたがあるべき軌道を進むうちに、感受性や精神性が研(と)ぎ澄(す)まされ、霊的敏感さはあなたの人格の大事な部分として収まってくるでしょう。そうなると、あなたはますます周りの人々にとってなくてはならない存在になっていきます。

あなたは未来が予見できるようになり、「これからこんなことが起こるよ」とその出来事に影響を受ける人々に予告や警告をすることになるでしょう。その情報に基づき、人々はより賢明な判断をくだしていけるでしょう。

あなたの霊的感受性や人付き合いのテクニックが向上すると、あなたは多様な情報を正確に読み取り、分析し、人々を正しい方向に導けるので、優れたカウンセラーとしての才覚を発揮します。覚醒意識のレベルで、あなたは人の弱さを考慮した上で、人の長所と短所を精査します。こうして引き出された情報を聞いた人はあなたの言葉から進むべき道を見つけ、心から感謝するでしょう。

月蝕エネルギーを積極的に受け止め、行動に表すと、あなたは自分の中で起きる微妙な変化を見逃さなくなります。あなたは宇宙から降りてくる直感を実行に移し、試行錯誤を繰り返し、日ごとに直感の導きを正確に受け止められるようになっていくのが自分でもわかるでしょう。直感を感じると、あなたはなぜそれが降りてきたのかを注意深く探り、吟味するうちに、単なる幻想や思いつきと、真実のメッセージを運んでくる直感との違いがわかるようになっていくでしょう。

この道をどんどん進んでいくと、自分の霊的感受性をさらに開発しようと、スピリチュアルワークショップや霊能力の開発セミナー、夢分析、聖書の研究、瞑想などに打ち込む人も出てくるでしょう。これらの分野はどれも意識の拡張に役立つもので、霊的な受信精度が上がり、さらに多くの情報を精神宇宙から受け取れるようになるでしょう。あなたの霊的感度が高まると、その才能から人々やあなた自身がどのような恩恵を引き出せるかに関するさまざまな洞察がさらに見えてくるでしょう。あなたは自分の能力が多くの人々のためになるからこそ、さらに高めていきたいと願い、その過程で心に描くあなたの夢の多くは、未来に実現することになっていることがわかってくるでしょう。

あなたは繊細で責任感あふれる人格を築き、意識のレベルではきちんと仕事を成し遂げ、精神世界の認識を現世での生産に役立てることができます。そしてあなたは自らの人生をかけて愛と慈悲のエネルギーを世界に発信したいと願う、崇高な存在となるでしょう。

●超意識のステージ

集合意識のレベルで高い精神性を持つあなたは日常生活の中で人々と愛と平和と調和を分かち合い、地上に生きる多くの人々に精神世界の知恵を広めていきます。普通の人にはおよそ想像もつかないような宇宙の精神エネルギーの成り立ちがあなたにはわかり、それに向かって意識を開放しています。あなたはすべてのもの、すべての人間は一つの宇宙意識につながっていることを知っています。すべてのものの中には広大な宇宙そのものが内在していて、しかも一つひとつが他のすべてにとってなくてはならないパーツをなしているということを深く理解しています。

このことを熟知しているため、あなたは今日という一日を大切に受け止めることを知っています。なぜなら明日というものは常にこれから起こる一日という、生命の周期の一要素で、宇宙の大いなる意思に従い、完璧な存在として生きるとき、私たちに必要なのは、今日というこの瞬間を誠実に十全に生きることだけだからです。

あなたは生涯を通じて、大いなる宇宙を故郷とし、そこに帰属する感覚を失うことがありません。あなたは宇宙に存在する大きな家族の愛すべき、尊重されるべき一員であることをひと時も疑うことはありません。そして人々に、自分の存在よりもっと大事な価値が存在すること、そして宇宙を故郷として帰属することの意義を教えるでしょう。その教えを通じて人々は自らの学びの道を伸び伸びと自信に満ちた足取りで歩んでいけるようになるでしょう。彼らは温かい〝家庭〟に帰属しつつ、人生を歩んでいるのですから。

●身体に現れる兆候

あなたの魂が今生で習得すると決めたテーマをあなたの意識が拒絶していると、あなたがあるべき軌道を外れていることを、肉体の不調により示されることになります。あなたの場合、不調は足とリンパ系に現れます。これらが過剰に敏感に活動を始める前に、あなたへの警告として消化器系の不調が起こります。このとき、身体が伝えようとしているのは、あなたが霊的感受性に目を向けず、やたらに分析ばかりしていることへの警告です。つまり、あなたがしているのは過剰な〝消化〟活動。精神的消化活動は肉体の消化活動へと伝わるので、あなたがものごとの過剰分析や分類をやめ、宇宙から来るエネルギーがスムーズに身体の中に流れるよう受け入れる姿勢を持つと、消化器の不快な症状も収まっていくでしょう。

身体に起きるサインを読み取り損ねたり、わざと無視していると、足（土踏まずや足の甲を含む）にタコ、魚の目、皮膚硬結ができる他、足が腫（は）れたり、ひどく汗をかいたり、炎症を起こすなどの症状が現れます。その次にはリンパ系の不調が現れるでしょう。魚座は黄道12宮の最後の星座で、身体的抵抗の最後の砦（とりで）を象徴します。つまりこれが免疫システムを司（つかさど）るリンパ系です。あなたが自分の霊的感度を高めるという課題に気づかなかった場合、あるいは無視することにした場合、あなたはリンパ系の不調に延々と悩まされることになるでしょう。身体が発する警告を受け止めないと、心、身体、魂のバランスが崩れ、健康を害します。

ハウス

第1ハウス

●ハウスと星座には深いつながりがあります。第1ハウスが示す内容についてさらに詳しく知りたい方は、牡羊座の日蝕・月蝕の項をお読みください（242ページ〜）。

日蝕

あなたが地上に生きる人々を導くとき、それは1対1の人間関係で起こり、あなたが日々の暮らしの中で実践して見せるという形で実現します。あなたは誰かに質問をされると、相手の反応を気にすることなく正直に答えます。あなたが宇宙から授かった日蝕エネルギーを同胞に伝えるとき、あなたは子供のように純粋な熱意を自らの中に感じるでしょう。

今生であなたは人々に自分のアイデンティティーを確立させることを教えます。自立して生きていくこと、そして自分で目標を決め、それに向かっていくことはどの人にとっても大切だということをあなたは熟知していて、その知恵を周りの人々に伝えます。そしてあなたは、自分を見失い、進むべき方向を見つけられない人々を勇気づけていくでしょう。

あなたは周りの人々に、上手な自己主張を通じて自分の夢に近づく方法を教えます。あなたは人々に自分のアイデンティティーを追求し、強い自我を打ち出して、めげることなく積極的な行動に出るよう促すでしょう。

月蝕

あなたは人々があなたの人柄にどう対応するかを観察するところから今生での学びの道を歩み始めます。

あなたと接する人々はあなたが自分の行動に責任を持つように迫り、あなたの取った態度や築いた人間関係の責任を負うよう仕向けるでしょう。あなたの誕生直前に月蝕が起きた星座が司る（つかさど）エネルギーを人格に統合することを学んでいます。この学びが順調に進めば、あなたの人格は角が取れて他人と心地よく接する力が備わってくるでしょう。

あなたは人生経験を通じて自分の本当の姿を追い求めますが、月蝕星座のエネルギーを極めることにより、この道程はずっとたやすくなっていきます。

第2ハウス

●ハウスと星座には深いつながりがあります。第2ハウスが示す内容についてさらに詳しく知りたい方は、牡牛座の日蝕・月蝕の項をお読みください（254ページ〜）。

●日蝕

あなたは地上に生きる人々に、ものごとの本当の価値について理解を深めるよう導く運命にあります。人々の手本として、あるいは反面教師としてのあなたを見て、人々は自分の人格構造の弱い部分を補強し、安定した基盤を作ることの大切さを習得します。あなたは一歩ずつ着実に歩を進めることでゆるぎない基盤を作る方法を示すでしょう。

あなたは感情面で人々を導き、自分を尊重する気持ちを育てることについて、多くの人々に洞察を与えるでしょう。喜怒哀楽の分野をより豊かにするために、何をすればいいのかを決めるとき、人々はあなたを参考にするでしょう。あなたを通じて、人々は自分の感情的ニーズに気づきます。あなたは自分の望みを実現するためにはまず、何がほしいのかを明確にする必要があることを知っているからです。

あなたは道徳、金融、そして精神世界の価値観に精通していて、自分の価値観を確かなものに発展させ、自分を心地よく受け止める方法を人々に知らしめるでしょう。明確な論理で人生を評価し、何が現実で何が幻想かを識別できるあなたは、身近な人々の〝財産〟と〝負債〟をたちどころにリストアップできるでしょう。そしてその財産を有効活用して負債から来る弱点を消していくよう導いていけるでしょう。

月蝕

あなたの価値観にはどこか決定的な欠陥があり、あなたは今生でそれを正すという課題を背負って生まれています。あなたの価値観の欠陥がどこにあったとしても、基礎を固めるという作業が最初に必要になるでしょう。人格構造を建造物にたとえると、積み上げられている建材である煉瓦がいくつか抜け落ちているような状態です。その煉瓦の欠落部分を補うことで、あなたが人生の途上で大きな衝撃に遭遇しても人格を支える構造が壊れないようにするような作業です。あなたが探しているのは、基礎の部分の煉瓦、つまりあなたの価値観です。あなたの月蝕星座のエネルギーを追求することが、この作業の重要な指針を示すでしょう。そしてこの欠けた部分を見つけ、補うことができたら、あなたの人格はバランスと調和を取り戻すでしょう。

第3ハウス

●ハウスと星座には深いつながりがあります。第3ハウスが示す内容についてさらに詳しく知りたい方は、双子座の日蝕・月蝕の項をお読みください（267ページ～）。

日蝕

あなたは人々に自分の考えや経験、気持ちを日常的に分かち合うことの大切さを教える才能を授かっています。あなたの身近な人間関係の中で、会話がスムーズに運ぶために、あなたは欠かせない存在となっているでしょう。あなたは彼らに情報や知識を常に流通させる必要性を教えるでしょう。あなたは接するすべての人々に、目の前で起きている出来事の真相を伝えますが、あなたが重点的に関わる情報の分野は、あなたの日蝕星座によって決まります。

あなたは人々に、「ものごとに限界はない」ということを教えます。お金でも愛情でも知識でも、人生でほしいだけ手に入れることができる……自分の誤った現実認識や、今自分が持っている財産にしがみつくことによって、あなたに向かってどんどん流れ込んでくる豊かさを自らの手でせきとめない限り。私たちが常にすべてのものを循環させていれば、もっといいもの、もっと新しいものが自然に流れ込んでくるということを、あなたは人々に教えるでしょう。

●月蝕

あなたは今生では、自らが万物の大いなる流れの一部となるために生まれてきました。あなたの仕事は障害物などのために滞ったところに流れを取り戻し、会話のやりとりを促し、和（なご）やかで活発な人間関係を構築することです。その重点分野となるのは、あなたの月蝕星座が司（つかさど）る分野です。あなたの学びの中心となるのは、ものごとに執着せずに手放すこと、そしてそこに生まれたスペースを宇宙がちゃんと埋めてくれることを信頼することです。今生のあなたが克服するべきことがらとは、「自分の物質的精神的財産を他人と分かち合わない」、「情報の囲い込みをする」、「自分の気持ちを他人に明かさない」、「相手からお返しが来ないことを恐れる」など。あなたは今生でこれらの行為がもたらすエネルギーの停滞を解消し、エネルギーを循環させることで無限の豊かさを手に入れられることを学ぶでしょう。

第4ハウス

●ハウスと星座には深いつながりがあります。第4ハウスが示す内容についてさらに詳しく知りたい方は、蟹座の日蝕・月蝕の項をお読みください（280ページ〜）。

●日蝕

あなたが地球を生きる同胞に教える運命にあるのは、安心できる快適な帰る場所、家庭を持つことの大切さ、そして安住の地を求める気持ちを尊重し、満たす義務を誰もが持っているということです。人々はあなたを通じて自らの心の内側に触れ、内面を安定させることにより外界の刺激に翻弄（ほんろう）されない自我を作り、積極的な行動に出る態勢を作ることを学ぶでしょう。あなたは人々に、「自分のことをもっとよく理解できると、社会との関わり方も、より安定したものに改善されていく」ということを教えます。執着心を断つ、ものごとに最後まで根気よく取り組む、他人と分かち合うなど、どの人もそれぞれに異なる学びのテーマを持っていますが、成長の途上にある自分自身を肯定し、自分とやさしく付き合うことを、あなたは彼らに教えます。どんな状況にある人も、魂の成長の過程においてはそれがまさに完璧（かんぺき）な環境なのだということに気づかせる力を、あなたは持っているのです。

あなたの月蝕星座が司（つかさど）る分野で、あなたはとりわけ自分を心地よく受け止めることができますが、その様子を人々に伝えることで、自分の心に内在するエネルギーをやさしく受け止めることを教えるでしょう。あなたは育てることが得意で、人々が自尊心を慈しみ、育てるよう導くでしょう。あなたは人々の緊張感を解き、自らを愛し、やさしく接するよう教え、心地よく安心できるよりどころを作るよう促します。あなたは人々の豊かな情緒を伸ばし、自らの感受性を肯定する力を引き出す能力を授かっています。

●月蝕

あなたが今生に持ち込んだ自我は非常にプライドが低く、自分で自分を卑下する傾向を持っています。あなたが今生で学ぶのは、自分の本当の価値と、自らのアイデンティティーです。まず、家族の中で自分の居場所を心地よく確保できていれば、自分の魂の特徴に馴染（なじ）む態勢ができるでしょう。あなたが何でもやりすぎる傾向を持っているなら、それは「成長し、達成しなくてはならない」という強迫観念があるからです。あなたが本当に学ぶ必要があるのは自分を尊重することなのですが、自分の足りないものについて厳しく断罪を続ける人もあるでしょう。あなたの場合、物質の次元で何かを築くために費やす時間とエネルギーと同等のものを、自尊心という精神的価値を高めるために費やす必要があります。あなたは自分が優れていると感じられることを積極的に実行し、何かを達成したときは心の内面でも自分をほめてあげることを忘れてはいけません。あなたにとって、結果を出すことと同じくらい大切なのは、それまでの過程を楽しむことです。

あなたが自らの長所を心の底から認め、尊重できるようになると、以前のような自己防衛的な態度を、特に家族に対して、取らなくなっていくでしょう。他人の意見を聞き入れ、自分を見守り、育ててもらうことを受け入れられるようになるにつれ、あなたは自分を心地よく受け止められるようになっていきます。あなたは自分の欠点を見つけるのが誰より得意ですが、自分の個性や才能を認め、育てることを覚え、あなたの魂がなぜ今この時期に、この環境に降りてきたのか、そして何を目指して今の人生を生きているのかという理由を尊重することを覚えなくてはなりません。あなたの本質は善良で、他人と分かち合える魅力をたくさん持っています。あなたが自分の本質を隠さず、誠実に表現するようになると、それが次第にわかってくるでしょう。

第5ハウス

●ハウスと星座には深いつながりがあります。第5ハウスが示す内容についてさらに詳しく知りたい方は、獅子座の日蝕・月蝕の項をお読みください（293ページ～）。

●日蝕

あなたは地上に生きる同胞に、人生に遊びの要素を取り入れることを教える責任を持っています。あなたが心のおもむくままに楽しげな人生を生きる姿により、人々は天真爛漫（てんしんらんまん）な生き方を学び取っていきます。あなたには図抜けた創造力があるため、周りの人々の創造力を刺激し、掘り起こしていきます。あなたには人を束ねる才覚が備わっていて、子供にも好かれ、やさしい愛情を示す力を持っています。大体においてあなたは気さくで付き合いやすい人ですが、人間としての深みも激しさも持ち合わせて、成功を目指す姿勢を持っています。あなたが人々に教えるべき最大のテーマは、楽しい機会が訪れたら、それを喜んで受け入れること、そして自分を否定しないことといえるでしょう。

あなたは人々が勇気を持ってチャレンジする意欲が起きるように、ドラマチックな人生を生きて見せることができます。あなたはチャレンジしなければ得るものは何もない、という考えを裏付け、毎日同じことを繰り返す退屈な人生の輪から人々を救い出すパワーを持っています。あなたが持っている生命エネルギーは、楽しいことを見逃さず、疲れを知らない無邪気さでどこまでも追い求めていく、子供のようなエネルギーです。あなたが自分の人生を喜びで満たしていくうちに、あなたは人々の心を覆っていた硬い殻を割り、柔らかな感性で愛情を受け入れるよう導くのです。

●月蝕

あなたが今生で学ぶのは、ものごとを深刻に捉(とら)えすぎず、遊び心を随所に取り入れる生き方です。そしてもう一つのテーマは、幸運と愛情を受け入れることです。あなたは疑(うたぐ)り深く、何かいいものがめぐってきても、その背後に何かが隠されているのではないかと憶測し、自分が本当に受け取るに値するかどうか悩むのです。あなたが長年の習慣として持っている感情的な不安感を捨て去ることを覚えると、あなたはもっと勇敢に新しいものを取り入れやすくなっていき、それまで踏み入れたことのない未開ゾーンに飛び込む喜びを味わうことになるでしょう。

あなたにとって、「受け入れる」という行為は簡単ではないでしょう。けれどもこれは避けて通れない道なのです。あなたが宇宙を愛したいのなら、まず自分自身を愛することを覚えなくてはなりません。自分を愛せるようにするには、他人からの愛情やプレゼント、賞賛の言葉を受け取ることに対する抵抗感と戦わなくてはなりません。やってくるものを受け取ることのできる状態で生きているとき、あなたは本当の意味で個人でも宇宙全体でも、愛情を捧(ささ)げることができるのです。そのときはじめてあなたは自分の持てる力をすべて活用でき、宇宙の摂理を人々に知らしめることができるでしょう。

あなたの今生のテーマは心、子供、そして創造力です。子供をもうける活動を通じて、あなたは自分の創造力を楽しみ、同時に新しい命を生み出す喜びを感じられるでしょう。あなたが自分に対する誇りを取り戻し、自分が創造した子供からの愛情を受け止めるとき、あなたは自らが生み出したものを通じて自我や個性を伸ばしていくのです。この行為により、あなたは宇宙エネルギーや、生命の根源への理解が深まっていくでしょう。

あなたには創造力があると気づくことにより、あなたは自らの人生を幸運に満ちたものに変えていく力が出せるようになっていきます。あなたが幸福や生命力を感じるものを、自分の人生の中に作りつづけていくうちに、あなたは自分の現実を作ることの責任を引き受けることを学んでいくでしょう。

第6ハウス

●ハウスと星座には深いつながりがあります。第6ハウスが示す内容についてさらに詳しく知りたい方は、乙女座の日蝕・月蝕の項をお読みください（307ページ～）。

●日蝕

あなたが地上の同胞たちに教える運命にあるのは、雑然とした状況に秩序をもたらす仕事。具体的には漫然と生きている人々には明確な生きる指針を、混沌（こんとん）とした事態には秩序と規律を、焦点の定まらない考えには利用価値をもたらすよう働きかけることです。あなたにはものごとの細部を観察しながら、全体像を見失わないという優れた才能が授けられています。あなたは人々に自らの人生経験から学ぶこと、自分の欠点に気づくこと、そして自らの救済策を考え出すことを教えます。これにより、人々は順序立てた成長への軌道を見つけていくのです。

あなたには心と身体の健全なバランス感覚があり、それを維持することの大切さを人々に教えます。あなたは自分に起きる多様な経験から学ぶ姿勢を持ち、常によりよい自分を作ろうとする意思を持っているので、人々はあなたから向上心を学び取るでしょう。仕事、福祉や奉仕、そして健康の分野で、あなたの日蝕星座が示す才能を発揮するでしょう。

●月蝕

あなたは自分の人生を根本的に立て直し、健康な身体を作って維持すること、良識ある仕事の習慣、世の中の役に立つような前向きな生きる姿勢を築く運命にありますこれらを取り入れる過程で、あなたは月蝕星座が導く学びのテーマに取り組んでいくでしょう。前世のあなたは健康管理、仕事、あるいは義務といった分野のある面をないがしろにしてきたので、あなたは今生で、その部分についてどうすることが最も理想に近いのか、どうしたいのかといった意思の設定に取り組むことになるでしょう。あなたは自らの身体にできることとできないことを学び、中には自分の怠惰な生き方を改めるという課題に取り組む人もあるでしょう。

ただ漠然とよりよい人生を願う代わりに、あなたは自分の人生をどう過ごしたいかを具体的に考え、実際に形にしていくことを今生で学ぶでしょう。自分の生命エネルギーを、意義のある方向やゴールに向かって燃やし、その過程であなたの月蝕星座が示す課題をクリアしていくことになるでしょう。

第7ハウス

●ハウスと星座には深いつながりがあります。第7ハウスが示す内容についてさらに詳しく知りたい方は、天秤座の日蝕・月蝕の項をお読みください（320ページ〜）。

●日蝕

あなたが今生で人々に教えるのは、〝他者〟との関係の構築です。この分野の才能を授かっているあなたは、パートナーシップや多様な人間関係を実りあるものにしていく方法を人々に説くでしょう。あなたは人々に、約束や契約を交わすことのメリットを教え、それを守り抜く意思の大切さを教えます。

調和と善意と慈愛の心で人々と良好な関係を築くあなたは、自らの日蝕星座に従って得た才能を多くの人々と分かち合うでしょう。あなたは人々に、他人の目に映る自分自身について意識を向けるよう導き、他人との絆（きずな）を結ぶ方法を知らせます。こうしてあなたは地上に生きる同胞に、他人を合わせ鏡として自分を振り返り、自己評価を続けることの大切さを教えるでしょう。

月蝕

あなたはあなたの月蝕星座が司る学びのテーマを、身近な人間関係を通じて習得していくでしょう。あなたは自分が近くにいる人々の態度や生き方にどのような影響を与えるかを間近に観察することにより、そしてあなたの人生における他人の役割について理解を深めることにより、人間関係のエネルギーについて学ぶでしょう。他人のニーズに意識が向けられ、配慮できるようになるにつれ、あなたはコミットメントの意味や、初志貫徹することの意義がだんだんわかってくるでしょう。

第8ハウス

●ハウスと星座には深いつながりがあります。第8ハウスが示す内容についてさらに詳しく知りたい方は、蠍座の日蝕・月蝕の項をお読みください（332ページ～）。

日蝕

あなたは今生で、人々に変革のエネルギーを浸透させる運命にあります。ビジネスや恋愛、セックスといった濃い人間関係の各場面で、あなたがダイナミックな心理交渉を展開するとき、その相手はあなたの才能を受け取る機会に恵まれるでしょう。

あなたが人々に教えるべきテーマは、経済、道徳、そして精神という三つの次元で、私たちは互いに責任ある態度を取らなくてはならないということです。あなたは人々に、人の持つ価値観は接するすべての人々に影響を与えるということを教え、そしてあなたは先ほどの三つの面において、人々の間で共通の価値観を見出すよう導くでしょう。あなたには大容量のエネルギーが授けられているので、それを生かして霊的なヒーラーになる人もいるかもしれません。あなたは自らの生き方を見本として、人々に時間、資金、地球に生きる共同体意識を元手に有意義な毎日を送ることを教えます。

あなたは直感的に周りの人々の価値観やニーズが見

え、彼らの道徳、経済、精神の三つの次元で彼らが果たす役割を知っています。

●月蝕

あなたは今生で、自分の価値観が他人に与える影響を知り、自らの価値観に責任を持つことを学ぶでしょう。あなたは社会の中で、強い力を持つ者が、どうして弱き者の責任を負わなくてはならないのかについて学ぶ必要があります。あなたが共同責任を負うことの意味や、相互に力を与える関係について学んでいくにつれ、あなたの月蝕星座によって運命付けられた学びのテーマを解読する鍵が見えてくるでしょう。あなたは自分の性を異性にどのようにアピールするかに自分の責任を負うという課題を背負っています。

第9ハウス

●ハウスと星座には深いつながりがあります。第9ハウスが示す内容についてさらに詳しく知りたい方は、射手座の日蝕・月蝕の項をお読みください（350ページ〜）。

●日蝕

あなたは地上に生きる同胞たちに、冒険の楽しさ、チャレンジすることの意味、そしていつでも自由でいることの喜びを教える運命にあります。一つの生き方、一つの理想、一つの地域に釘付けになるのではなく、いろんな面で変化と冒険を自らの人生の中に起こしていくことを人々に勧める過程で、あなたは意識を拡大し、実際に身体を動かしていろんなところを旅して見聞することで、どれほど多くの学びと成長が可能になるかを示します。

違った文化や環境に触れ、可能な限り新しい経験の中に身を投じることで多様な学びの機会を自らに与えることの意義を、あなたは人々に教えるでしょう。あなたは自らが多様な経験を積んで得た知恵を人々と分かち合い、それぞれの文化や人種に固有の長所や価値観があることを広く伝えるので、人々はあなたに倣（なら）い、同様に新しい気づきを広めるようになるでしょう。冒険と活気に満ちた人生を歩みながら、あなたは日蝕星座が示す才能を多くの人々と分かち合う方法に熟達していくでしょう。

月蝕

あなたは今生に、融通の利かない古い理想意識、そしてよそ者の文化圏や社会的階級といった閉塞（へいそく）的価値観の中に留まろうとする自我意識を打ち破る責任とともに生まれました。あなたが学ぶテーマとは、地球上にはあなたの知らないことがまだまだ無限にあると自覚することです。こうしてあなたは自由と行動と好奇心を志向し、新しい経験を人生に取り入れていくように変化していくでしょう。あなたは理想に基づくゴールを設定し、冒険を重ねていくうちに、あなたの月蝕星座が示す学びのテーマを極めていくでしょう。

第10ハウス

●ハウスと星座には深いつながりがあります。第10ハウスが示す内容についてさらに詳しく知りたい方は、山羊座の日蝕・月蝕の項をお読みください（364ページ～）。

日蝕

あなたは地上に生きる同胞に、職業倫理と、社会人としての責任について教える運命を持って生まれています。あなたは生まれついての社会的リーダーで、社会の一員として、構成員一人ひとりが他のメンバーと相互に協力する義務があることを人々に気づかせる責務を負っています。あなたには政治家や思想的宗教的リーダーなどの資質があり、子を持つ一般家庭人としてもPTA会長のような役割が回ってくるでしょう。あなたは今生で目指すゴールを簡単に達成する能力を持っていて、その過程であなたは日蝕星座が示す分野での知恵を人々と分かち合うことになるでしょう。

月蝕

あなたは社会の一員としての責任について学ぶ必要があります。あなたがどんな人生を選択するにしても、その環境の中で、他人に対する高潔な責任感と誠実さをもって、自分の気持ちや考えを人々に伝えることの大切さを学ぶ運命にあります。あなたの月蝕星座の示す分野が、最も真剣に取り組むべき課題といえるでしょう。あなたは職業上のゴール設定を行い、それに向かって一途に努力を重ねることを学んでいて、その過程であなたは自らの人格を育て、自我の研鑽が進むでしょう。

あなたには心が不安定なところがあります。一つのゴールを目指しながら、あなたは時々意識が横に逸れたり、過ぎてきたばかりの道を後戻りすることがありますが、目標を目指す過程で、心の一時的な乱れに惑わされてはいけません。これは学びと成長の過程の中ではよくあることだと自覚し、すべての経験をつぎ込んで、ゴール達成への糧とすることを覚えてください。

第11ハウス

●ハウスと星座には深いつながりがあります。第11ハウスが示す内容についてさらに詳しく知りたい方は、水瓶座の日蝕・月蝕の項をお読みください（377ページ〜）。

●日蝕

あなたは地上に生きる同胞に、共同体意識について教え、他人に対する配慮の大切さに気づかせる運命を持って生まれています。あなたが教えるテーマは多くの場合、集団のいる状況の中で起こり、人々をグループの一員としての自覚に目覚めるよう促すでしょう。

あなたが今生で取り組む仕事の大半は、広く人類のためにプラスになる、人道的な価値の高い仕事となるでしょう。あなたは目先の狭い視野しか持たない人々に、社会全体としてみんなが幸福になれるシステムを作れれば、個人の幸福も同時に満たされるというメカニズムに気づかせる仕事を背負っています。その身近な例として挙げられるのが家族という社会の最小単位です。家族全体が幸福になるような決断が下されれば、その中にいる一人ひとりもまた快適に過ごしていけるのです。

あなたの高邁な理想や願いを追いかける過程で、あなたは人々に目標に向かって生きることの喜びを教えます。自分の力で努力をしなければ、何一つ達成できないということを、あなたは人々に語りかけます。あなたの夢を追いかける情熱を体現することで、あなたは人々に手が届きそうにない目標でもめげることなく追求する勇気を教え、真剣に熱意を傾けていれば、実現しない目標はないということを教えます。

あなたは人々に大きな夢を見、よりよい未来と理想社会を心に描くことを教え、それに向かおうとする人々を心から支えるでしょう。あなたは自分の価値観に照らして有意義な活動をしている人や、心情的に深い絆（きずな）を感じている人の夢の実現に、大変な時間とエネルギーを費やすことがあります。あなたの日蝕星座が司（つかさど）る分野で、人々が理想を掲げ、それに向かって前進することを支援することになるでしょう。

●月蝕

あなたが今生で学ぶのは、いろんな夢を心に描くこと、そして生まれ落ちた環境以上の幸福な人生、そして今あなたが所有している以上の資産を手に入れてもいいと知ることです。創造力を働かせていろんな夢を見ることはこの時期のあなたの魂の成長の軌道上にある活動で、健全な行為です。あなたの月蝕星座に関わりなく、第11ハウスで誕生直前の月蝕が起きている人は、よりよい人生を願い、手に入れるために、夢見ることを学ばなくてはなりません。

あなたは共同体意識を自らの中に育て、人々のためになるものを希求する心を育てなくてはなりません。また集団としてのニーズを満たすことにより、あなたの個人的なニーズも自動的に満たされていくという構造に気づく必要があります。あなたの身近にいる人々（個人ではなく、組織や社会という集団として）の願いや目標を考慮に入れることを覚えると、あなた個人が集団に属するために奉仕すべきこと、あるいは受け取るべきことが見えてくるでしょう。あなたの属する集団とは、あなたの夢や希望を実現していくための心情的なサポートを互いに与え合うことのできるものだということを、あなたは今生で学んでいます。

あなたは自分の人生の流れを、宇宙の大いなる流れに合流させることを学び始めています。あなたの心の内なる導きや直感に従って行動していると、あなたは楽々と魂の軌道を見つけ、それに向かって流れを変えていくでしょう。

第12ハウス

●ハウスと星座には深いつながりがあります。第12ハウスが示す内容についてさらに詳しく知りたい方は、魚座の日蝕・月蝕の項をお読みください（392ページ〜）。

●日蝕

「手を放し、神にすべてを委ねる」というスローガンのもと、あなたは人々に宇宙の自然な展開を信じ、身を委ねることを教える運命にあります。あなたが人々に教えるのは、予想外の出来事が降りかかったときや人生の浮き沈みに対する受け止め方、能力や環境の限界に対処する方法、心の内なる声を聞く方法、そして心の内なる声を求める人にしか得られない豊かなインスピレーションを活用することなどです。あなたは人々の内なる世界を受け入れ、大切にすることを教えます。

人々は、瞑想を通じて心の内なる静寂と平和を見出す方法をあなたから学び、歩みを遅くして心の内側に目を向ける人だけに見えてくる、宇宙の意思と接する心を学ぶでしょう。あなたはあらゆるジャンルの施設や機関との付き合い方に精通しています。あなたには人々の自虐的な行動パターンが見えるため、有能なカウンセラーの資質を持っています。あなたの日蝕星座が示す分野で人々が目標を実現しようとするとき、あなたは気持ちの面で力強いサポートを惜しまないでしょう。

●月蝕

あなたは騒がしい心を鎮め、心の内側に目を向けてインスピレーションや導きの洞察を得ることを今生の学びのテーマとしています。あなたにとって、一人になって自分を見つめ、瞑想をする静寂な時間を作ることは非常に大切です。この過程を通じて、あなたは自分にとってマイナスになっている行動パターンに気づき、あなたの月蝕星座が示す学びの道を進みやすくしていけるでしょう。

あなたの中には自分に制限を加えるような、自分のためにならない考え方が前世から引き継がれて無意識に残っているため、これらを見つけ出し、光を当てて放出することにより、人生が楽になっていきます。あなたは積極的に行動するより、引っ込み思案な性格が無意識に前面に出てしまう傾向がありますが、このパターンに気づき、自らを解放することを学んでいます。自らの心の内側と取り組むことにより、これらの心の障壁を取り除くことができれば、エネルギーが自在に流れるような人生が手に入るでしょう。

自分の意思で心の内面と対話する必要性に気づかない場合は、何らかの形で施設に入れられ、自分との対話を余儀なくされることになるでしょう。自分自身の心と向き合う健全な習慣を確立できないと、ドラッグやアルコールなどへの依存や、テレビやゲームへの耽溺（たんでき）、睡眠過剰、自己憐憫（れんびん）などの現実逃避が起こります。自分の中にある問題点に気づき、修正することにより、あなたは外界でもあなたの自己表現を阻む障壁がなくなっていることに気づくでしょう。その副産物として、あなたの霊的な感性が加速度的に研（と）ぎ澄（す）まされていき、あなたがかつて苦しめられていた弱点と取り組む人々を支えてあげられるようになるでしょう。

アスペクト

あなたのバースチャートにあなたの日蝕星座と月蝕星座をあてはめたとき、その角度には四つのパターンがあります。それらはオポジション（１８０度）、インコンジャンクト（１５０度）、セミセクスタイル（30度）、そしてコンジャンクション（0度）と呼ばれます。本書の目的に従い、これらのアスペクト（相対角度）は星座のみについて解説しています。

アスペクトのパターンは、あなたの日蝕と月蝕の心理的なつながりを表し、それぞれが起きた星座間の距離によって割り出されます。あなたの日蝕星座と月蝕星座の間のアスペクトパターンを見つけるには、左のページのチャートをごらんください。

あなたの日蝕星座を1として、あなたの月蝕星座までの数を反時計回りに数えてください（月蝕星座も入れた数を出します）。数字が出たら、左下のアスペクトパターンを見てください（アスペクト計算に使われるオーブはここでは扱っていません。アスペクトの算出は星座の性質のみについて行っています）。

〈例1〉

あなたの日蝕星座が獅子座で、月蝕星座が水瓶座だった場合、獅子座を1として反時計回りに進んでいくと、水瓶座は7番目となります。アスペクトパターンを見ると、7はオポジションです。したがって、あなたの日蝕星座と月蝕星座のアスペクトはオポジションということになります。

〈例2〉

あなたの日蝕星座が山羊座で、月蝕星座が射手座だった場合、山羊座を1として反時計回りに進んでいくと、射手座は12番目となります。アスペクトパターンを見ると、12はセミセクスタイルです。つまり、あなたの日蝕星座と月蝕星座のアスペクトはセミセクスタ

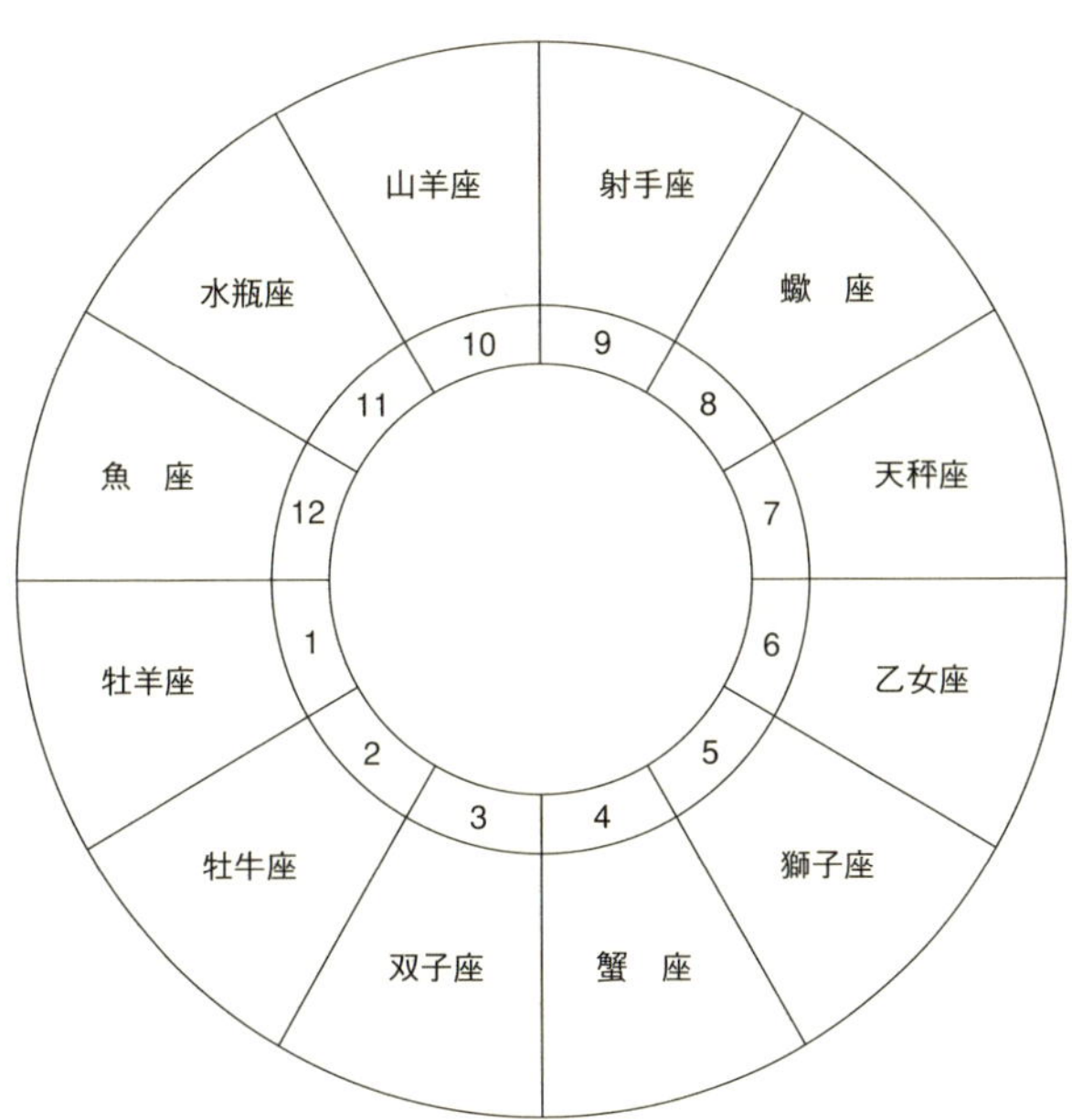

イルです。

アスペクトパターン

1＝コンジャンクション
2＝セミセクスタイル
6＝インコンジャンクト
7＝オポジション
8＝インコンジャンクト
12＝セミセクスタイル

オポジション　180度

あなたは自分が教える相手から学ぶという運命を持っています。あなたの魂の成長は、身近な人間関係が緊密に育つところで起こります。1対1の関係を築き、相手と向き合う中で、あなたが支えてあげる人が、あなたに必要なサポートを提供してくれるのです。相互に支え合い、双方が成長を遂げるという関係です。人類にとっての抽象的な理想を実現することはあなたの主要な関心事ではありません。あなたの中心的課題は、身近な人と調和に満ちたフェアな関係を築くことにあります。あなたが人格を拡大し、共同体意識に目覚めると、あなたの願望達成もまた拡大していくでしょう。前世で作られた自我は、さらなる成長を遂げる準備を終えて今生にやってきました。あなたは次のステージに上るために、他人からのエネルギー供給を必要としているのです。あなたは今、自らの魂の新たな成長軌道に乗るために、他人の支援を受け入れることを学びつつあります。それには謙虚さとやさしさが不可欠で、あなたには他人を遠ざけていたこれまでの独立独歩の姿勢を改め、自分の成長を進めるために他人の介入を喜んで受け入れる姿勢が求められているのです。他人の支援に対する抵抗感がなくなってくるにつれ、相手もまた自我に目覚める過程にあることに気づくでしょう。

あなたは今生で、およそ命あるものは等しく価値あるものだという認識に到達することにより、自分の価値認識のバランスを立て直す運命にあります。そのためにあなたは可能な限り完璧（かんぺき）な自我形成を心がける責任を自覚し、同時に他人もまた同じように努力をしていて、自分とまったく同じようにかけがえのない存在であることを認識する必要があります。

自我形成と取り組みながら他人との人間関係を築くうちに、あなたの身近な人が「私だってりっぱに生きているんだからね」と語りかけ、あなたが学ぶべき課題を思い出させてくれるでしょう。これによりあなたは地に足をつけ、自分の至らない点に気がつくようになります。この自覚があなたの成長の登竜門です。他人と上手に折り合う方法を探りながら、あなたは自らの最もよい面を表現できるようになっていきます。同時にあなたは他人のニーズにも配慮が行き届き、あなたが学ぶことになっている社会的なバランスも取れていくでしょう。

言葉遣いや態度など、外交手腕のテクニックもあなたが今生で学ぶべき課題です。これに熟達していくと、あなたの人間関係はさらに充実し、快適なものになっていくでしょう。あなたの人間関係は基本的に平等で、分かち合いの精神がテーマなのです。その過程であなたは気楽な付き合い方を習得し、自分の目標に向かう途上で、多様な人々との付き合いを楽しめる人格を身につけていくでしょう。

インコンジャンクト

150度

このアスペクトは前世の業、カルマを意味します。あなたは地上に生きる同胞たちに、いろんなことにもっと注意を払うよう導くという責任を、宇宙に約束して生まれてきました。あなたは人々の新しい意識への覚醒を扇動するリーダー、心の傷を癒すヒーラー、そして革新的な発想を広める人々の一人です。人に不都合を与え、不快にさせることがらの一つひとつを修正し、改善しながらあなたは自分だけでなく周りの人々にも気づきをもたらし、快適で幸福な人生を築き上げていくでしょう。あなたはデリケートで、人を不快にさせるちょっとしたことにも敏感なため、すぐにそれに対処して自らを癒すことができるのです。これを繰り返すことにより、あなたは自らの望み通り大きな成長を遂げるでしょう。人々を支えられれば、自らの成長が早くなっていくということに気づいていればこそ、あなたは軽い足取りで未来を目指し、来るべき時代の基礎を作れる人なのです。

今生のあなたは人々への奉仕に生きるか、はたまた困難を甘んじて受けるか、二つに一つしか選択肢がない人生を生きる運命にあります。あなたにとって最大の成長と気づきがもたらされるのは、人々を支え、成長と新たな気づきへと導くとき。これをしていないとき、肉体の健康、心や感情面の健康、そして経済状況という三つの分野のうちどれかでトラブルが起きるでしょう。あなたが自分の成長に必要な義務を怠った場合、この手の不安定さが人生に起きる可能性は、他のどのアスペクトパターンよりも大きいでしょう。

あなたの成長に必要な洞察は、あなたが導き、教える人々から直接もたらされることは滅多になく、どこか別のところからやってくるでしょう。あなたの仕事は、できるところで最大限のサポートを人々に提供することで、その〝見返り〟となる、あなたの成長の機会は別の人から、あるいは宇宙から直接あなたに向かって届けられるでしょう。人々が自らの成長のために必要なことがらに気づき、日常に取り入れていくに従い、あなたもまた自分の成長に必要なことがらに気づくようになっていきます。心に留めておくべきなのは、あなたが支えてあげた人々から、感謝のしるしや報酬などの見返りがくることはほとんど期待できないということです。

あなたは奉仕をしているとき、大きな喜びを感じます。また、何らかの癒しやヒーリングを職業にするとき、最大限の能力を発揮します。たとえば健康食品の店で働くスタッフ、栄養士、農家、医師、精神科医、臨床心理士、占星術家、金融・道徳・精神の分野のカウンセラー、あるいは宗教家として人の心と向き合う仕事にも適性があります。

あなたは地上に降りた〝働き蜂〟の一人です。新たに種を蒔く季節に先立ち、農家の人々が土地を耕し環境を整えるように、あなたはまったく新しい価値観の時代を迎える準備をするために地上に降りてきた人の一人なのです。あなたが今生で学ぶのは、あなた自身の立場や役割をわきまえ、謙虚な心を持つこと。そしてこの大いなる変革に際し、大切な任務を受け持つことができる喜びと感謝の気持ちを持つことです。これをクリアすると、あなたにはさらに高い次元の情報が宇宙から降りてくるでしょう。

今生であなたはすべてのものが相互に影響し、つながり合っているという巨大で有機的な構造を理解するでしょう。地上に存在するすべてのものは一つの生命体であり、それぞれの部分が支え合って成り立っているという姿が見えてくるにつれ、あなたはすべてが平等であるという感覚と、周りのすべてに感謝する気持ちを自然に持つようになっていきます。生命連鎖の一例を挙げれば、私たちが毎日のように食べる野菜は私たちにとって食物ですが、いつか私たちが死んで土に帰れば、その栄養分を肥料として植物が育つことにもなるのです。この大いなる生命連鎖の構造を心に留めていれば、あなたは常に謙虚で、自由で、幸福な日々を過ごせるでしょう。

セミセクスタイル 30度

あなたの今生の主要なテーマは、自分自身を癒し、慈しむことです。あなたは自分自身について、何かが欠落しているわけではなく、そのままで完璧な存在なのだと理解することを、課題としています。この運命に従い、あなたはひっきりなしにエネルギーを何かにつぎ込んで、あなたにとって大切なもの（経済的・道徳的・精神的に価値のあるもの）を築こうとするでしょう。あなたが精魂込めて作っているものと、あなたのニーズや価値観との間にずれが生じたとき、あなたは自分の人生にマイナスになる行動パターンをとり始め、それまでの努力が水の泡と化してしまいます。あなたが学んでいるのは、ものを築き上げるには注意深く進めることが大切だということ、そして常に自分のアイデンティティーに照らし、築いているものから自分らしさが失われていないかを確認しながら進める必要があることです。

あなたが仕事をするとき、焦点を合わせる必要があるのは何より自分自身です。他人と共同事業をするのはかまいませんが、相手に依存しないように気をつける必要があるでしょう。何をするにしてもあなたの今生の課題は、自我意識をしっかりと安定感のあるものに育てることにあるということを忘れてはいけません。

あなたが取り組むべき仕事——それは前世で習慣として持っていた、自虐的な行動パターンに気づき、根絶することです。この行動パターンが現れるのは、あなたが現世で安定と繁栄を勝ち取るために必要な、物質的成果を築き上げようと努力するときです。この過程で何らかの不具合が起きたときが、前世からの悪習慣を絶つチャンスです。あなたは自分の行動を客観的に検証し、自分のどんな行動が計画の不具合を引き起こしたのかを突き止め、それを修正し、二度とその行動パターンをとらないと誓うことが大事です。

ある意味において、あなたは今新たな出発を遂げているのです。また別の意味では、今の人生でこれまでの過去生を通じて生きてきた一つの周期を終える仕事をしています。あなたの人生の方向が魂の目的と合致しているとき、一見退屈とも思えるような新たな始まりの体験が続きます。このとき誠実に努力を続けていれば、満足のいく成果が得られるでしょう。あなたの人生は、ちょうどベンチャー企業の起業家のように、ひっきりなしに新しいビジネスを起こしては試行錯誤を重ね、失敗したビジネスを整理して新たな出発に備えるという過程によく似ています。

あなたの場合、何かを築き上げるとき、その対象に執着を持たずに作り続けることが求められています。そしてあなたには心の奥深いところに新しい仕事に打ち込むために不可欠な動機があり、エネルギーもそこから湧いてくることに気づくでしょう。一つの仕事が完成すると、あなたはすぐさまそれを取り壊す方法を考え始めます。これはあなたが今生で、自分の作り上げたものに執着しない運命にあることの裏付けです。少なくとも、あなたが今生で学ぶことの半分は、自らが築いたものを取り壊すことにあります。このため、あなたは自分の〝作品〟にいつまでも未練と執着を残していると、自分のエネルギーが低下していく感覚を覚えるのです。

あなたが自分の価値を評価する際、現世的に何を残したかで判断してはいけません。あなたが現世的価値観に基づいて築いたものとその後、解体したことのすべての経験を通じてどのような精神的価値を残したか、自分にどのような成長をもたらしたかを、あなたは自分の人格に統合していくべきなのです。勘違いしてはいけないのは、あなたの今生の目的は「物質的な価値を放棄すること」ではないということ。あなたにとって財産を持つのは決して悪いことではなく、蓄財をしても一向に構いません。あなたが学ぶべきテーマは、成長に従い変化していく価値観に忠実に生きることです。成長や状況の変化により自分の価値観が変わると、それに合わなくなったものを次々に手放していくことにより、あなたという人格の普遍的な価値観を認識し、拡張していくことにあるのです。この過程をマスターすると、あなたは現世的に成功し、豊かになると同時に、精神も円熟し、恵まれない人々に慈悲の心を向けるようになるでしょう。やさしい心配りと同時に、物質的にも支援を惜しまない、真の人道家となっていくでしょう。

自らの成長を見つめ、いつでも次のステージへの成長を志向する人生を歩むにあたり、自分を信頼することを学んでください。他人があなたにゴーサインを出すことはありませんから、自らの意思と行動力で、新しい段階、新しい分野に最初の一歩を踏み出す勇気を忘れないでください。

コンジャンクション　0度

あなたは過去生の経験を、今生のアイデンティティーに統合する責任を持って生まれています。あなたの中にばらばらに存在している人格の断片を、全体としてバランスよく調和するように一つひとつ調整しながら一つの人格の中に統合することが、あなたの今生のテーマです。前世でのあなたは、外界での活動や他人に目を奪われすぎていたために、自分という人格の焦点が定まらない状態に陥っています。したがって、今生のあなたの意識は常に、前世から持ち込んだ拡散の状態から集中の方向へと導かれ、外部に依存せずに自立する姿勢や、一人で何かを達成したいという欲求を満たそうとするでしょう。

　これまでの過去生で、いったんばらばらに解体されてしまった自我を経験したあなたは、今までの過去生では不可能だった大きな人格再統合のチャンスを迎えています。あなたの成長は客観的に自分を見つめるところからではなく、人生のいろんな状況を主観的に経験するところからやってきます。あなたの今生の仕事は、人生のいろんな状況を生かして新たな人格を形成することにあります。これまでの拡散した自我を捨て去り、真に自分のアイデンティティーを感じられるような確固とした自我を自らの人生経験を通じて積み上げていくのです。そのような自分の独自性の輝きを自らの中に感じられるようになったら、心の深いところから力強い自分自身が自然に育っていくでしょう。力強く、信頼に足る自分自身を感じられるようになると、あなたは他人に依存するしかなかった不完全な自分への不平不満や不安感に覆われていた過去の自分を癒していけるようになるでしょう。

　あなたが今生きている人生は、自らが蒔いた種を刈り取らなくてはならないことを自覚するためにあります。このため、あなたはどんなときにも自分を見つめ、自分のアイデンティティーや意思に合致した行動をとる訓練を積む必要があるのです。あなたが今生で受け取れるのは、自分の偽りのない心で努力した分だけの成果です。心の真実をどこまで他人と共有するかという度合いは、そのまま宇宙がどこまであなたに真実を見せるかの加減でもあるのです。

　あなたが心の真実をすべて隠さずに人々と分かち合う度量を身につけると、宇宙もすべてをあなたと分かち合おうとしますから、精神界の知恵が無限にあなたの元に降りてくるでしょう。あなたが自分自身の持つ真実や現実を無視して、それとは別の人生を生きようとするとき、あなたの人生は幻滅と混乱に見舞われるでしょう。場合によっては、あなたが真実の自分自身の上にかぶせた偽りのベールをはがすために、カウンセリングが必要になることもあるでしょう。

第二部エピローグ：星座のささやき

日蝕星座と太陽星座が地上に舞い降りるとき、各星座はこんな言葉をささやきます。

牡羊座：「みんなどけどけ！」
牡牛座：「私のものはどれ？」
双子座：「みんな聞いて！」
蟹　座：「もっとやさしくなろうよ」
獅子座：「遊びたい奴集まれ！」
乙女座：「みんなちゃんとやろうよ！」
天秤座：「こっちの道でいいのかな？」
蠍　座：「みんな本音で話そうよ」
射手座：「あなたの立場はわかる」
山羊座：「私はもっと偉いのに……」
水瓶座：「何か面白いことないかな」
魚　座：「私ここで何をしているんだっけ？」

第三部 天体運行表

――あなたの惑星と日蝕・月蝕がどの星座にあるかを調べる――

第三部の使い方

第三部では、第一部、第二部で示す、星座、ハウスの解説を読み解くのに必要な情報を、入手する方法が記してあります。ここで、あなたの誕生年月日に惑星が入っていた、または誕生年月日直前に日蝕・月蝕が起きたのはどの星座、ハウスかを見つけてください。

なお、第三部の資料を使って、星座・ハウスについての情報を調べる前に、あらかじめ第一部の使い方（25ページ）、第二部の使い方（２３２ページ）をお読みなることをお勧めします。

ここでは3通りの方法を紹介してありますので、ご自分に合った方法を選んでご活用ください。

◎著者のホームページから

著者ジャン・スピラーのホームページ（www.janspiller.com）上で必要な情報を入力すると、バースチャートを非会員でも一日に1回のみ無料で作成できます。これにより簡単にあなたの惑星の星座・ハウスの情報を入手することができます。ホームページは英語ですが、４３５ページにこのホームページの使い方を掲載しましたので、ご参照ください。

◎惑星の天文暦、日蝕・月蝕のチャートから

惑星の天文暦、日蝕・月蝕のチャートを使って、あなたの誕生年月日から各惑星の星座、誕生年月日直前の日蝕・月蝕の星座を探すことができます。４３９ページからの「惑星の天文暦、日蝕・月蝕のチャート」を使って、あなたの誕生年月日の情報をお探しください。

◎自分でバースチャートを作る

本書では日本語版特別付録として、バースチャートの作り方を掲載しました。占星術に興味のある方、詳しく知りたい方は、４８４ページからの「あなたのバースチャートを作りましょう」を参照の上、ご活用ください。

著者ジャン・スピラーのホームページ

ホームページの使い方

まず、http://www.janspiller.com でホームページを開きます。ここで436ページの写真図解に従って、データ入力のページに進んでください。

次にあなたのデータを入力します。437ページの図解を参照しながら以下の情報を入力してください。

①名②姓③Eメール（アドレス）④生まれた都市（市もしくは都道府県名）⑤生まれた州⑥生まれた国⑦誕生日（月・日・年）⑧生まれた時刻（時・分）。ここで入力漏れがありますと、バースチャートのページへ進むことはできませんのでご注意ください。

ただし、⑤は生誕地がアメリカ以外の場合には不要です。また、生まれた時刻が不明の場合は⑨のチェックボックスをチェックしてください。

確認ページでデータに間違いがないかを確認したら、あなたのバースチャートは完成です。

438ページのバースチャートは、1975年5月12日午前11時45分東京生まれの人を、例にしています。

日蝕・月蝕について

このホームページでは日蝕・月蝕の情報は扱っておりません。日蝕・月蝕については479ページからの日蝕・月蝕のチャートで、あなたの誕生年月日直前の日蝕と月蝕の星座を探してください。

日蝕と月蝕のハウスを調べる際には、星座とその星座についている度数に注目してください。バースチャートの中で、星座・星座度数が当てはまる場所があなたのハウスです。

たとえば、438ページのバースチャートでは日蝕は射手座と牡牛座の二重効果で、第4ハウスと第9ハウスになり、月蝕は双子座、第10ハウスになります。

http://www.janspiller.com で
あなたのバースチャートを調べましょう。

▼

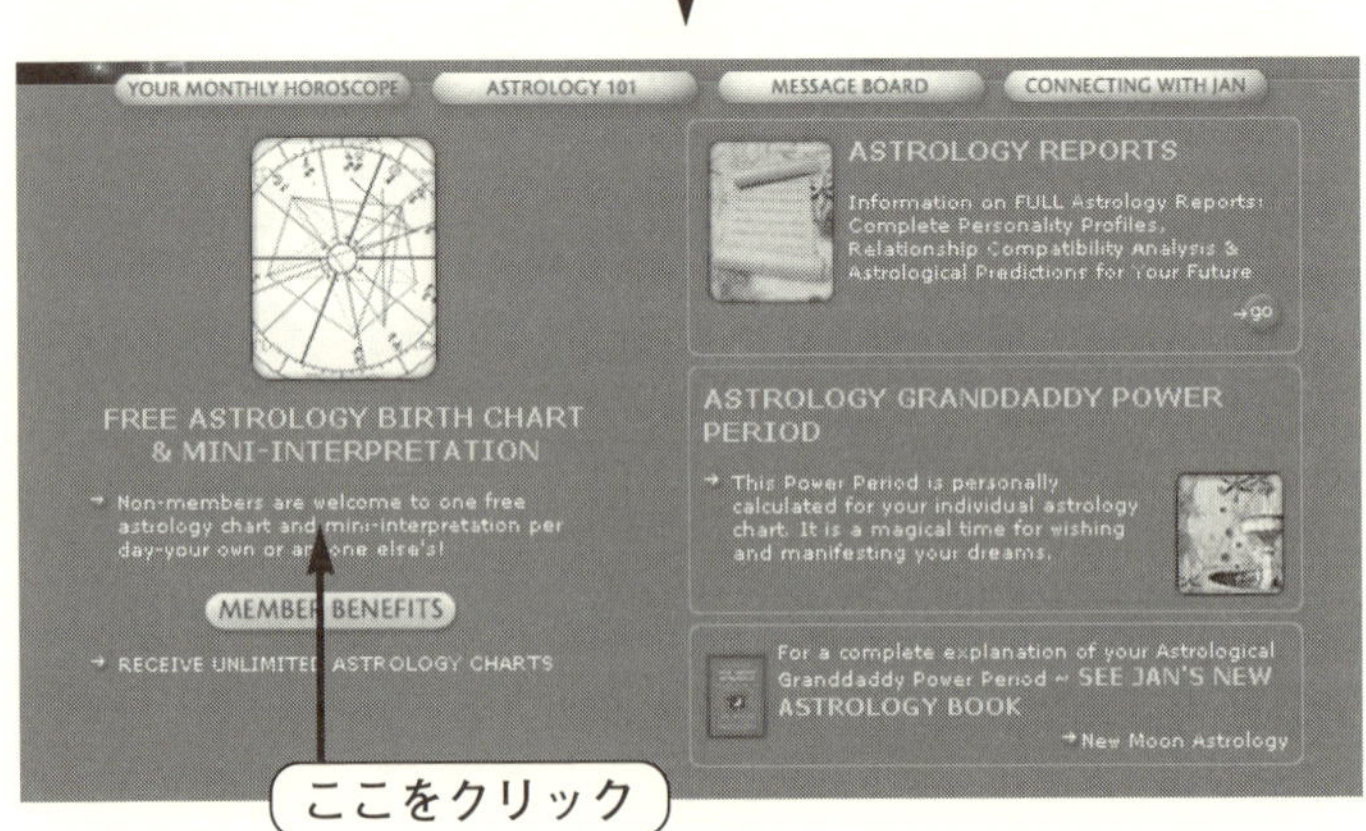

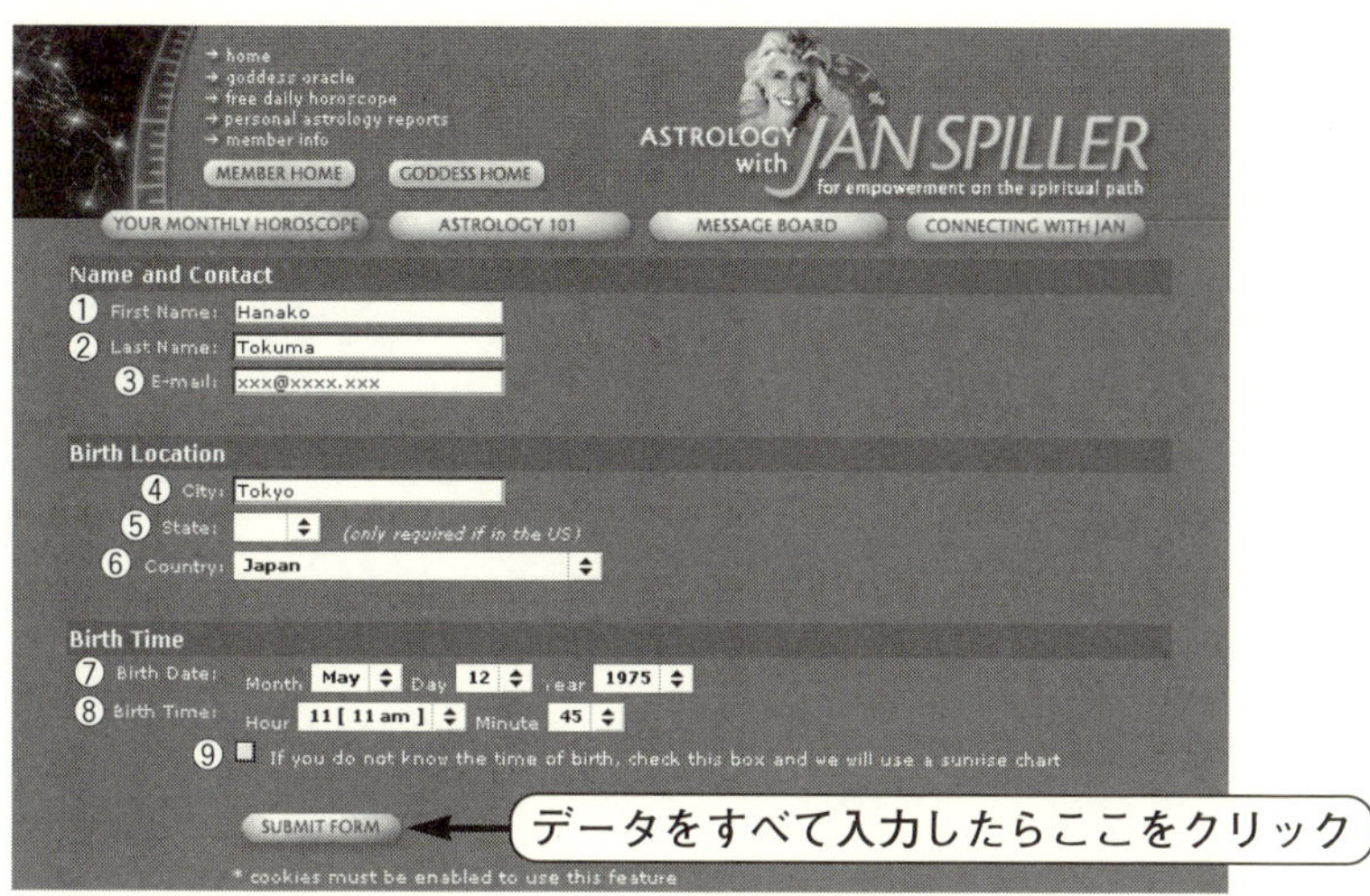

①名
②姓
③Ｅメール（アドレス）
④生まれた都市（市もしくは都道府県）
⑤生まれた州（米国以外は入力不要）
⑥生まれた国
⑦誕生日（月・日・年）
⑧生まれた時刻（時・分）
⑨生まれた時刻が不明な場合は
ここにチェックを入れる

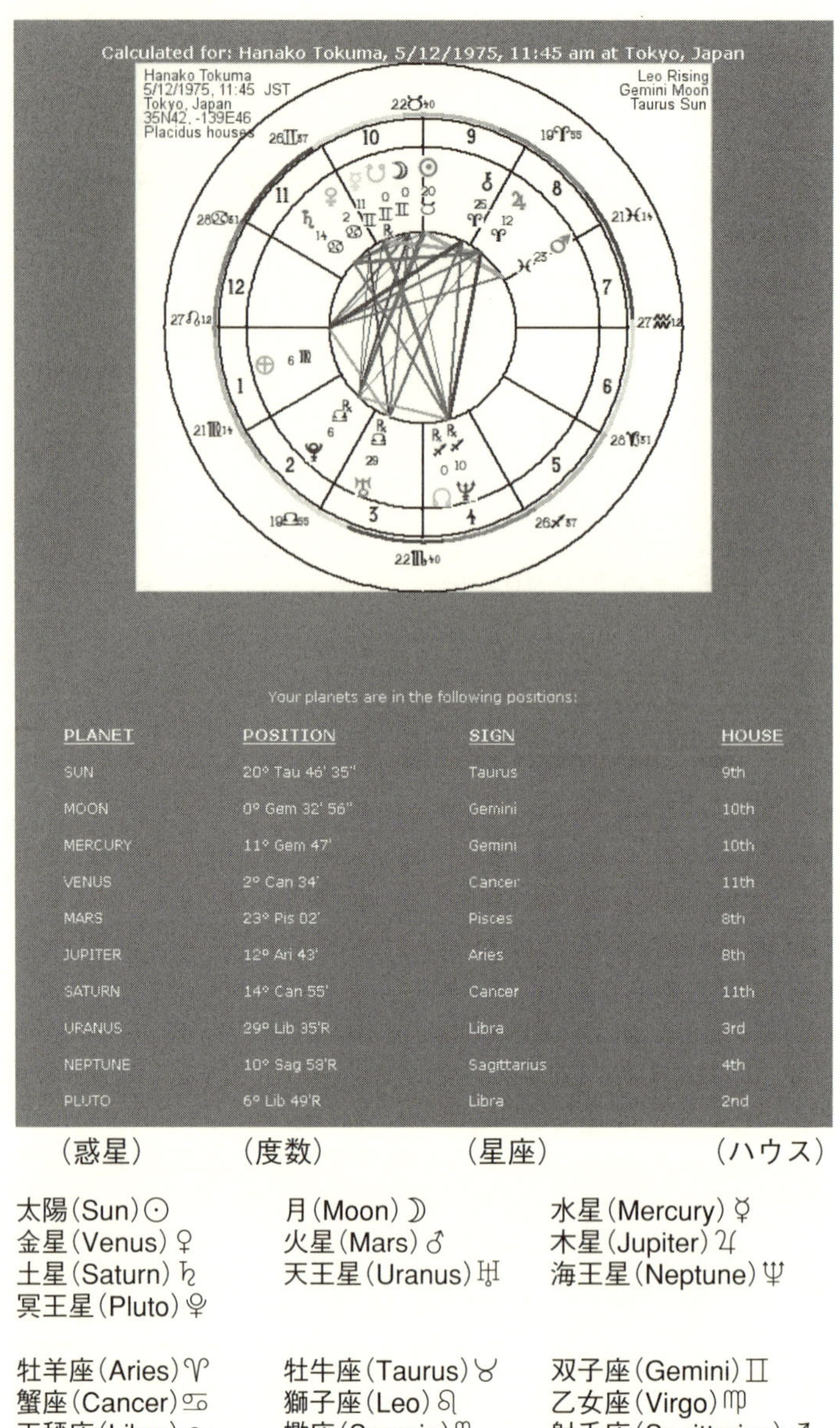

Your planets are in the following positions:

PLANET	POSITION	SIGN	HOUSE
SUN	20° Tau 46' 35"	Taurus	9th
MOON	0° Gem 32' 56"	Gemini	10th
MERCURY	11° Gem 47'	Gemini	10th
VENUS	2° Can 34'	Cancer	11th
MARS	23° Pis 02'	Pisces	8th
JUPITER	12° Ari 43'	Aries	8th
SATURN	14° Can 55'	Cancer	11th
URANUS	29° Lib 35'R	Libra	3rd
NEPTUNE	10° Sag 58'R	Sagittarius	4th
PLUTO	6° Lib 49'R	Libra	2nd
(惑星)	(度数)	(星座)	(ハウス)

太陽(Sun)☉　月(Moon)☽　水星(Mercury)☿
金星(Venus)♀　火星(Mars)♂　木星(Jupiter)♃
土星(Saturn)♄　天王星(Uranus)♅　海王星(Neptune)♆
冥王星(Pluto)♇

牡羊座(Aries)♈　牡牛座(Taurus)♉　双子座(Gemini)♊
蟹座(Cancer)♋　獅子座(Leo)♌　乙女座(Virgo)♍
天秤座(Libra)♎　蠍座(Scorpio)♏　射手座(Sagittarius)♐
山羊座(Capricorn)♑　水瓶座(Aquarius)♒　魚座(Pisces)♓

惑星の天文暦と日蝕・月蝕のチャート

ここでは、あなたの誕生年月日に惑星はどの星座にあるか、誕生年月日直前の日蝕・月蝕がどの星座で起きていたかを見つけるための各惑星の天文暦、日蝕・月蝕のチャートを用意しました。太陽の天文暦は442ページに、ほかの9惑星の天文暦は443ページから、日蝕・月蝕のチャートは479ページから順次掲載してあります。ここにあるデータが、あなたの魂の成長の軌道を紐解(ひもと)くための導入編としてご活用いただければ幸いです。

天文暦の使い方

天文暦はどれも、横軸が月、縦軸が日になっています。あなたの誕生月と誕生日が交差するところにあるのがあなたの誕生月日の惑星の位置です。表の中には、星座の記号と度数が記されています。ただし、どの天文暦も星座の記号は、毎月1日と星座の変わり目にのみ記されています。記号のついていない箇所は日付をさかのぼって調べます。たとえば太陽の天文暦（442ページ）で5月12日には、21としか書かれていません。これは日付をさかのぼって5月1日にある記号の牡牛座と同一ということで、牡牛座の21度ということになります。

また、太陽と月以外の8惑星の天文暦については、すべての日にちがあるわけではありません。誕生日がない場合は、誕生日に最も近い日にちの星座をご確認ください。

◎星座の度数

惑星は星座の0度から29度の間を移動し、次の星座に移行します。ですから、度数が0度に近いほど前の星座の影響を受けやすく、29度に近いほど後の星座の影響を受けやすいということになります。ここではあまり気にすることはありませんが、星座の位置の目安として参考にしてください。

また、星座の度数は、バースチャートを作る場合、もしくは正確なハウスの位置を知るために、必要な情報となります。

惑星

◎**太陽**

太陽の天文暦は毎年共通しています。あなたが誕生した日に太陽はどの星座にあったでしょうか?

◎**月**

月の運行は非常にペースが早く、各星座に留まるのはわずかに2・5日です。

あなたの星座が変わり目に近く、解説の内容がしっくりこない場合は、一つ前もしくは一つ後の星座の解説もお読みいただくといいでしょう。

◎**水星**

水星は地球よりも太陽に近い位置で運行しています。従ってあなたが誕生した瞬間の水星の位置は、三つの星座(あなたの太陽がある星座と、その一つ前と、一つ後の星座)を出ることはありません。

◎**金星**

水星同様、金星は太陽と地球の間にある惑星です。従って金星は太陽のすぐ近くに位置しています。金星の位置は太陽がある星座か、その一つ前と、二つ前の星座、そして一つ後と、二つ後の星座の合計5星座内に留まります。金星は約225日周期で12星座を一巡し、各星座には約19日間留まります。

金星は約8年に一度、同じ位置に戻ってきます。

◎**火星**

火星は約2年かけて12星座を一巡します。各星座に留まるのは約2ヶ月です。

◎**木星**

木星は約12年かけて12星座を一巡するため、各星座に留まるのは約12ヶ月です。

◎**土星**
太陽から遠い軌道を運行する土星は約29年かけて12星座を一巡し、各星座には約2・5年留まります。

◎**天王星**
天王星は84年余りの長い歳月をかけて12星座を一巡し、各星座には約7年間留まっています。

◎**海王星**
長い周期を持つ海王星が12星座を一巡するには約165年かかります。各星座に留まる期間は約14年です。

◎**冥王星**
太陽系の惑星の中で一番長い周期を持つ冥王星は、約250年かけて12星座を一巡します。各星座に留まる期間は約20年ですが、そのペースはまちまちで、最短の蠍座では12年、最長の牡牛座には30年留まります。

誕生日直前の日蝕・月蝕

◎**日蝕**
あなたの誕生年月日に最も近い日蝕とその星座を探してください。ただしその日付はあなたの誕生日より前でなくてはなりません。

◎**月蝕**
あなたの誕生年月日に最も近い月蝕とその星座を探してください。ただしその日付はあなたの誕生日より前でなくてはなりません。

ハウス

ここではハウスに関する情報は扱っておりません。ハウスに関する情報は「第二部の使い方」、ハウスの項（239ページ）、もしくは「あなたのバースチャートを作りましょう」（484ページ）を参考にしてください。または、著者のホームページからバースチャートをダウンロードしてください。

☉太陽の天文暦（各年共通）

日＼月	1月	2月	3月	4月	5月	6月	7月	8月	9月	10月	11月	12月	月／日
1	♑10	♒12	♓10	♈11	♉10	♊10	♋ 9	♌ 8	♍ 8	♎ 7	♏ 8	♐ 8	1
2	11	13	11	12	11	11	10	9	9	8	9	9	2
3	12	14	12	13	12	12	11	10	10	9	10	10	3
4	13	15	13	14	13	13	12	11	11	10	11	11	4
5	14	16	14	15	14	14	13	12	12	11	12	12	5
6	15	17	15	16	15	15	14	13	13	12	13	13	6
7	16	18	16	17	16	16	15	14	14	13	14	14	7
8	17	19	17	18	17	17	15	15	15	14	15	16	8
9	18	20	18	19	18	18	16	16	16	15	16	17	9
10	19	21	19	20	19	19	17	17	17	16	17	18	10
11	20	22	20	21	20	20	18	18	18	17	18	19	11
12	21	23	21	22	21	21	19	19	19	18	19	20	12
13	22	24	22	23	22	22	20	20	20	19	20	21	13
14	23	25	23	24	23	23	21	21	21	20	21	22	14
15	24	26	24	25	24	24	22	22	22	21	22	23	15
16	25	27	25	26	25	25	23	23	23	22	23	24	16
17	26	28	26	27	26	25	24	24	24	23	24	25	17
18	27	29	27	28	27	26	25	25	25	24	25	26	18
19	28	♓ 0	28	29	28	27	26	26	26	25	26	27	19
20	29	1	29	♉ 0	29	28	27	27	27	26	27	28	20
21	♒ 1	2	♈ 0	1	♊ 0	29	28	28	28	27	28	29	21
22	2	3	1	2	1	♋ 0	29	29	29	28	29	♑ 0	22
23	3	4	2	2	2	1	♌ 0	♍ 0	♎ 0	29	♐ 0	1	23
24	4	5	3	3	2	2	1	0	1	♏ 0	1	2	24
25	5	6	4	4	3	3	2	1	2	1	2	3	25
26	6	7	5	5	4	4	3	2	3	2	3	4	26
27	7	8	6	6	5	5	4	3	4	3	4	5	27
28	8	9	7	7	6	6	5	4	5	4	5	6	28
29	9	10	8	8	7	7	6	5	5	5	6	7	29
30	10		9	9	8	8	6	6	6	6	7	8	30
31	11		10		9		7	7		7		9	31

♈ 牡羊　♉ 牡牛　♊ 双子　♋ 蟹　♌ 獅子　♍ 乙女
♎ 天秤　♏ 蠍　♐ 射手　♑ 山羊　♒ 水瓶　♓ 魚

月・水星・金星・火星・木星・土星・天王星・海王星・冥王星　9惑星の天文暦（1945〜2015）

1945年（昭和20年）

♈ 牡羊　♉ 牡牛　♊ 双子　♋ 蟹　♌ 獅子　♍ 乙女
♎ 天秤　♏ 蠍　♐ 射手　♑ 山羊　♒ 水瓶　♓ 魚

	日＼月	1月	2月	3月	4月	5月	6月	7月	8月	9月	10月	11月	12月
月☽	1	♌ 4	♍19	♍27	♏11	♐15	♒ 2	♓10	♉ 3	♊26	♌ 3	♍20	♎23
	2	16	♎ 1	♎ 9	23	27	16	24	18	♋10	16	♎ 2	♏ 5
	3	29	13	21	♐ 5	♑10	29	♈ 8	♊ 2	23	28	14	16
	4	♍11	24	♏ 3	18	22	♓13	22	16	♌ 6	♍11	26	28
	5	23	♏ 6	15	♑ 0	♒ 6	27	♉ 7	29	19	23	♏ 8	♐10
	6	♎ 5	18	27	13	19	♈12	21	♋13	♍ 1	♎ 5	19	22
	7	16	♐ 1	♐ 9	26	♓ 3	16	♊ 5	26	14	17	♐ 1	♑ 4
	8	28	13	21	♒ 9	17	♉11	19	♌ 9	26	29	13	17
	9	♏10	26	♑ 4	23	♈ 2	26	♋ 3	22	♎ 8	♏11	25	29
	10	23	♑ 9	17	♓ 8	17	♊10	17	♍ 5	20	22	♑ 7	♒12
	11	♐ 5	23	♒ 1	23	♉ 2	25	♌ 1	18	♏ 2	♐ 4	20	25
	12	18	♒ 7	15	♈ 8	17	♋ 9	14	♎ 0	14	16	♒ 2	♓ 8
	13	♑ 1	22	♓ 0	23	♊ 2	23	27	12	26	28	15	22
	14	15	♓ 6	15	♉ 9	17	♌ 6	♍ 9	24	♐ 8	♑10	28	♈ 6
	15	29	21	♈ 0	24	♋ 1	19	22	♏ 6	20	23	♓12	20
	16	♒13	♈ 6	15	♊ 8	15	♍ 2	♎ 4	18	♑ 2	♒ 6	26	♉ 5
	17	27	21	♉ 0	22	28	14	16	♐ 0	15	19	♈11	20
	18	♓12	♉ 5	15	♋ 6	♌11	26	28	12	28	♓ 3	26	♊ 4
	19	26	20	29	19	23	♎ 8	♏10	24	♒11	18	♉11	19
	20	♈11	♊ 4	♊13	♌ 2	♍ 6	20	22	♑ 7	25	♈ 3	26	♋ 4
	21	25	17	27	15	18	♏ 2	♐ 4	20	♓10	18	♊11	19
	22	♉ 9	♋ 0	♋10	27	♎ 0	14	16	♒ 3	24	♉ 3	26	♌ 3
	23	23	13	23	♍ 9	12	26	29	17	♈ 9	18	♋11	16
	24	♊ 7	26	♌ 5	21	23	♐ 8	♑12	♓ 1	25	♊ 3	25	♍ 0
	25	20	♌ 8	18	♎ 3	♏ 5	20	25	16	♉10	18	♌ 8	13
	26	♋ 3	21	♍ 0	15	17	♑ 3	♒ 8	♈ 0	24	♋ 2	22	25
	27	16	♍ 3	12	27	29	16	22	15	♊ 9	16	♍ 4	♎ 7
	28	29	15	24	♏ 9	♐12	29	♓ 6	♉ 0	23	♌ 0	17	19
	29	♌12		♎ 6	21	24	♒13	21	14	♋ 7	13	29	♏ 1
	30	24		18	♐ 3	♑ 7	26	♈ 5	28	20	25	♎11	13
	31	♍ 7		♏ 0		19		19	♊12		♍ 8		25

	日＼月	1月	2月	3月	4月	5月	6月	7月	8月	9月	10月	11月	12月
水星☿	1	♐㉒	♑22	♓ 9	♈27	♈17	♉22	♋24	♍ 3	♌22	♎ 5	♏25	♐㉒
	5	22	28	17	㉗	19	♊ 0	♌ 1	4	23	12	♐ 0	⑱
	9	25	♒ 5	24	㉖	21	8	8	④	27	19	6	⑬
	13	28	11	♈ 2	㉔	25	17	14	③	♍ 3	26	11	⑧
	17	♑ 2	18	10	㉑	♉ 0	25	19	⓪	10	♏ 2	16	⑥
	21	7	24	16	⑱	5	♋ 4	24	♌㉗	17	8	19	7
	25	12	♓ 2	22	⑰	11	12	28	㉔	24	14	22	10
	28	17	7	25	⑯	15	18	♍ 0	㉒	♎ 0	19	23	13
金星♀	1	♒24	♓29	♈23	♉②	♈⑰	♈26	♉22	♊25	♌ 1	♍ 7	♎15	♏22
	5	28	♈ 2	26	①	⑰	29	26	♋ 0	6	12	20	28
	10	♓ 4	7	29	♈㉙	17	♉ 3	♊ 2	5	11	18	26	♐ 4
	15	9	11	♉ 1	㉖	18	7	7	11	17	24	♏ 2	10
	20	15	16	2	㉒	20	12	12	17	23	♎ 0	9	16
	25	20	20	3	⑳	22	17	18	23	29	6	15	23
火星♂	1	♐26	♑19	♒10	♓ 5	♓28	♈21	♉13	♊ 5	♊25	♋12	♋26	♌ 3
	11	♑ 3	27	18	12	♈ 5	29	21	12	♋ 1	17	29	③
	21	11	♒ 4	26	20	13	♉ 6	28	18	7	22	♌ 1	①
木星♃	1	♍27	♍㉖	♍㉔	♍⑳	♍⑰	♍17	♍20	♍25	♎ 1	♎ 7	♎14	♎20
	11	27	㉖	㉒	⑲	⑰	18	21	27	3	9	16	21
	21	㉗	㉕	㉑	⑱	17	19	23	29	5	12	18	23
♄土星	1	♋⑦	♋④	♋③	♋ 4	♋ 6	♋ 9	♋13	♋17	♋21	♋23	♋24	♋㉔
	16	⑤	④	3	5	8	11	15	19	22	24	24	㉓
♅天王星	1	♊⑨	♊⑨	♊ 9	♊ 9	♊11	♊13	♊14	♊16	♊17	♊⑰	♊⑯	♊⑮
	16	⑨	⑨	9	10	12	13	15	16	17	⑰	⑯	⑮
♆海王星	1	♎ 6	♎⑥	♎⑤	♎④	♎④	♎③	♎ 3	♎ 4	♎ 5	♎ 6	♎ 7	♎ 8
♇冥王星	1	♌⑨	♌⑨	♌⑧	♌⑧	♌ 7	♌ 8	♌ 8	♌ 9	♌10	♌11	♌11	♌⑪

1946年（昭和21年）

♈ 牡羊　♉ 牡牛　♊ 双子　♋ 蟹　♌ 獅子　♍ 乙女
♎ 天秤　♏ 蠍　♐ 射手　♑ 山羊　♒ 水瓶　♓ 魚

	日＼月	1月	2月	3月	4月	5月	6月	7月	8月	9月	10月	11月	12月
月☽	1	♐ 7	♑22	♒ 0	♓19	♈26	♊20	♋28	♍18	♏ 4	♐ 6	♑20	♒23
	2	19	♒ 5	13	♈ 3	♉11	♋ 5	♌12	♎ 1	16	18	♒ 2	♓ 5
	3	♑ 1	18	26	18	26	20	26	14	28	♑ 0	14	18
	4	13	♓ 1	♓10	♉ 3	♊11	♌ 4	♍10	26	♐10	12	27	♈ 1
	5	26	15	24	18	26	18	23	♏ 8	22	24	♓10	15
	6	♒ 9	29	♈ 9	♊ 2	♋11	♍ 1	♎ 6	20	♑ 4	♒ 6	23	29
	7	22	♈13	23	17	25	14	18	♐ 2	16	19	♈ 7	♉14
	8	♓ 5	27	♉ 8	♋ 1	♌ 9	27	♏ 0	14	28	♓ 2	21	29
	9	19	♉11	22	15	22	♎ 9	12	26	♒11	15	♉ 6	♊14
	10	♈ 2	26	♊ 6	29	♍ 5	21	24	♑ 8	24	29	21	29
	11	16	♊10	21	♌12	18	♏ 3	♐ 6	20	♓ 7	♈13	♊ 6	♋14
	12	♉ 0	24	♋ 4	25	♎ 0	15	18	♒ 2	20	27	21	29
	13	15	♋ 8	18	♍ 8	12	27	29	15	♈ 4	♉12	♋ 5	♌14
	14	29	22	♌ 2	21	24	♐ 9	♑12	28	18	27	20	28
	15	♊14	♌ 5	15	♎ 3	♏ 6	21	24	♓11	♉ 2	♊11	♌ 4	♍11
	16	28	19	28	15	18	♑ 3	♒ 6	25	17	26	18	25
	17	♋12	♍ 2	♍11	27	♐ 0	15	19	♈ 8	♊ 1	♋10	♍ 2	♎ 7
	18	27	15	24	♏ 9	12	27	♓ 2	22	15	24	15	20
	19	♌10	28	♎ 6	21	24	♒ 9	15	♉ 6	29	♌ 8	28	♏ 2
	20	24	♎11	19	♐ 3	♑ 6	22	28	20	♋13	21	♎10	14
	21	♍ 7	23	♍ 1	15	18	♓ 4	♈11	♊ 4	27	♍ 5	23	26
	22	20	♏ 5	13	27	♒ 0	18	25	18	♌11	18	♏ 5	♐ 8
	23	♎ 3	17	25	♑ 9	12	♈ 1	♉ 9	♋ 2	25	♎ 1	17	20
	24	15	29	♐ 7	21	25	15	23	17	♍ 8	14	29	♑ 2
	25	27	♐11	18	♒ 3	♓ 8	29	♊ 8	♌ 1	21	26	♐11	13
	26	♏ 9	22	♑ 0	16	21	♉13	22	15	♎ 5	♏ 8	23	25
	27	21	♑ 5	12	29	♈ 5	28	♋ 7	29	17	21	♑ 5	♒ 7
	28	♐ 3	17	25	♓13	20	♊13	22	♍13	♏ 0	♐ 2	16	19
	29	15		♒ 8	27	♉ 4	28	♌ 6	26	12	14	28	♓ 2
	30	27		21	♈11	19	♋13	20	♎ 9	24	26	♒10	14
	31	♑ 9		♓ 4		♊ 5		♍ 4	22		♑ 8		27

	日＼月	1月	2月	3月	4月	5月	6月	7月	8月	9月	10月	11月	12月
水星☿	1	♐18	♒ 3	♓23	♈⓪	♈13	♊ 9	♌ 3	♌⑪	♌24	♎18	♐ 1	♏㉑
	5	23	10	♈ 0	♓㉘	19	18	8	⑧	♍ 1	25	4	22
	9	28	17	5	㉗	25	27	11	⑤	9	♏ 1	6	25
	13	♑ 4	24	9	28	♉ 1	♋ 5	14	④	17	7	⑦	29
	17	10	♓ 1	10	♈ 0	8	12	15	5	24	12	④	♐ 4
	21	16	9	⑨	2	16	19	⑯	8	♎ 1	18	⓪	10
	25	22	16	⑥	6	24	25	⑮	13	8	23	♏㉕	15
	28	27	22	④	10	♊ 1	29	⑬	17	13	26	㉒	20
金星♀	1	♑ 1	♒10	♓16	♈24	♊ 1	♋ 9	♌14	♍20	♎23	♏20	♐②	♏⑱
	5	7	15	21	29	6	13	19	24	27	23	①	⑰
	10	13	22	27	♉ 5	12	19	25	♎ 0	♏ 2	26	♏㉙	17
	15	19	28	♈ 3	11	18	25	♍ 0	5	7	29	㉖	17
	20	25	♓ 4	9	17	24	♌ 1	6	11	11	♐ 1	㉓	19
	25	♒ 2	11	15	24	♋ 0	7	12	16	15	2	⑳	21
火星♂	1	♋㉘	♋⑰	♋14	♋21	♌ 3	♌19	♍ 5	♍24	♎14	♏ 4	♏25	♐17
	11	㉔	⑭	15	24	8	24	11	♎ 0	20	10	♐ 2	24
	21	⑳	⑭	17	29	13	♍ 0	17	7	27	17	10	♑ 2
木星♃	1	♎24	♋27	♎㉖	♎㉔	♎⑳	♎⑰	♎17	♎20	♎25	♏ 1	♏ 7	♏14
	11	25	27	㉖	㉒	⑲	⑰	18	21	27	3	9	16
	21	26	㉗	㉕	㉑	⑱	17	19	23	29	5	12	18
♄土星	1	♋㉒	♋⑲	♋⑱	♋18	♋19	♋22	♋25	♋29	♌ 3	♌ 6	♌ 8	♌⑧
	16	㉑	⑱	⑰	18	20	23	27	♌ 1	5	7	8	⑧
♅天王星	1	♊⑭	♊⑬	♊13	♊14	♊15	♊17	♊18	♊20	♊21	♊㉑	♊㉑	♊⑳
	16	⑬	⑬	13	14	16	18	19	21	21	㉑	⑳	⑲
♆海王星	1	♎ 8	♎⑧	♎⑧	♎⑦	♎⑥	♎⑤	♎ 5	♎ 6	♎ 7	♎ 8	♎ 9	♎10
♇冥王星	1	♌⑪	♌⑩	♌⑩	⑨	♌ 9	♌ 9	♌10	♌11	♌12	♌12	♌13	♌⑬

1947年（昭和22年）

♈ 牡羊　♉ 牡牛　♊ 双子　♋ 蟹　♌ 獅子　♍ 乙女
♎ 天秤　♏ 蠍　♐ 射手　♑ 山羊　♒ 水瓶　♓ 魚

月☽ 日＼月	1月	2月	3月	4月	5月	6月	7月	8月	9月	10月	11月	12月
1	♈10	♊ 1	♊12	♌ 5	♍14	♏ 3	♐ 7	♑21	♓ 6	♈10	♊ 0	♋ 8
2	24	16	26	19	27	15	19	♒ 3	19	23	14	22
3	♉ 8	♋ 0	♋10	♍ 3	♎10	28	♑ 0	15	♈ 1	♉ 7	18	♌ 7
4	22	15	25	17	23	♐10	12	27	14	20	♋12	22
5	♊ 7	♌ 0	♌ 9	♎ 1	♏ 6	22	24	♓ 9	27	♊ 4	27	♍ 6
6	22	15	24	14	19	♑ 4	♒ 6	22	♉10	17	♌11	20
7	♋ 7	♍ 0	♍ 8	27	♐ 1	15	18	♈ 4	23	♋ 1	25	♎ 3
8	22	14	22	♏10	13	27	♓ 0	17	♊ 7	15	♍ 9	17
9	♌ 7	28	♎ 6	23	25	♒ 9	12	♉ 0	21	♌ 0	23	♏ 0
10	22	♎11	19	♐ 5	♑ 7	21	25	13	♋ 5	14	♎ 7	13
11	♍ 6	24	♏ 2	17	19	♓ 3	♈ 7	26	19	28	20	25
12	20	♏ 7	15	29	♒ 1	16	20	♊10	♌ 4	♍13	♏ 3	♐ 8
13	♎ 3	19	27	♑11	13	28	♉ 3	25	19	27	16	20
14	16	♐ 1	♐ 9	23	25	♈11	17	♋ 9	♍ 3	♎11	29	♌ 2
15	29	13	21	♒ 5	♓ 7	25	♊ 1	24	18	25	♐12	14
16	♏11	25	♑ 3	17	20	♉ 8	16	♌10	♎ 2	♏ 8	24	26
17	23	♑ 7	15	29	♈ 3	23	♋ 1	25	16	21	♑ 6	♒ 8
18	♐ 5	19	27	♓12	16	♊ 7	16	♍10	♏ 0	♐ 4	18	20
19	17	♒ 1	♒ 9	25	♉ 6	22	♌ 1	24	13	16	♒ 0	♓ 2
20	28	13	21	♈ 8	14	♋ 7	16	♎ 8	26	28	12	14
21	♑10	25	♓ 4	22	29	23	♍ 1	22	♐ 8	♑10	24	26
22	22	♓ 8	17	♉ 6	♊14	♌ 8	16	♏ 5	21	22	♓ 6	♈ 9
23	♒ 4	21	♈ 0	20	29	22	♎ 0	18	♑ 3	♒ 4	18	21
24	16	♈ 4	13	♊ 5	♋13	♍ 7	13	♐ 0	14	16	♈ 1	♉ 4
25	29	17	27	19	28	21	26	12	26	28	13	18
26	♓11	♉ 1	♉11	♋ 3	♌13	♎ 4	♏ 9	24	♒ 8	♓10	27	♊ 2
27	24	14	25	18	27	17	22	♑ 6	20	23	♉10	16
28	♈ 7	28	♊ 9	♌ 2	♍11	♏ 0	♐ 4	18	♓ 2	♈ 6	24	♋ 1
29	20		23	16	24	12	16	♒ 0	15	19	♊ 9	16
30	♉ 4		♋ 7	♍ 0	♎ 7	25	28	12	27	♉ 2	23	♌ 2
31	17		21		20		♑ 9	24		16		17

星	日＼月	1月	2月	3月	4月	5月	6月	7月	8月	9月	10月	11月	12月
水星☿	1	♐26	♒16	♓㉓	♓12	♈23	♊26	♋27	♋18	♍ 9	♎28	♏⑱	♏19
	5	♑ 2	23	㉑	16	♉ 0	♋ 3	㉖	22	17	♏ 3	⑭	25
	9	8	♓ 1	⑰	20	8	9	㉕	26	24	8	⑨	♐ 1
	13	14	7	⑬	25	17	14	㉒	♌ 3	♎ 1	13	⑥	7
	17	21	14	⑩	♈ 0	25	19	⑳	10	7	17	5	13
	21	27	19	⑨	6	♊ 4	22	⑱	18	14	19	8	20
	25	♒ 4	22	9	12	13	25	⑰	26	20	21	12	26
	28	9	23	10	17	19	26	17	♍ 2	24	㉑	15	♑ 1
金星♀	1	♏26	♐24	♑24	♓ 0	♈ 6	♉13	♊20	♋28	♍ 6	♎13	♏22	♐29
	5	29	28	29	5	11	18	25	♌ 3	11	18	27	♑ 4
	10	♐ 3	♑ 3	♒ 5	11	17	24	♋ 1	9	17	25	♐ 3	11
	15	7	9	10	17	23	♊ 0	7	15	23	♏ 1	10	17
	20	12	14	16	23	29	6	13	21	♎ 0	7	16	23
	25	17	20	22	29	♉ 5	13	19	27	6	13	22	29
火星♂	1	♑10	♒ 4	♒26	♓21	♈14	♉ 7	♉29	♊21	♋11	♋29	♌16	♌29
	11	18	12	♓ 4	28	22	15	♊ 6	27	17	♌ 5	21	♍ 3
	21	26	20	12	♈ 6	29	22	13	♋ 4	23	10	25	5
木星♃	1	♏20	♏24	♏27	♏㉗	♏㉔	♏⑳	♏⑱	♏18	♏20	♏25	♐ 1	♐ 8
	11	22	26	27	㉖	㉓	⑲	⑰	18	22	27	3	10
	21	23	26	㉗	㉕	㉑	⑱	17	19	23	29	5	12
♄土星	1	♌⑦	♌⑤	♌②	♌①	♌ 2	♌ 4	♌ 7	♌11	♌15	♌19	♌21	♌22
	16	⑥	③	②	2	3	6	9	13	17	20	22	㉒
♅天王星	1	♊⑱	♊⑱	♊17	♊18	♊19	♊21	♊22	♊24	♊25	♊26	♊㉕	♊㉔
	16	⑱	⑰	17	18	20	22	23	25	26	㉖	㉕	㉔
♆海王星	1	♎10	♎⑩	♎⑩	♎⑨	♎⑧	♎⑧	♎ 8	♎ 8	♎ 9	♎10	♎11	♎12
♇冥王星	1	♌⑫	♌⑫	♌⑪	♌⑪	♌10	♌11	♌11	♌12	♌13	♌14	♌14	♌⑭

1948年（昭和23年）うるう年

♈ 牡羊　♉ 牡牛　♊ 双子　♋ 蟹　♌ 獅子　♍ 乙女
♎ 天秤　♏ 蠍　♐ 射手　♑ 山羊　♒ 水瓶　♓ 魚

月☽ 日＼月	1月	2月	3月	4月	5月	6月	7月	8月	9月	10月	11月	12月
1	♍ 1	♎23	♏15	♑ 1	♒ 3	♓17	♈19	♊ 6	♋27	♍ 6	♎29	♐ 6
2	16	♏ 6	28	13	15	29	♉ 2	20	♌12	21	♏14	19
3	♎ 0	19	♐11	25	27	♈11	15	♋ 4	27	♎ 6	28	♑ 3
4	14	♐ 2	23	♒ 7	♓ 9	24	28	19	♍13	21	♐11	16
5	27	14	♑ 5	19	21	♉ 7	♊12	♌ 4	28	♏ 6	25	28
6	♏10	26	17	♓ 1	♈ 3	20	26	19	♎13	20	♑ 8	♒11
7	22	♑ 8	29	13	16	♊ 3	♋10	♍ 4	27	♐ 4	20	23
8	♐ 5	20	♒11	25	29	17	25	19	♏ 1	17	♒ 3	♓ 5
9	17	♒ 2	23	♈ 8	♉12	♋ 2	♌10	♎ 4	25	♑ 0	15	16
10	19	14	♓ 5	20	25	16	25	18	♐ 8	12	27	28
11	♑11	26	17	♉ 3	♊ 8	♌ 1	♍10	♏ 2	21	25	♓ 9	♈10
12	23	♓ 8	29	16	22	15	24	16	♑ 4	♒ 7	20	22
13	♒ 5	20	♈11	29	♋ 6	♍ 0	♎ 9	29	16	19	♈ 2	♉ 5
14	17	♈ 2	23	♊12	20	14	22	♐12	28	♓ 0	14	17
15	29	14	♉ 6	26	♌ 4	28	♏ 6	24	♒10	12	27	♊ 0
16	♓11	26	19	♋ 9	19	♎12	19	♑ 7	22	24	♉ 9	14
17	23	♉ 9	♊ 2	23	♍ 3	26	♐ 2	19	♓ 4	♈ 6	22	27
18	♈ 5	22	15	♌ 8	17	♏ 9	15	♒ 1	16	18	♊ 5	♋11
19	17	♊ 5	29	22	♎ 1	22	27	13	28	♉ 1	18	25
20	♉ 0	19	♋13	♍ 6	15	♐ 5	♑10	25	♈ 9	13	♋ 2	♌10
21	13	♋ 3	27	21	29	18	22	♓ 7	22	26	15	24
22	26	18	♌12	♎ 5	♏13	♑ 1	♒ 4	19	♉ 4	♊ 9	29	♍ 8
23	♊10	♌ 3	27	20	26	13	16	♈ 0	16	22	♌13	22
24	24	18	♍12	♏ 4	♐22	25	28	12	29	♋ 5	27	♎ 7
25	♋ 9	♍ 3	26	17	5	♒ 7	♓10	24	♊11	18	♍11	20
26	24	18	♎11	♐ 1	♑17	19	22	♉ 7	25	♌ 2	26	♏ 4
27	♌10	♎ 3	25	14	27	♓ 1	♈ 4	19	♋ 8	16	♎10	18
28	25	18	♏ 9	27	29	13	15	♊ 2	22	♍ 1	24	♐ 1
29	♍10	♏ 2	23	♑ 9	♒11	25	28	15	♌ 6	15	♏ 8	15
30	25		♐ 6	21	23	♈ 7	♉10	29	21	♎ 0	22	28
31	♎ 9		19		♓ 5		23	♋13		15		♑11

星	日＼月	1月	2月	3月	4月	5月	6月	7月	8月	9月	10月	11月	12月
水星☿	1	♑ 7	♒28	♒㉒	♓16	♉11	♋ 2	♊㉙	♋26	♍25	♏ 2	♎20	♐ 1
	5	13	♓ 3	21	22	20	5	㉘	♌ 4	♎ 1	4	23	7
	9	20	5	22	29	28	6	28	12	7	⑤	28	14
	13	27	⑥	24	♈ 6	♊ 6	⑦	♋ 0	20	13	④	♏ 3	20
	17	♒ 3	③	28	13	13	⑥	3	28	18	⓪	9	26
	21	10	♒㉙	♓ 2	21	20	④	8	♍ 6	23	♎㉕	15	♑ 3
	25	17	㉕	7	29	25	②	13	13	27	㉑	22	9
	28	22	㉓	12	♉ 1	29	⓪	18	18	♏⓪	⑲	26	14
金星♀	1	♒ 8	♓16	♈21	♉25	♊24	♋11	♊㉙	♊28	♋22	♌23	♍29	♏ 5
	5	13	21	25	♊ 0	27	⑪	㉗	♋ 0	26	27	♎ 4	10
	10	19	27	♉ 1	5	♋ 1	⑩	㉕	4	♌ 1	♍ 3	10	16
	15	25	♈ 3	7	10	4	⑧	㉔	7	6	9	16	22
	20	♓ 1	9	12	15	7	⑤	24	11	11	15	22	29
	25	8	15	18	19	9	②	25	15	16	20	28	♐ 5
火星♂	1	♍ 7	♍④	♌㉓	♌18	♌23	♍ 5	♌20	♎ 8	♎28	♏18	♐10	♑ 2
	11	⑦	⓪	⑳	18	26	10	26	14	♏ 4	25	17	10
	21	⑥	♌㉖	⑱	20	♍ 0	15	♎ 1	20	11	♐ 2	25	18
木星♃	1	♐15	♐21	♐25	♐28	♐㉘	♐㉕	♐㉒	♐⑲	♐19	♐22	♐27	♑ 3
	11	17	23	27	28	㉗	㉔	㉑	⑲	20	23	29	5
	21	19	24	27	㉘	㉗	㉓	⑳	19	21	25	♑ 1	7
♄土星	1	♌㉒	♌⑲	♌⑰	♌⑯	♌15	♌17	♌20	♌23	♌27	♍ 1	♍ 4	♍ 5
	16	㉑	⑱	⑯	⑮	16	18	21	25	29	2	5	6
♅天王星	1	♊㉓	♊㉒	♊㉒	♊22	♊23	♊25	♊27	♊28	♋ 0	♋ 0	♋⓪	♊㉙
	16	㉒	㉒	㉒	23	24	26	27	29	0	⓪	♊㉙	㉘
♆海王星	1	♎12	♎⑫	♎⑫	♎⑪	♎⑩	♎10	♎10	♎10	♎11	♎12	♎13	♎14
♇冥王星	1	♌⑭	♌⑬	♌⑬	♌⑫	♌12	♌12	♌13	♌14	♌15	♌16	♌16	♌⑯

1949年（昭和24年）

♈ 牡羊　♉ 牡牛　♊ 双子　♋ 蟹　♌ 獅子　♍ 乙女
♎ 天秤　♏ 蠍　♐ 射手　♑ 山羊　♒ 水瓶　♓ 魚

	日＼月	1月	2月	3月	4月	5月	6月	7月	8月	9月	10月	11月	12月
月☽	1	♑24	♓9	♓17	♉2	♊5	♋24	♍2	♎26	♐18	♑24	♓10	♈13
	2	♒6	21	29	14	18	♌8	16	♏10	♑1	♒7	22	24
	3	18	♈2	♈11	26	♋1	21	♎0	24	14	19	♈4	♉6
	4	♓1	14	23	♊8	14	♍5	15	♐7	27	♓1	16	18
	5	12	26	♉5	21	27	19	29	21	♒10	13	28	♊0
	6	24	♉8	17	♋4	♌11	♎4	♏13	♑4	22	25	♉10	13
	7	♈6	20	29	17	25	18	27	17	♓4	♈7	22	25
	8	18	♊3	♊11	♌1	♍9	♏2	♐11	♒0	16	19	♊4	♋8
	9	♉0	16	24	15	23	17	24	13	28	♉1	16	21
	10	12	29	♋8	29	♎8	♐1	♑8	26	♈10	13	28	♌4
	11	25	♋13	21	♍14	23	15	21	♓8	22	25	♋11	17
	12	♊8	28	♌6	29	♏8	29	♒4	20	♉4	♊7	24	♍0
	13	21	♌12	21	♎14	22	♑13	17	♈2	16	19	♌7	14
	14	♋5	28	♍6	29	♐7	26	29	14	28	♋1	20	28
	15	20	♍13	21	♏14	21	♒9	♓12	25	♊10	14	♍4	♎12
	16	♌4	28	♎6	29	♑5	21	24	♉7	22	27	18	26
	17	19	♎13	21	♐13	18	♓4	♈6	19	♋5	♌10	♎2	♏11
	18	♍4	27	♏6	27	♒1	16	17	♊1	18	24	17	26
	19	19	♏11	20	♑10	14	28	29	14	♌2	♍9	♏2	♐10
	20	♎3	25	♐4	23	26	♈9	♉11	27	16	23	17	25
	21	17	♐9	18	♒5	♓8	21	23	♋10	♍0	♎8	♐2	♑9
	22	♏1	22	♑1	17	20	♉3	♊6	24	15	24	17	23
	23	15	♑4	14	29	♈1	15	19	♌8	♎0	♏9	♑1	♒7
	24	28	17	26	♓11	13	28	♋2	22	15	24	15	20
	25	♐12	29	♒9	23	25	♊10	15	♍7	♏1	♐9	29	♓2
	26	24	♒1	21	♈5	♉7	23	29	22	15	23	♒12	15
	27	♑7	24	♓3	17	19	♋7	♌14	♎7	♐0	♑7	25	27
	28	20	♓6	14	29	♊2	20	28	21	14	20	♓7	♈9
	29	♒2		26	♉11	15	♌4	♍12	♏6	28	♒3	19	21
	30	15		♈8	23	28	18	27	20	♑11	16	♈1	♉2
	31	27		20		♋11		♎11	♐4		28		14

	日＼月	1月	2月	3月	4月	5月	6月	7月	8月	9月	10月	11月	12月
水星☿	1	♑20	♒⑯	♒12	♓28	♉27	♊⑭	♊16	♌13	♎3	♎⑬	♎24	♐12
	5	27	⑪	17	♈5	♊3	⑫	21	21	8	⑨	♏1	19
	9	♒3	⑦	22	13	8	⑩	27	28	12	⑤	7	25
	13	10	④	27	21	12	⑨	♋4	♍5	15	③	14	♑1
	17	14	4	♓3	♉0	15	8	12	12	18	5	20	7
	21	18	6	9	8	16	9	20	18	19	8	27	14
	25	20	9	15	16	⑰	11	28	24	⑱	14	♐3	19
	28	⑲	11	20	22	⑯	13	♌5	28	⑯	18	8	24
金星♀	1	♐14	♑22	♒27	♓28	♉13	♊21	♋28	♍6	♎13	♏18	♐23	♑24
	5	19	27	♓2	♈5	18	26	♌3	10	18	23	28	28
	10	25	♒4	9	15	24	♋2	9	16	23	29	♑3	♒2
	15	♑1	10	15	25	♊0	8	15	22	29	♐4	8	6
	20	7	16	21	♉6	6	14	21	28	♏5	10	14	10
	25	14	22	27	16	13	21	27	♎4	11	16	19	13
火星♂	1	♑26	♒21	♓13	♈7	♉0	♉23	♊14	♋5	♋25	♌14	♍2	♍18
	11	♒4	29	21	15	7	♊0	21	12	♌2	20	8	23
	21	12	♓7	29	22	15	7	28	18	8	26	13	27
木星♃	1	♑10	♑17	♑23	♑28	♒1	♒①	♑㉙	♑㉕	♑㉒	♑22	♑25	♑29
	11	12	19	25	29	2	①	㉘	㉔	㉒	23	26	♒1
	21	14	21	26	♒0	2	0	㉗	㉓	22	23	28	4
♄土星	1	♍⑥	♍④	♍②	♍⓪	♌㉙	♍0	♍2	♍5	♍9	♍13	♍16	♍18
	16	⑤	③	①	♌㉙	29	1	3	7	11	14	17	19
♅天王星	1	♊㉘	♊㉖	♊㉖	♊26	♊27	♊29	♋1	♋2	♋4	♋4	♋④	♋④
	16	㉗	㉖	26	27	28	♋0	2	3	4	⑤	④	③
♆海王星	1	♎15	♎⑮	♎⑭	♎⑬	♎⑬	♎⑫	♎12	♎12	♎13	♎13	♎15	♎16
♇冥王星	1	♌⑯	♌⑮	♌⑭	♌⑭	♌⑭	♌14	♌15	♌15	♌16	♌17	♌18	♌⑱

1950年（昭和25年）

♈ 牡羊　♉ 牡牛　♊ 双子　♋ 蟹　♌ 獅子　♍ 乙女
♎ 天秤　♏ 蠍　♐ 射手　♑ 山羊　♒ 水瓶　♓ 魚

	日＼月	1月	2月	3月	4月	5月	6月	7月	8月	9月	10月	11月	12月
月☽	1	♉26	♋12	♋20	♍9	♎17	♐10	♑19	♓8	♈24	♉26	♋10	♌13
	2	♊9	25	♌3	24	♏2	26	♒3	21	♉6	♊8	22	26
	3	21	♌9	17	♎8	17	♑10	17	♈4	18	20	♌4	♍9
	4	♋4	23	♍1	3	♐2	25	♓0	16	♊0	♋2	17	22
	5	17	♍7	15	♏9	17	♒9	13	28	12	14	♍0	♎6
	6	♌0	21	♎0	24	♑2	22	26	♉10	24	26	13	20
	7	14	♎5	15	♐8	16	♓5	♈8	22	♋6	♌9	27	♏4
	8	27	20	♏0	23	♒0	17	20	♊4	18	22	♎11	19
	9	♍11	♏4	14	♑7	13	♈0	♉2	16	♌1	♍5	26	♐4
	10	25	18	29	20	26	12	14	28	14	19	♏11	20
	11	♎9	♐2	♐13	♒4	♓9	24	26	♋10	27	♎3	26	♑5
	12	23	16	27	17	21	♉5	♊7	23	♍11	18	♐12	20
	13	♏7	♑0	♑10	29	♈3	17	20	♌6	25	♏3	27	♒5
	14	21	13	24	♓12	15	29	♋2	19	♎9	18	♑12	19
	15	♐5	27	♒7	24	27	♊11	14	♍2	24	♐3	26	♓2
	16	19	♒10	20	♈6	♉8	23	27	16	♏8	17	♒10	15
	17	♑4	23	♓2	18	20	♋5	♌10	♎0	23	♑2	23	28
	18	17	♓6	15	♉0	♊2	18	23	14	♐7	16	♓6	♈10
	19	♒1	18	27	11	14	♌0	♍6	28	21	♒0	19	22
	20	15	♈1	♈9	23	26	13	20	♏12	♑5	13	♈1	♉4
	21	28	13	21	♊5	♋8	26	♎3	26	19	26	13	16
	22	♓10	24	♉3	17	21	♍9	17	♐10	♒3	♓9	25	28
	23	23	♉6	15	29	♌3	23	♏1	25	16	22	♉7	♊10
	24	♈5	18	26	♋11	16	♎6	15	♑9	29	♈4	19	22
	25	17	♊0	♊8	24	29	20	♐0	23	♓12	16	♊1	♋4
	26	28	12	20	♌7	♍12	♏5	14	♒6	25	28	13	16
	27	♉10	24	♋2	20	26	19	29	20	♈8	♉10	25	28
	28	22	♋7	15	♍3	♎11	♐4	♑13	♓3	20	22	♋7	♌10
	29	♊4		28	17	25	19	27	16	♉2	♊4	19	23
	30	16		♌11	♎2	♏10	♑4	♒11	29	14	16	♌1	♍5
	31	29		25		25		25	♈12		28		18

	日＼月	1月	2月	3月	4月	5月	6月	7月	8月	9月	10月	11月	12月
水星☿	1	♑29	♑18	♒18	♈14	♉27	♉19	♊25	♌27	♎1	♍19	♏6	♐23
	5	♈2	20	24	22	㉗	20	♋4	♍3	②	23	13	29
	9	4	21	♓1	♉0	㉖	23	12	9	①	28	19	♑4
	13	②	27	7	7	㉔	27	21	15	♍㉘	♎4	26	10
	17	♑㉘	♒2	14	14	㉒	♊2	29	20	㉔	11	♐2	14
	21	㉓	7	22	19	⑳	8	♌7	2	⑳	18	8	17
	25	⑲	12	29	23	⑱	14	15	27	⑱	25	14	⑱
	28	⑱	17	♈5	25	⑱	20	20	♎0	18	♏0	19	⑯
金星♀	1	♒16	♒⑩	♒4	♒24	♓24	♈28	♊3	♋10	♌18	♍25	♏4	♐11
	5	18	⑧	5	28	28	♉3	8	15	23	♎0	9	16
	10	18	⑤	8	♓2	♈4	9	14	21	29	6	15	23
	15	⑱	③	11	7	9	15	20	27	♍5	12	21	29
	20	⑰	③	14	12	15	20	26	♌3	11	19	28	♑5
	25	⑭	3	18	18	20	26	♋2	9	18	25	♐4	12
火星♂	1	♎2	♎10	♎⑨	♍㉘	♍㉒	♍26	♎7	♎24	♏13	♐3	♐25	♑18
	11	5	11	⑥	㉕	22	29	12	29	19	10	♑3	26
	21	8	⑩	③	㉓	23	♎3	17	♏6	26	17	10	♒4
木星♃	1	♒6	♒13	♒20	♒27	♓2	♓6	♓⑦	♓⑤	♓①	♒㉘	♒27	♒29
	11	8	16	22	29	4	7	⑦	④	⓪	㉗	28	♓1
	21	11	18	24	♓0	5	7	⑥	③	♒㉙	㉗	28	2
♄土星	1	♍⑲	♍⑱	♍⑯	♍⑭	♍⑫	♍12	♍14	♍17	♍20	♍24	♍28	♎0
	16	⑲	⑰	⑮	⑬	⑫	13	15	18	22	26	29	1
♅天王星	1	♋②	♋①	♋⓪	♋1	♋2	♋3	♋5	♋7	♋8	♋9	♋⑨	♋⑧
	16	②	①	0	1	2	4	6	7	9	⑨	⑨	⑧
♆海王星	1	♎17	♎⑰	♎⑯	♎⑯	♎⑮	♎⑭	♎14	♎14	♎15	♎16	♎17	♎18
♇冥王星	1	♌⑰	♌⑰	♌⑯	♌⑮	♌15	♌16	♌16	♌17	♌18	♌19	♌19	♌⑲

月 ☽

日＼月	1月	2月	3月	4月	5月	6月	7月	8月	9月	10月	11月	12月
1	♎ 2	♏23	♐ 4	♑28	♓ 5	♈24	♉27	♋12	♌26	♎ 1	♏21	♐29
2	15	♐ 8	9	♒12	19	♉ 6	♊ 9	23	♍ 9	14	♐ 5	♑14
3	29	22	♑ 3	25	♈ 1	18	21	♌ 5	22	28	20	29
4	♏13	♑ 7	17	♓ 9	14	♊ 0	♋ 3	18	♎ 5	♏11	♑ 5	♒14
5	28	22	♒ 1	22	27	12	15	♍ 0	18	26	19	28
6	♐13	♈ 6	15	♈ 5	♉ 9	24	27	12	♏ 1	♐10	♒ 3	♓11
7	28	20	29	18	21	♋ 6	♌ 8	25	15	24	17	25
8	♑13	♓ 4	♓13	♉ 0	♊ 3	18	21	♎ 8	29	♑ 8	♓ 1	♈ 8
9	28	18	26	12	15	29	♍ 3	21	♐13	22	15	21
10	♒13	♈ 1	♈ 9	25	27	♌11	15	♏ 4	27	♒ 6	28	♉ 4
11	27	14	22	♊ 7	♋ 9	23	28	18	♑11	20	♈11	16
12	♓10	27	♉ 4	19	21	♍ 6	♉11	♐ 2	26	♓ 4	24	29
13	24	♉ 9	17	♋ 0	♌ 3	18	24	17	♒10	18	♉ 7	♊11
14	♈ 6	21	29	12	15	♎ 1	♏ 8	♑ 1	25	♈ 2	20	23
15	19	♊ 3	♊11	24	27	15	22	16	♓ 9	15	♊ 2	♋ 5
16	♉ 1	15	23	♌ 6	♍10	29	♐ 7	♒ 1	23	28	14	17
17	13	27	♋ 4	19	23	♏13	22	16	♈ 6	♉11	26	28
18	25	♋ 9	16	♍ 2	♎ 6	28	♑ 7	♓ 0	20	24	♋ 8	♌10
19	♊21	21	29	15	20	♐13	22	14	♉ 3	♊ 6	20	22
20	18	♌ 3	♌11	28	♏ 5	28	♒ 7	28	16	18	♌ 2	♍ 4
21	♋ 0	16	24	♎12	20	♑13	22	♈12	28	♋ 0	14	16
22	13	29	♍ 7	27	♐ 5	28	♓ 6	25	♊10	12	26	29
23	25	♍12	20	♏11	20	♒14	20	♉ 8	22	24	♍ 8	♎11
24	♌ 7	25	♎ 4	26	♑ 5	28	♈ 4	20	♋ 4	♌ 6	20	25
25	20	♎ 9	18	♐11	20	♓12	17	♊ 2	16	18	♎ 3	♏ 8
26	♍ 2	22	♏ 2	26	♒ 4	25	29	14	28	♍ 0	17	23
27	15	♏ 6	16	♑10	19	♈ 8	♉12	26	♌10	13	♏ 0	♐ 7
28	29	20	♐ 1	25	♓ 2	21	24	♋ 8	22	25	15	22
29	♎12		15	♒ 8	16	♉ 3	♊ 6	20	♍ 5	♎ 9	29	♑ 8
30	25		♑ 0	22	29	15	18	♌ 2	17	22	♐14	23
31	♏ 9		14		♈11		♋ 0	14		♏ 6		♒ 8

月 ☽

日＼月	1月	2月	3月	4月	5月	6月	7月	8月	9月	10月	11月	12月
1	♒23	♈14	♉ 5	♊21	♋23	♍ 6	♎ 9	♏27	♑18	♒27	♈20	♉27
2	♓ 7	27	18	♋ 3	♌ 5	19	22	♐11	♒ 3	♈12	♉ 4	♊10
3	21	♉10	♊ 1	15	17	♎ 1	♏ 5	25	18	27	18	23
4	♈ 5	22	13	27	29	13	18	♑10	♓ 3	♈11	♊ 2	♋ 6
5	18	♊ 5	25	♌ 9	♍11	27	♐ 2	25	18	26	15	18
6	♉ 1	17	♋ 7	21	23	♏10	17	♒10	♈ 3	♉10	28	♌ 0
7	13	29	19	♍ 3	♎ 6	24	♑ 1	25	18	24	♋10	12
8	26	♋11	♌ 1	15	19	♐ 8	16	♓10	♉ 2	♊ 7	23	24
9	♊ 8	22	13	27	♏ 2	23	♒ 1	25	16	20	♌ 5	♍ 6
10	20	♌ 4	25	♎10	16	♑ 8	17	♈ 9	29	♋ 2	16	18
11	♋ 2	16	♍ 7	23	♐ 0	22	♓ 1	23	♊12	15	28	♎ 0
12	14	28	19	♏ 7	14	♒ 7	16	♉ 7	24	27	♍10	12
13	25	♍10	♎ 1	20	28	22	♈ 0	20	♋ 6	♌ 8	22	24
14	♌ 7	22	14	♐ 4	♑13	♓ 6	14	♊ 3	18	20	♎ 4	♏ 7
15	19	♎ 5	27	18	27	20	27	15	♌ 0	♍ 2	17	20
16	♍ 1	17	♏10	♑ 2	♒11	♈ 4	♉11	28	12	14	29	♐ 4
17	13	♏ 0	24	16	25	17	23	♋10	24	26	♏12	18
18	25	13	♐ 7	♒ 0	♓ 9	♉ 1	♊ 6	21	♍ 6	♎ 8	26	♑ 2
19	♎ 8	27	21	14	23	14	18	♌ 3	18	21	♐ 9	17
20	20	♐11	♑ 5	29	♈ 7	26	♋ 0	15	♎ 0	♏ 4	23	♒ 1
21	♏ 4	25	19	♓13	20	♊ 9	12	27	12	17	♑ 7	16
22	17	♑ 9	♒ 4	27	♉ 4	21	24	♍ 9	24	♐ 0	21	♓ 0
23	♐ 1	24	18	♈11	17	♋ 4	♌ 6	21	♏ 7	13	♒ 5	15
24	16	♒ 9	♓ 3	24	♊ 0	16	18	♎ 3	20	27	20	29
25	♑ 0	24	17	♉ 8	12	28	♍ 0	15	♐ 3	♑11	♓ 4	♈13
26	15	♓ 9	♈ 2	21	25	♌ 9	12	27	16	25	18	26
27	♒ 1	23	16	♊ 4	♋ 7	21	24	♏10	♑ 0	♒ 9	♈ 2	♉10
28	16	♈ 8	29	17	19	♍ 3	♎ 6	23	14	23	16	23
29	♓ 1	22	♉13	29	♌ 1	15	18	♐ 6	28	♓ 7	♉ 0	♊ 6
30	16		26	♋11	13	27	♏ 1	20	♒12	21	13	19
31	♈ 0		♊ 9		25		14	♑ 4		♈ 6		♋ 2

1951年（昭和26年）

♈ 牡羊　♉ 牡牛　♊ 双子　♋ 蟹　♌ 獅子　♍ 乙女
♎ 天秤　♏ 蠍　♐ 射手　♑ 山羊　♒ 水瓶　♓ 魚

	日＼月	1月	2月	3月	4月	5月	6月	7月	8月	9月	10月	11月	12月
水星 ☿	1	♑⑫	♑17	♓ 0	♈27	♉⓪	♉16	♋14	♍ 4	♍⑥	♍26	♏18	♐29
	5	⑥	22	7	♉ 3	♈㉘	22	22	8	③	♎ 3	24	♑ 1
	9	③	28	14	6	㉘	28	♌ 0	11	①	10	♐ 0	②
	13	①	♒ 4	22	8	29	♊ 6	7	14	2	17	6	♐㉙
	17	2	10	♈ 0	⑧	♉ 0	13	14	15	5	24	12	♐㉕
	21	5	16	8	⑥	3	22	20	⑭	9	♏ 1	17	⑲
	25	9	23	16	④	7	♋ 1	26	⑫	16	7	22	⑯
	28	12	28	21	②	10	7	♍ 0	⑩	21	12	26	⑯
金星 ♀	1	♑20	♒29	♈ 4	♉12	♊17	♋22	♌23	♍15	♍⑫	♍ 2	♍21	♎21
	5	25	♓ 4	9	17	22	27	26	16	⑨	3	25	26
	10	♒ 2	10	15	23	28	♌ 2	♍ 1	18	⑥	5	29	♏ 1
	15	8	17	21	29	♋ 4	7	5	⑱	④	8	♎ 4	7
	20	14	23	27	♊ 5	9	12	8	⑰	②	11	9	13
	25	20	29	♉ 3	10	15	17	11	⑮	②	15	15	19
火星 ♂	1	♒12	♓ 7	♓29	♈22	♉14	♊ 7	♊27	♋18	♌ 8	♌27	♍16	♎ 3
	11	20	15	♈ 6	♉ 0	22	14	♋ 4	24	14	♍ 3	22	9
	21	28	22	14	7	29	20	11	♌ 1	21	9	27	14
木星 ♃	1	♓ 4	♓11	♓17	♓25	♈ 1	♈ 8	♈12	♈14	♈⑫	♈⑨	♈⑤	♈④
	11	6	13	20	27	4	9	13	⑭	⑪	⑧	④	4
	21	8	15	22	29	6	11	13	⑬	⑩	⑥	④	5
♄ 土星	1	♎ 2	♎②	♎⓪	♍㉘	♍㉖	♍25	♍26	♍28	♎ 1	♎ 5	♎ 9	♎12
	16	②	①	♍㉙	㉗	㉕	25	27	♎ 0	3	7	10	13
♅ 天王星	1	♋⑦	♋⑥	♋⑤	♋ 5	♋ 6	♋ 7	♋ 9	♋11	♋12	♋13	♋⑬	♋⑬
	16	⑥	⑤	5	5	7	8	10	12	13	14	⑬	⑫
♆ 海王星	1	♎19	♎⑲	♎⑲	♎⑱	♎⑰	♎⑯	♎16	♎17	♎17	♎18	♎19	♎20
♇ 冥王星	1	♌⑲	♌⑱	♌⑱	♌⑰	♌⑰	♌17	♌18	♌19	♌20	♌20	♌21	♌21

1952年（昭和27年）うるう年

♈ 牡羊　♉ 牡牛　♊ 双子　♋ 蟹　♌ 獅子　♍ 乙女
♎ 天秤　♏ 蠍　♐ 射手　♑ 山羊　♒ 水瓶　♓ 魚

	日＼月	1月	2月	3月	4月	5月	6月	7月	8月	9月	10月	11月	12月
水星 ☿	1	♐17	♑26	♓16	♈⑱	♈13	♉29	♌ 0	♌㉗	♌20	♎12	♏29	♐⑦
	5	20	♒ 2	24	⑯	17	♊ 8	6	㉕	25	18	♐ 4	②
	9	24	8	♈ 1	⑬	22	17	11	㉓	♍ 1	25	8	⓪
	13	29	15	8	⑩	27	25	16	⑳	9	♏ 1	12	0
	17	♑ 4	22	14	⑧	♉ 3	♋ 4	20	⑰	16	7	15	3
	21	9	29	18	8	9	12	23	⑮	24	13	16	7
	25	15	♓ 7	20	9	16	20	26	15	♎ 1	19	⑭	12
	28	20	12	⑳	11	22	25	26	16	6	23	⑪	15
金星 ♀	1	♏27	♑ 4	♒10	♓18	♈25	♊ 3	♋10	♏18	♍26	♏ 3	♐11	♑17
	5	♐ 2	9	15	23	♉ 0	8	15	23	♎ 1	8	16	22
	10	8	15	21	29	6	14	21	29	7	14	22	28
	15	14	21	27	♈ 5	12	20	27	♍ 5	13	20	28	♒ 4
	20	20	28	♓ 3	11	18	26	♌ 3	11	20	26	♑ 4	10
	25	26	♒ 4	9	18	24	♋ 2	9	18	26	♐ 2	10	16
火星 ♂	1	♎20	♏ 5	♏15	♏⑱	♏⑩	♏①	♏ 3	♏15	♐ 2	♐21	♑14	♒ 6
	11	25	9	17	⑯	⑦	1	6	20	8	28	21	14
	21	♏ 0	12	18	⑭	③	1	10	25	15	♑ 6	29	22
木星 ♃	1	♈ 5	♈10	♈16	♈23	♉ 0	♉ 7	♉13	♉18	♉20	♉⑳	♉⑯	♉⑬
	11	7	12	18	25	2	9	15	19	⑳	⑲	⑮	⑫
	21	8	14	20	28	5	11	16	20	⑳	⑱	⑭	⑪
♄ 土星	1	♎14	♎⑭	♎⑬	♎⑪	♎⑨	♎⑧	♎ 8	♎10	♎13	♎16	♎20	♎23
	16	14	⑭	⑫	⑩	⑧	8	9	11	14	18	22	25
♅ 天王星	1	♋⑫	♋⑩	♋⑩	♋ 9	♋10	♋12	♋13	♋15	♋17	♋18	♋⑱	♋⑰
	16	⑪	⑩	⑨	10	11	12	14	16	17	18	⑱	⑰
♆ 海王星	1	♎21	♎㉑	♎㉑	♎⑳	♎⑲	♎⑲	♎⑱	♎19	♎19	♎20	♎22	♎23
♇ 冥王星	1	♌㉑	♌⑳	♌⑲	♌⑲	♌⑲	♌19	♌19	♌20	♌21	♌22	♌23	♌㉓

	日＼月	1月	2月	3月	4月	5月	6月	7月	8月	9月	10月	11月	12月
月☽	1	♋14	♌29	♍ 7	♎22	♏26	♑16	♒24	♈18	♊10	♋15	♍ 0	♎ 2
	2	26	♍11	19	♏ 4	♐ 9	♈ 0	♓ 8	♉ 2	23	28	12	14
	3	♌ 8	22	♎ 1	17	22	14	23	16	♋ 6	♌10	24	26
	4	20	♎ 4	13	♐ 0	♑ 6	28	♈ 7	29	18	22	♎ 6	♏ 8
	5	♍ 2	16	25	12	19	♓12	21	♊13	♌ 0	♍ 4	18	21
	6	14	28	♏ 7	25	♒ 3	26	♉ 5	26	13	15	♏ 0	♐ 3
	7	26	♏11	20	♑ 9	17	♈10	19	♋ 9	25	27	12	16
	8	♎ 8	23	♐ 3	22	♓ 1	24	♊ 2	21	♍ 7	♎ 9	24	29
	9	20	♐ 6	16	♒ 6	15	♉ 9	16	♌ 3	18	21	♐ 7	♑12
	10	♏ 2	20	29	21	♈ 0	23	29	16	♎ 0	♏ 3	19	25
	11	15	♑ 4	♑13	♓ 5	14	♊ 6	♋12	28	12	15	♑ 2	♒ 9
	12	28	18	27	20	29	20	25	♍10	24	27	15	22
	13	♐12	♒ 3	♒11	♈ 5	♉13	♋ 3	♌ 7	22	♏ 6	♐10	28	♓ 6
	14	26	18	26	20	27	16	19	♎ 3	18	22	♒12	20
	15	♑10	♓ 3	♓11	♉ 5	♊11	29	♍ 1	15	♐ 0	♑ 5	25	♈ 4
	16	25	19	27	19	25	♌11	13	27	13	18	♓ 9	18
	17	♒10	♈ 4	♈12	♊ 3	♋ 8	23	25	♏ 9	26	♒ 1	24	♉ 3
	18	25	18	27	17	21	♍ 5	♎ 7	21	♑ 9	15	♈ 8	17
	19	♓10	♉ 3	♉11	♋ 0	♌ 3	17	19	♐ 4	22	♓ 0	23	♊ 2
	20	25	16	25	13	15	29	♏ 1	17	♒ 6	14	♉ 8	16
	21	♈ 9	♊ 0	♊ 9	25	27	♎11	13	♑ 0	21	29	23	♋ 0
	22	23	13	22	♌ 7	♍ 9	23	26	14	♓ 6	♈14	♊ 7	13
	23	♉ 7	25	♋ 4	19	21	♏15	♐ 9	28	21	♉ 0	22	27
	24	20	♋ 8	17	♍ 1	♎ 3	18	22	♒13	♈ 6	15	♋ 5	♌10
	25	♊ 3	20	29	13	15	♐ 1	♑ 6	28	21	29	19	22
	26	16	♌ 2	♌11	25	27	14	20	♓13	♉ 7	♊14	♌ 2	♍ 4
	27	28	14	23	♎ 7	♏10	28	♒ 4	28	21	28	14	16
	28	♋11	26	♍ 4	19	22	♑11	19	♈13	♊ 5	♋11	27	28
	29	23		16	♏ 1	♐ 5	25	♓ 4	28	19	24	♍ 9	♎10
	30	♌ 5		28	14	19	♒10	19	♉12	♋ 2	♌ 6	21	22
	31	17		♉10		♑ 2		♈ 3	26		18		♏ 4

1953年（昭和28年）

♈ 牡羊　♉ 牡牛　♊ 双子　♋ 蟹　♌ 獅子　♍ 乙女
♎ 天秤　♏ 蠍　♐ 射手　♑ 山羊　♒ 水瓶　♓ 魚

	日＼月	1月	2月	3月	4月	5月	6月	7月	8月	9月	10月	11月	12月
水星☿	1	♐21	♒ 9	♓27	♓⑲	♈17	♊18	♌ 3	♋㉘	♍ 1	♎23	♐ 0	♍17
	5	27	16	♈ 1	20	23	26	6	㉗	9	29	⓪	22
	9	♑ 3	23	2	22	28	♋ 4	8	28	13	♏ 5	♏㉘	27
	13	9	♓ 1	②	25	♉ 8	11	⑧	♌ 0	24	11	㉔	♐ 2
	17	15	8	♓㉙	28	16	17	⑦	5	♎ 1	16	⑲	8
	21	21	15	㉕	♈ 3	24	23	⑤	10	8	20	⑮	14
	25	28	22	㉒	8	♊ 3	28	②	17	14	25	14	20
	28	♒ 3	26	⑳	12	9	♌ 1	⓪	23	19	27	15	25
金星♀	1	♒24	♓28	♈22	♈㉙	♈⑮	♈26	♉23	♊26	♌ 1	♍ 7	♎16	♏23
	5	29	♈ 2	25	㉘	⑭	29	27	♋ 0	6	12	21	28
	10	♓ 4	7	27	㉕	15	♉ 3	♊ 2	6	12	18	27	♐ 4
	15	10	11	29	㉒	16	7	7	12	18	25	♏ 3	11
	20	15	16	♉ 1	⑲	18	12	12	17	24	♎ 1	9	17
	25	21	19	①	⑯	21	17	18	23	♍ 0	7	16	23
火星♂	1	♓ 0	♓24	♈15	♉ 8	♉29	♊20	♋10	♌ 1	♌21	♍10	♍29	♎17
	11	8	♈ 1	22	15	♊ 6	27	17	7	27	16	♎ 5	24
	21	15	9	♉ 0	22	13	♋ 4	24	14	♍ 3	22	11	♏ 0
木星♃	1	♉⑪	♉12	♉15	♉21	♉27	♊ 5	♊12	♊18	♊23	♊26	♊㉖	♊㉓
	11	11	13	17	23	♊ 0	7	14	20	24	26	㉕	㉑
	21	11	14	19	25	2	9	16	21	25	㉖	㉔	⑳
♄土星	1	♎26	♎27	♎㉖	♎㉔	♎㉒	♎⑳	♎20	♎21	♎24	♎27	♏ 1	♏ 4
	16	26	㉗	㉖	㉓	㉑	⑳	20	22	25	29	2	6
♅天王星	1	♋⑯	♋⑮	♋⑭	♋14	♋15	♋16	♋18	♋20	♋21	♋23	♋㉓	♋㉒
	16	⑯	⑭	⑭	14	15	17	19	20	22	23	㉒	㉒
♆海王星	1	♎23	♎㉓	♎㉓	♎㉒	♎㉒	♎㉑	♎㉑	♎21	♎22	♎23	♎24	♎25
♇冥王星	1	♌㉒	♌㉒	♌㉑	♌㉑	♌⑳	♌20	♌21	♌22	♌23	♌24	♌24	♌25

	日＼月	1月	2月	3月	4月	5月	6月	7月	8月	9月	10月	11月	12月
月☽	1	♏16	♑ 2	♑10	♒29	♈ 8	♊ 2	♋ 9	♌28	♎14	♏16	♑ 0	♒ 4
	2	29	15	23	♓14	23	16	23	♍11	26	28	12	17
	3	♐11	29	♒ 7	29	♉ 8	♋ 1	♌ 7	23	♏ 8	♐10	25	♓ 0
	4	24	♒23	21	♈14	23	15	20	♎ 5	19	21	♒ 7	13
	5	♑ 7	28	♓ 6	♉ 0	♊ 8	29	♍ 3	18	♐ 1	♑ 4	20	27
	6	21	♓12	21	15	23	♌12	15	29	13	16	♓ 4	♈11
	7	♒ 5	27	♈ 6	♊ 0	♋ 7	25	28	♏11	25	29	18	26
	8	19	♈12	21	14	20	♍ 7	♎10	23	♑ 8	♒12	♈ 2	♉10
	9	♓ 3	26	♉ 6	28	♌ 4	19	22	♐ 5	20	25	17	26
	10	17	♉10	21	♋12	16	♎ 2	♏ 3	17	♒ 4	♓ 9	♉ 2	♊11
	11	♈ 1	24	♊ 5	25	29	13	15	♑ 0	17	24	17	26
	12	15	♊ 8	19	♌ 7	♍11	25	27	13	♓ 1	♈ 9	♊ 3	♋11
	13	29	22	♋ 2	20	23	♏ 7	♐ 9	26	16	24	18	25
	14	♉14	♋ 5	15	♍ 2	♎ 5	19	22	♒ 9	♈ 1	♎ 9	♋ 3	♌ 9
	15	27	18	28	14	7	♐ 1	♑ 4	23	15	24	17	22
	16	♊ 1	♌ 1	♌10	26	29	13	17	♓ 7	♉ 0	♊ 9	♌ 1	♍ 6
	17	25	13	23	♎ 8	♏11	26	♒ 0	21	15	24	14	18
	18	♋ 8	26	♍ 5	20	23	♑ 8	14	♈ 6	♊ 0	♋ 8	27	♎ 1
	19	22	♍ 8	17	♏ 2	♐ 5	21	27	20	14	21	♍10	13
	20	♌ 5	20	29	14	17	♒ 4	♓11	♉ 5	28	♌ 5	22	25
	21	17	♎ 2	♎11	26	29	17	25	19	♋11	18	♎ 4	♏ 7
	22	♍ 0	14	23	♐ 8	♑12	♓ 1	♈ 9	♊ 3	25	♍ 0	16	18
	23	12	26	♏ 5	20	24	15	24	17	♌ 8	13	28	♐ 0
	24	24	♏ 8	17	♑ 2	♒ 7	28	♉ 8	♋ 1	20	25	♏10	12
	25	♎ 6	20	29	15	20	♈13	22	14	♍ 3	♎ 7	22	24
	26	18	♐ 2	♐11	27	♓ 4	27	♊ 6	28	16	19	♐ 3	♑ 6
	27	♏ 0	14	23	♒10	18	♉12	20	♌11	28	♏ 1	15	19
	28	12	27	♑ 5	24	♈ 2	26	♋ 4	24	♎10	13	27	♒ 1
	29	24		18	♓ 8	17	♊11	18	♍ 7	22	25	♑ 9	14
	30	♐ 6		♒ 1	23	♉ 2	25	♌ 2	19	♏ 4	♐ 6	22	27
	31	19		15		17		15	♎ 1		18		♓10

1954年（昭和29年）

♈ 牡羊　♉ 牡牛　♊ 双子　♋ 蟹　♌ 獅子　♍ 乙女
♎ 天秤　♏ 蠍　♐ 射手　♑ 山羊　♒ 水瓶　♓ 魚

	日＼月	1月	2月	3月	4月	5月	6月	7月	8月	9月	10月	11月	12月
水星☿	1	♑ 1	♒22	♓⑪	♓12	♉ 0	♋ 1	♋⑯	♋18	♍16	♏ 1	♏③	♏24
	5	7	29	⑥	17	8	6	⑭	24	23	6	♎㉙	♐ 0
	9	14	♓ 6	③	22	17	11	⑫	♌ 1	♎ 0	10	28	6
	13	20	11	①	28	27	14	⑩	9	6	13	♏ 0	12
	17	27	14	1	♈ 4	♊ 4	17	⑨	17	12	14	4	19
	21	♒ 3	16	3	11	12	18	9	25	18	⑭	9	25
	25	10	⑭	6	18	20	⑱	11	♍ 3	24	⑫	15	♑ 1
	28	16	⑫	8	24	25	⑱	14	9	28	⑧	19	6
金星♀	1	♑ 2	♒11	♓16	♈25	♊ 2	♋ 9	♌15	♍20	♎23	♏20	♏㉙	♏⑮
	5	7	16	21	♉ 0	6	14	19	25	27	22	㉘	⑭
	10	13	22	27	6	13	20	25	♎ 0	♏ 2	25	㉕	14
	15	20	29	♈ 4	12	19	26	♍ 1	6	7	27	㉒	16
	20	26	♓ 5	10	18	25	♌ 2	7	11	11	29	⑲	18
	25	♒ 2	11	16	24	♋ 1	8	12	16	15	♐ 0	⑰	20
火星♂	1	♏ 6	♏24	♐10	♐25	♑ 5	♑⑧	♑⓪	♐25	♑ 2	♑17	♒ 6	♒27
	11	12	♐ 0	15	29	7	⑥	♐㉗	26	6	23	13	♓ 4
	21	18	5	20	♑ 2	8	③	㉖	28	11	29	20	11
木星♃	1	♊⑲	♊⑯	♊16	♊20	♊25	♋ 1	♋ 8	♋15	♋21	♋26	♋29	♋㉙
	11	⑰	⑯	17	21	27	3	10	17	23	27	29	㉙
	21	⑰	16	18	23	29	6	12	19	25	28	㉙	㉘
♄土星	1	♏ 7	♏ 9	♏⑨	♏⑦	♏⑤	♏③	♏②	♏ 3	♏ 5	♏ 7	♏11	♏15
	16	8	9	⑧	⑥	④	③	2	3	6	9	13	16
♅天王星	1	♋㉑	♋⑳	♋⑲	♋19	♋19	♋20	♋22	♋24	♋26	♋27	♋27	♋㉗
	16	⑳	⑲	⑲	19	20	21	23	25	26	27	27	㉖
♆海王星	1	♎25	♎㉖	♎㉕	♎㉕	♎㉔	♎㉓	♎㉓	♎23	♎24	♎25	♎26	♎27
♇冥王星	1	♌㉔	♌㉔	♌㉓	♌㉒	♌㉒	♌22	♌23	♌24	♌25	♌25	♌26	♌26

	日＼月	1月	2月	3月	4月	5月	6月	7月	8月	9月	10月	11月	12月
月☽	1	♓23	♉16	♉27	♋20	♌27	♎14	♏17	♑1	♒16	♓21	♉12	♊20
	2	♈7	♊0	♊11	♌3	♍10	27	29	13	29	♈5	27	♋5
	3	21	14	25	17	22	♏9	♐11	25	♓12	19	♊12	20
	4	♉5	29	♋9	♍0	♎5	20	23	♒8	26	♉3	26	♌5
	5	20	♋13	23	13	17	♐2	♑5	20	♌10	18	♋11	19
	6	♊4	27	♌6	26	29	14	17	♓3	23	♊2	25	♍3
	7	19	♌11	20	♎8	♏12	26	29	16	♉7	16	♌9	17
	8	♋4	25	♍3	21	23	♑8	♒11	♈0	21	♋0	23	♎0
	9	18	♍8	16	♏3	♐5	20	24	13	♊5	15	♍6	12
	10	♌3	21	29	15	17	♒2	♓6	27	19	29	20	25
	11	17	♎4	♎12	27	29	14	19	♉10	♋4	♌12	♎3	♏7
	12	♍0	16	24	♐9	♑11	27	♈3	24	18	26	15	19
	13	13	29	♏7	20	23	♓9	16	♊9	♌2	♍10	28	♐1
	14	26	♏11	19	♑2	♒5	23	♉0	23	16	23	♏10	13
	15	♎9	23	♐0	14	17	♈6	14	♋7	♍0	♎6	22	25
	16	21	♐4	12	26	♓0	20	28	22	13	19	♐4	♑7
	17	♏3	16	24	♒9	13	♉4	♊13	♌6	27	♏1	16	18
	18	15	28	♑6	22	27	19	28	21	♎10	14	28	♒0
	19	27	♑10	18	♓5	♈11	♊4	♋13	♍5	23	26	♑10	12
	20	♐8	23	♒1	19	26	19	28	19	♏6	♐8	22	24
	21	20	♒6	14	♈3	♉11	♋4	♌12	♎2	18	20	♒4	♓7
	22	♑2	19	27	17	26	19	27	15	♐0	♑2	16	19
	23	15	♓2	♓11	♉2	♊11	♌4	♍10	28	12	13	28	♈2
	24	27	16	25	17	26	18	24	♏10	24	25	♓10	15
	25	♒10	♈0	♈9	♊2	♋11	♍2	♎7	22	♑5	♒7	24	29
	26	23	14	24	17	25	16	20	♐4	17	20	♈7	♉13
	27	♓7	28	♉8	♋2	♌10	28	♏2	16	29	♓2	21	28
	28	20	♉13	23	16	23	♎11	14	28	♒12	16	♉5	♊13
	29	♈4		♊8	♌0	♍7	23	26	♑9	25	29	20	28
	30	18		22	14	19	♏5	♐8	22	♓8	♈13	♊5	♋13
	31	♉2		♋6		♎2		19	♒4		27		29

1955年（昭和30年）

♈ 牡羊　♉ 牡牛　♊ 双子　♋ 蟹　♌ 獅子　♍ 乙女
♎ 天秤　♏ 蠍　♐ 射手　♑ 山羊　♒ 水瓶　♓ 魚

	日＼月	1月	2月	3月	4月	5月	6月	7月	8月	9月	10月	11月	12月
水星☿	1	♑13	♒28	♒14	♓19	♉18	♊28	♊20	♌1	♍28	♎28	♎19	♐5
	5	19	㉙	16	26	26	㉘	21	10	♎4	㉘	24	11
	9	26	㉗	19	♈3	♊3	㉘	24	18	9	㉕	♍0	18
	13	♒2	㉓	23	10	10	㉖	28	26	14	㉑	6	24
	17	9	⑱	28	18	16	㉔	♋4	♍3	19	⑯	13	♑0
	21	15	⑮	♓3	26	21	㉒	10	11	23	⑬	19	6
	25	21	⑭	9	♉5	24	⑳	17	17	26	13	25	13
	28	25	14	13	11	26	⑳	23	22	27	15	♐0	18
金星♀	1	♏25	♐24	♑25	♓1	♈7	♉14	♊21	♋28	♍7	♎14	♏23	♑0
	5	28	28	29	6	12	19	25	♌3	12	19	28	5
	10	♐2	♑3	♒5	12	18	25	♋1	10	18	25	♐4	11
	15	7	9	11	18	24	♊1	8	16	24	♏2	10	18
	20	12	14	17	24	♉0	7	14	22	♎0	8	16	24
	25	17	20	23	29	6	13	20	28	7	14	23	♒0
火星♂	1	♓19	♈11	♉1	♉22	♊13	♋3	♋23	♌12	♍2	♍21	♎11	♏1
	11	26	18	8	29	19	10	29	19	9	28	18	7
	21	♈3	25	15	♊6	26	16	♌5	25	15	♎4	24	14
木星♃	1	♋㉖	♋㉒	♋⑳	♋20	♋22	♋27	♌3	♑10	♌17	♌22	♌28	♍1
	11	㉕	㉑	⑲	20	24	29	5	12	19	24	29	1
	21	㉔	⑳	19	21	25	♌1	7	14	21	26	♍0	①
♄土星	1	♏18	♏20	♏21	♏⑳	♏⑱	♏⑯	♏⑭	♏14	♏15	♏18	♏21	♏25
	16	19	21	㉑	⑲	⑰	⑮	⑭	15	17	20	23	27
♅天王星	1	♋㉖	♋㉕	♋㉔	♋㉓	♋23	♋25	♋26	♋28	♌0	♌1	♌2	♋②
	16	㉕	㉔	㉓	23	24	25	27	29	27	2	②	①
♆海王星	1	♎28	♎㉘	♎㉘	♎㉗	♎㉖	♎㉕	♎㉕	♎25	♎26	♎27	♎28	♎29
♇冥王星	1	♌㉖	♌㉕	♌㉕	♌㉔	♌㉔	♌24	♌24	♌25	♌26	♌27	♌28	♌28

	日＼月	1月	2月	3月	4月	5月	6月	7月	8月	9月	10月	11月	12月
月☽	1	♌13	♎4	♎25	♐11	♑13	♒26	♈0	♉18	♋10	♌19	♎12	♏18
	2	28	17	♏8	23	24	♓9	12	♊2	24	♍4	25	♐1
	3	♍12	♏0	21	♑5	♒6	21	25	16	♌9	18	♏9	13
	4	26	13	♐3	16	18	♈4	♉9	♋0	24	♎2	22	26
	5	♎9	25	15	28	♓0	17	23	15	♍9	17	♐5	♑8
	6	22	♐7	27	♒10	13	♉0	♊7	♌0	24	♏0	17	20
	7	♏4	19	♑9	22	26	14	22	16	♎8	14	♑0	♒2
	8	16	♑0	20	♓5	♈9	29	♋7	♍1	22	27	12	14
	9	28	12	♒2	18	22	♊14	22	16	♏6	♐10	24	26
	10	♐10	24	14	♈1	♉6	28	♌7	♎0	19	22	♒6	♓7
	11	22	♒6	27	14	20	♋13	22	14	♐2	♑4	18	20
	12	♑4	18	♓9	28	♊5	28	♍7	28	14	16	♓0	♈2
	13	15	♓1	22	♉12	20	♌13	21	♏11	26	28	12	14
	14	27	13	♈5	26	♋4	28	♎5	23	♑8	♒10	24	27
	15	♒9	26	19	♊10	19	♍12	19	♐6	20	22	♈7	♉10
	16	21	♈9	♉2	24	♌3	26	♏2	18	♈2	♓4	19	2
	17	♓4	22	16	♋8	17	♎9	14	♑0	14	16	♉3	♊8
	18	16	♉5	29	22	♍1	22	27	11	26	29	16	23
	19	29	19	♊13	♌7	15	♏5	♐9	23	♓8	♈11	♊0	♋8
	20	♈12	♊2	27	21	29	17	21	♒5	20	24	14	23
	21	25	17	♋11	♍5	♎12	♐0	♑3	17	♈3	♉8	29	♌7
	22	♉8	♋1	26	18	25	12	14	29	15	21	♋13	22
	23	22	15	♌10	♎2	♏8	24	26	♓11	28	♊5	28	♍7
	24	♊7	♌0	24	15	20	♑6	♒8	24	♉12	19	♌12	21
	25	21	15	♍8	29	♐3	17	20	♈6	25	♋3	26	♎5
	26	♋6	29	23	♏11	15	29	♓2	19	♊8	17	♍10	18
	27	21	♍14	♎6	24	27	♒11	14	♉1	22	♌1	24	♏2
	28	♌6	28	20	♐6	♑9	23	26	15	♋6	15	♎8	15
	29	21	♎12	♏3	19	21	♓5	♈9	28	20	29	21	27
	30	♍6		16	♑1	♒3	17	22	♊11	♌4	♍14	♏5	♐10
	31	20		29		14		♉5	25		28		22

1956年（昭和31年）うるう年

♈ 牡羊　♉ 牡牛　♊ 双子　♋ 蟹　♌ 獅子　♍ 乙女
♎ 天秤　♏ 蠍　♐ 射手　♑ 山羊　♒ 水瓶　♓ 魚

	日＼月	1月	2月	3月	4月	5月	6月	7月	8月	9月	10月	11月	12月
水星☿	1	♑24	♒①	♒14	♈5	♊0	♊①	♊19	♌20	♎5	♍㉙	♏0	♐18
	5	♒0	♑㉘	20	13	4	⓪	26	27	8	㉗	7	24
	9	5	㉗	25	21	7	0	♋3	♍4	11	28	1	♑0
	13	10	28	♓1	29	8	1	11	11	12	♎1	20	6
	17	13	♒0	8	♉8	⑧	3	20	17	⑪	6	26	12
	21	⑬	4	14	15	⑦	6	28	22	⑨	12	♐2	17
	25	⑩	8	22	22	⑤	11	♌7	27	⑤	18	8	22
	28	⑥	12	27	27	③	14	13	♎1	②	23	13	25
金星♀	1	♒9	♓17	♈21	♉26	♊24	♋9	♊㉕	♊27	♋22	♌23	♍29	♏6
	5	14	21	26	♊0	27	⑧	㉔	♋0	26	28	♎4	11
	10	20	27	♉1	5	♋1	⑦	㉒	3	♌1	♍3	10	17
	15	26	♈3	7	10	3	⑤	22	7	6	9	16	23
	20	♓2	9	13	15	6	②	23	11	11	15	22	29
	25	8	15	18	19	8	♊㉙	24	15	17	21	28	♐6
火星♂	1	♏21	♐11	♑0	♑20	♒9	♒28	♓13	♓22	♓⑳	♓⑬	♓15	♓27
	11	27	18	7	27	16	♓3	17	23	⑱	⑬	18	♈2
	21	♐4	24	13	♒3	22	9	20	㉓	⑮	13	22	7
木星♃	1	♍①	♌㉘	♌㉔	♌㉑	♌21	♌24	♌28	♍4	♍11	♍17	♍23	♍28
	11	⓪	㉗	㉓	㉑	22	25	♍0	6	13	19	25	29
	21	♌㉙	㉕	㉒	21	23	27	2	8	15	21	27	♎0
♄土星	1	♏28	♐1	♐2	♐②	♐⓪	♏㉘	♏㉖	♏26	♏26	♏29	♐2	♐5
	16	♐1	2	②	①	♏㉙	㉗	㉖	26	27	♐0	3	7
♅天王星	1	♌①	♋㉙	♋㉘	♋㉘	♋28	♋29	♌1	♌3	♌4	♌6	♌6	♌⑥
	16	⓪	㉙	㉘	28	28	♌0	2	3	5	6	⑦	⑥
♆海王星	1	♏0	♏0	♏⓪	♎㉙	♎㉘	♎㉘	♎㉗	♎27	♎28	♎29	♏0	♏1
♇冥王星	1	♌㉘	♌㉗	♌㉗	♌㉖	♌㉖	♌26	♌26	♌27	♌28	♌29	♍0	♍0

1957年（昭和32年）

♈ 牡羊　♉ 牡牛　♊ 双子　♋ 蟹　♌ 獅子　♍ 乙女
♎ 天秤　♏ 蠍　♐ 射手　♑ 山羊　♒ 水瓶　♓ 魚

	日＼月	1月	2月	3月	4月	5月	6月	7月	8月	9月	10月	11月	12月
月☽	1	♑4	♒19	♒28	♈13	♉17	♋7	♌16	♎10	♐1	♑5	♒20	♓22
	2	16	♓1	♓10	25	♊0	21	♍0	24	14	18	♓2	♈4
	3	28	13	22	♉8	14	♌6	15	♏7	26	♒0	14	16
	4	♒10	25	♈4	21	27	20	29	21	♑9	12	26	28
	5	22	♈7	16	♊4	♋11	♍4	♎13	♐4	21	24	♈8	♉10
	6	♓4	9	28	17	25	18	27	17	♒3	♓6	20	23
	7	16	♉1	♉11	♋0	♌9	♎3	♏11	29	15	18	♉2	♊6
	8	28	14	24	14	23	17	24	♑12	27	♈0	15	19
	9	♈10	27	♊7	28	♍7	♏0	♐7	24	♓9	11	27	♋3
	10	22	♊10	20	♌12	22	14	20	♒6	21	24	♊10	17
	11	♉5	24	♋4	27	♎6	27	♑2	18	♈3	♉6	23	♌0
	12	18	♋9	18	♍12	20	♐10	15	♓0	15	18	♋7	15
	13	♊2	24	♌2	26	♏4	23	27	12	27	♊1	20	29
	14	16	♌9	17	♎11	18	♑6	♒9	24	♉9	13	♌4	♍13
	15	♋1	24	♍2	25	♐2	19	21	♈6	21	26	18	27
	16	16	♍10	18	♏10	15	♒1	♓3	17	♊3	♋10	♍2	♎11
	17	♌1	25	♎3	23	28	13	15	♉0	16	23	16	25
	18	16	♎9	17	♐7	♑10	25	27	12	♋0	♌7	♎0	♏9
	19	♍1	24	♏2	20	23	♓7	♈9	24	13	21	15	23
	20	16	♏7	16	♑3	♒5	19	21	♊7	27	♍6	29	♐7
	21	♎1	21	29	15	17	♈1	♉3	20	♌12	21	♏4	20
	22	15	♐4	♐12	27	29	13	16	♋4	27	♎6	28	♑3
	23	28	16	25	♒9	♓11	25	29	19	♍12	21	♐12	17
	24	♏12	28	♑7	21	23	♉8	♊12	♌3	27	♏5	25	25
	25	24	♑10	19	♓3	♈5	21	26	18	♎12	20	♑9	♒12
	26	♐7	22	♒1	15	17	♊4	♋10	♍4	27	♐4	21	24
	27	19	♒4	13	27	♉0	18	25	19	♏12	18	♒4	♓6
	28	♑1	16	25	♈9	13	♋2	♌10	♎4	26	♑1	16	18
	29	13		♓6	21	26	16	25	19	♐9	14	28	♈0
	30	25		18	♉4	♊9	♌1	♍10	♏3	23	26	♓10	12
	31	♒7		♈1		23		25	17		♒8		24

	日＼月	1月	2月	3月	4月	5月	6月	7月	8月	9月	10月	11月	12月
水星☿	1	♑27	♑16	♒23	♈21	♉⑱	♉15	♋4	♍2	♍㉔	♍20	♏12	♐27
	5	㉖	20	♓0	29	⑯	19	12	7	㉑	26	18	♑2
	9	㉒	24	7	♉6	⑬	24	21	12	⑱	♎3	25	7
	13	⑰	♒0	14	1	⑪	28	29	16	⑭	10	♐1	10
	17	⑬	5	21	15	⑩	♊6	♌7	20	⑪	17	7	11
	21	⑪	11	29	18	10	13	14	23	11	24	13	⑨
	25	11	17	♈7	19	11	21	21	24	13	♏1	19	⑤
	28	13	22	13	⑲	12	27	26	25	16	6	23	①
金星♀	1	♐14	♑23	♒28	♈7	♉14	♊22	♋29	♍6	♎13	♏19	♐24	♑24
	5	19	28	♓3	12	19	27	♌3	11	18	23	28	28
	10	25	♒4	9	18	25	♋3	9	17	24	29	♑3	♒2
	15	♑2	10	15	24	♊1	9	16	23	♏0	♐5	9	6
	20	8	17	22	♉0	7	15	22	29	6	10	14	9
	25	14	23	28	6	13	21	28	♎5	12	16	19	12
火星♂	1	♈13	♉1	♉19	♊8	♊27	♋16	♌5	♌25	♍14	♎4	♎24	♏14
	11	19	8	25	14	♋3	23	12	♍1	21	10	♏1	21
	21	25	14	♊1	21	10	29	18	7	27	17	7	28
木星♃	1	♎1	♎①	♍㉙	♍㉕	♍㉒	♍22	♍24	♍28	♎4	♎11	♎17	♎23
	11	1	⓪	㉗	㉓	㉑	22	25	♎0	6	13	19	25
	21	①	♍㉙	㉖	㉓	㉑	23	27	2	8	15	21	27
土星♄	1	♐9	♐12	♐13	♐⑭	♐⑬	♐⑪	♌⑨	♐⑦	♐8	♐9	♐12	♐15
	16	10	13	14	⑬	⑫	⑩	⑧	7	8	10	14	17
天王星♅	1	♌⑤	♌④	♌③	♌②	♌3	♌4	♌5	♌7	♌9	♌10	♌11	♌⑪
	16	⑤	④	③	2	3	4	6	8	10	11	⑪	⑪
海王星♆	1	♏2	♏2	♏②	♏①	♏⓪	♏⓪	♎㉙	♎29	♏0	♏1	♏2	♏3
冥王星♇	1	♍⓪	♌㉙	♌㉘	♌㉘	♌㉗	♌28	♌28	♌29	♍0	♍1	♍2	♍2

1958年（昭和33年）

♈ 牡羊　♉ 牡牛　♊ 双子　♋ 蟹　♌ 獅子　♍ 乙女
♎ 天秤　♏ 蠍　♐ 射手　♑ 山羊　♒ 水瓶　♓ 魚

	日＼月	1月	2月	3月	4月	5月	6月	7月	8月	9月	10月	11月	12月
月☽	1	♉6	♊22	♋0	♌20	♍29	♏22	♑0	♒18	♈4	♉6	♊21	♋25
	2	18	♋5	13	♍5	♎14	♐7	13	♓1	16	18	♋3	♌8
	3	♊1	20	27	20	29	21	27	13	27	♊0	16	22
	4	14	♌4	♌12	♎5	♏14	♑5	♒10	25	♉9	12	28	♍5
	5	28	19	27	21	28	19	23	♈7	21	24	♌12	19
	6	♋11	♍4	♍12	♏6	♐13	♒2	♓5	19	♊3	♋6	25	♎3
	7	26	19	27	20	27	15	17	♉1	15	19	♍9	17
	8	♌10	♎4	♎12	♐5	♑11	27	29	13	28	♌2	23	♏2
	9	25	18	27	19	24	♓9	♈11	25	♋11	16	♎8	16
	10	♍9	♏2	♏12	♑2	♒7	21	23	♊7	24	♍0	23	♐1
	11	24	16	26	15	19	♈3	♉5	20	♌8	15	♏8	16
	12	♎8	♐0	♐10	28	♓1	15	17	♋3	22	♎0	23	♑1
	13	22	13	23	♒11	13	27	29	16	♍7	15	♐8	15
	14	♏6	26	♑6	23	25	♉9	♊12	♌0	22	♏0	23	29
	15	19	♑9	19	♓5	♈7	21	24	14	♎7	15	♑7	♒13
	16	♐3	22	♒1	17	19	♊3	♋8	28	22	♐0	21	26
	17	16	♒4	14	28	♉1	16	21	♍13	♏6	15	♒5	♓8
	18	29	17	26	♈10	13	29	♌5	28	21	29	17	21
	19	♑12	29	♓8	22	25	♋12	19	♎12	♐5	♑12	♓0	♈3
	20	25	♓11	20	♉4	♊7	26	♍3	27	19	26	12	14
	21	♒8	23	♈1	16	20	♌9	18	♏11	♑3	♒9	24	26
	22	20	♈4	13	28	♋3	23	♎2	25	16	21	♈6	♉8
	23	♓2	16	25	♊10	16	♍7	16	♐9	29	♓3	18	20
	24	14	28	♉7	23	29	21	♏0	22	♒12	16	♉0	♊2
	25	26	♉10	19	♋6	♌12	♎5	14	♑6	24	27	12	14
	26	♈8	22	♊1	19	26	19	28	19	♓6	♈9	24	27
	27	20	♊4	13	♌2	♍10	♏3	♐12	♒2	18	21	♊6	♋9
	28	♉2	17	26	16	24	18	26	15	♈0	♉3	18	22
	29	14		♋9	♍0	♎9	♐2	♑9	27	12	15	♋0	♌5
	30	26		22	14	23	16	22	♓10	24	27	13	19
	31	♊9		♌6		♏8		♒6	22		♊9		♍2

	日＼月	1月	2月	3月	4月	5月	6月	7月	8月	9月	10月	11月	12月
水星☿	1	♐㉗	♑21	♓6	♈28	♈⑳	♉20	♋21	♍4	♌㉔	♎3	♏23	♐25
	5	㉕	26	14	♉0	20	27	29	6	25	10	29	㉔
	9	25	♒3	21	⓪	22	♊5	♌6	7	27	17	♐4	⑲
	13	28	9	29	♈㉙	25	13	12	⑦	♍1	23	10	⑭
	17	♑2	15	♈7	㉖	29	22	18	⑤	7	♏0	15	⑩
	21	6	22	14	㉓	♉4	♋1	23	②	14	6	19	⑨
	25	11	29	21	㉑	9	9	28	♌㉙	22	13	23	10
	28	15	♓4	25	⑳	13	15	♍1	㉖	27	17	25	13
金星♀	1	♒15	♒⑥	♒2	♒24	♓24	♈29	♊4	♋11	♌19	♍26	♏4	♐12
	5	16	④	4	28	29	♉3	9	16	23	♎1	9	17
	10	⑯	②	7	♓2	♈4	9	14	22	♍0	7	16	23
	15	⑮	⓪	10	7	10	15	20	28	6	13	22	♑0
	20	⑬	0	14	13	15	21	26	♌4	12	19	28	6
	25	⑩	1	18	18	21	27	♋2	10	18	26	♐5	12
火星♂	1	♐5	♐27	♑17	♒10	♓2	♓25	♈16	♉6	♉22	♊1	♉㉙	♉⑲
	11	12	♑4	25	17	9	♈2	23	12	26	2	㉕	⑰
	21	19	12	♒2	25	17	9	29	17	29	①	㉒	⑯
木星♃	1	♎28	♏1	♏①	♎㉘	♎㉕	♎㉒	♎21	♎24	♎28	♏4	♏11	♏17
	11	29	1	⓪	㉗	㉓	㉑	22	25	♏0	6	13	19
	21	♏0	①	⓪	㉖	㉓	21	23	27	2	8	15	21
土星♄	1	♐19	♐23	♐24	♐25	♐㉕	♐㉓	♐㉑	♐⑲	♐19	♐20	♐22	♐25
	16	21	23	25	㉕	㉔	㉒	⑳	19	19	21	24	27
天王星♅	1	♌⑩	♌⑨	♌⑧	♌⑦	♌7	♌8	♌9	♌11	♌13	♌15	♌16	♌⑯
	16	⑩	⑧	⑦	⑦	7	9	10	12	14	15	16	⑯
海王星♆	1	♏4	♏4	♏④	♏④	♏③	♏②	♏②	♏2	♏2	♏3	♏4	♏5
冥王星♇	1	♍②	♍①	♍⓪	♍⓪	♌㉙	♌29	♍0	♍1	♍2	♍3	♍3	♍4

	日＼月	1月	2月	3月	4月	5月	6月	7月	8月	9月	10月	11月	12月
月☽	1	♍ 6	♏ 8	♏19	♑12	♒18	♈ 5	♉ 7	♊21	♌ 7	♍11	♏ 8	♐11
	2	29	22	♐ 3	25	♓ 1	17	19	♋ 3	20	25	18	26
	3	♎13	♐ 6	17	♒ 8	14	29	♊ 1	16	♍ 3	♎10	♐ 3	♑11
	4	27	20	♑ 1	21	26	♉11	13	28	17	24	18	26
	5	♏12	♑ 4	15	♓ 4	♈ 8	22	25	♌11	♎ 1	♏ 9	♑ 3	♒10
	6	26	1	28	16	20	♊ 4	♋ 7	24	15	23	17	24
	7	♐10	♒ 2	♒11	29	♉ 2	16	20	♍ 8	29	♐ 8	♒ 1	♓ 8
	8	25	15	24	♈11	13	28	♌ 2	21	♏13	23	15	21
	9	♑ 9	29	♓ 7	23	25	♋10	15	♎ 5	28	♑ 7	28	♈ 3
	10	23	♓11	20	♉ 5	♊ 7	23	28	18	♐12	21	♓11	15
	11	♒ 7	24	♈ 2	17	19	♌ 5	♍11	♏ 2	26	♒ 4	24	28
	12	20	♈ 6	14	28	♋ 1	18	24	17	♑10	18	♈ 6	♉10
	13	♓ 3	18	26	♊10	13	♍ 1	♎ 8	♐ 1	24	♓ 1	18	21
	14	16	♉ 0	♉ 8	22	26	14	2	15	♈ 8	14	♉ 0	♊ 3
	15	28	12	20	♋ 4	♌ 8	27	♏ 6	29	21	27	12	15
	16	♈10	24	♊ 2	16	21	♎11	20	♑14	♓ 5	♈ 9	24	27
	17	22	♊ 6	14	29	♍ 4	26	♐ 5	28	18	2	♊ 6	♋ 9
	18	♉ 4	18	26	♌12	18	♏10	19	♒12	♈ 0	♉ 4	18	21
	19	16	♋ 0	♋ 8	25	♎ 2	25	♑ 4	26	13	16	♋ 0	♌ 3
	20	28	13	21	♍ 9	16	♐10	19	♓ 9	25	28	12	15
	21	♊10	26	♌ 8	23	♏ 1	25	♒ 3	22	♉ 7	♊10	24	28
	22	22	♌ 9	17	♎ 8	16	♑10	17	♈ 5	19	21	♌ 6	♍10
	23	♋ 5	23	♍ 1	23	♐ 2	25	♓ 1	17	♊ 1	♋ 3	18	23
	24	18	♍ 7	15	♏ 8	17	♒ 9	14	♉ 0	13	15	♍ 1	♎ 6
	25	♌ 1	21	♎ 0	23	♑ 2	23	27	12	25	27	14	20
	26	15	♎ 6	15	♐ 8	16	♓ 6	♈ 9	23	♋ 7	♌10	27	♏ 4
	27	28	20	♏ 0	23	♒ 1	19	22	♊ 5	19	23	♎11	19
	28	♍12	♏ 5	14	♑ 8	14	♈ 1	♉ 4	17	♌ 2	♍ 6	26	♐ 4
	29	26		29	22	28	14	16	29	15	19	♏10	19
	30	♎10		♐14	♒ 5	♓10	25	27	♋11	28	♎ 3	26	♑ 4
	31	24		28		23		♊ 9	24		18		19

1959年（昭和34年）

♈ 牡羊　♉ 牡牛　♊ 双子　♋ 蟹　♌ 獅子　♍ 乙女
♎ 天秤　♏ 蠍　♐ 射手　♑ 山羊　♒ 水瓶　♓ 魚

	日＼月	1月	2月	3月	4月	5月	6月	7月	8月	9月	10月	11月	12月
水星☿	1	♐17	♒ 1	♓21	♈⑥	♈12	♊ 6	♌ 2	♌⑯	♌22	♎16	♐ 0	♏㉔
	5	21	8	28	③	17	15	7	⑬	29	22	4	23
	9	27	14	♈ 4	①	23	23	11	⑩	♍ 6	29	8	25
	13	♑ 2	21	9	⓪	29	♋ 2	15	⑧	14	♏ 5	9	28
	17	8	29	12	1	♉ 6	10	17	7	21	11	⑨	♐ 3
	21	14	♓ 6	⑫	3	13	17	19	9	29	16	⑥	8
	25	20	14	⑪	6	21	23	⑲	12	♎ 6	22	①	14
	28	25	19	⑨	9	27	28	⑱	15	11	25	♏㉗	18
金星♀	1	♑21	♓ 0	♈ 5	♉12	♊18	♋23	♌23	♍14	♍⑧	♍ 1	♍21	♎22
	5	26	5	10	17	23	27	26	15	⑥	2	25	26
	10	♒ 2	11	16	23	28	♌ 2	♍ 0	16	③	4	29	♏ 2
	15	9	17	22	29	♋ 4	7	4	⑮	①	7	♎ 4	7
	20	15	24	28	♊ 5	10	12	8	⑭	⓪	11	10	13
	25	21	♈ 0	♉ 4	11	15	17	11	⑫	♌㉙	15	15	19
火星♂	1	♉17	♉25	♊ 8	♊24	♋11	♋29	♌17	♍ 6	♍26	♎16	♏ 6	♏27
	11	19	♊ 0	13	♋ 0	17	♌ 5	23	13	♎ 3	22	13	♐ 4
	21	22	4	18	5	23	11	♍ 0	19	9	29	20	12
木星♃	1	♏23	♏23	♐ 1	♐①	♏㉙	♏㉕	♏㉒	♏22	♏24	♏29	♐ 5	♐11
	11	♏25	♐ 0	1	①	㉘	㉔	㉒	22	25	♐ 0	7	13
	21	27	0	①	⓪	㉖	㉓	㉒	23	27	2	9	16
♄土星	1	♐29	♑ 2	♑ 5	♑ 6	♑⑥	♑⑤	♑③	♑①	♑⓪	♑ 1	♑ 2	♑ 5
	16	♑ 1	4	6	7	⑥	④	②	⓪	0	1	4	7
♅天王星	1	♌⑮	♌⑭	♌⑬	♌⑫	♌12	♌12	♌14	♌16	♌18	♌19	♌20	♌㉑
	16	⑮	⑬	⑫	⑫	12	13	15	17	18	20	21	⑳
♆海王星	1	♏ 6	♏ 6	♏⑥	♏⑥	♏⑤	♏④	♏④	♏ 4	♏ 4	♏ 5	♏ 6	♏ 7
♇冥王星	1	♍④	♍③	♍②	♍②	♍①	♍ 1	♍ 2	♍ 3	♍ 4	♍ 5	♍ 5	♍ 6

	日＼月	1月	2月	3月	4月	5月	6月	7月	8月	9月	10月	11月	12月
月☽	1	♒ 4	♓24	♈15	♊ 0	♋ 2	♌17	♍20	♏ 9	♑ 2	♒11	♈ 3	♉ 9
	2	9	♈ 7	28	12	14	29	♎ 3	23	16	25	16	21
	3	♓ 3	20	♉10	24	2	♍11	16	♐ 7	♒ 1	♓ 9	29	♊ 4
	4	16	♉ 2	22	♋ 6	♌ 8	24	29	22	16	23	♉12	16
	5	29	15	♊ 4	18	20	♎ 7	♏13	♑ 7	♓ 0	♈ 7	25	28
	6	♈12	27	16	♌ 0	♍ 3	21	28	22	15	21	♊ 7	♋10
	7	24	♊ 8	28	12	15	♏ 5	♐13	♒ 7	29	♉ 4	20	22
	8	♉ 6	20	♋10	25	29	19	28	22	♈12	17	♋ 2	♌ 5
	9	18	♋ 2	22	♍ 8	♉12	♐ 4	♑13	♓ 6	26	29	14	16
	10	♊ 0	14	♌ 4	21	26	19	28	21	♉ 9	♊12	26	27
	11	12	26	17	♎ 4	♏11	♑ 5	♒13	♈ 4	21	24	♌ 7	♍ 9
	12	24	♌ 9	♍ 0	18	26	20	28	18	♊ 4	♋ 6	19	22
	13	♋ 6	21	13	♏ 2	♐11	♒ 5	♓12	♉ 1	16	18	♍ 1	♎ 4
	14	18	♍ 4	26	17	26	19	26	13	28	♌ 0	14	17
	15	♌ 0	17	♎10	♐ 2	♑11	♓ 3	♈ 9	26	♋10	11	26	♏ 1
	16	12	♎ 0	23	16	25	17	22	♊ 8	22	24	♎ 9	14
	17	25	13	♏ 7	♑ 1	♒10	♈ 0	♉ 5	20	♌ 4	♍ 6	23	29
	18	♍ 7	27	21	15	24	13	17	♋ 2	16	18	♏ 7	♐14
	19	20	♏11	♐ 6	29	♓ 7	26	29	13	28	♎ 1	21	29
	20	♎ 3	25	20	♒13	20	♉ 8	♊11	25	♍10	15	♐ 5	♑14
	21	16	♐ 9	♑ 4	27	♈ 3	20	23	♌ 7	23	28	20	29
	22	♏ 0	23	18	♓10	16	♊ 2	♋ 5	19	♎ 6	♏12	♑ 5	♒14
	23	14	♑ 8	♒ 2	23	28	14	17	♍ 2	19	26	20	28
	24	28	22	16	♈ 6	♉11	26	29	14	♏ 3	♐11	♒ 4	♓13
	25	♐13	♒ 6	♓ 0	19	23	♋ 8	♌11	27	16	25	19	26
	26	28	21	14	♉ 2	♊ 5	20	23	♎10	♐ 0	♑ 9	♓ 3	♈10
	27	♑13	♓ 5	27	14	17	♌ 2	♍ 5	23	14	24	16	23
	28	7	18	♈10	26	29	13	17	♏ 6	28	♒ 8	♈ 0	♉ 6
	29	♒12	♈ 2	23	♊ 8	♋11	26	♎ 0	20	♑13	22	13	18
	30	27		♉ 6	20	23	♍ 8	13	♐ 3	27	♓ 6	26	♊ 1
	31	♓11		18		♌ 5		26	17		19		13

1960年（昭和35年）うるう年

♈ 牡羊　♉ 牡牛　♊ 双子　♋ 蟹　♌ 獅子　♍ 乙女
♎ 天秤　♏ 蠍　♐ 射手　♑ 山羊　♒ 水瓶　♓ 魚

	日＼月	1月	2月	3月	4月	5月	6月	7月	8月	9月	10月	11月	12月
水星☿	1	♐24	♒14	♓25	♓14	♈22	♊25	♋29	♋20	♍ 8	♎28	♏㉒	♏19
	5	♑ 0	21	㉕	17	29	♋ 3	♌⓪	22	16	♏ 3	⑲	25
	9	6	28	㉒	21	♉ 7	9	♋㉙	27	23	9	⑭	♐ 1
	13	12	♓ 5	⑱	25	15	15	㉗	♌ 2	♎ 0	13	⑨	7
	17	19	12	⑮	♈ 0	24	20	㉔	9	7	17	⑧	13
	21	25	18	⑫	6	♊ 3	24	㉒	17	13	21	9	19
	25	♒ 2	23	⑫	12	11	27	⑳	25	19	23	12	25
	28	7	25	12	17	18	28	⑲	♍ 0	24	24	16	♑ 0
金星♀	1	♏27	♑ 5	♒10	♓19	♈26	♊ 4	♋11	♌19	♍27	♏ 4	♐12	♑18
	5	♐ 2	10	15	24	♉ 0	9	15	24	♎ 2	9	16	23
	10	8	16	22	♈ 0	7	15	22	♍ 0	8	15	23	29
	15	14	22	28	6	13	21	28	6	14	21	29	♒ 5
	20	20	28	♓ 4	12	19	27	♌ 4	12	20	27	♑ 5	10
	25	26	♒ 4	10	18	25	♋ 3	10	18	26	♐ 3	11	16
火星♂	1	♐20	♑12	♒ 4	♒28	♓21	♈15	♉ 7	♉28	♊18	♋ 4	♋16	♋⑰
	11	27	20	12	♓ 6	29	22	14	♊ 5	24	9	17	⑮
	21	♑ 4	28	20	14	♈ 7	♉ 0	21	11	29	12	18	⑫
木星♃	1	♐18	♐25	♐29	♑ 3	♑③	♑①	♐㉗	♐㉔	♐23	♐26	♑ 0	♑ 6
	11	20	26	♑ 1	3	②	♐㉙	㉖	㉓	24	27	2	9
	21	22	28	2	③	②	㉘	㉕	㉓	25	29	4	11
♄土星	1	♑ 9	♑12	♑15	♑17	♑⑱	♑⑰	♑⑮	♑⑬	♑⑫	♑12	♑13	♑16
	16	11	14	16	18	⑱	⑯	⑭	⑫	⑪	12	14	17
♅天王星	1	♌⑳	♌⑲	♌⑱	♌⑰	♌16	♌17	♌18	♌20	♌22	♌24	♌25	♌25
	16	⑳	⑱	⑰	⑯	17	18	19	21	23	24	25	25
♆海王星	1	♏ 8	♏ 9	♏⑨	♏⑧	♏⑦	♏⑥	♏⑥	♏ 6	♏ 6	♏ 7	♏ 8	♏ 9
♇冥王星	1	♍⑥	♍⑤	♍④	♍④	♍③	♍ 3	♍ 4	♍ 4	♍ 5	♍ 6	♍ 7	♍ 8

	日＼月	1月	2月	3月	4月	5月	6月	7月	8月	9月	10月	11月	12月
月☽	1	♊25	♌ 9	♌18	♎ 3	♏ 8	♐29	♒ 7	♈ 1	♉21	♊26	♌10	♍12
	2	♋ 7	21	♍ 0	16	21	♑13	22	15	♊ 4	♋ 8	22	23
	3	19	♍ 3	12	29	♐ 5	28	♓ 7	29	17	20	♍ 4	♎ 5
	4	♌ 1	15	24	♏12	19	♒12	21	♉12	♋ 0	♌ 2	16	18
	5	12	27	♎ 7	25	♑ 3	27	♈ 5	25	12	14	28	♏ 0
	6	24	♎10	19	♐ 9	17	♓11	19	♊ 8	24	26	♎10	13
	7	♍ 6	22	♏ 2	23	♒ 2	25	♉ 2	20	♌ 5	♍ 8	22	26
	8	18	♏ 5	15	♑ 7	16	♈ 8	15	♋ 3	17	19	♏ 5	♐10
	9	♎ 0	18	28	21	♓ 0	22	28	15	29	♎ 2	18	24
	10	13	♐ 2	♐12	♈ 5	14	♉ 5	♊11	27	♍11	14	♐ 1	♑ 8
	11	26	16	26	19	28	18	23	♌ 8	23	26	15	22
	12	♏ 9	♑ 0	♑10	♓ 3	♈12	♊ 1	♋ 6	20	♎ 5	♏ 9	28	♒ 7
	13	23	15	24	18	25	14	18	♍ 2	17	22	♑12	21
	14	♐ 7	♒ 0	♒ 9	♈ 2	♉ 9	27	♌ 0	14	9	♐ 5	26	♓ 5
	15	2	15	24	16	22	♋ 9	11	26	♏12	18	♒10	19
	16	♑ 7	♓ 0	♓ 8	♉ 0	♊ 5	21	23	♎ 8	25	♑ 2	24	♈ 3
	17	22	15	23	14	18	♌ 3	♍ 5	20	♐ 8	15	♓ 8	17
	18	♒ 7	♈ 0	♈ 8	27	♋ 0	15	17	♏ 2	21	29	22	♉ 1
	19	22	14	22	♊10	13	26	29	15	♑ 5	♒13	♈ 7	14
	20	♓ 7	28	♉ 6	22	25	♍ 8	♎11	28	19	28	21	28
	21	22	♉11	19	♋ 5	♌ 7	20	23	♐11	♒ 3	♓12	♉ 5	♊11
	22	♈ 6	24	♊ 2	17	18	♎ 2	♏ 6	25	18	27	19	24
	23	19	♊ 6	15	29	♍ 0	15	19	♑10	♓ 3	♈11	♊ 2	♋ 7
	24	♉ 2	19	27	♌10	12	27	♐ 3	24	18	26	16	20
	25	15	♋ 1	♋ 9	22	24	♏11	17	♒ 9	♈ 3	♉10	29	♌ 2
	26	28	12	21	♍ 4	♎ 7	24	♑ 1	24	18	24	♋12	14
	27	♊10	24	♌ 3	16	19	♐ 8	16	♓10	♉ 2	♊ 8	24	26
	28	22	♌ 6	14	29	♏ 3	23	♈ 1	25	16	21	♌ 6	♍ 8
	29	♋ 4		26	♎11	16	♑ 8	16	♈ 9	♊ 0	♋ 4	18	19
	30	16		♍ 8	24	♐ 0	22	♓ 1	24	13	16	♍ 0	♎ 1
	31	28		21		14		16	♉ 8		28		13

1961年（昭和36年）

♈ 牡羊　♉ 牡牛　♊ 双子　♋ 蟹　♌ 獅子　♍ 乙女
♎ 天秤　♏ 蠍　♐ 射手　♑ 山羊　♒ 水瓶　♓ 魚

	日＼月	1月	2月	3月	4月	5月	6月	7月	8月	9月	10月	11月	12月
水星☿	1	♑ 6	♒28	♒㉖	♓15	♉ 8	♋ 3	♋③	♋23	♍23	♏ 2	♎㉒	♏29
	5	13	♓ 3	㉔	20	17	6	②	♌ 1	29	5	23	♐ 5
	9	19	7	24	27	25	9	①	9	♎ 5	7	27	12
	13	26	9	25	♈ 3	♊ 3	10	1	17	11	⑦	♏ 2	18
	17	♒ 3	⑧	28	10	11	⑩	4	25	17	⑤	7	24
	21	9	④	♓ 2	18	18	⑨	7	♍ 3	22	①	13	♑ 0
	25	16	⓪	6	25	24	⑦	12	10	26	♎㉖	20	7
	28	21	♒㉗	9	♉ 2	28	⑤	16	16	♏ 0	㉓	24	12
金星♀	1	♒24	♓28	♈22	♈㉖	♈⑫	♈25	♉23	♊26	♌ 2	♍ 8	♎16	♏24
	5	29	♈ 2	24	㉔	12	29	27	♋ 1	7	13	21	29
	10	♓ 5	7	26	㉑	13	♉ 3	♊ 2	6	13	19	28	♐ 5
	15	10	11	28	⑱	15	7	7	12	19	25	♏ 4	11
	20	15	15	29	⑮	17	12	13	18	25	♎ 1	10	18
	25	21	19	㉘	⑬	20	17	18	24	♍ 1	8	16	24
火星♂	1	♋⑧	♋⓪	♋ 2	♋13	♋27	♌13	♍ 0	♍19	♎ 9	♎29	♏20	♐12
	11	④	0	5	17	♌ 2	19	6	25	15	♏ 5	27	19
	21	①	1	8	22	7	25	12	♎ 2	22	12	♐ 4	26
木星♃	1	♑14	♑21	♑27	♒ 2	♒ 6	♒⑦	♒⑤	♒①	♑㉘	♑27	♑29	♒ 4
	11	16	23	29	4	6	⑥	④	⓪	㉗	27	♒ 0	5
	21	18	25	♒ 0	5	7	⑥	②	♑㉙	㉗	28	2	8
♄土星	1	♑19	♑23	♑26	♑28	♑29	♑㉙	♑㉗	♑㉕	♑㉓	♑23	♑24	♑26
	16	21	24	27	29	㉙	㉘	㉖	㉔	23	23	25	27
♅天王星	1	♌㉕	♌㉔	♌㉓	♌㉒	♌21	♌22	♌23	♌25	♌26	♌28	♌29	♍ 0
	16	㉔	㉓	㉒	㉑	21	22	24	25	27	29	♍ 0	0
♆海王星	1	♏10	♏11	♏⑪	♏⑩	♏⑨	♏⑨	♏⑧	♏ 8	♏ 9	♏ 9	♏10	♏12
♇冥王星	1	♍⑧	♍⑦	♍⑥	♍⑥	♍⑤	♍ 5	♍ 5	♍ 6	♍ 7	♍ 8	♍ 9	♍10

	日＼月	1月	2月	3月	4月	5月	6月	7月	8月	9月	10月	11月	12月
月☽	1	♎26	♐12	♐21	♒11	♓20	♉14	♊21	♌ 9	♍24	♎26	♐12	♑17
	2	♏ 8	26	♑ 4	26	♈ 5	28	♋ 4	21	♎ 5	♏ 8	24	♒ 0
	3	21	♑10	18	♓11	20	♊12	17	♍ 3	17	20	♑ 7	13
	4	♐ 4	25	♒ 3	26	♉ 5	2	♌ 0	15	29	♐ 2	20	27
	5	18	♒ 9	17	♈11	19	♋ 9	13	27	♏11	15	♒ 3	♓11
	6	♑ 2	25	♓ 3	26	♊ 3	22	25	♎ 9	23	27	16	25
	7	17	♓10	18	♉11	17	♌ 5	♍ 7	21	♐ 5	♑10	♓ 0	♈ 9
	8	♒ 1	25	♈ 3	25	♋ 1	17	19	♏ 3	16	23	14	23
	9	16	♈ 9	18	♊ 9	14	29	♎ 1	15	♑ 1	♈ 7	29	♉18
	10	♓ 1	24	♉ 3	23	27	♍11	12	27	14	21	♈14	23
	11	15	♉ 8	17	♋ 6	♌ 9	23	24	♐10	28	♓ 5	29	♊ 7
	12	♈ 0	22	♊ 1	18	21	♎ 5	♏ 7	23	♒12	20	♉14	22
	13	14	♊ 5	14	♌ 1	♍ 3	16	19	♑ 6	27	♈ 5	29	♋ 9
	14	28	18	27	13	15	29	♐ 2	20	♓12	21	♊14	19
	15	♉11	♋ 0	♋10	25	27	♏11	15	♒ 4	27	♉ 6	28	♌ 3
	16	25	13	22	♍ 6	♎ 8	24	28	19	♈13	21	♋12	15
	17	♊ 8	25	♌ 4	18	20	♐ 7	♑12	♓ 4	28	♊ 6	25	28
	18	21	♌ 7	16	♎ 0	♏ 3	20	26	19	♉12	20	♌ 8	♍10
	19	♋ 3	19	28	12	15	♑ 3	♒10	♈ 4	27	♋ 3	20	22
	20	16	♍ 1	♍10	24	28	7	25	18	♊11	17	♍ 2	♎ 4
	21	28	13	21	♏ 6	♐11	♒ 1	♓ 9	♉ 3	24	29	14	16
	22	♌10	24	♎ 3	19	24	15	24	17	♋ 7	♌12	26	28
	23	22	♎ 6	15	♐ 1	♑ 7	29	♈ 8	♊ 1	20	24	♎ 8	♏10
	24	♍ 4	18	27	14	21	♓13	22	14	♌ 3	♍ 6	20	22
	25	16	♏ 0	♏ 9	27	♒ 4	27	♉ 7	28	15	18	♏ 2	♐ 4
	26	28	12	22	♑10	18	♈12	20	♋10	27	29	14	17
	27	♎ 9	25	♐ 4	24	♓ 2	26	♊ 4	23	♍ 9	♎11	26	♑ 0
	28	21	♐ 8	17	♒ 7	16	♉10	17	♌ 5	21	23	♐ 8	13
	29	♏ 4		♑ 0	21	♈ 1	24	♋ 1	18	♎ 2	♏ 5	21	26
	30	16		14	♓ 6	15	♊ 7	14	♍ 0	14	17	♑ 4	♒10
	31	29		27		29		26	12		29		24

1962年（昭和37年）

♈ 牡羊　♉ 牡牛　♊ 双子　♋ 蟹　♌ 獅子　♍ 乙女
♎ 天秤　♏ 蠍　♐ 射手　♑ 山羊　♒ 水瓶　♓ 魚

	日＼月	1月	2月	3月	4月	5月	6月	7月	8月	9月	10月	11月	12月
水星☿	1	♑18	♒㉑	♒12	♓25	♉25	♊⑲	♊16	♌10	♎ 2	♎⑲	♎22	♐10
	5	25	⑰	16	♈ 2	♊ 2	⑰	20	18	7	⑮	29	17
	9	♒ 1	⑫	21	10	8	⑮	25	25	12	⑩	♏ 5	23
	13	7	⑧	26	18	12	⑬	♋ 2	♍ 3	16	⑦	12	29
	17	13	⑦	♓ 1	26	16	⑫	9	10	19	6	18	♑ 5
	21	18	7	7	♉ 5	19	11	17	16	21	8	25	12
	25	22	9	13	13	20	12	25	22	㉑	12	♐ 1	18
	28	22	11	18	19	⑳	14	♌ 1	27	㉑	16	6	22
金星♀	1	♑ 3	♒12	♓17	♈25	♊ 2	♋10	♌15	♍21	♎25	♏19	♏㉖	♏⑫
	5	8	17	22	♉ 0	7	15	20	25	27	21	㉔	12
	10	14	23	28	7	13	20	26	♎ 0	♏ 2	24	㉑	12
	15	20	19	♈ 4	13	19	26	♍ 1	6	6	26	⑱	14
	20	27	♓ 6	11	19	25	♌ 2	7	11	11	27	⑯	16
	25	♒ 3	12	17	25	♋ 1	8	13	16	15	㉗	⑬	19
火星♂	1	♑ 5	♑28	♒20	♓15	♈ 8	♉ 1	♉23	♊15	♋ 5	♋23	♌ 9	♌21
	11	12	♒ 6	28	22	16	9	♊ 1	22	12	29	14	23
	21	20	14	♓ 6	♈ 0	23	16	8	28	18	♌ 4	17	24
木星♃	1	♒10	♒17	♒24	♓ 1	♓ 6	♓11	♓12	♓⑪	♓⑦	♓④	♓ 2	♓ 4
	11	12	19	26	3	8	11	⑫	⑩	⑥	③	3	5
	21	14	22	28	5	9	12	⑫	⑨	⑤	②	3	7
♄土星	1	♑29	♒ 3	♒ 6	♒ 9	♒11	♒⑪	♒⑩	♒⑧	♒⑤	♒④	♒ 5	♒ 6
	16	♒ 1	5	7	10	11	⑩	⑨	⑥	⑤	4	5	8
♅天王星	1	♍⓪	♌㉙	♌㉘	♌㉖	♌㉖	♌26	♌27	♌29	♍ 1	♍ 3	♍ 4	♍ 5
	16	♌㉙	㉘	㉗	㉖	26	27	28	♍ 0	2	3	5	⑤
♆海王星	1	♏12	♏13	♏⑬	♏⑫	♏⑫	♏⑪	♏⑩	♏10	♏11	♏11	♏13	♏14
♇冥王星	1	♍⑩	♍⑨	♍⑧	♍⑧	♍⑦	♍ 7	♍ 7	♍ 8	♍ 9	♍10	♍11	♍12

1963年（昭和38年）

♈ 牡羊　♉ 牡牛　♊ 双子　♋ 蟹　♌ 獅子　♍ 乙女
♎ 天秤　♏ 蠍　♐ 射手　♑ 山羊　♒ 水瓶　♓ 魚

	日＼月	1月	2月	3月	4月	5月	6月	7月	8月	9月	10月	11月	12月
水星☿	1	♑28	♑⑳	♈16	♈10	♉28	♉21	♊23	♌25	♎ 3	♍20	♏ 4	♐21
	5	♒ 2	21	22	19	♊ 0	22	♋ 1	♍ 2	4	22	11	27
	9	5	23	29	27	⓪	24	9	8	⑤	27	17	♑ 3
	13	⑥	27	♓ 5	♉ 5	♉㉙	27	18	13	③	♎ 2	24	9
	17	④	♒ 1	12	12	㉗	♊ 1	26	19	⓪	9	♐ 0	14
	21	♑㉙	6	19	18	㉕	6	♌ 4	23	♍㉖	16	6	18
	25	㉔	11	27	23	㉓	12	12	28	㉒	22	12	20
	28	㉒	15	♈ 2	26	㉒	17	18	♎ 0	⑳	28	17	⑳
金星♀	1	♏24	♐24	♑25	♓ 1	♈ 7	♉15	♊21	♋29	♍ 7	♎15	♏23	♑ 1
	5	28	28	♒ 0	6	12	20	26	♌ 4	12	20	28	6
	10	♐ 2	♑ 4	5	12	18	26	♋ 2	10	19	26	♐ 5	12
	15	7	9	11	18	24	♊ 2	8	16	25	♏ 2	11	18
	20	12	15	17	24	♉ 0	8	14	23	♎ 1	8	17	24
	25	17	20	23	♈ 0	6	14	21	29	7	15	23	♒ 1
火星♂	1	♌㉔	♌⑯	♌⑥	♌ 6	♌15	♌28	♍14	♎ 2	♎22	♏12	♐ 4	♐26
	11	㉓	⑫	⑤	8	19	♍ 3	20	8	28	19	11	♑ 4
	21	⑳	⑨	5	11	23	9	26	15	♏ 5	26	18	11
木星♃	1	♓ 8	♓15	♓21	♓29	♈ 6	♈12	♈17	♈19	♈⑱	♈⑮	♈⑪	♈⑨
	11	10	17	24	♈ 1	8	14	18	⑲	⑰	⑭	⑩	9
	21	12	19	26	3	10	15	18	⑲	⑰	⑫	⑨	9
♄土星	1	♒ 9	♒13	♒16	♒20	♒22	♒23	♒㉒	♒⑳	♒⑱	♒⑯	♒16	♒17
	16	11	15	18	21	22	㉒	㉑	⑲	⑰	⑯	16	18
♅天王星	1	♍⑤	♍④	♍③	♍①	♍①	♍ 1	♍ 2	♍ 3	♍ 5	♍ 7	♍ 9	♍ 9
	16	④	③	②	①	1	1	3	4	6	8	9	10
♆海王星	1	♏15	♏15	♏⑮	♏⑮	♏⑭	♏⑮	♏⑬	♏12	♏13	♏14	♏15	♏16
♇冥王星	1	♍⑫	♍⑪	♍⑩	♍⑩	♍⑨	♍ 9	♍ 9	♍10	♍11	♍12	♍13	♍14

	日＼月	1月	2月	3月	4月	5月	6月	7月	8月	9月	10月	11月	12月
月☽	1	♓ 7	♉ 1	♉11	♋ 3	♌ 9	♍25	♎27	♐11	♑26	♓ 1	♈23	♊ 2
	2	21	15	26	17	22	♎ 7	♏ 9	23	♒10	16	♉ 9	17
	3	♈ 6	29	♊10	♌ 0	♍ 4	19	21	♑ 6	23	♈ 0	24	♋ 2
	4	20	♊13	23	12	16	♏ 1	♐ 3	18	♓ 7	15	♊ 9	17
	5	♉ 4	26	♋ 7	25	28	13	15	♒ 1	22	♉ 0	24	♌ 1
	6	18	♋10	20	♍ 7	♎10	25	27	15	♈ 6	15	♋ 8	15
	7	♊ 2	23	♌ 3	19	22	♐ 7	♑10	29	21	♊ 0	22	28
	8	16	♌ 6	15	♎ 1	♏ 4	19	23	♓12	♉ 6	15	♌ 6	♍11
	9	♋ 0	19	28	13	16	♑ 1	♒ 6	26	20	29	19	24
	10	14	♍ 1	♍10	25	28	13	19	♈11	♊ 4	♋13	♍ 2	♎ 6
	11	27	14	22	♏ 7	♐10	26	♓ 2	25	18	26	15	18
	12	♌10	26	♎ 4	19	22	♈ 9	16	♉ 9	♋ 2	♌ 9	27	♏ 0
	13	23	♎ 8	16	♐ 1	♑ 4	22	♈ 0	23	16	22	♎ 9	12
	14	♍ 6	20	28	13	16	♓ 5	14	♊ 8	29	♍ 5	21	24
	15	18	♏ 2	♏10	25	29	19	28	22	♌12	17	♏ 3	♐ 5
	16	♎ 0	14	22	♑ 7	♒12	♈ 3	♉12	♋ 5	25	♎ 0	15	17
	17	12	26	♐ 4	20	25	17	27	19	♍ 8	12	27	29
	18	24	♐ 8	16	♒ 2	♓ 9	♉ 2	♊11	♌ 3	21	24	♐ 9	♑11
	19	♏ 6	20	28	16	23	17	26	16	♎ 3	♏ 6	20	24
	20	18	♑ 3	♑11	♓ 0	♈ 8	♊ 2	♋10	29	15	18	♑ 2	♒ 6
	21	♐ 0	16	24	14	22	16	24	♍12	27	♐ 0	14	19
	22	12	29	♒ 7	29	♉ 7	♋ 1	♌ 7	25	♏ 9	12	27	♓ 1
	23	25	♒13	21	♈14	23	15	21	♎ 7	21	23	♒ 9	15
	24	♑ 8	28	♓ 6	29	♊ 8	29	♍ 4	19	♐ 3	♑ 5	22	28
	25	21	♓12	20	♉14	23	♌13	17	♏ 1	15	17	♓ 5	♈12
	26	♒ 5	27	♈ 5	29	♋ 7	26	29	13	27	♒ 0	18	26
	27	19	♈12	21	♊14	21	♍ 9	♎11	25	♑ 9	13	♈ 2	♉10
	28	♓ 3	27	♉ 6	29	♌ 5	21	23	♐ 7	22	26	17	25
	29	18		21	♋13	18	♎ 3	♏ 5	19	♒ 4	♓ 9	♉ 2	♊10
	30	♈ 2		♊ 5	26	♍ 0	15	17	♑ 1	18	24	17	25
	31	16		20		13		29	14		♈ 8		♋10

1964年（昭和39年）うるう年

♈ 牡羊　♉ 牡牛　♊ 双子　♋ 蟹　♌ 獅子　♍ 乙女
♎ 天秤　♏ 蠍　♐ 射手　♑ 山羊　♒ 水瓶　♓ 魚

	日＼月	1月	2月	3月	4月	5月	6月	7月	8月	9月	10月	11月	12月
水星☿	1	♑⑱	♑16	♒29	♈ 2	♉⑤	♉16	♋12	♍ 5	♍⑪	♍25	♏18	♐29
	5	⑬	21	♓ 6	♉ 3	②	21	21	9	⑦	♎ 2	24	♈ 3
	9	⑧	26	13	7	①	28	29	13	⑤	10	♐ 0	4
	13	⑤	♒ 2	21	10	1	♊ 5	♌ 6	15	4	17	6	③
	17	4	8	29	11	2	12	13	17	6	23	11	♐㉙
	21	6	14	♈ 7	⑩	5	21	20	⑰	10	♏ 0	17	㉔
	25	9	21	15	⑧	8	29	26	⑯	15	7	22	⑳
	28	12	26	20	⑦	11	♋ 6	♍ 0	⑭	20	11	26	⑱
金星♀	1	♒ 9	♓17	♈22	♉26	♊24	♋⑥	♊㉒	♊26	♋22	♌24	♎ 0	♏ 6
	5	14	22	26	♊ 0	27	⑥	㉑	29	26	28	5	11
	10	20	28	♉ 2	5	♋ 0	④	⑳	♋ 3	♌ 1	♍ 4	11	18
	15	26	♈ 4	8	10	3	①	20	7	6	10	17	24
	20	♓ 3	10	13	14	5	♊㉘	21	11	12	16	23	♐ 0
	25	9	16	18	19	6	㉕	23	15	17	21	29	6
火星♂	1	♑20	♒14	♓ 7	♈ 1	♈24	♉17	♊ 9	♋ 0	♋20	♌ 9	♌27	♍12
	11	27	22	15	9	♉ 2	25	16	7	27	15	♍ 2	16
	21	♒ 5	♓ 0	23	17	9	♊ 2	23	13	♌ 3	21	7	20
木星♃	1	♈10	♈14	♈20	♈27	♉ 4	♉11	♉17	♉22	♉25	♉㉕	♉㉒	♉⑱
	11	11	16	22	29	6	13	19	24	26	㉕	㉑	⑰
	21	13	18	24	♉ 2	9	15	21	25	㉖	㉔	⑳	⑯
♄土星	1	♒20	♒23	♒27	♓ 0	♓ 3	♓ 4	♓④	♓③	♓①	♒㉙	♒㉘	♒29
	16	21	25	29	2	4	⑤	④	②	⓪	㉘	28	29
♅天王星	1	♍⑨	♍⑨	♍⑦	♍⑥	♍⑥	♍ 6	♍ 6	♍ 8	♍10	♍12	♍13	♍14
	16	⑨	⑧	⑦	⑥	⑤	6	7	9	11	13	14	14
♆海王星	1	♏17	♏⑰	♏⑰	♏⑰	♏⑯	♏⑮	♏⑮	♏15	♏15	♏16	♏17	♏18
♇冥王星	1	♍⑭	♍⑬	♍⑬	♍⑫	♍⑪	♍11	♍11	♍12	♍13	♍14	♍15	♍16

	日＼月	1月	2月	3月	4月	5月	6月	7月	8月	9月	10月	11月	12月
月☽	1	♋25	♍14	♎ 5	♏20	♐22	♒ 7	♓11	♉ 1	♊24	♌ 3	♍24	♏ 0
	2	♌ 9	27	18	♐ 2	♑ 4	19	24	15	♋ 8	17	♎ 7	12
	3	23	♎10	♏ 0	14	16	♓ 2	♈ 7	29	23	♍ 1	20	24
	4	♍ 6	22	12	26	28	15	21	♊14	♌ 7	15	♏ 3	♐ 6
	5	19	♏ 4	24	♑ 8	♒10	28	♉ 5	28	21	28	15	18
	6	♎ 2	16	♐ 6	20	23	♈12	19	♋13	♍ 5	♎11	28	♑ 0
	7	14	28	18	♒ 2	♓ 6	26	♊ 4	28	19	24	♐10	12
	8	26	♐10	♑ 0	14	19	♉10	19	♌12	♎ 3	♏ 7	22	24
	9	♏ 8	22	12	27	♈ 3	25	♋ 4	27	16	19	♑ 3	♒ 5
	10	20	♑ 4	24	♓11	17	♊10	19	♍11	29	♐ 2	15	17
	11	♐ 2	16	♒ 7	25	♉ 2	26	♌ 4	25	♏11	13	27	♓ 0
	12	14	29	20	♈ 9	17	♋11	18	♎ 8	24	25	♒ 9	12
	13	26	♒ 1	♓ 3	24	♊ 2	25	♍ 3	21	♐ 6	♑ 7	21	25
	14	♑ 8	24	17	♉ 8	17	♌10	16	♏ 3	17	19	♓ 3	♈ 8
	15	20	♓ 8	♈ 1	23	♋ 2	24	♎ 0	16	29	♒ 1	16	21
	16	♒ 3	21	15	♊ 8	17	♍ 8	13	28	♑11	13	29	♉ 5
	17	15	♈ 5	29	23	♌ 1	21	25	♐10	23	26	♈13	19
	18	28	19	♉14	♋ 7	15	♎ 4	♏ 7	21	♒ 5	♓ 8	27	♊ 4
	19	♓12	♉ 3	28	21	28	16	19	♑ 3	18	22	♉12	19
	20	25	17	♊12	♌ 5	♍12	29	♐ 1	15	♓ 0	♈ 5	26	♋ 5
	21	♈ 9	♊ 1	26	18	24	♏11	13	27	13	19	♊11	20
	22	22	16	♋10	♍ 2	♎ 7	23	25	♒ 9	27	♉ 3	26	♌ 5
	23	♉ 6	♋ 0	24	15	19	♐ 4	♑ 7	22	♈11	18	♋11	20
	24	21	14	♌ 8	27	♏ 2	16	19	♓ 5	24	♊ 3	26	♍ 4
	25	♊ 5	28	21	♎10	14	28	♒ 1	18	♉ 8	17	♌10	18
	26	19	♌12	♍ 5	22	26	♑10	13	♈ 1	23	♋ 2	24	♎ 1
	27	♋ 4	25	18	♏ 5	♐ 7	22	26	15	♊ 7	16	♍ 8	14
	28	18	♍ 9	♎ 1	17	19	♒ 4	♓ 8	28	21	♌ 0	21	27
	29	♌ 3	22	13	29	♑ 1	16	21	♉12	♋ 5	14	♎ 4	♏ 9
	30	17		26	♐10	13	29	♈ 4	26	19	28	17	21
	31	♍ 1		♏ 8		25		18	♊10		♍11		♐ 3

	日＼月	1月	2月	3月	4月	5月	6月	7月	8月	9月	10月	11月	12月
月☽	1	♐15	♑29	♒ 8	♓23	♈28	♊20	♋28	♍22	♏12	♐15	♒ 0	♓ 1
	2	27	♒11	20	♈ 6	♉12	♋ 4	♌13	♎ 6	25	28	11	13
	3	♑ 9	23	♓ 2	20	26	19	28	20	♐ 7	♑10	23	25
	4	21	♓ 6	15	♉ 3	♊11	♌ 4	♍13	♏ 3	20	22	♓ 5	♈ 8
	5	♒ 2	18	28	17	25	18	27	16	♑ 2	♒ 4	17	20
	6	14	♈ 1	♈10	♊ 1	♋ 9	♍ 3	♎10	29	13	15	♈ 0	♉ 3
	7	26	14	24	15	24	17	24	♐11	25	27	12	17
	8	♓ 9	27	♉ 7	29	♌ 8	♎ 0	♏ 7	23	♒ 7	♓ 9	25	♊ 0
	9	21	♉10	20	♋13	22	14	19	♑ 5	19	22	♉ 9	15
	10	♈ 4	23	♊ 4	27	♍ 6	27	♐ 2	17	♓ 1	♈ 4	22	29
	11	17	♊ 7	18	♌11	20	♏10	14	28	13	17	♊ 6	♋14
	12	♉ 0	22	♋ 2	25	♎ 3	22	26	♒10	25	♉ 0	20	28
	13	14	♋ 6	16	♍ 9	17	♐ 5	♑ 8	22	♈ 8	13	♋ 4	♌13
	14	28	21	♌ 0	23	♏ 0	17	20	♓ 4	21	26	18	27
	15	♊12	♌ 6	15	♎ 7	13	29	♒ 1	16	♉ 3	♊10	♌ 2	♍12
	16	27	21	♍ 0	21	26	♑11	13	29	16	24	17	26
	17	♋12	♍ 6	14	♏ 4	♐ 8	23	25	♈11	29	♋ 7	♍ 1	♎10
	18	28	20	28	17	20	♒ 5	♓ 7	23	♊13	21	15	23
	19	♌13	♎ 4	♎12	♐ 0	♑ 2	16	19	♉ 6	27	♌ 6	29	♏ 6
	20	28	18	26	12	14	28	♈ 1	19	♋11	20	♉13	19
	21	♍12	♏ 1	♏ 9	24	26	♓10	14	♊ 3	25	♍ 4	26	♐ 2
	22	26	14	22	♑ 6	♒ 8	23	27	16	♌10	19	♏10	15
	23	♎10	26	♐ 4	18	20	♈ 5	♉10	♋ 1	24	♎ 3	23	27
	24	23	♐ 9	17	♒ 0	♓ 2	18	23	15	♍ 9	17	♐ 6	♑10
	25	♏ 6	21	28	12	14	♉ 1	♊ 7	♌ 0	24	♏ 1	19	22
	26	18	♑ 2	♑10	24	27	15	22	15	♎ 8	15	♑ 1	♒ 4
	27	♐ 0	14	22	♓ 6	♈10	29	♋ 6	♍ 0	23	28	13	16
	28	12	26	♒ 4	19	23	♊13	22	15	♏ 7	♐11	25	27
	29	24		16	♈ 2	♉ 7	28	♌ 7	♎ 0	20	23	♒ 7	♓ 9
	30	♑ 6		28	15	21	♋13	22	15	♐ 3	♑ 6	19	21
	31	18		♓11		♊ 5		♍ 7	28		18		♈ 3

1965年（昭和40年）

♈ 牡羊　♉ 牡牛　♊ 双子　♋ 蟹　♌ 獅子　♍ 乙女
♎ 天秤　♏ 蠍　♐ 射手　♑ 山羊　♒ 水瓶　♓ 魚

	日＼月	1月	2月	3月	4月	5月	6月	7月	8月	9月	10月	11月	12月
水星☿	1	♐19	♑25	♓13	♈㉓	♈14	♉26	♋28	♍ 0	♌20	♎ 9	♏27	♐⑭
	5	21	♒ 1	21	㉑	17	♊ 5	♌ 4	♌㉙	24	16	♐ 3	⑧
	9	24	8	29	⑱	21	13	10	㉘	29	23	8	④
	13	29	14	♈ 6	⑮	26	22	15	㉕	♍ 6	29	12	②
	17	♑ 4	21	12	⑬	♉ 1	♋ 1	20	㉒	14	♏ 5	16	3
	21	9	28	18	⑪	7	9	24	⑲	21	11	18	6
	25	15	♓ 6	21	12	14	17	27	⑰	28	17	⑱	11
	28	19	11	23	12	19	23	28	17	♎ 4	22	⑰	14
金星♀	1	♐15	♑24	♒29	♈ 7	♉14	♊22	♋29	♍ 7	♎14	♏19	♐24	♑24
	5	20	29	♓ 4	12	19	27	♌ 4	12	19	24	28	27
	10	26	♒ 5	10	18	25	♋ 4	10	18	25	19	♑ 4	♒ 1
	15	♑ 2	11	16	25	♊ 2	10	16	24	♏ 0	♐ 5	9	5
	20	9	17	22	♉ 1	8	16	22	♎ 0	6	11	14	8
	25	12	24	29	7	14	22	28	6	12	16	18	11
火星♂	1	♍23	♍㉘	♍㉒	♍⑪	♍ 9	♍17	♎ 0	♎17	♏ 7	♏27	♐19	♑12
	11	26	㉗	㉘	⑨	11	21	6	23	13	♐ 4	27	20
	21	27	㉔	⑭	8	13	25	11	♏ 0	20	11	♑ 4	27
木星♃	1	♉⑯	♉16	♉19	♉25	♊ 1	♊ 8	♊15	♊22	♊27	♋ 0	♋①	♊㉘
	11	⑯	17	21	27	4	11	18	24	28	1	0	㉗
	21	16	18	23	29	6	13	20	25	29	①	♊㉙	㉕
♄土星	1	♓ 1	♓ 4	♓ 7	♓11	♓14	♓16	♓⑰	♓⑯	♓⑭	♓⑫	♓⑩	♓10
	16	2	6	9	13	15	17	⑯	⑮	⑬	⑪	10	11
♅天王星	1	♍⑭	♍⑭	♍⑫	♍⑪	♍⑩	♍10	♍11	♍12	♍14	♍16	♍18	♍19
	16	⑭	⑬	⑫	⑪	⑩	11	12	13	15	17	18	19
♆海王星	1	♏19	♏19	♏⑳	♏⑲	♏⑱	♏⑱	♏⑰	♏17	♏17	♏18	♏19	♏20
♇冥王星	1	♍⑯	♍⑮	♍⑮	♍⑭	♍⑬	♍13	♍14	♍14	♍16	♍16	♍17	♍18

	日＼月	1月	2月	3月	4月	5月	6月	7月	8月	9月	10月	11月	12月
月☽	1	♈15	♊ 2	♊12	♌ 3	♍12	♏ 5	♐12	♑29	♓14	♈17	♊ 2	♋ 8
	2	28	16	25	18	27	19	25	♒11	26	29	15	22
	3	♉11	♋ 0	♋ 9	♍ 2	♎11	♐ 3	♑ 8	23	♈ 8	♉11	28	♌ 5
	4	24	15	23	17	26	16	20	♓ 5	20	23	♋11	19
	5	♊ 8	♌ 0	♌ 8	♎ 2	♏10	29	♒ 2	17	♉ 2	♊ 5	25	♍ 3
	6	22	15	23	17	24	♑12	15	29	14	18	♌ 8	17
	7	♋ 7	♍ 1	♍ 9	♏ 2	♐ 7	24	27	♈11	26	♋ 1	22	♎ 1
	8	22	16	24	16	21	♒ 6	♓ 9	23	♊ 9	14	♍ 7	16
	9	♌ 7	♎ 1	♎ 9	♐ 0	♑ 4	19	20	♉ 5	22	28	21	♏ 0
	10	22	15	24	13	16	♓ 1	♈ 2	17	♋ 5	♌12	♎ 6	14
	11	♍ 7	29	♏ 8	26	29	12	14	♊ 0	19	27	20	28
	12	22	♏13	22	♑ 8	♒ 1	24	26	13	♌ 3	♍12	♏ 5	♐12
	13	♎ 6	26	♐ 5	21	23	♈ 6	♉ 9	26	18	27	20	26
	14	20	♐ 9	18	♒ 3	♓ 5	18	21	♋10	♍ 3	♎12	♐ 4	♑ 9
	15	♏ 3	21	♑ 0	15	16	♉ 1	♊ 5	25	18	27	18	22
	16	16	♑ 3	12	26	28	13	18	♌10	♎ 4	♏12	♑ 1	♒ 5
	17	29	15	24	♓ 8	♈11	27	♋ 2	25	19	26	15	18
	18	♐12	27	♒ 6	20	23	♊10	16	♍10	♏ 3	♐10	27	♓ 0
	19	24	♒ 9	18	♈ 2	♉ 5	24	♌ 1	25	18	23	♒10	12
	20	♑ 6	21	♓ 0	15	18	♋ 8	16	♎10	♐ 2	♑ 7	22	24
	21	18	♓ 3	12	27	♊ 1	22	♍ 1	25	15	19	♓ 4	♈ 6
	22	♒ 0	15	24	♉ 9	15	♌ 6	16	♏ 9	28	♒ 2	16	17
	23	12	27	♈ 6	22	28	21	♎ 0	22	♑11	14	28	29
	24	24	♈ 9	18	♊ 5	♋12	♍ 5	15	♐ 6	23	26	♈10	♉12
	25	♓ 6	21	♉ 0	18	26	20	29	19	♒ 5	♓ 8	22	24
	26	18	♉ 3	13	♋ 2	♌10	♎ 4	♏12	♑ 1	17	20	♉ 4	♊ 7
	27	♈ 0	16	25	16	25	18	26	14	29	♈ 1	16	20
	28	12	28	♊ 8	29	♍ 9	♏ 2	♐ 9	26	♓11	13	29	♋ 3
	29	24		21	♌14	23	15	22	♒ 8	23	25	♊12	17
	30	♉ 6		♋ 5	28	♎ 7	29	♑ 4	20	♈ 5	♉ 8	25	♌ 1
	31	19		19		21		17	♓ 2		20		16

1966年（昭和41年）

♈ 牡羊　♉ 牡牛　♊ 双子　♋ 蟹　♌ 獅子　♍ 乙女
♎ 天秤　♏ 蠍　♐ 射手　♑ 山羊　♒ 水瓶　♓ 魚

	日＼月	1月	2月	3月	4月	5月	6月	7月	8月	9月	10月	11月	12月
水星☿	1	♐19	♒ 7	♓26	♓㉓	♈15	♊15	♌ 4	♌②	♌28	♎22	♐ 0	♏18
	5	25	14	♈ 1	㉒	21	23	7	⓪	♍ 6	28	2	21
	9	♑ 1	21	4	23	28	♋ 1	9	0	13	♏ 3	③	26
	13	7	28	⑤	25	♉ 5	9	11	1	21	9	⓪	♐ 1
	17	13	♓ 5	④	28	13	15	⑪	4	28	14	♏㉕	6
	21	19	13	①	♈ 2	21	21	⑩	9	♎ 5	20	⑳	12
	25	25	20	♓㉗	7	29	27	⑦	15	12	24	⑰	18
	28	♒ 0	25	㉕	11	♊ 6	♌ 0	⑤	20	17	27	17	23
金星♀	1	♒13	♒②	♒ 1	♒24	♓25	♈29	♊ 4	♋11	♌28	♍26	♏ 5	♐13
	5	13	⓪	3	28	29	♉ 4	9	16	♍ 6	♎ 1	10	18
	10	⑬	♑㉙	6	♓ 2	♈ 4	10	15	22	15	8	16	24
	15	⑫	㉘	9	8	10	16	21	28	25	14	23	♑ 0
	20	⑨	28	13	13	16	21	27	♌ 5	4	20	29	7
	25	⑦	29	17	18	21	27	♋ 3	11	12	26	♐ 5	13
火星♂	1	♒ 6	♓ 1	♓23	♈17	♉ 9	♊ 1	♊22	♋13	♌ 3	♌22	♍11	♍28
	11	14	8	♈ 0	24	16	9	29	20	10	28	17	♎ 3
	21	22	16	8	♉ 2	24	15	♋ 6	26	16	♍ 4	22	8
木星♃	1	♊㉔	♊㉑	♊21	♊24	♊29	♋ 5	♋11	♋18	♋25	♌ 0	♌ 3	♌④
	11	㉓	㉑	22	25	♋ 0	7	14	2	27	1	4	③
	21	㉒	21	23	27	3	9	16	23	28	2	4	③
♄土星	1	♓12	♓15	♓18	♓22	♓25	♓28	♈29	♓㉙	♓㉗	♓㉕	♓㉓	♓22
	16	13	17	20	24	27	29	㉙	㉘	㉖	㉔	㉓	23
♅天王星	1	♍⑲	♍⑲	♍⑰	♍⑯	♍⑮	♍15	♍16	♍17	♍19	♍21	♍22	♍24
	16	⑲	⑱	⑰	⑯	⑮	15	16	18	20	22	23	24
♆海王星	1	♏21	♏22	♏㉒	♏㉑	♏㉑	♏⑳	♏⑲	♏⑲	♏19	♏20	♏21	♏22
♇冥王星	1	♍⑱	♍⑱	♍⑰	♍⑯	♍⑯	♍15	♍16	♍16	♍17	♍18	♍19	♍20

1967年（昭和42年）

♈ 牡羊　♉ 牡牛　♊ 双子　♋ 蟹　♌ 獅子　♍ 乙女
♎ 天秤　♏ 蠍　♐ 射手　♑ 山羊　♒ 水瓶　♓ 魚

	日＼月	1月	2月	3月	4月	5月	6月	7月	8月	9月	10月	11月	12月
月☽	1	♍0	♎23	♏3	♐24	♒0	♓15	♈17	♊1	♋17	♌22	♎14	♏2
	2	14	♏7	17	♑8	12	27	29	13	♌0	♍6	29	♐8
	3	28	21	♐1	21	25	♈9	♉11	25	14	21	♏14	22
	4	♎12	♐5	15	♒3	♓7	21	23	♋8	28	♎6	♐0	♑7
	5	26	18	28	16	19	♉2	♊5	22	♍13	21	15	21
	6	♏10	♑1	♑11	28	♈0	14	17	♌6	28	♏6	29	♒5
	7	24	14	24	♓10	12	27	♋0	20	♎12	21	♑13	19
	8	♐8	27	♒6	22	24	♊9	13	♍4	27	♐6	27	♓1
	9	21	♒9	19	♈3	♉6	21	27	18	♏12	20	♒10	14
	10	♑5	22	♓1	15	18	♋4	♌10	♎3	26	♑4	23	26
	11	18	♓4	13	27	♊0	17	24	17	♐10	18	♓5	♈8
	12	♒1	16	25	♉9	12	♌0	♍8	♏1	24	♒1	18	20
	13	13	28	♈6	21	25	14	22	16	♑8	14	♈0	♉2
	14	26	♈10	18	♊3	♋7	28	♎6	♐0	21	26	11	14
	15	♓8	21	♉0	15	20	♍11	21	13	♒4	♓8	23	25
	16	20	♉3	12	28	♌3	25	♏5	27	17	21	♉5	♊7
	17	♈2	15	24	♋10	17	♎10	19	♑11	29	♈3	17	20
	18	13	27	♊6	23	♍1	24	♐3	24	♓11	14	29	♋2
	19	25	♊10	18	♌7	15	♏8	17	♒7	24	26	♊11	14
	20	♉7	23	♋1	21	29	23	♑1	20	♈6	♉8	23	27
	21	19	♋6	14	♍5	♎14	♐7	14	♓2	18	20	♋5	♌10
	22	♊2	19	28	20	29	21	28	15	29	♊2	17	23
	23	15	♌4	♌12	♎5	♏13	♑5	♒1	27	♉11	14	♌0	♍7
	24	28	18	26	20	28	19	24	♈9	23	26	13	20
	25	♋12	♍3	♍11	♏5	♐13	♒3	♓7	21	♊5	♋8	26	♎4
	26	26	18	26	20	27	16	19	♉3	17		♍10	18
	27	♌10	♎3	♎12	♐5	♑11	29	♈1	15	29	♌	24	♏2
	28	25	18	27	19	25	♓11	13	26	♋12	17	♎8	17
	29	♍10		♏12	♑3	♒8	23	25	♊9	25	♍0	23	♐1
	30	24		26	16	21	♈5	♉7	21	♌8	15	♏7	16
	31	♎9		♐11		♓3		18	♋3				♑1

天体	日＼月	1月	2月	3月	4月	5月	6月	7月	8月	9月	10月	11月	12月
水星☿	1	♐29	♒20	♓⑯	♓12	♈27	♊29	♋㉑	♋18	♍14	♏0	♏⑨	♏23
	5	♑5	27	⑫	16	♉5	♋5	⑲	23	21	5	④	28
	9	11	♓4	⑧	21	13	10	⑰	29	28	9	①	♐4
	13	18	10	⑤	27	22	15	⑭	♌6	♎4	13	1	10
	17	24	15	④	♈3	♊1	18	⑫	14	11	16	4	17
	21	♒1	18	4	9	9	20	⑫	22	17	17	8	23
	25	8	⑱	6	16	17	21	13	♍0	22	⑯	13	29
	28	13	⑰	8	21	23	㉑	14	6	26	⑭	18	♑4
金星♀	1	♑22	♓1	♈5	♉13	♊18	♋23	♌23	♍12	♍④	♌29	♍21	♎22
	5	27	6	10	18	23	27	26	13	②	♍1	25	26
	10	♒3	12	16	24	29	♌3	♍0	⑬	♌㉙	3	29	♏2
	15	9	18	22	♊0	♋4	8	4	⑬	㉘	7	♎5	8
	20	16	24	29	6	10	13	7	⑪	㉗	10	10	14
	25	22	♈0	♉5	12	16	17	10	⑨	27	14	15	20
火星♂	1	♎13	♎26	♏2	♎㉙	♎⑲	♎15	♎21	♏5	♏23	♐13	♑6	♑29
	11	18	29	③	㉖	⑯	16	25	11	♐0	20	13	♒6
	21	22	♏1	②	㉒	⑮	18	♏0	17	7	28	21	14
木星♃	1	♌①	♋㉗	♋㉕	♋24	♋26	♌1	♌7	♌13	♌20	♌26	♍1	♍5
	11	⓪	㉖	㉔	25	28	3	9	15	22	28	3	5
	21	♋㉙	㉕	㉔	25	29	5	11	18	24	♍0	4	5
土星♄	1	♓24	♓26	♓29	♈3	♈7	♈10	♈11	♈⑫	♈⑪	♈⑨	♈⑥	♈⑤
	16	25	8	♈1	5	8	11	12	⑫	⑩	⑧	⑥	5
天王星♅	1	♍㉔	♍㉓	♍㉒	♍㉑	♍⑳	♍20	♍20	♍21	♍23	♍25	♍27	♍28
	16	㉔	㉓	㉒	㉑	⑳	20	21	22	24	26	28	29
海王星♆	1	♏23	♏24	♏㉔	♏㉔	♏㉓	♏㉒	♏㉑	♏㉑	♏21	♏22	♏23	♏24
冥王星♇	1	♍⑳	♍⑳	♍⑲	♍⑱	♍⑱	♍17	♍18	♍18	♍19	♍21	♍22	♍22

1968年（昭和43年）うるう年

♈ 牡羊　♉ 牡牛　♊ 双子　♋ 蟹　♌ 獅子　♍ 乙女
♎ 天秤　♏ 蠍　♐ 射手　♑ 山羊　♒ 水瓶　♓ 魚

	日＼月	1月	2月	3月	4月	5月	6月	7月	8月	9月	10月	11月	12月
月☽	1	♑15	♓4	♓25	♉10	♊12	♋28	♍3	♎23	♐16	♑25	♓16	♈20
	2	29	17	♈8	22	24	♌10	16	♏7	♑0	♒9	29	♉3
	3	♒13	♈0	20	♊4	♋6	23	29	21	15	23	♈11	15
	4	26	12	♉2	15	18	♍6	♎12	♐5	29	♓6	23	26
	5	♓9	24	14	27	♌1	19	26	20	♒13	19	♉6	♊8
	6	22	♉6	25	♋10	13	♎2	♏11	♑4	26	♈2	18	20
	7	♈4	18	♊7	22	26	17	25	19	♓10	14	♊0	♋2
	8	16	29	19	♌5	♍10	♏1	♐10	♒3	23	27	12	14
	9	28	♊11	♋1	18	23	16	25	17	♈6	♉9	23	26
	10	♉10	24	14	♍1	♎8	♐1	♑10	♓1	19	21	♋5	♌8
	11	22	♋6	27	15	22	16	25	15	♉1	♊3	17	20
	12	♊4	19	♌10	♎0	♏7	♑1	♒9	28	13	15	29	♍3
	13	16	♌2	23	14	23	16	23	♈11	25	27	♌11	15
	14	28	15	♍7	29	♐8	♒1	♓7	23	♊7	♋9	24	28
	15	♋11	29	21	♏14	23	15	20	♉5	19	21	♍7	♎12
	16	23	♍13	♎6	29	♑8	29	♈3	17	♋1	♌3	20	26
	17	♌7	27	21	♐14	22	♓12	15	29	13	16	♎3	♏10
	18	20	♎11	♏5	29	♈6	24	27	♊11	25	28	17	25
	19	♍3	25	20	♑13	20	♈7	♉9	23	♌8	♍12	♏2	♐10
	20	17	♏10	♐4	27	♓3	19	21	♋5	21	25	17	25
	21	♎1	24	19	♒10	15	♉1	♊3	17	♍4	♎9	♐2	♑11
	22	15	♐8	♑3	23	28	13	15	♌0	17	24	17	26
	23	29	22	16	♓6	♈10	24	27	12	♎1	♏9	♑2	♈11
	24	♏13	♑6	♒0	18	22	♊6	♋9	25	15	24	17	25
	25	27	20	13	♈1	♉4	18	21	♍9	♏0	♐8	♒2	♓9
	26	♐11	♒3	26	13	16	♋0	♌4	22	14	23	16	22
	27	25	17	♓9	25	27	12	16	♎6	29	♑8	♓0	♈5
	28	♑10	♓0	21	♉7	♊9	25	29	20	♐13	22	13	17
	29	24	13	♈4	19	21	♌7	♍13	♏4	27	♒6	26	♉0
	30	♒8		16	♊0	♋3	20	26	18	♑11	20	♈8	12
	31	21		28		15		♎9	♐2		♓3		23

天体	日＼月	1月	2月	3月	4月	5月	6月	7月	8月	9月	10月	11月	12月
水星☿	1	♑10	♒29	♒17	♓19	♉17	♋0	♊③	♌0	♍28	♏0	♎19	♐4
	5	17	♓1	18	25	25	1	24	9	♎4	①	24	11
	9	23	①	21	♈2	♊3	①	26	17	9	♎㉙	♏0	17
	13	♒0	♒㉙	24	10	10	⓪	29	25	15	㉕	6	23
	17	7	㉔	28	17	16	♊㉘	♋4	♍3	19	㉑	12	♑0
	21	13	⑳	♓3	25	21	㉖	10	10	24	⑰	19	6
	25	20	⑰	9	♉4	26	㉔	16	17	27	⑮	25	12
	28	24	⑰	13	10	28	㉓	22	22	29	16	♐0	17
金星♀	1	♏28	♑5	♒11	♓19	♈26	♊4	♋11	♌19	♍27	♏4	♐12	♑18
	5	♐3	10	16	24	♉1	9	16	24	♎2	9	17	23
	10	9	17	22	♉0	7	15	22	♍0	9	15	23	29
	15	15	23	28	7	13	22	28	7	15	21	29	♈5
	20	21	29	♓5	13	20	28	♌5	13	21	28	♑5	11
	25	2	♒5	11	19	26	♋4	11	19	27	♐4	11	17
火星♂	1	♒23	♓17	♈9	♉2	♉24	♊16	♋6	♋26	♌16	♍5	♍24	♎12
	11	♓0	25	17	10	♊1	22	12	♌3	22	11	♎0	18
	21	8	♈2	24	17	8	29	19	9	29	17	6	24
木星♃	1	♍⑤	♍③	♌㉙	♌㉖	♌25	♌28	♍2	♍8	♍14	♍21	♍27	♎2
	11	⑤	②	㉘	㉖	26	29	4	10	16	23	29	3
	21	④	⓪	㉗	㉕	27	♍0	5	12	18	25	♎0	4
土星♄	1	♈6	♈8	♈11	♈14	♈18	♈21	♈24	♈25	♈㉕	♈㉓	♈⑳	♈⑲
	16	6	9	12	16	20	23	25	㉕	㉔	㉒	⑲	⑱
天王星♅	1	♍29	♍㉘	♍㉗	♍㉖	♍㉕	♍㉕	♍25	♍26	♍28	♎0	♎1	♎3
	16	㉙	㉘	㉗	㉖	㉕	25	25	27	29	1	2	3
海王星♆	1	♏25	♏26	♏㉖	♏㉖	♏㉕	♏㉔	♏㉔	♏㉓	♏23	♏24	♏25	♏26
冥王星♇	1	♍㉒	♍㉒	♍㉑	♍㉑	♍⑳	♍20	♍20	♍21	♍22	♍23	♍24	♍24

1969年（昭和44年）

♈ 牡羊　♉ 牡牛　♊ 双子　♋ 蟹　♌ 獅子　♍ 乙女
♎ 天秤　♏ 蠍　♐ 射手　♑ 山羊　♒ 水瓶　♓ 魚

	日＼月	1月	2月	3月	4月	5月	6月	7月	8月	9月	10月	11月	12月
月☽	1	♊ 5	♋20	♋28	♍13	♎18	♐10	♑19	♓13	♉ 2	♊ 5	♋19	♌21
	2	17	♌ 2	♌10	27	♏ 3	26	♒ 5	27	15	17	♌ 1	♍ 3
	3	29	14	23	♎10	17	♑11	20	♈10	27	♋ 0	13	15
	4	♋11	27	♍ 5	24	♐ 2	26	♓ 4	24	♊10	12	25	27
	5	23	♍ 9	18	♏ 8	17	♒10	18	♉ 6	22	23	♍ 7	♎10
	6	♌ 5	22	♎ 1	22	♑ 1	25	♈ 2	19	♋ 4	♌ 5	19	23
	7	17	♎ 5	15	♐ 7	16	♓ 9	15	♊ 1	15	17	♎ 2	♏ 7
	8	♍ 0	1	28	21	♒ 0	22	27	13	27	29	15	21
	9	12	♏ 2	♏12	♑ 5	15	♈ 5	♉10	25	♌ 9	♍12	29	♐ 5
	10	25	15	26	20	28	18	22	♋ 7	21	24	♏13	20
	11	♎ 8	29	♐10	♒ 4	♓12	♉ 1	♊ 4	19	♍ 3	♎ 7	27	♑ 5
	12	21	♐14	24	18	25	13	16	♌ 1	16	20	♐11	20
	13	♏ 5	28	♑ 9	♓ 1	♈ 8	25	28	13	28	♏ 4	26	♒ 5
	14	19	♑13	23	15	21	♊ 7	♋10	25	♎11	18	♑10	19
	15	♐ 4	27	♒ 7	28	♉ 3	19	22	♍ 7	24	♐ 2	25	♓ 4
	16	18	♒12	21	♈11	16	♋ 1	♌ 4	19	♏ 8	16	♒ 9	18
	17	♑ 4	26	♓ 5	24	28	13	16	♎ 2	21	♑ 0	23	♈ 1
	18	19	♓11	19	♉ 7	♊10	25	28	14	♐ 5	14	♓ 7	15
	19	♒ 4	25	♈ 3	20	22	♌ 7	♍10	27	19	28	21	28
	20	19	♈ 8	16	♊ 2	♋ 4	19	22	♏11	♑ 3	♒12	♈ 4	♉10
	21	♓ 3	21	29	14	16	♍ 1	♎ 5	24	17	26	18	23
	22	17	♉ 4	♉11	26	28	13	17	♐ 8	♒ 2	♓10	♉ 1	♊ 5
	23	♈ 0	16	24	♋ 8	♌10	25	♏ 1	22	16	24	14	18
	24	13	28	♊ 6	20	22	♎ 8	14	♑ 7	♓ 0	♈ 8	26	♋ 0
	25	26	♊10	18	♌ 2	♍ 4	21	28	22	15	21	♊ 9	12
	26	♉ 8	22	♋ 0	14	17	♏ 5	♐13	♒ 7	29	♉ 5	21	24
	27	20	♋ 4	12	26	29	19	28	21	♈13	18	♋ 3	♌ 6
	28	♊ 2	16	24	♍ 8	♎13	♐ 4	♑13	♓ 6	2	♊ 1	15	18
	29	14		♌ 6	21	27	19	28	21	♉10	13	27	29
	30	26		18	♎ 5	♏11	♑ 4	♒13	♈ 5	23	25	♌ 9	♍11
	31	♋ 8		♍ 1		25		28	18		♋ 7		23

	日＼月	1月	2月	3月	4月	5月	6月	7月	8月	9月	10月	11月	12月
水星☿	1	♑23	♒⑥	♒13	♈ 2	♉29	♊⑥	♊17	♌17	♎ 4	♎④	♎28	♐16
	5	♒ 0	②	18	10	♊ 4	④	23	25	8	①	♏ 4	22
	9	6	⓪	24	18	8	③	♋ 0	♍ 2	12	♍㉙	11	28
	13	11	0	29	26	10	3	8	9	14	♎ 1	17	♑ 4
	17	14	2	♓ 6	♉ 5	11	4	16	15	14	5	24	10
	21	16	5	12	13	⑪	7	25	21	⑬	10	♐ 0	16
	25	⑭	9	19	20	⑩	10	♌ 3	26	⑪	16	6	21
	28	⑪	12	24	25	⑧	13	10	♎ 0	⑧	21	11	25
金星♀	1	♒25	♓28	♈21	♈㉓	♈10	♈25	♉23	♊27	♌ 2	♍ 9	♎17	♏25
	5	29	♈ 2	23	㉑	10	28	27	♋ 1	7	14	22	♐ 0
	10	♓ 5	6	25	⑰	12	♉ 3	♊ 2	7	13	20	28	6
	15	10	11	26	⑭	14	7	8	13	19	26	♏ 4	12
	20	16	15	㉖	⑫	17	12	13	18	25	♎ 2	11	18
	25	21	18	㉖	⑪	20	17	19	24	♍ 1	8	17	25
火星♂	1	♏ 0	♏17	♐ 1	♐12	♐⑯	♐⑩	♐②	♐ 5	♐18	♑ 5	♑27	♒18
	11	6	23	5	15	⑮	⑥	1	8	23	12	♒ 4	26
	21	12	27	9	16	⑬	③	2	12	29	19	11	♓ 3
木星♃	1	♎ 5	♎⑤	♎③	♍㉙	♍㉖	♍26	♍28	♎ 2	♎ 8	♎14	♎21	♎27
	11	5	⑤	②	㉘	㉖	26	29	4	10	16	23	28
	21	6	④	①	㉗	㉖	27	♎ 0	5	12	18	25	0
♄土星	1	♈18	♈20	♈22	♈26	♉ 0	♉ 3	♉ 6	♉ 8	♉⑧	♉⑦	♉⑤	♉③
	16	19	21	24	28	1	5	7	8	⑧	⑥	④	②
♅天王星	1	♎ 3	♎③	♎②	♎①	♎⓪	♍㉙	♎ 0	♎ 1	♎ 2	♎ 4	♎ 6	♎ 8
	16	③	③	②	⓪	⓪	29	0	1	3	5	7	8
♆海王星	1	♏27	♏28	♏28	♏㉘	♏㉗	♏㉗	♏⑥	♏㉕	♏26	♏26	♏27	♏28
♇冥王星	1	♍㉕	♍㉔	♍㉔	♍㉓	♍㉒	♍㉒	♍22	♍23	♍24	♍25	♍26	♍27

1970年（昭和45年）

♈ 牡羊　♉ 牡牛　♊ 双子　♋ 蟹　♌ 獅子　♍ 乙女
♎ 天秤　♏ 蠍　♐ 射手　♑ 山羊　♒ 水瓶　♓ 魚

	日＼月	1月	2月	3月	4月	5月	6月	7月	8月	9月	10月	11月	12月
月☽	1	♎ 6	♏23	♐ 3	♑25	♓ 4	♈27	♊ 3	♋20	♍ 4	♎ 7	♏23	♐29
	2	18	♐ 7	17	♒10	19	♉10	16	♌ 2	16	19	♐ 6	♑13
	3	♏ 1	21	♑ 1	24	♈ 3	23	28	14	28	♏ 1	20	27
	4	15	♑ 6	15	♓ 9	17	♊ 6	♋11	25	♎10	14	♑ 3	♒11
	5	29	21	♒ 0	23	♉ 1	19	23	♍ 7	22	27	17	25
	6	♐13	♒ 6	15	♈ 8	14	♋ 2	♌ 5	19	♏ 4	♐10	♒ 1	♓10
	7	28	22	♓ 0	22	28	14	17	♎ 1	17	23	15	24
	8	♑13	♓ 7	15	♉ 6	♊11	26	28	13	♐ 0	♑ 6	29	♈ 8
	9	28	21	29	20	24	♌ 8	♍10	25	13	20	♓13	22
	10	♒14	♈ 6	♈14	♊ 3	♋ 6	20	22	♏ 7	26	♈ 4	27	♉ 6
	11	29	20	28	16	18	♍ 2	♎ 4	20	♑10	18	♈12	19
	12	♓13	♉ 3	♉12	28	♌ 0	14	16	♐ 3	24	♓ 3	26	♊ 3
	13	27	17	25	♋10	12	26	29	17	♒ 9	18	♉10	17
	14	♈11	29	♊ 8	22	24	♎ 8	♏11	♑ 1	24	♈ 2	24	♋ 0
	15	24	♊12	20	♌ 4	♍ 6	20	25	16	♓ 9	17	♊ 8	13
	16	♉ 7	24	♋ 2	16	18	♏ 3	♐ 8	♒ 0	24	♉ 2	22	25
	17	20	♋ 6	14	28	♎ 0	17	23	16	♈ 9	16	♋ 5	♌ 7
	18	♊ 3	18	26	♍10	12	♐ 0	♑ 7	♓ 1	24	♊ 0	17	20
	19	15	♌ 0	♌ 8	22	25	14	22	16	♉ 8	14	♌ 0	♍ 1
	20	27	11	20	♎ 4	♏ 8	29	♒ 7	♈ 1	22	27	12	13
	21	♋ 9	23	♍ 2	17	22	♑14	22	15	♊ 6	♋10	24	25
	22	21	♍ 5	14	♏ 0	♐ 6	28	♓ 7	♉ 0	19	22	♍ 5	♎ 7
	23	♌ 3	17	26	13	20	♒13	22	13	♋ 1	♌ 4	17	19
	24	14	29	♎ 8	27	♑ 4	28	♈ 6	27	14	16	29	♏ 1
	25	26	♎12	21	♐10	18	♓12	20	♊10	26	28	♎11	14
	26	♍ 8	24	♏ 4	2	♒ 3	26	♉ 4	22	♌ 7	♍ 9	24	27
	27	20	♏ 7	17	♑ 8	17	♈10	17	♋ 5	19	21	♏ 6	♐10
	28	♎ 2	20	♐ 0	22	♓ 1	24	♊ 0	17	♍ 1	♎ 3	19	24
	29	15		13	♒ 6	15	♉ 7	13	29	13	15	♐ 2	♑ 8
	30	27		27	20	29	20	25	♌11	25	28	16	23
	31	♏10		♑11		♈13		♋ 8	22		♏10		♒ 7

	日＼月	1月	2月	3月	4月	5月	6月	7月	8月	9月	10月	11月	12月
水星☿	1	♑28	♑16	♒21	♈18	♉㉒	♉16	♋ 0	♍ 0	♍㉗	♍19	♏10	♐26
	5	♒ 0	19	28	26	⑳	19	9	6	㉖	25	16	♑ 1
	9	♑㉘	24	♓ 4	♉ 4	⑱	23	18	11	㉓	♎ 1	23	6
	13	㉓	28	11	10	⑯	28	26	16	⑲	8	29	10
	17	⑱	♒ 4	19	15	⑭	♊ 4	♌ 4	20	⑯	15	♐ 5	13
	21	⑮	9	26	19	⑬	11	12	24	⑬	22	1	⑬
	25	⑬	15	♈ 4	21	13	18	19	26	14	28	17	⑪
	28	14	20	10	22	14	24	24	27	16	♏ 3	21	⑦
金星♀	1	♑ 4	♒12	♓18	♈26	♊ 3	♋10	♌16	♍21	♎23	♏18	♏㉒	♏⑨
	5	9	17	23	♉ 1	8	15	20	25	27	20	⑳	10
	10	15	24	29	7	14	21	26	♎ 1	♏ 2	23	⑰	11
	15	21	♓ 0	♈ 5	13	20	27	♍ 2	6	6	24	⑭	13
	20	27	6	11	19	26	♌ 3	8	11	10	25	⑫	15
	25	♒ 4	13	17	26	♋ 2	9	13	16	14	㉔	⑩	19
火星♂	1	♓11	♈ 4	♈25	♉17	♊ 8	♊28	♋18	♌ 8	♌28	♍17	♎ 7	♎26
	11	19	12	♉ 2	24	14	♋ 5	25	14	♍ 4	23	13	♏ 2
	21	26	19	9	♊ 1	21	12	♌ 1	21	11	♎ 0	19	8
木星♃	1	♏ 2	♏ 5	♏⑤	♏③	♎㉙	♎㉖	♎26	♎28	♏ 2	♏ 7	♏14	♏21
	11	3	5	⑤	②	㉘	㉖	26	29	4	10	16	23
	21	4	⑤	④	①	㉗	㉖	27	♏ 0	6	12	18	25
♄土星	1	♉②	♉ 2	♉ 4	♉ 8	♉11	♉15	♉19	♉21	♉22	♉㉒	♉⑳	♉⑰
	16	2	3	6	9	13	17	20	22	㉒	㉑	⑱	⑯
♅天王星	1	♎ 8	♎⑧	♎⑦	♎⑥	♎⑤	♎④	♎ 4	♎ 5	♎ 7	♎ 9	♎10	♎12
	16	⑧	⑧	⑦	⑤	⑤	4	5	6	8	10	11	13
♆海王星	1	♏29	♐ 0	♐ 0	♐⓪	♐⓪	♏㉙	♏㉘	♏㉘	♏28	♏28	♏29	♐ 0
♇冥王星	1	♍27	♍㉗	♍㉖	♍㉕	♍㉕	♍㉔	♍24	♍25	♍26	♍27	♍28	♍29

月 ☽ 日＼月	1月	2月	3月	4月	5月	6月	7月	8月	9月	10月	11月	12月
1	♒22	♈15	♈24	♊15	♋20	♍ 5	♎ 6	♏20	♑ 7	♒12	♈ 5	♉14
2	♓ 6	29	♉ 9	29	♌ 2	16	18	♐ 3	20	27	20	29
3	20	♉13	23	♋ 2	15	28	♏ 0	6	♒ 4	♓11	♉ 5	♊13
4	♈ 5	26	♊ 6	24	27	♎10	12	29	19	27	20	28
5	19	♊10	19	♌ 6	♍ 8	22	25	♑12	♓ 3	♈12	♊ 5	♋12
6	♉ 2	23	♋ 2	18	20	♏ 4	♐ 8	26	18	27	20	25
7	16	♋ 5	15	♍ 0	♎ 2	17	21	♒10	♈ 3	♉12	♋ 4	♌ 9
8	29	18	27	12	14	29	♑ 4	25	19	27	18	21
9	♊13	♌ 0	♌ 9	23	26	♐12	18	♓10	♉ 3	♊12	♌ 1	♍ 4
10	26	12	21	♎ 5	♏ 8	25	♒ 2	24	18	25	13	16
11	♋ 8	24	♍ 3	17	21	♑ 9	16	♈ 9	♊ 2	♋ 9	26	28
12	21	♍ 6	15	29	♐ 3	22	♓ 0	24	16	22	♍ 8	♎10
13	♌ 3	18	27	♏11	16	♒ 6	14	♉ 8	29	♌ 4	20	22
14	16	♎ 0	♎ 8	24	29	20	29	22	♋12	17	♎ 1	♏ 3
15	28	11	20	♐ 6	♑12	♓ 4	♈13	♊ 6	25	29	13	15
16	♍ 9	23	♏ 2	19	25	18	27	19	♌ 7	♍11	25	28
17	21	♏ 5	14	♑ 2	♒ 9	♈ 2	♉11	♋ 2	20	23	♏ 7	♐10
18	♎ 3	18	27	15	23	16	25	15	♍ 2	♎ 5	19	23
19	15	♐ 0	♐ 9	29	♓ 7	♉ 0	♊ 9	28	14	16	♐ 1	♑ 5
20	27	13	22	♒12	21	15	22	♌10	26	28	14	18
21	♏ 9	26	♑ 5	26	♈ 5	29	♋ 6	23	♎ 8	♏10	26	♒ 1
22	22	♑10	19	♓11	20	♊13	19	♍ 5	19	22	♑ 9	15
23	♐ 5	24	♒ 3	26	♉ 5	26	♌ 1	17	♏ 1	♐ 4	21	28
24	18	♒ 9	17	♈11	19	♋10	14	29	13	17	♒ 4	♓12
25	♑ 2	24	♓ 2	26	♊ 4	23	26	♎11	25	29	18	26
26	16	♓ 9	17	♉11	18	♌ 6	♍ 9	23	♐ 7	♑12	♓ 1	♈10
27	♒ 1	24	♈ 2	25	♋ 2	18	20	♏ 4	20	24	15	24
28	16	♈ 9	17	♊10	15	♍ 0	♎ 2	16	♑ 2	♒ 8	29	♎ 9
29	♓ 1		♉ 2	23	28	12	14	29	15	21	♈14	23
30	16		17	♋ 7	♌10	24	26	♐11	29	♓ 5	29	♊ 8
31	♈ 0		♊ 1		23		♏ 8	24		20		22

月 ☽ 日＼月	1月	2月	3月	4月	5月	6月	7月	8月	9月	10月	11月	12月
1	♋ 6	♌24	♍15	♏ 0	♐ 3	♑18	♒24	♈15	♊ 9	♋18	♍ 7	♎11
2	20	♍ 7	27	12	15	♒ 1	♓ 7	♉ 0	23	♌ 1	19	23
3	♌ 3	19	♎10	24	27	14	21	14	♋ 7	14	♎ 2	♏ 5
4	16	♎ 1	22	♐ 6	♑ 9	27	♈ 5	28	21	27	14	17
5	29	13	♏ 3	18	21	♓10	19	♊12	♌ 4	♍10	26	29
6	♍12	25	15	♑ 0	♒ 4	24	♉ 3	26	17	22	♏ 8	♐11
7	24	♏ 7	27	12	17	♈ 8	17	♋10	♍ 0	♎ 5	20	23
8	♎ 6	19	♐ 9	25	♓ 0	23	♊ 2	24	13	17	♐ 2	♑ 4
9	18	♐ 1	21	♒ 8	14	♉ 7	16	♌ 8	26	29	14	16
10	29	13	♑ 4	21	29	22	♋ 1	22	♎ 9	♏11	25	29
11	♏11	26	17	♓ 5	♈13	♊ 7	15	♍ 5	21	23	♑ 7	♒11
12	23	♑ 9	♒ 0	20	28	22	29	18	♏ 3	♐ 5	19	23
13	♐ 6	22	13	♈ 5	♉14	♋ 7	♌13	♎ 0	15	17	♒ 2	♓ 6
14	18	♒ 5	27	20	29	21	27	13	27	29	14	19
15	♑ 1	19	♓12	♉ 5	♊14	♌ 5	♍10	25	♐ 9	♑11	27	♈ 3
16	14	♓ 4	27	21	29	19	22	♏ 7	20	23	♓10	17
17	27	18	♈12	♊ 6	♋13	♍ 2	♎ 5	19	♑ 2	♒ 5	24	♉ 1
18	♒11	♈ 3	27	20	27	14	17	♐ 1	15	18	♈ 8	16
19	25	17	♉12	♋ 4	♌10	27	29	13	27	♓ 2	23	♊ 1
20	♓ 9	♉ 2	26	18	23	♎ 9	♏11	25	♒10	16	♉ 8	16
21	23	16	♊11	♌11	♍ 6	21	23	♑ 7	24	♈ 0	23	♋ 1
22	♈ 7	♊ 0	25	14	18	♏ 3	♐ 5	19	♓ 8	15	♊ 8	16
23	21	14	♋ 8	27	♎ 0	14	17	♒ 2	22	♉ 0	24	♌ 1
24	♉ 5	28	22	♍ 9	12	26	29	16	♈ 6	15	♋ 8	15
25	19	♋11	♌ 4	21	24	♐ 8	♑11	29	21	♊ 0	23	29
26	♊ 3	24	17	♎ 3	♏ 6	21	24	♓13	♉ 6	15	♌ 5	♍12
27	17	♌ 7	♍ 0	15	18	♑ 3	♒ 7	27	21	♋ 0	20	25
28	♋ 1	20	12	27	♐ 0	15	20	♈12	♊ 5	14	♍ 4	♎ 8
29	15	♍ 3	24	♏ 9	12	28	♓ 4	26	20	28	16	20
30	28		♎ 6	21	24	♒11	17	♉10	♋ 4	♌11	29	♏ 2
31	♌11		18		♑ 6		♈ 1	25		24		14

1971年（昭和46年）

♈ 牡羊　♉ 牡牛　♊ 双子　♋ 蟹　♌ 獅子　♍ 乙女
♎ 天秤　♏ 蠍　♐ 射手　♑ 山羊　♒ 水瓶　♓ 魚

	日＼月	1月	2月	3月	4月	5月	6月	7月	8月	9月	10月	11月	12月
水星 ☿	1	♑②	♑19	♓ 4	♈29	♈㉓	♉18	♋18	♍ 4	♌㉘	♎ 0	♏21	♐27
	5	♐㉘	25	11	♉ 2	23	25	26	7	㉗	7	27	㉘
	9	㉗	♒ 1	19	3	24	♊ 2	♌ 4	9	28	14	♐ 3	㉕
	13	29	7	26	③	26	10	10	10	♍ 1	21	8	⑳
	17	♑ 1	13	♈ 4	①	29	18	16	⑨	6	28	14	⑮
	21	5	20	12	♈㉘	♉ 3	27	22	⑦	12	♏ 4	19	⑫
	25	10	27	19	㉖	8	♋ 6	27	④	19	10	23	12
	28	14	♓ 2	24	㉔	12	12	♍ 0	①	24	15	26	13
金星 ♀	1	♏24	♐24	♑24	♓ 2	♈ 8	♉15	♊22	♌ 1	♍ 8	♎15	♏24	♑ 1
	5	27	28	♒ 0	7	13	20	27	5	13	20	29	6
	10	♐ 2	♑ 4	6	13	19	26	♋ 3	11	19	27	♐ 5	13
	15	7	10	12	19	25	♊ 2	9	17	26	♏ 3	11	19
	20	12	15	18	25	♉ 1	8	15	23	♎ 2	9	18	25
	25	17	21	24	♈ 1	7	15	21	29	8	15	24	♒ 1
火星 ♂	1	♏15	♐ 5	♐22	♑11	♑28	♒12	♒21	♒⑲	♒⑫	♒14	♒26	♓13
	11	22	11	28	17	♒ 3	16	21	⑯	11	17	♓ 2	19
	21	28	17	♑ 4	22	8	19	㉑	⑭	12	21	7	26
木星 ♃	1	♏27	♐ 2	♐ 5	♐⑥	♐④	♐⓪	♏㉗	♏26	♏28	♐ 2	♐ 8	♐15
	11	29	3	6	⑤	③	♏㉙	㉖	27	29	4	10	17
	21	♐ 1	5	6	⑤	①	㉘	㉖	27	♐ 1	6	13	19
♄ 土星	1	♉⑮	♉15	♉17	♉20	♉23	♉27	♊ 1	♊ 4	♊ 6	♊⑥	♊④	♊②
	16	⑮	16	18	21	25	29	2	5	6	⑤	③	①
♅ 天王星	1	♎13	♎⑬	♎⑫	♎⑪	♎⑩	♎⑨	♎ 9	♎10	♎11	♎13	♎15	♎17
	16	13	⑬	⑫	⑩	⑨	⑨	9	10	12	14	16	17
♆ 海王星	1	♐ 2	♐ 2	♐ 3	♐②	♐②	♐①	♐⓪	♐⓪	♐ 0	♐ 0	♐ 1	♐ 3
♇ 冥王星	1	♍29	♍㉙	♍㉘	♍㉘	♍㉗	♍㉖	♍27	♍27	♍28	♍29	♎ 0	♎ 1

1972年（昭和47年）うるう年

♈ 牡羊　♉ 牡牛　♊ 双子　♋ 蟹　♌ 獅子　♍ 乙女
♎ 天秤　♏ 蠍　♐ 射手　♑ 山羊　♒ 水瓶　♓ 魚

	日＼月	1月	2月	3月	4月	5月	6月	7月	8月	9月	10月	11月	12月
水星 ☿	1	♐16	♑29	♓20	♈⑩	♈13	♊ 5	♌ 2	♌⑳	♌21	♎15	♐ 0	♏㉘
	5	21	♒ 5	28	⑦	18	13	8	⑰	28	22	5	㉖
	9	25	12	♈ 4	⑤	23	22	12	⑭	♍ 5	28	9	26
	13	♑ 1	19	10	③	29	♋ 1	16	⑫	13	♏ 4	11	29
	17	6	26	14	3	♉ 5	9	19	⑩	21	10	⑫	♐ 3
	21	12	♓ 3	15	5	12	16	21	10	28	16	⑩	8
	25	18	11	⑮	7	20	23	22	13	♎ 5	22	⑥	14
	28	23	17	⑬	10	26	28	㉒	16	10	26	②	18
金星 ♀	1	♒10	♓18	♈22	♉26	♊23	♋④	♊⑲	♊26	♋22	♌24	♎ 0	♏ 7
	5	15	23	27	♊ 0	26	③	⑱	28	26	29	5	12
	10	21	29	♉ 2	5	29	①	⑱	♋ 2	♌ 1	♍ 4	11	18
	15	27	♈ 5	8	10	♋ 1	♊㉘	18	6	7	10	17	24
	20	♓ 3	10	13	14	3	㉕	20	11	12	16	23	♐ 1
	25	9	16	19	19	4	㉒	22	15	17	22	♏ 0	7
火星 ♂	1	♈ 3	♈23	♉12	♊ 2	♊22	♋12	♌ 1	♌20	♍10	♍29	♎19	♏ 9
	11	9	♉ 0	19	9	28	18	7	27	16	♎ 6	26	16
	21	16	6	25	15	♋ 5	24	13	♍ 3	23	12	♏ 3	23
木星 ♃	1	♐22	♐28	♑ 3	♑ 7	♑⑧	♑⑥	♑②	♐㉙	♐28	♑ 0	♑ 4	♑10
	11	24	♑ 0	5	8	⑦	⑤	①	㉘	28	1	6	12
	21	26	2	6	8	⑦	③	⓪	㉘	29	3	8	15
♄ 土星	1	♊⓪	♉㉙	♊ 0	♊ 2	♊ 6	♊10	♊13	♊17	♊19	♊20	♊⑲	♊⑰
	16	♉㉙	29	1	4	7	11	15	18	20	⑳	⑱	⑯
♅ 天王星	1	♎18	♎⑱	♎⑰	♎⑯	♎⑮	♎⑭	♎14	♎14	♎16	♎18	♎19	♎21
	16	18	⑱	⑰	⑮	⑭	⑭	14	15	17	18	20	22
♆ 海王星	1	♐ 4	♐ 4	♐ 5	♐⑤	♐④	♐③	♐②	♐②	♐ 2	♐ 3	♐ 4	♐ 5
♇ 冥王星	1	♎ 2	♎①	♎①	♎⓪	♍㉙	♍㉙	♍29	♎ 0	♎ 0	♎ 2	♎ 3	♎ 4

	日＼月	1月	2月	3月	4月	5月	6月	7月	8月	9月	10月	11月	12月
月☽	1	♏26	♑10	♑18	♍3	♈9	♊1	♋10	♍3	♎22	♏25	♑9	♒11
	2	♐7	22	♒0	17	23	17	25	17	♏5	♐7	21	23
	3	19	♒4	12	♈1	♉8	♋2	♌10	♎1	17	19	♒2	♓5
	4	♑1	17	25	15	23	17	24	14	29	♑1	14	17
	5	13	♓0	♓9	♉0	♊8	♌1	♍9	27	♐11	13	27	♈0
	6	26	13	22	14	23	16	22	♏9	23	25	♓9	13
	7	♒8	26	♈6	29	♋8	♍0	♎5	21	♑5	♒7	22	27
	8	20	♈10	20	♊13	22	13	18	♐3	17	19	♈5	♉11
	9	♓3	24	♉4	28	♌6	26	♏0	15	29	♓1	19	26
	10	16	♉8	19	♋12	20	♎9	13	27	♒11	14	♉3	♊11
	11	♈0	22	♊3	26	♍6	21	25	♑9	23	28	18	26
	12	13	♊6	17	♌9	16	♍4	♐7	21	♓6	♈11	♊3	♋11
	13	27	20	♋1	23	29	16	18	♒3	19	25	17	26
	14	♉11	♋4	15	♍6	♎12	28	♑0	15	♈2	♉9	♋2	♌11
	15	25	19	29	19	24	♐10	12	27	16	23	17	25
	16	♊10	♌3	♌13	♎2	♏7	21	24	♓10	♉0	♊8	♌1	♍9
	17	25	17	26	15	19	♑3	♒6	23	13	22	15	23
	18	♋10	♍1	♍10	28	♐1	15	18	♈6	27	♋6	29	♎6
	19	24	15	23	♏10	13	27	♓0	19	♊11	20	♍13	19
	20	♌9	28	♎6	22	24	♒9	13	♉3	25	♌5	26	♏2
	21	23	♎11	19	♐4	♑6	21	26	17	♋10	18	♎9	14
	22	♍7	24	♏1	16	18	♓3	♈9	♊0	24	♍2	22	26
	23	20	♏6	14	28	♒0	16	22	15	♌8	16	♏5	♐8
	24	♎3	18	26	♑9	12	29	♉6	29	22	29	17	20
	25	16	♐0	♐8	21	24	♈12	20	♋13	♍6	♎12	29	♑2
	26	28	12	20	♒3	♓7	26	♊4	28	20	26	♐12	14
	27	♏10	24	♑1	16	20	♉10	19	♌12	♎3	♏8	23	26
	28	22	♑5	13	28	♈3	25	♋4	27	17	21	♑5	♒8
	29	♐4		25	♓11	17	♊10	19	♍11	♏0	♐3	17	19
	30	16		♒8	25	♉2	25	♌4	25	13	15	29	♓1
	31	28		20		16		18	♎9		27		14

1973年（昭和48年）

♈ 牡羊　♉ 牡牛　♊ 双子　♋ 蟹　♌ 獅子　♍ 乙女
♎ 天秤　♏ 蠍　♐ 射手　♑ 山羊　♒ 水瓶　♓ 魚

	日＼月	1月	2月	3月	4月	5月	6月	7月	8月	9月	10月	11月	12月
水星☿	1	♐24	♒13	♓27	♓15	♈20	♊23	♌1	♋22	♍5	♎26	♏㉖	♏18
	5	♑1	20	28	17	27	♋0	3	24	13	♏2	㉔	23
	9	6	27	㉗	21	♉4	7	③	26	21	7	⑳	29
	13	12	♓5	㉔	25	12	13	②	♌1	28	12	⑮	♐5
	17	18	12	⑳	29	21	19	♋㉙	7	♎5	17	⑪	11
	21	25	18	⑰	♈4	29	24	㉗	14	11	21	10	17
	25	♒1	23	⑮	10	♊8	27	㉔	22	17	24	12	23
	28	6	26	⑮	15	14	♌0	㉓	28	22	26	15	28
金星♀	1	♐16	♑24	♒29	♈8	♉15	♊23	♌0	♍7	♎14	♏20	♐24	♑24
	5	21	29	♓4	13	20	28	5	12	19	24	28	27
	10	27	♒6	11	19	26	♋4	11	18	25	♐0	♑4	♒1
	15	♑3	12	17	25	♊2	10	17	24	♏1	5	9	4
	20	9	18	23	♉1	8	16	23	♎0	7	11	14	7
	25	16	24	29	8	15	23	29	6	13	17	18	9
火星♂	1	♐0	♐21	♑11	♒3	♒24	♓16	♈6	♈24	♉6	♉⑧	♈㉙	♈25
	11	7	28	18	10	♓1	23	12	29	8	⑥	㉖	26
	21	14	♑5	25	17	8	29	18	♉3	⑨	③	㉕	28
木星♃	1	♑17	♑24	♒1	♒6	♒10	♒⑫	♒⑩	♒⑦	♒③	♒2	♒4	♒8
	11	20	27	3	8	11	⑪	⑨	⑤	②	2	5	10
	21	22	29	5	9	11	⑪	⑧	④	②	3	6	12
土星♄	1	♊⑮	♊⑬	♊13	♊15	♊18	♊22	♊26	♊29	♋2	♋4	♋④	♋③
	16	⑭	⑬	14	16	20	24	27	♋1	3	4	③	①
天王星♅	1	♎22	♎㉓	♎㉓	♎㉒	♎㉑	♎⑳	♎19	♎20	♎21	♎23	♎25	♎26
	16	23	㉓	㉒	㉑	⑳	⑲	19	20	22	24	26	27
海王星♆	1	♐6	♐7	♐7	♐⑦	♐⑥	♐⑤	♐⑤	♐④	♐4	♐5	♐6	♐7
冥王星♇	1	♎4	♎④	♎③	♎②	♎②	♎①	♎1	♎2	♎3	♎4	♎5	♎6

	日＼月	1月	2月	3月	4月	5月	6月	7月	8月	9月	10月	11月	12月
月☽	1	♓26	♉15	♉25	♋17	♌27	♎18	♏24	♑10	♒24	♓27	♉14	♊20
	2	♈9	28	♊9	♌1	♍11	♏2	♐7	22	♓6	♈10	28	♋5
	3	22	♊13	22	16	25	15	19	♒4	18	22	♊11	19
	4	♉5	27	♋27	♍0	♎8	27	♑1	15	♈1	♉5	25	♌3
	5	19	♋12	21	14	22	♐10	13	27	13	18	♋9	18
	6	♊4	27	♌6	29	♏5	22	25	♓9	25	♊1	23	♍2
	7	19	♌12	21	♎13	18	♑4	♒7	21	♉8	15	♌7	16
	8	♋4	27	♍5	26	♐1	16	18	♈3	21	28	21	♎0
	9	19	♍12	20	♏10	14	28	♓0	16	♊4	♋12	♍5	14
	10	♌4	26	♎4	23	26	♒10	12	28	18	26	19	28
	11	19	♎10	18	♐6	♑8	22	24	♉11	♋1	♌10	♎4	♏11
	12	♍4	24	♏2	18	20	♓4	♈7	24	16	25	18	24
	13	18	♏7	15	♑0	♒2	16	19	♊8	♌0	♍9	♏2	♐7
	14	♎2	20	28	12	14	28	♉2	22	15	24	15	20
	15	16	♐2	♐10	24	25	♈11	15	♋6	♍0	♎8	29	♑3
	16	29	14	22	♒6	♓8	24	29	21	15	23	♐12	15
	17	♏11	26	♑4	18	20	♉7	♊13	♌6	♎0	♏7	24	27
	18	23	♑8	16	♓0	♈3	21	28	21	15	21	♑7	♒9
	19	♐5	19	28	12	16	♊5	♋13	♍7	29	♐4	19	21
	20	17	♒1	♒10	25	29	19	28	22	♏13	17	♒1	♓3
	21	29	13	22	♈7	♉13	♋4	♌13	♎6	26	29	13	15
	22	♑11	25	♓4	21	27	19	28	21	♐9	♑11	25	27
	23	23	♓8	16	♉4	♊11	♌4	♍13	♏4	21	23	♓7	♈9
	24	♒5	20	29	18	25	19	28	17	♑3	♒5	19	21
	25	16	♈3	♈12	♊2	♋10	♍4	♎12	♐0	15	17	♈1	♉4
	26	20	15	25	16	25	18	25	13	27	29	13	17
	27	♓11	28	♉8	♋0	♌9	♎2	♏8	25	♒9	♓11	26	♊1
	28	23	♉11	22	14	23	15	21	♑7	21	23	♉9	14
	29	♈6		♊5	28	♍7	29	♐4	19	♓3	♈6	23	29
	30	18		19	♌12	21	♏12	16	♒1	15	18	♊6	♋13
	31	♉1		♋3		♎5		28	12		♉1		28

1974年（昭和49年）

♈ 牡羊　♉ 牡牛　♊ 双子　♋ 蟹　♌ 獅子　♍ 乙女
♎ 天秤　♏ 蠍　♐ 射手　♑ 山羊　♒ 水瓶　♓ 魚

	日＼月	1月	2月	3月	4月	5月	6月	7月	8月	9月	10月	11月	12月
水星☿	1	♑4	♒26	♓①	♓14	♉5	♋2	♋⑧	♋21	♍20	♏2	♎㉕	♏27
	5	11	♓2	♒㉘	19	13	7	⑥	28	27	6	24	♐3
	9	17	7	㉗	25	22	10	④	♌6	♎3	9	27	9
	13	24	10	27	♈1	♊0	12	4	14	9	10	♏1	16
	17	♒0	⑪	29	8	9	13	5	22	15	⑩	6	22
	21	7	⑨	♓2	15	16	⑬	7	♍0	21	⑦	12	28
	25	14	⑥	5	23	23	⑫	11	8	26	②	18	♑5
	28	19	②	9	28	27	⑩	15	13	29	♎㉙	22	9
金星♀	1	♒11	♑㉙	♒0	♒24	♓25	♉0	♊5	♋12	♌20	♍27	♏6	♐13
	5	⑪	㉗	2	28	29	5	10	17	25	♎2	11	19
	10	⑩	㉖	5	♓3	♈5	10	16	23	♍1	8	17	25
	15	⑧	25	9	8	10	16	22	29	7	15	23	♑1
	20	⑥	26	13	13	16	22	28	♌5	13	21	♐0	7
	25	③	28	17	18	22	28	♋4	11	20	27	6	14
火星♂	1	♉2	♉15	♊0	♊18	♋6	♋24	♌13	♍2	♍22	♎11	♏2	♏22
	11	6	20	6	24	12	♌0	19	8	28	18	9	29
	21	10	23	11	♋0	18	7	25	15	♎5	24	15	♐6
木星♃	1	♒14	♒21	♒28	♓5	♓11	♓15	♓17	♓⑯	♓⑬	♓⑨	♓⑧	♓9
	11	16	23	♓0	7	12	16	17	⑯	⑫	⑧	8	10
	21	18	26	2	9	14	17	⑰	⑮	⑩	⑧	8	11
土星♄	1	♋⓪	♊㉘	♊27	♊28	♋1	♋4	♋8	♋12	♋15	♋18	♋18	♋⑱
	16	♊㉙	㉗	28	29	2	6	10	14	17	18	⑱	⑰
天王星♅	1	♎28	♎28	♎㉘	♎㉗	♎㉕	♎㉔	♎㉔	♎24	♎26	♎27	♎29	♏1
	16	28	㉘	㉗	㉖	㉕	㉔	24	25	26	28	♏0	2
海王星♆	1	♐8	♐9	♐9	♐⑨	♐⑨	♐⑧	♐⑦	♐⑥	♐6	♐7	♐8	♐9
冥王星♇	1	♎6	♎⑥	♎⑥	♎⑤	♎④	♎④	♎4	♎4	♎5	♎6	♎7	♎8

	日＼月	1月	2月	3月	4月	5月	6月	7月	8月	9月	10月	11月	12月
	1	♌13	♎7	♎15	♐6	♑10	♒24	♓26	♉10	♊27	♌3	♍26	♏5
	2	28	21	♏0	19	22	♓6	♈8	23	♋11	18	♎11	20
	3	♍13	♏5	14	♑2	♒4	18	20	♊5	25	♍3	26	♐4
	4	27	18	27	14	16	♈0	♉2	19	♌9	18	♏11	18
	5	♎11	♐1	♐10	26	28	12	15	♋2	24	♎3	26	♑2
	6	25	14	23	♒8	♓10	24	27	16	♍9	18	♐10	15
	7	♏8	26	♑5	20	22	♉7	♊11	♌1	25	♏3	24	28
	8	21	♑8	17	♓2	♈4	19	24	16	♎10	18	♑7	♒11
	9	♐4	20	29	14	16	♊2	♋8	♍1	25	♐2	21	23
	10	17	♒2	♒11	26	28	16	22	16	♏9	16	♒3	♓6
	11	29	14	23	♈8	♉11	29	♌7	♎1	23	29	16	18
	12	♑11	26	♓5	20	24	♋13	22	16	♐7	♑12	28	29
	13	23	♓8	17	♉2	♊7	27	♍6	♏0	20	25	♓10	♈11
	14	♒5	20	29	15	20	♌12	21	14	♑3	♒7	21	23
月	15	17	♈2	♈11	27	♋3	26	♎5	27	16	19	♈3	♉5
	16	29	14	23	♊10	17	♍10	19	♐11	28	♓1	15	17
☽	17	♓11	26	♉5	23	♌1	24	♏3	23	♒10	13	27	♊0
	18	23	♉8	18	♋7	15	♎9	17	♑6	22	25	♉9	13
	19	♈5	21	♊0	20	29	23	♐0	19	♓4	♈7	22	26
	20	17	♊4	13	♌4	♍13	♏6	13	♒1	16	19	♊4	♋9
	21	29	17	26	18	28	20	26	13	28	♉1	17	23
	22	♉12	♋0	♋10	♍3	♎12	♐4	♑9	25	♈10	13	♋0	♌7
	23	25	15	24	17	26	17	22	♓7	22	25	13	20
	24	♊8	29	♌8	♎2	♏10	♑0	♒4	19	♉4	♊7	26	♍5
	25	22	♌14	23	17	24	13	16	♈1	16	20	♌10	19
	26	♋7	♍0	♍8	♏2	♐8	26	29	13	28	♋3	24	♎3
	27	21	15	23	16	22	♒8	♓10	25	♊10	16	♍8	17
	28	♌6	♎0	♎8	♐0	♑5	20	22	♉7	23	29	22	♏1
	29	22		23	14	17	♓2	♈4	19	♋6	♌13	♎6	15
	30	♍7		♏8	27	♒0	14	16	♊1	19	27	21	29
	31	22		22		12		28	14		♍12		♐13

1975年（昭和50年）

♈ 牡羊　♉ 牡牛　♊ 双子　♋ 蟹　♌ 獅子　♍ 乙女
♎ 天秤　♏ 蠍　♐ 射手　♑ 山羊　♒ 水瓶　♓ 魚

	日＼月	1月	2月	3月	4月	5月	6月	7月	8月	9月	10月	11月	12月
水星☿	1	♑16	♒㉕	♒12	♓23	♉22	♊㉓	♊17	♌6	♎1	♎㉓	♎21	♐8
	5	22	㉓	16	♈0	♊0	㉒	20	15	6	⑳	27	15
	9	29	⑱	20	7	6	⑳	24	23	11	⑯	♏3	21
	13	♒6	⑭	25	15	12	⑱	♋0	♍0	15	⑫	10	27
	17	12	⑪	♓0	23	17	⑯	6	7	19	⑨	16	♑3
	21	8	⑨	5	♉1	20	⑮	14	14	22	9	22	10
	25	22	10	11	10	22	15	22	21	24	12	29	16
	28	24	12	16	16	23	15	28	25	㉔	15	♐4	21
金星♀	1	♑22	♓1	♈6	♉14	♊19	♋23	♌22	♍11	♍①	♌28	♍21	♎22
	5	27	6	11	18	24	28	26	11	♌㉘	♍0	25	27
	10	♒4	12	17	24	29	♌3	♍0	⑪	㉖	3	♎0	♏3
	15	10	19	23	♊0	♋5	8	3	⑩	㉕	6	5	8
	20	16	25	29	6	10	13	6	⑧	25	10	10	14
	25	22	♈1	♉5	12	16	17	8	⑤	26	14	16	20
火星♂	1	♐14	♑7	♑28	♒21	♓14	♈7	♈29	♉20	♊9	♊24	♋2	♊㉘
	11	21	14	♒5	29	21	15	♉6	27	15	28	②	㉔
	21	29	22	13	♓6	29	22	13	♊3	20	♋0	①	㉑
木星♃	1	♓13	♓19	♓25	♈3	♈10	♈16	♈21	♈24	♈㉔	♈㉑	♈⑰	♈⑭
	11	15	21	28	5	12	18	22	24	㉓	⑳	⑯	⑭
	21	16	23	♈0	7	14	20	23	㉔	㉒	⑱	⑮	14
♄土星	1	♋⑮	♋⑬	♋⑫	♋12	♋13	♋16	♋20	♋24	♋28	♌1	♌2	♌②
	16	⑭	⑫	11	12	15	19	22	26	29	2	②	②
♅天王星	1	♏2	♏3	♏③	♏②	♏⓪	♎28	♎28	♎29	♏0	♏2	♏3	♏5
	16	3	③	②	①	♎㉙	28	29	29	1	2	4	6
♆海王星	1	♐10	♐11	♐11	♐⑪	♐⑪	♐⑩	♐⑨	♐⑨	♐9	♐9	♌10	♐11
♇冥王星	1	♎9	♎⑨	♎⑧	♎⑦	♎⑦	♎⑥	♎6	♎7	♎7	♎9	♎10	♎11

	日＼月	1月	2月	3月	4月	5月	6月	7月	8月	9月	10月	11月	12月
	1	♐27	♒15	♓6	♈20	♉23	♋9	♌15	♎8	♐1	♑9	♒28	♈2
	2	♑10	27	18	♉2	♊5	22	29	22	15	22	♓10	13
	3	23	♓9	♈0	14	17	♌5	♍13	♏6	29	♒6	23	25
	4	♒6	21	12	26	♋0	19	27	20	♑12	18	♈5	♉7
	5	19	♈3	23	♊8	12	♍2	♎11	♐4	25	♓1	17	19
	6	♓1	15	♉5	20	25	16	25	18	♒9	13	28	♊1
	7	13	27	17	♋3	♌8	♎0	♏9	♑2	21	26	♉10	13
	8	25	♉9	29	15	22	14	24	16	♓4	♈8	22	25
	9	♈7	21	♊11	29	♍6	29	♐8	29	17	20	♊4	♋7
	10	19	♊3	24	♌12	20	♏14	22	♒12	29	♉1	16	19
	11	♉1	15	♋7	26	♎5	28	♑6	25	♈11	13	28	♌2
	12	13	28	20	♍11	19	♐13	20	♓8	23	25	♋10	15
	13	25	♋12	♌4	26	♏4	27	♒4	20	♉5	♊7	22	28
	14	♊8	26	18	♎11	20	♑11	17	♈3	16	19	♌5	♍11
月	15	21	♌10	♍3	26	♐4	25	♓0	15	28	♋1	18	25
	16	♋4	25	18	♏11	19	♒9	12	27	♊10	13	♍1	♎9
☽	17	18	♍9	♎3	26	♑3	22	25	♉8	22	26	15	23
	18	♌2	24	18	♐11	17	♓4	♈7	20	♋5	♌9	29	♏7
	19	16	♎9	♏3	25	♒1	17	19	♊2	17	22	♎14	22
	20	♍0	24	18	♑9	14	29	♉0	14	♌1	♍6	29	♐7
	21	15	♏8	♐2	22	26	♈11	12	27	14	21	♏14	22
	22	29	22	16	♒5	♓8	22	24	♋9	28	♎5	29	♑7
	23	♎14	♐6	♑0	18	21	♉4	♊6	22	♍13	20	♐14	21
	24	28	20	13	♓0	♈2	16	19	♌6	27	♏6	29	♒5
	25	♏12	♑3	26	12	14	28	♋1	20	♎12	21	♑13	19
	26	26	16	♒8	24	26	♊10	14	♍4	27	♐6	28	♓2
	27	♐9	29	21	♈6	♉8	23	28	19	♏12	21	♒11	15
	28	23	♒11	♓3	17	20	♋6	♌11	♎3	2	♑5	24	28
	29	♑6	24	15	29	♊2	19	25	18	♐11	19	♓7	♈10
	30	19		27	♉11	14	♌2	♍9	♏2	25	♒2	19	22
	31	♒2		♈9		27		23	17		15		♉4

1976年（昭和51年）うるう年

♈ 牡羊　♉ 牡牛　♊ 双子　♋ 蟹　♌ 獅子　♍ 乙女
♎ 天秤　♏ 蠍　♐ 射手　♑ 山羊　♒ 水瓶　♓ 魚

	日＼月	1月	2月	3月	4月	5月	6月	7月	8月	9月	10月	11月	12月
水星☿	1	♑26	♑㉔	♒16	♈9	♊0	♉㉕	♊22	♌24	♎4	♍㉓	♏4	♐21
	5	♒2	23	22	18	2	25	♋0	♍1	6	24	10	27
	9	6	24	28	26	3	26	8	7	7	27	17	♑3
	13	9	27	♓5	♉4	③	29	16	13	⑦	♎2	23	9
	17	⑧	♒0	11	12	①	♊2	25	19	④	8	29	14
	21	⑤	5	18	18	♉㉙	7	♌3	24	⓪	15	♐5	18
	25	⓪	10	26	24	㉗	12	11	28	♍㉖	22	12	22
	28	♑㉗	14	♈1	27	㉕	17	17	♎1	㉔	27	16	23
金星♀	1	♏28	♑6	♒12	♓20	♈27	♊5	♋12	♌20	♍28	♏5	♐13	♑19
	5	♐3	11	17	25	♉2	10	17	25	♎3	10	18	24
	10	9	17	23	♈1	8	16	23	♍1	9	16	24	♒0
	15	15	23	29	7	14	22	29	7	15	22	♑0	5
	20	21	29	♓5	13	20	28	♌5	13	21	28	6	11
	25	28	♒6	11	20	26	♋4	11	20	28	♐4	12	17
火星♂	1	♊⑰	♊15	♊22	♊5	♊21	♌8	♌26	♍15	♎4	♎24	♏15	♐6
	11	⑮	17	26	10	26	14	♍2	21	11	♏1	22	14
	21	⑭	19	♋0	6	♌2	20	8	27	17	8	29	21
木星♃	1	♈15	♈19	♈24	♉1	♉8	♉15	♉22	♉27	♊0	♊①	♉㉘	♉㉔
	11	16	20	26	3	10	17	23	28	1	⓪	㉗	㉓
	21	17	22	28	5	13	19	25	29	①	♉㉙	㉕	㉒
♄土星	1	♌①	♋㉘	♋㉖	♋26	♋27	♋29	♌2	♌6	♌10	♌13	♌16	♌⑯
	16	♋㉙	㉗	㉖	26	28	♌1	4	8	12	15	16	⑯
♅天王星	1	♏7	♏7	♏⑦	♏⑥	♏④	♏③	♏③	♏3	♏4	♏5	♏7	♏9
	16	6	⑦	⑥	⑤	④	③	3	3	4	6	8	10
♆海王星	1	♐10	♐11	♐11	♐⑪	♐⑪	♐⑩	♐⑨	♐⑨	♐9	♐9	♐10	♐11
♇冥王星	1	♎9	♎⑨	♎⑧	♎⑦	♎⑦	♎⑥	♎6	♎7	♎7	♎9	♎10	♎11

	日＼月	1月	2月	3月	4月	5月	6月	7月	8月	9月	10月	11月	12月
	1	♉15	♊29	♋7	♌24	♍29	♏22	♑1	♒23	♈12	♉15	♊29	♌1
	2	27	♋12	20	♍7	♎14	♐7	16	♓7	24	27	♋11	13
	3	♊9	25	♌3	21	29	22	♒1	21	♉7	♊9	22	25
	4	21	♌8	16	♎6	♏14	♑8	15	♈4	19	21	♌5	♍8
	5	♋4	21	29	20	29	22	29	17	♊1	♋2	17	21
	6	16	♍4	♍13	♏5	♐14	♒7	♓13	29	13	14	29	♎4
	7	29	18	27	20	29	21	26	♉11	25	26	♍12	17
	8	♌12	♎2	♎12	♐5	♑14	♓4	♈8	23	♋6	♌9	26	♏2
	9	25	16	26	20	28	17	21	♊5	19	21	♎9	16
	10	♍8	♍0	♏11	♑4	♒12	♈0	♉3	17	♌1	♍4	24	♐1
	11	22	14	25	18	25	12	15	28	14	18	♏8	16
	12	♎5	28	♐9	♒2	♓8	24	26	♋11	26	♎2	23	♑2
	13	19	♐12	23	15	20	♉6	♊8	23	♍10	16	♐8	17
	14	♏3	26	♑7	28	♈3	18	20	♌5	23	♏0	23	♒2
月 ☽	15	17	♑10	21	♓11	15	♊0	♋2	18	♎7	15	♑8	17
	16	♐2	24	♒5	23	27	11	14	♍1	21	29	23	♓1
	17	16	♒8	18	♈6	♉9	23	26	14	♏5	♐14	♒7	14
	18	♑1	22	♓1	18	21	♋5	♌9	27	19	28	21	27
	19	15	♓5	14	♉0	♊3	17	22	♎11	♐3	♑13	♓5	♈10
	20	29	18	27	12	14	♌0	♍4	25	18	27	18	22
	21	♒13	♈1	♈9	24	26	12	17	♏8	♑2	♒11	♈0	♉5
	22	27	13	21	♊6	♋8	24	♎1	22	16	24	13	17
	23	♓10	25	♉3	17	20	♍7	14	♐7	♒0	♓8	25	29
	24	23	♉7	15	29	♌2	20	28	21	14	21	♉8	♊10
	25	♈6	19	27	♋11	15	♎4	♏12	♑5	28	♈3	20	22
	26	18	♊1	♊9	23	28	17	26	20	♓11	16	♊2	♋4
	27	♉0	13	21	♌6	♍11	♏1	♐10	♒4	24	29	14	16
	28	11	25	♋3	19	24	16	25	18	♈7	♉11	25	28
	29	23		15	♍2	♎8	♐1	♑10	♓2	20	23	♋7	♌10
	30	♊5		28	15	22	16	25	16	♉2	♊5	19	22
	31	17		♌10		♏7		♒9	29		17		♍5

1977年（昭和52年）

♈ 牡羊　♉ 牡牛　♊ 双子　♋ 蟹　♌ 獅子　♍ 乙女
♎ 天秤　♏ 蠍　♐ 射手　♑ 山羊　♒ 水瓶　♓ 魚

	日＼月	1月	2月	3月	4月	5月	6月	7月	8月	9月	10月	11月	12月
水星 ☿	1	♑㉒	♑16	♒27	♈25	♉⑩	♉15	♋9	♍4	♍⑯	♍23	♏16	♐29
	5	⑱	21	♓3	♉2	⑦	20	18	9	⑬	♎0	22	♑3
	9	⑫	26	11	7	⑤	26	26	13	⑨	7	28	6
	13	⑧	♒2	18	11	④	♊2	♌4	16	⑦	14	♐4	⑦
	17	⑦	8	26	13	5	10	11	19	7	21	10	⑤
	21	7	14	♈4	⑭	6	18	18	20	9	28	16	⓪
	25	10	20	12	⑬	8	26	24	⑳	14	♏4	21	♐㉕
	28	12	25	18	⑫	11	♋2	28	⑲	18	9	25	㉒
金星 ♀	1	♒25	♓28	♈20	♈⑲	♈8	♈25	♉23	♊27	♌3	♍9	♎18	♏25
	5	♓0	♈2	22	⑰	9	28	27	♋2	8	14	23	♐0
	10	5	6	23	⑭	10	♉3	♊3	7	14	20	29	6
	15	11	10	24	⑪	13	7	8	13	20	26	♏5	13
	20	16	14	㉔	⑨	16	12	14	19	26	♎3	11	19
	25	21	17	㉓	⑧	19	17	19	25	♍2	9	18	25
火星 ♂	1	♐29	♑23	♒14	♓9	♈2	♈25	♉17	♊9	♊29	♋17	♌2	♌10
	11	♑7	♒0	22	16	9	♉3	25	16	♋5	22	5	11
	21	14	8	♓0	24	17	10	♊2	22	11	27	8	⑪
木星 ♃	1	♉㉑	♉21	♉24	♉29	♊5	♊12	♊19	♊26	♋1	♋5	♋⑥	♋③
	11	㉑	22	25	♊1	7	15	21	28	3	5	⑤	②
	21	21	23	27	3	10	17	24	♋0	4	6	④	①
土星 ♄	1	♌⑮	♌⑬	♌⑪	♌⑩	♌10	♌12	♌15	♌18	♌22	♌26	♌29	♍0
	16	⑭	⑫	⑩	⑨	11	13	16	20	24	27	29	⓪
天王星 ♅	1	♏10	♏11	♏⑪	♏⑩	♏⑨	♏⑧	♏⑦	♏7	♏8	♏10	♏11	♏13
	16	11	⑪	⑪	⑩	⑨	⑧	⑦	8	9	10	12	14
海王星 ♆	1	♐14	♐15	♐16	♐⑯	♐⑮	♐⑭	♐⑭	♐⑬	♐13	♐13	♐14	♐15
冥王星 ♇	1	♎14	♎⑭	♎⑬	♎⑫	♎⑫	♎⑪	♎11	♎11	♎12	♎13	♎15	♎15

	日＼月	1月	2月	3月	4月	5月	6月	7月	8月	9月	10月	11月	12月
	1	♍17	♏6	♏17	♑10	♒19	♈10	♉15	♋0	♌15	♍17	♏5	♐11
	2	♎0	20	♐1	24	♓3	23	27	12	27	♎0	18	26
	3	13	♐4	15	♒8	16	♉5	♊9	24	♍9	13	♐2	♑11
	4	26	19	29	22	♈0	18	21	♌6	21	26	17	25
	5	♏10	♑3	♑13	♓6	13	♊0	♋3	18	♎4	♏9	♑1	♒10
	6	25	18	28	20	26	12	15	♍0	16	23	15	24
	7	♐9	♒3	♒12	♈4	♉9	24	27	12	29	♐6	29	♓9
	8	24	18	27	17	21	♋6	♌9	24	♏12	20	♒14	22
	9	♑10	♓3	♓11	♉0	♊3	18	21	♎7	26	♑4	28	♈6
	10	25	17	25	13	16	♌0	♍3	19	♐9	18	♓12	19
	11	♒10	♈1	♈8	25	28	12	15	♏2	23	♒3	25	♉2
	12	25	14	22	♊7	♋10	24	27	25	♑8	17	♈9	15
	13	♓9	27	♉5	20	21	♍0	♎10	29	22	♓1	23	28
	14	23	♉10	17	♋2	♌3	18	22	♐3	♒7	15	♉6	♊11
月 ☽	15	♈6	22	♊6	13	15	♎1	♏6	28	21	29	19	23
	16	19	♊4	12	25	27	14	20	♑12	♓6	♈13	♊2	♋5
	17	♉1	16	24	♌7	♍10	27	♐4	27	21	27	14	17
	18	13	28	♋6	19	22	♏11	19	♒13	♈5	♉10	27	29
	19	25	♋9	17	♍2	♎5	25	♑4	28	19	24	♋9	♌11
	20	♊7	21	29	14	19	♐10	19	♓12	♉2	♊6	21	23
	21	19	♌3	♌12	27	♏3	2	♒4	27	16	19	♌3	♍5
	22	♋1	16	24	♎11	17	♑10	19	♈11	28	♋1	15	17
	23	13	28	♍6	24	♐2	26	♓4	24	♊11	13	27	29
	24	25	♍11	19	♏9	1	♒11	19	♉8	23	25	♍8	♎11
	25	♌7	24	♎2	23	♑2	25	♈3	20	♋5	♌7	21	24
	26	19	♎7	16	♐7	17	♓10	16	♊3	17	19	♎3	♏7
	27	♍2	20	♏0	22	♒1	23	29	15	29	♍1	16	21
	28	14	♏3	13	♑6	16	♈7	♉12	27	♌11	13	29	♐5
	29	27		27	21	♓0	20	24	♋9	23	25	♏13	19
	30	♎10		♐12	♒5	13	♉2	♊6	21	♍5	♎8	27	♑4
	31	23		26	27		18	♌3		21		19	

1978年（昭和53年）

♈ 牡羊　♉ 牡牛　♊ 双子　♋ 蟹　♌ 獅子　♍ 乙女
♎ 天秤　♏ 蠍　♐ 射手　♑ 山羊　♒ 水瓶　♓ 魚

	日＼月	1月	2月	3月	4月	5月	6月	7月	8月	9月	10月	11月	12月
水星 ☿	1	♐㉑	♑23	♓10	♈26	♈16	♉24	♋25	♍2	♌20	♎7	♏26	♐⑲
	5	22	29	18	㉕	18	♊1	♌2	3	23	14	♐1	⑮
	9	24	♒6	26	㉓	21	10	9	②	28	20	7	⑨
	13	28	12	♈4	⑳	25	18	14	⓪	♍4	27	12	⑥
	17	♑3	19	11	⑰	♉0	27	19	♌㉗	11	♏3	16	5
	21	8	26	17	⑮	5	♋6	24	㉔	18	10	19	7
	25	13	♓3	22	⑭	11	14	28	㉑	26	16	21	10
	28	18	9	24	15	16	20	♍0	⑳	♎1	20	㉑	13
金星 ♀	1	♑4	♒13	♓18	♈27	♊4	♋11	♌16	♍21	♎23	♏17	♏⑲	♏7
	5	9	24	23	♉2	8	16	21	26	27	19	⑰	8
	10	16	♓1	29	8	14	22	27	♎1	♏2	21	⑭	9
	15	22	7	♈6	14	21	28	♍2	6	6	22	⑪	11
	20	28	13	12	20	27	♌3	8	12	10	㉒	⑧	14
	25	♒4	17	18	26	♋3	9	14	17	13	㉑	⑦	18
火星 ♂	1	♌⑨	♋㉗	♋㉒	♋26	♌7	♌22	♍9	♍27	♎17	♏7	♏28	♐20
	11	⑥	㉔	22	29	12	28	15	♎3	23	14	♐6	28
	21	②	㉒	24	♌3	17	♍3	21	10	♏0	21	13	♑6
木星 ♃	1	♊㉙	♊㉖	♊26	♊28	♋2	♋9	♋15	♋22	♋29	♌4	♌8	♌⑨
	11	㉘	㉖	26	29	4	11	17	24	♌1	5	8	⑧
	21	㉗	26	27	♋1	6	13	20	26	2	7	9	⑧
土星 ♄	1	♍⓪	♌㉘	♌㉖	♌㉔	♌23	♌24	♌27	♍0	♍4	♍8	♍11	♍13
	16	♌㉙	㉗	㉕	㉓	24	25	28	2	6	9	12	13
天王星 ♅	1	♏15	♏16	♏⑯	♏⑮	♏⑭	♏⑬	♏⑫	♏12	♏13	♏14	♏16	♏18
	16	15	16	⑯	⑮	⑬	⑫	⑫	12	13	15	17	18
海王星 ♆	1	♐16	♐17	♐18	♐⑱	♐⑰	♐⑰	♐⑯	♐⑮	♐15	♐15	♐16	♐17
冥王星 ♇	1	♎16	♎⑯	♎⑯	♎⑮	♎⑭	♎⑭	♎13	♎14	♎15	♎16	♎17	♎18

1979年（昭和54年）

♈ 牡羊　♉ 牡牛　♊ 双子　♋ 蟹　♌ 獅子　♍ 乙女
♎ 天秤　♏ 蠍　♐ 射手　♑ 山羊　♒ 水瓶　♓ 魚

月 ☽

日＼月	1月	2月	3月	4月	5月	6月	7月	8月	9月	10月	11月	12月
1	♒5	♓28	♈6	♉26	♊29	♌14	♍16	♏0	♐18	♑25	♓18	♈27
2	20	♈12	20	♊9	♋12	26	27	13	♑2	♒9	♈2	♉11
3	♓4	26	♉4	22	24	♍8	♎9	26	16	24	17	25
4	19	♉9	18	♋4	♌6	19	22	♐9	♒0	♓9	♉2	♊9
5	♈3	22	♊1	16	18	♎1	♏4	23	15	24	16	22
6	16	♊4	13	28	♍0	14	17	♑7	♓0	♈9	♊0	♋6
7	29	17	26	♌10	12	26	♐1	22	15	24	14	18
8	♉12	29	♋8	22	24	♏9	15	♒7	♈0	♉8	28	♌1
9	25	♋11	20	♍4	♎6	23	29	22	15	22	♋11	13
10	♊7	23	♌2	15	18	♐6	♑13	♓7	♉0	♊6	23	25
11	20	♌5	13	28	♏1	20	28	22	14	20	♌5	♍7
12	♋2	17	25	♎10	14	♑5	♒13	♈7	28	♋3	17	19
13	14	28	♍7	22	28	19	28	21	♊11	15	29	♎1
14	26	♍10	19	♏5	♐11	♒4	♓13	♉5	24	27	♍11	13
15	♌8	22	♎1	18	25	18	27	19	♋7	♌9	23	25
16	20	♎4	13	♐2	♑9	♓3	♈11	♊2	19	21	♎5	♏7
17	♍1	16	26	15	23	17	25	15	♌1	♍3	17	20
18	13	29	♏9	29	♒8	♈1	♉9	27	13	15	29	♐3
19	25	♏12	22	♑13	22	15	22	♋10	24	27	♏12	16
20	♎7	25	♐5	27	♓6	28	♊5	22	♍6	♎9	25	♑0
21	20	♐8	18	♒11	20	♉12	18	♌4	18	21	♐8	14
22	♏2	22	♑2	25	♈4	25	♋0	16	♎0	♏3	21	28
23	15	♑6	16	♓9	18	♊8	13	27	12	16	♑5	♒12
24	29	21	♒0	24	♉2	21	25	♍9	24	28	18	27
25	♐13	♒4	15	♈8	15	♋3	♌7	21	♏6	♐11	♒2	♓11
26	27	21	29	22	29	16	19	♎3	19	24	16	25
27	♑12	♓4	♓14	♉6	♊12	28	♍0	15	♐1	♑8	♓0	♈9
28	27	21	29	20	25	♌10	12	27	14	21	14	23
29	♒13		♈14	♊4	♋7	22	24	♏9	27	♒5	28	♉7
30	28		28	17	20	♍4	♎6	22	♑11	19	♈12	21
31	♓13		♉12		♌2		18	♐5		♓3		♊4

	日＼月	1月	2月	3月	4月	5月	6月	7月	8月	9月	10月	11月	12月
水星 ☿	1	♐18	♒5	♓24	♓㉗	♈14	♊11	♌3	♌⑦	♌25	♎19	♐1	♏19
	5	23	11	♈1	㉖	19	20	7	⑤	♍3	26	4	21
	9	29	18	5	㉕	26	28	11	③	11	♏2	5	25
	13	♑5	25	8	26	♉2	♋6	13	3	18	8	⑤	♐0
	17	11	♓3	⑧	29	10	13	14	4	26	13	①	5
	21	17	10	⑥	♈2	18	20	⑭	8	♎3	18	♏㉖	11
	25	23	18	③	6	26	26	⑫	13	10	23	㉑	16
	28	28	23	⓪	10	♊2	♌0	⑩	18	15	27	⑳	21
金星 ♀	1	♏24	♐24	♑26	♓2	♈9	♉16	♊22	♌0	♍9	♎16	♏25	♑2
	5	27	29	♒1	7	13	21	27	5	14	21	♐0	7
	10	♐2	♑4	6	13	19	27	♋3	12	20	27	6	13
	15	7	10	12	19	25	♊3	10	18	26	♏4	12	19
	20	12	16	18	25	♉1	9	16	24	♎2	10	18	26
	25	17	21	24	♈1	8	15	22	♍0	9	16	25	♒2
火星 ♂	1	♑14	♒8	♓0	♓25	♈18	♉11	♊3	♊24	♋15	♌3	♌20	♍4
	11	22	16	8	♈2	25	18	10	♋1	21	9	25	8
	21	29	24	16	10	♉3	26	17	7	27	14	♍0	11
木星 ♃	1	♌⑦	♌③	♌⓪	♋29	♌0	♌5	♌10	♌17	♌24	♍0	♍5	♍9
	11	⑤	①	♋㉙	29	2	6	12	19	26	2	7	9
	21	④	⓪	㉙	♌0	3	8	14	21	28	3	8	10
♄ 土星	1	♍⑬	♍⑫	♍⑩	♍⑧	♍⑦	♍7	♍9	♍12	♍16	♍19	♍23	♍25
	16	⑬	⑪	⑨	⑦	7	8	10	14	17	21	24	26
♅ 天王星	1	♏19	♏20	♏㉑	♏⑳	♏⑲	♏⑱	♏⑰	♏16	♏17	♏18	♏20	♏22
	16	20	21	⑳	⑳	⑱	⑰	⑰	17	18	19	21	23
♆ 海王星	1	♐18	♐19	♐20	♐⑳	♐⑳	♐⑲	♐⑱	♐⑰	♐17	♐18	♐18	♐19
♇ 冥王星	1	♎19	♎⑲	♎⑱	♎⑱	♎⑰	♎⑯	♎16	♎16	♎17	♎18	♎19	♎20

1980年（昭和55年）うるう年

♈ 牡羊　♉ 牡牛　♊ 双子　♋ 蟹　♌ 獅子　♍ 乙女
♎ 天秤　♏ 蠍　♐ 射手　♑ 山羊　♒ 水瓶　♓ 魚

月 ☽

日＼月	1月	2月	3月	4月	5月	6月	7月	8月	9月	10月	11月	12月
1	♊18	♌5	♌26	♎10	♏13	♑0	♒7	♈0	♉23	♋1	♌19	♍21
2	♋1	17	♍8	22	26	14	21	14	♊7	14	♍1	♎3
3	14	29	20	♏4	♐8	27	♓5	28	21	27	13	15
4	26	♍11	♎2	16	21	♒11	19	♉13	♋4	♌9	25	27
5	♌9	23	13	29	♑4	24	♈3	27	17	22	♎7	♏9
6	21	♎5	25	♐11	17	♓8	17	♊10	♌0	♍4	18	21
7	♍3	17	♏7	24	♒0	22	♉2	24	12	16	♏0	♐3
8	15	29	19	♑7	14	♈6	16	♋7	25	28	12	15
9	27	♏11	♐2	20	27	21	♊0	20	♍7	♎10	24	28
10	♎9	23	14	♒4	♓12	♉5	14	♌3	19	21	♐6	♑10
11	20	♐6	27	17	26	20	27	16	♎1	♏3	19	23
12	♏3	19	♑11	♓2	♈11	♊4	♋11	28	13	15	♑1	♒6
13	15	♑2	24	17	26	18	24	♍10	25	27	13	19
14	28	16	♒9	♈2	♉10	♋2	♌7	22	♏6	♐9	26	♓3
15	♐11	♒1	23	17	25	16	20	♎4	18	21	♒9	17
16	24	15	♓8	♉2	♊10	29	♍2	16	♐0	♑4	23	♈0
17	♑8	♓0	23	17	24	♌12	14	28	12	17	♓6	15
18	23	15	♈9	♊2	♋8	24	26	♏10	25	♒0	20	29
19	♒7	♈0	24	16	21	♍6	♎8	22	♑8	13	♈5	♉14
20	22	15	♉9	29	♌4	18	20	♐4	21	27	20	28
21	♓7	♉0	23	♋13	16	♎0	♏2	17	♒4	♓11	♉5	♊13
22	21	14	♊7	25	28	12	14	29	18	26	20	28
23	♈6	28	21	♌8	♍10	24	26	♑13	♓3	♈11	♊5	♋12
24	20	♊11	♋4	20	22	♏6	♐9	26	16	26	20	26
25	♉4	24	17	♍2	♎4	18	21	♒10	♈3	♉12	♋4	♌9
26	18	♋7	29	14	16	♐1	♑5	25	18	27	18	22
27	♊1	20	♌11	26	28	13	18	♓10	♉3	♊12	♌2	♍5
28	14	♌2	23	♎7	♏10	26	♒2	24	18	26	15	17
29	27	14	♍5	19	22	♑10	16	♈9	♊3	♋10	27	29
30	♋10		17	♏1	♐5	23	♓1	24	17	23	♍9	♎11
31	23		29		17		15	♉9		♌6		23

	日＼月	1月	2月	3月	4月	5月	6月	7月	8月	9月	10月	11月	12月
水星 ☿	1	♐27	♒18	♓⑳	♓13	♈26	♊29	♋㉔	♋19	♍13	♏0	♏⑭	♏22
	5	♑3	25	⑰	17	♉4	♋5	㉓	23	20	5	⑨	28
	9	9	♓2	⑬	21	12	11	㉑	29	27	10	⑤	♐4
	13	16	8	⑨	27	21	16	⑲	♌6	♎4	14	④	10
	17	22	14	⑦	♈2	29	19	⑯	13	10	17	5	16
	21	29	19	7	9	♊8	22	⑮	21	16	19	9	22
	25	♒5	21	8	15	16	24	15	29	22	⑲	13	29
	28	11	㉑	10	20	22	25	16	♍5	26	⑱	17	♑3
金星 ♀	1	♒10	♓18	♈23	♉26	♊23	♋①	♊⑯	♊25	♋22	♌25	♎1	♏8
	5	15	23	27	♊0	25	⓪	⑯	28	26	29	6	13
	10	22	29	♉3	5	28	♊㉗	16	♋2	♌1	♍5	12	19
	15	28	♈5	8	10	♋0	㉔	17	6	7	11	18	25
	20	♓4	11	14	14	2	㉑	18	11	12	17	24	♐1
	25	10	17	19	18	2	⑲	21	15	18	23	♏0	7
火星 ♂	1	♍13	♍⑬	♍④	♌㉖	♌29	♍9	♍24	♎12	♏1	♏21	♐14	♑6
	11	15	⑪	⓪	25	♍1	14	29	18	8	28	21	14
	21	⑮	⑦	♌㉗	27	5	19	♎5	24	14	♐6	28	21
木星 ♃	1	♍⑩	♍⑧	♍④	♍①	♍0	♍2	♍6	♍11	♍18	♍24	♎0	♎5
	11	⑨	⑦	③	⓪	0	3	7	13	20	26	2	7
	21	⑨	⑥	②	⓪	1	4	9	15	22	28	4	8
♄ 土星	1	♍26	♍㉖	♍㉔	♍㉒	♍⑳	♍20	♍21	♍24	♍27	♎1	♎4	♎7
	16	㉖	㉕	㉓	㉑	⑳	20	22	25	29	2	6	8
♅ 天王星	1	♏24	♏25	♏25	♏㉕	♏㉔	♏㉒	♏㉑	♏21	♏21	♏23	♏24	♏26
	16	24	25	㉕	㉔	㉓	㉒	㉑	21	22	23	25	27
♆ 海王星	1	♐20	♐21	♐22	♐㉒	♐㉒	♐㉑	♐⑳	♐⑳	♐⑲	♐20	♐20	♐21
♇ 冥王星	1	♎21	♎㉑	♎㉑	♎⑳	♎⑲	♎⑲	♎18	♎19	♎20	♎21	♎22	♎23

	日＼月	1月	2月	3月	4月	5月	6月	7月	8月	9月	10月	11月	12月
月☽	1	♏ 5	♐19	♐27	♒14	♓20	♉13	♊22	♌14	♎ 2	♏ 5	♐19	♑21
	2	17	♑ 2	♑10	27	♈ 4	28	♋ 7	27	14	17	♑ 1	♒ 3
	3	29	15	22	♓12	19	♊14	21	♍11	26	29	12	16
	4	♐11	28	♒ 6	26	♉ 5	28	♌ 5	23	♏ 8	♐10	25	28
	5	24	♒11	19	♈11	20	♋13	19	♎ 6	20	22	♒ 7	♓11
	6	♑ 7	25	♓ 4	26	♊ 5	27	♍ 3	18	♐ 2	♑ 4	19	24
	7	20	♓ 9	18	♉11	20	♌11	15	♏ 1	14	16	♓ 2	♈ 8
	8	♒ 3	24	♈ 3	27	♋ 5	24	28	12	26	28	16	22
	9	16	♈ 8	18	♊11	19	♍ 7	♎10	24	♑ 8	♒11	♈ 0	♉ 7
	10	♓ 0	22	♉ 2	26	♌ 2	20	22	♐ 6	21	24	14	22
	11	13	♉ 7	17	♋10	16	♎ 2	♏ 4	18	♒ 3	♓ 8	29	♊ 7
	12	27	21	♊ 1	23	28	14	16	♑ 0	16	22	♉14	23
	13	♈11	♊ 5	16	♌ 6	♍11	26	28	13	♓ 0	♈ 6	29	♋ 8
	14	26	19	29	19	23	♏ 8	♐10	25	14	21	♊15	23
	15	♉10	♋ 3	♋13	♍ 2	♎ 5	20	22	♒ 8	28	♉ 6	♋ 0	♌ 7
	16	24	16	26	14	17	♐ 2	♑ 4	21	♈12	21	14	21
	17	♊ 8	29	♌ 9	26	29	14	17	♓ 5	27	♊ 6	29	♍ 5
	18	22	♌13	22	♎ 8	♏11	26	29	19	♉11	21	♌12	18
	19	♋ 6	25	♍ 5	20	23	♑ 8	♒12	♈ 3	26	♋ 5	26	♎ 1
	20	20	♍ 8	17	♏ 2	♐ 5	20	25	17	♊10	19	♍ 9	13
	21	♌ 4	21	29	14	17	♒ 3	♓ 9	♉ 1	24	♌ 3	21	25
	22	17	♎ 3	♎11	26	29	16	22	15	♋ 8	16	♎ 4	♏ 7
	23	♍ 0	15	23	♐ 8	♑11	29	♈ 6	29	22	29	16	19
	24	13	27	♏ 5	20	23	♓12	20	♊13	♌ 6	♍12	28	♐ 1
	25	25	♏ 9	17	♑ 2	♒ 6	25	♉ 4	28	19	24	♏10	13
	26	♎ 7	21	29	14	19	♈ 9	18	♋12	♍ 2	♎ 7	22	25
	27	19	♐ 3	♐11	26	♓ 2	23	♊ 3	25	15	19	♐ 4	♑ 6
	28	♏ 1	15	23	♒ 9	15	♉ 8	17	♌ 9	28	♏ 1	16	18
	29	13		♑ 5	22	29	22	♋ 1	23	♎10	13	28	♒ 1
	30	25		18	♓ 6	♈13	♊ 7	16	♍ 6	22	25	♑ 9	13
	31	♐ 7		♒ 0		28		♌ 0	19		♐ 7		25

1981年（昭和56年）

♈ 牡羊　♉ 牡牛　♊ 双子　♋ 蟹　♌ 獅子　♍ 乙女
♎ 天秤　♏ 蠍　♐ 射手　♑ 山羊　♒ 水瓶　♓ 魚

	日＼月	1月	2月	3月	4月	5月	6月	7月	8月	9月	10月	11月	12月
水星☿	1	♑10	♒29	♒⑳	♓17	♉13	♋ 2	♊㉖	♋27	♍26	♏ 2	♎19	♐ 2
	5	16	♓ 3	⑳	23	22	4	26	♌ 5	♎ 2	3	23	9
	9	23	④	21	♈ 0	♊ 0	5	27	14	8	③	28	15
	13	29	③	24	7	8	④	29	22	13	①	♏ 4	21
	17	♒ 6	♒㉙	28	14	14	③	♋ 3	♍ 0	18	♎㉗	10	27
	21	13	㉕	♓ 2	22	25	♊㉙	8	7	23	㉒	16	♑ 4
	25	19	㉑	7	♉ 0		㉗	14	14	27	⑱	23	10
	28	24	20	11	7			19	19	♏ 0	⑱	28	15
金星♀	1	♐16	♑25	♓ 0	♈ 9	♉16	♊24	♌ 0	♍ 8	♎15	♏20	♐24	♑23
	5	21	♒ 0	5	14	21	29	5	13	20	25	29	26
	10	27	6	11	20	27	♋ 5	11	19	26	♐ 0	♑ 4	♒ 0
	15	♑ 4	12	17	26	♊ 3	11	17	25	♏ 1	6	9	3
	20	10	19	24	♉ 2	9	17	24	♎ 1	7	11	14	6
	25	16	25	♈ 0	8	15	23	♍ 0	7	13	17	18	7
火星♂	1	♒ 0	♒25	♓17	♈11	♉ 3	♉26	♊17	♋ 8	♋29	♌17	♍ 6	♍22
	11	8	♓ 2	24	18	11	♊ 3	24	15	♌ 5	23	11	27
	21	16	10	♈ 2	26	18	10	♋ 1	22	11	29	17	♎ 2
木星♃	1	♎ 9	♎⑩	♎⑧	♎④	♎①	♎ 0	♎ 2	♎ 6	♎11	♎17	♎24	♏ 0
	11	10	⑨	⑦	③	⓪	0	3	7	13	19	26	2
	21	10	⑨	⑥	②	⓪	1	4	9	15	22	28	4
♄土星	1	♎ 9	♎ 9	♎⑧	♎⑥	♎④	♎③	♎ 3	♎ 5	♎ 8	♎12	♎15	♎19
	16	9	⑨	⑦	④	③	③	4	6	10	13	17	20
♅天王星	1	♏28	♏29	♐ 0	♏㉙	♏㉘	♏㉗	♏㉖	♏㉖	♏26	♏27	♏29	♐ 0
	16	29	29	⓪	㉙	㉘	㉗	㉖	26	26	28	29	1
♆海王星	1	♐23	♐24	♐24	♐㉔	♐㉔	♐㉓	♐㉓	♐㉒	♐㉒	♐22	♐22	♐23
♇冥王星	1	♎24	♎㉔	♎㉔	♎㉓	♎㉒	♎㉑	♎㉑	♎21	♎22	♎23	♎24	♎25

	日＼月	1月	2月	3月	4月	5月	6月	7月	8月	9月	10月	11月	12月
月☽	1	♓ 8	♈28	♉ 9	♋ 2	♌11	♎ 1	♏ 6	♐20	♒ 4	♓ 7	♈25	♊ 2
	2	21	♉12	23	16	25	14	18	♑ 2	16	20	♉ 9	17
	3	♈ 4	26	♊ 7	♌ 0	♍ 8	26	♐ 0	14	29	♈ 3	24	♋ 2
	4	18	♊11	21	14	21	♏ 9	12	26	♓12	17	♊ 8	17
	5	♉ 2	25	♋ 5	28	♎ 4	21	23	♒ 8	24	♉ 1	23	♌ 2
	6	16	♋10	20	♍11	17	♐ 3	♑ 5	20	♈ 8	14	♋ 7	16
	7	♊ 1	24	♌ 4	24	29	15	17	♓ 2	21	29	22	♍ 0
	8	16	♌ 9	18	♎ 7	♏12	26	29	15	♉ 4	♊13	♌ 6	14
	9	♋ 1	23	♍ 2	20	24	♑ 8	♒11	28	18	27	20	28
	10	16	♍ 7	15	♏ 3	♐ 6	20	23	♈11	♊ 2	♋11	♍ 4	♎11
	11	♌ 1	21	29	15	18	♒ 2	♓ 5	24	16	25	17	24
	12	15	♎ 4	♎12	27	♑ 0	14	18	♉ 7	♋ 0	♌ 9	♎ 1	♏ 7
	13	29	17	25	♐ 9	11	26	♈ 1	21	14	23	14	19
	14	♍13	29	♏ 7	21	23	♓ 8	14	♊ 5	28	♍ 7	27	♐ 1
	15	26	♏12	19	♑ 3	♒ 5	21	27	19	♌13	21	♏10	13
	16	♎ 9	24	♐ 1	15	17	♈ 4	♉11	♋ 4	27	♎ 4	22	25
	17	21	♐ 6	13	27	♓ 0	18	25	19	♍11	18	♐ 5	♑ 7
	18	♏ 4	17	25	♒ 9	12	♉ 2	♊10	♌ 3	25	♏ 1	17	19
	19	16	29	♑ 7	21	26	16	25	18	♎ 9	14	29	♒ 1
	20	28	♑11	19	♓ 4	♈ 9	♊ 1	♋10	♍ 3	23	26	♑11	13
	21	♐ 9	23	♒ 1	17	23	16	25	17	♏ 6	♐ 9	22	25
	22	21	♒ 6	13	♈ 1	♉ 8	♋ 1	♌10	♎ 1	18	21	♒ 4	♓ 7
	23	♑ 3	18	26	15	23	16	24	15	♐ 1	♑ 3	16	19
	24	15	♓ 1	♓ 9	♉ 0	♊ 8	♌ 1	♍ 9	28	13	14	28	♈ 1
	25	27	14	23	14	23	16	23	♏10	25	26	♓10	14
	26	♒10	28	♈ 7	29	♋ 8	♍ 0	♎ 6	23	♑ 7	♒ 8	23	27
	27	22	♈11	21	♊14	23	14	19	♐ 5	18	20	♈ 6	♉11
	28	♓ 5	25	♉ 5	28	♌ 7	28	♏ 2	17	♒ 0	♓ 2	19	25
	29	18		19	♋13	21	♎11	14	29	12	15	♉ 3	♊10
	30	♈ 1		♊ 4	27	♍ 5	23	27	♑10	25	28	18	25
	31	15		18		18		♐ 9	22		♈12		♋10

1982年（昭和57年）

♈ 牡羊　♉ 牡牛　♊ 双子　♋ 蟹　♌ 獅子　♍ 乙女
♎ 天秤　♏ 蠍　♐ 射手　♑ 山羊　♒ 水瓶　♓ 魚

	日＼月	1月	2月	3月	4月	5月	6月	7月	8月	9月	10月	11月	12月
水星☿	1	♑21	♒⑫	♒12	♓29	♉28	♊⑪	♊16	♌14	♎ 4	♎⑩	♎26	♐14
	5	28	⑦	17	♈ 7	♊ 4	⑨	22	22	8	⑥	♏ 2	20
	9	♒ 4	④	22	15	8	⑦	28	♍ 0	12	③	9	26
	13	10	②	28	23	12	⑥	♋ 5	6	15	2	15	♑ 2
	17	14	3	♓ 4	♉ 1	14	6	13	13	17	4	22	8
	21	18	5	10	10	15	8	22	19	⑰	9	28	14
	25	⑱	8	17	18	⑭	10	♌ 0	25	⑮	14	♐ 4	20
	28	⑯	11	22	23	13	13	6	29	⑬	19	9	24
金星♀	1	♒ 8	♑㉕	♑28	♒24	♓25	♉ 0	♊ 6	♋13	♌21	♍28	♏ 6	♐14
	5	⑧	㉔	♒ 1	28	♈ 0	5	10	18	25	♎ 3	12	19
	10	⑦	㉓	4	♓ 3	5	11	16	24	♍ 2	9	18	25
	15	⑤	23	8	8	11	17	22	♌ 0	8	15	24	♑ 2
	20	②	24	12	13	17	23	28	6	14	21	♐ 0	8
	25	♑㉙	26	17	19	22	28	♋ 4	12	20	28	7	14
火星♂	1	♎ 6	♎16	♎⑱	♎⑩	♎①	♎ 2	♎12	♎28	♏17	♐ 7	♐29	♑22
	11	10	18	⑰	⑥	⓪	5	17	♏ 4	23	14	♑ 7	♒ 0
	21	14	19	⑭	③	0	8	22	10	♐ 0	21	14	8
木星♃	1	♏ 6	♏ 9	♏⑩	♏⑧	♏④	♏①	♏ 0	♏ 2	♏ 6	♏11	♏18	♏24
	11	7	10	⑩	⑦	③	⓪	0	3	7	13	20	26
	21	8	10	⑨	⑥	②	⓪	1	4	9	15	22	28
♄土星	1	♎21	♎22	♎㉑	♎⑲	♎⑰	♎⑮	♎15	♎17	♎19	♎22	♎26	♏ 0
	16	22	㉒	⑳	⑱	⑯	⑮	16	18	21	24	28	1
♅天王星	1	♐ 2	♐ 4	♐ 4	♐④	♐③	♐②	♐①	♐⓪	♐ 0	♐ 1	♐ 3	♐ 5
	16	3	4	④	④	②	①	⓪	0	1	2	4	5
♆海王星	1	♐25	♐26	♐26	♐㉗	♐㉖	♐㉖	♐㉕	♐㉔	♐㉔	♐24	♐25	♐26
♇冥王星	1	♎26	♎㉖	♎㉖	♎㉕	♎㉕	♎㉔	♎㉔	♎24	♎25	♎26	♎27	♎28

1983年（昭和58年）

♈ 牡羊　♉ 牡牛　♊ 双子　♋ 蟹　♌ 獅子　♍ 乙女
♎ 天秤　♏ 蠍　♐ 射手　♑ 山羊　♒ 水瓶　♓ 魚

月 ☽

日＼月	1月	2月	3月	4月	5月	6月	7月	8月	9月	10月	11月	12月
1	♋25	♍18	♍26	♏16	♐19	♒ 3	♓ 6	♈21	♊ 9	♋17	♍10	♎19
2	♌10	♎ 3	♎11	29	♑ 2	15	17	♉ 3	23	♌ 1	24	♏ 3
3	25	16	24	♐11	14	27	♈ 0	16	♋ 7	15	♎ 9	16
4	♍10	♏ 0	♏ 8	24	25	♓ 9	12	♊ 0	21	♍ 0	23	♐ 0
5	24	13	21	♑ 6	♒ 7	21	25	13	♌ 6	15	♏ 7	13
6	♎ 8	25	♐ 4	18	19	♈ 4	♉ 8	28	21	♎ 0	21	26
7	21	♐ 7	16	29	♓ 1	16	21	♋12	♍ 6	14	♐ 4	♑ 8
8	♏ 4	19	28	♒11	13	29	♊ 5	27	21	29	18	21
9	16	♑ 1	♑10	23	26	♉13	19	♌12	♎ 6	♏13	♑ 0	♒ 3
10	28	13	21	♓ 5	♈ 8	27	♋ 4	28	21	27	13	15
11	♐10	25	♒ 3	18	21	♊11	19	♍13	♏ 5	♐10	25	27
12	22	♒ 7	15	♈ 0	♉ 5	26	♌ 4	28	18	22	♒ 7	♓ 8
13	♑ 4	18	27	13	18	♋10	19	♎12	♐ 2	♑ 5	19	20
14	16	♓ 0	♓ 9	26	♊ 2	25	♍ 4	26	14	17	♓ 1	♈ 2
15	28	13	22	♉10	17	♌10	19	♏10	27	29	13	15
16	♒10	25	♈ 4	23	♋ 1	24	♎ 3	23	♑ 9	♒11	25	27
17	22	♈ 7	17	♊ 7	15	♍ 9	17	♐ 5	21	23	♈ 7	♉10
18	♓ 3	20	♉ 0	21	29	23	♏ 0	18	♒ 3	♓ 5	19	23
19	16	♉ 3	13	♋ 5	♌14	♎ 7	13	♑ 0	14	17	♉ 2	♊ 7
20	28	16	27	19	28	20	26	12	26	29	15	21
21	♈10	♊ 0	♊10	♌ 3	♍12	♏ 3	♐ 9	24	♓ 8	♈11	29	♋ 5
22	23	13	24	17	26	16	21	♒ 6	20	24	♊12	19
23	♉ 6	27	♋ 8	♍ 1	♎10	29	♑ 3	18	♈ 2	♉17	26	♌ 4
24	20	♌11	22	15	23	♐12	15	29	15	20	♋10	19
25	♊ 4	26	♌ 6	29	♏ 7	24	27	♓11	27	♊ 3	24	♍ 3
26	18	♍11	21	♎13	20	♑ 6	♒ 9	23	♉10	16	♌ 8	17
27	♋ 3		♍ 5	27	♐ 2	18	21	♈ 6	23	♋ 0	22	♎ 2
28	18		20	♏11	15	♒ 0	♓ 2	18	♊ 6	13	♍ 7	16
29	♌ 3		♎ 4	24	27	12	14	♉ 0	19	27	21	29
30	18		19	♐ 7	♑10	24	26	13	♋ 3	♌11	♎ 5	♏13
31	♍ 4		♏ 2		22		♈ 8	26		26		26

星	日＼月	1月	2月	3月	4月	5月	6月	7月	8月	9月	10月	11月	12月
水星 ☿	1	♑29	♑17	♒19	♈15	♉25	♉17	♊27	♌28	♎ 0	♍19	♏ 8	♐24
	5	♒ 2	19	25	23	㉕	20	♋ 5	♍ 4	⓪	23	14	♑ 0
	9	②	23	♓ 2	♉ 1	㉓	23	4	10	♍㉘	29	21	5
	13	♑㉙	♒ 2	9	8	㉑	27	23	15	㉕	♎ 6	27	10
	17	㉔	8	16	15	⑲	♊ 3	♌ 1	20	㉑	12	♐ 3	14
	21	⑲	13	23	19	⑰	9	9	24	⑰	19	9	16
	25	⑰	18	♈ 1	23	⑯	15	16	27	⑯	26	15	⑯
	28	16		7	24	16	21	22	29	17	♏ 1	20	⑬
金星 ♀	1	♑23	♓ 2	♈ 7	♉14	♊19	♋24	♌22	♍ 9	♌㉗	♌27	♍21	♎23
	5	28	7	11	19	24	28	25	⑨	㉕	29	25	27
	10	♒ 4	13	18	25	♋ 0	♌ 3	29	⑧	㉓	♍ 2	♎ 0	♏ 3
	15	11	19	24	♊ 1	5	8	♍ 2	⑦	㉓	6	5	9
	20	17	25	♉ 0	7	11	13	5	④	23	10	10	15
	25	23	♈ 2	6	13	16	17	7	①	24	14	16	21
火星 ♂	1	♒16	♓11	♈ 2	♈26	♉18	♊10	♋ 0	♋21	♌11	♍ 0	♍19	♎ 7
	11	24	18	10	♉ 3	25	17	⑦	28	17	6	25	12
	21	♓ 2	26	18	11	♊ 2	24	14	♌ 4	24	12	♎ 1	18
木星 ♃	1	♐ 1	♐ 6	♐ 9	♐⑩	♐⑨	♐⑤	♐②	♐ 1	♐ 2	♐ 6	♐12	♐18
	11	3	7	10	⑩	⑧	④	①	1	3	8	14	21
	21	4	9	10	⑩	⑥	③	①	1	5	10	16	23
土星 ♄	1	♏ 2	♏ 4	♏④	♏②	♏⓪	♎㉘	♎㉗	♎28	♏ 0	♏ 3	♏ 7	♏10
	16	3	④	③	①	㉙	㉗	27	29	2	5	9	12
天王星 ♅	1	♐ 6	♐ 8	♐ 9	♐⑧	♐⑧	♐⑦	♐⑤	♐⑤	♐ 5	♐ 6	♐ 7	♐ 9
	16	7	8	⑨	⑧	⑦	⑥	⑤	5	5	6	8	10
海王星 ♆	1	♐27	♐28	♐28	♐29	♐㉙	♐㉘	♐㉗	♐㉖	♐㉖	♐26	♐27	♐28
冥王星 ♇	1	♎29	♎29	♎㉙	♎㉘	♎㉗	♎㉗	♎㉖	♎㉖	♎27	♎28	♎29	♏ 0

1984年（昭和59年）うるう年

♈ 牡羊　♉ 牡牛　♊ 双子　♋ 蟹　♌ 獅子　♍ 乙女
♎ 天秤　♏ 蠍　♐ 射手　♑ 山羊　♒ 水瓶　♓ 魚

月 ☽

日＼月	1月	2月	3月	4月	5月	6月	7月	8月	9月	10月	11月	12月
1	♐ 9	♑25	♒16	♈ 1	♉ 4	♊21	♋28	♍21	♏15	♐22	♒ 9	♓11
2	22	♒ 7	28	13	16	♋ 5	♌12	♎ 6	29	♑ 5	21	23
3	♑ 4	19	♓10	25	9	18	27	21	♐12	17	♓ 3	♈ 5
4	17	♓ 1	22	♉ 7	♊12	♌ 2	♍11	♏ 5	25	♒ 0	15	17
5	29	13	♈ 4	20	25	16	26	19	♑ 8	12	27	29
6	♒11	25	16	♊ 2	♋ 8	♍ 0	♎10	♐ 2	21	24	♈ 9	♉11
7	23	♈ 7	28	15	22	15	24	15	♒ 3	♓ 6	21	23
8	♓ 5	19	♉10	28	♌ 5	29	♏ 8	28	15	18	♉ 3	♊ 6
9	17	♉ 1	22	♋11	19	♎13	22	♑11	27	♈ 0	15	18
10	28	13	♊ 5	25	♍ 4	27	♐ 5	24	♓ 9	12	27	♋ 1
11	♈10	26	18	♌ 9	18	♏11	18	♒ 6	21	24	♊ 9	14
12	23	♊ 9	♋ 1	23	♎ 3	25	♑ 1	18	♈ 3	♉ 6	22	28
13	♉ 5	22	15	♍ 8	17	♐ 9	14	♓ 0	15	18	♋ 5	♌11
14	18	♋ 6	29	23	♏ 2	22	27	12	27	♊ 0	18	25
15	♊ 1	21	♌14	♎ 8	16	♑ 6	♒10	24	♉ 9	12	♌ 1	♍ 9
16	14	♌ 6	29	23	♐ 0	19	22	♈ 6	21	25	14	23
17	28	21	♍14	♏ 8	14	♒ 1	♓ 4	18	♊ 3	♋ 8	28	♎ 7
18	♋13	♍ 6	♎ 0	22	27	14	16	♉ 0	15	21	♍12	21
19	28	22	15	♐ 6	♑11	26	28	12	28	♌ 4	27	♏ 6
20	♌13	♎ 7	♏ 0	20	23	♓ 8	♈10	24	♋ 1	18	♎11	20
21	28	21	14	♑ 3	♒ 6	20	22	♊ 7	25	♍ 3	26	♐ 4
22	♍13	♏ 6	28	15	18	♈ 2	♉ 4	19	♌ 9	17	♍11	18
23	28	19	♐11	28	♓ 0	14	16	♋ 3	24	♎ 2	26	♑ 2
24	♎12	♐ 3	24	♒10	12	26	28	16	♍ 9	17	♐10	16
25	26	15	♑ 7	22	24	♉ 8	♊11	♌ 1	24	♏ 3	24	29
26	♏10	28	19	♓ 4	♈ 6	20	25	15	♎ 9	17	♑ 8	♒12
27	23	♑10	♒ 1	16	8	♊ 3	♋ 8	♍ 0	24	♐ 2	21	25
28	♐ 6	22	13	27	♉ 0	16	22	16	♏ 9	16	♒ 4	♓ 7
29	18	♒ 4	25	♈ 9	12	♋ 0	♌ 7	♎ 1	24	♑ 0	17	19
30	♑ 1		♓ 7	22	25	14	22	16	♐ 8	13	29	♈ 1
31	13		19		♊ 8		♍ 7	♏ 0		26		13

星	日＼月	1月	2月	3月	4月	5月	6月	7月	8月	9月	10月	11月	12月
水星 ☿	1	♑⑧	♑18	♓ 3	♈29	♈㉗	♉18	♋17	♍ 5	♍②	♍29	♏21	♐29
	5	③	23	10	♉ 3	㉖	24	25	9	⓪	♎ 6	27	♑ 0
	9	⓪	29	18	6	26	♊ 1	♌ 3	11	0	13	♐ 3	♐㉙
	13	0	♒ 3	25	⑥	28	9	10	13	2	20	8	㉕
	17	2	11	♈ 3	⑤	♉ 0	17	16	⑬	6	27	14	⑳
	21	5	17	11	③	4	26	22	⑪	12	♏ 4	19	⑮
	25	9	24	19	⓪	8	♋ 5	27	⑨	18	10	24	⑭
	28	13	29	24	♈㉘	12	11	♍ 1	⑥	24	15	27	15
金星 ♀	1	♏29	♑ 7	♒12	♓21	♈28	♊ 6	♋13	♌21	♍29	♏ 6	♐13	♑19
	5	♐ 4	12	17	26	♉ 2	11	17	26	♎-4	10	18	24
	10	10	18	23	♈ 2	9	17	24	♍ 2	10	17	24	♒ 0
	15	16	24	♓ 0	8	15	23	♌ 0	8	16	23	♑ 0	6
	20	22	♒ 0	6	14	21	29	6	14	22	29	6	12
	25	28	6	12	20	27	♋ 5	12	20	28	♐ 5	12	17
火星 ♂	1	♎24	♏10	♏21	♏28	♏㉔	♏⑭	♏12	♏21	♐ 7	♐26	♑18	♒11
	11	29	14	24	㉘	㉑	⑫	14	26	13	♑ 3	26	18
	21	♏ 4	18	26	㉖	⑰	11	17	♐ 1	20	10	♒ 3	26
木星 ♃	1	♐25	♑ 2	♑ 7	♑11	♑②	♑⑪	♑⑦	♑④	♈ 3	♑ 4	♑ 8	♑14
	11	28	4	9	12	⑫	⑩	⑥	③	3	5	10	16
	21	♑ 0	6	10	12	⑫	⑨	⑤	③	3	7	12	18
土星 ♄	1	♏13	♏15	♏⑯	♏⑮	♏⑬	♏⑪	♏⑨	♏ 9	♏11	♏14	♏17	♏21
	16	15	16	⑯	⑭	⑫	⑩	9	10	12	15	19	23
天王星 ♅	1	♐11	♐12	♐13	♐⑬	♐⑫	♐⑪	♐⑩	♐⑨	♐ 9	♐10	♐11	♐13
	16	11	13	13	⑬	⑫	⑪	⑨	⑨	9	10	12	14
海王星 ♆	1	♐29	♑ 0	♑ 1	♑ 1	♑①	♑⓪	♐㉙	♐㉙	♐㉘	♐28	♐29	♑ 0
冥王星 ♇	1	♏ 1	♏ 2	♏①	♏①	♏⓪	♎㉙	♎㉙	♎29	♏ 0	♏ 1	♏ 2	♏ 3

月 ☽

日＼月	1月	2月	3月	4月	5月	6月	7月	8月	9月	10月	11月	12月
1	♈25	♊9	♊17	♌4	♍11	♏4	♐13	♒4	♓22	♈25	♊9	♋12
2	♉7	21	29	18	26	19	27	18	♈4	♉7	21	24
3	19	♋4	♋12	♍2	♎10	♐4	♑12	♓1	16	18	♋3	♌7
4	♊1	18	26	17	26	19	26	14	28	♊0	15	20
5	14	♌2	♌10	♎2	♏11	♑3	♒9	26	♉10	12	27	♍3
6	27	16	24	17	26	18	23	♈8	22	24	♌10	16
7	♋10	♍1	♍9	♏3	♐11	♒1	♓6	20	♊4	♋6	23	♎0
8	23	15	24	18	25	15	18	♉2	16	19	♍7	14
9	♌7	♎0	♎9	♐2	♑9	28	♈0	14	28	♌1	21	28
10	21	15	24	17	23	♓10	12	26	♋10	15	♎5	♏13
11	♍6	29	♏9	♑1	♒6	22	24	♊8	23	28	20	28
12	20	♏13	23	14	19	♈4	♉6	20	♌6	♍12	♏5	♐13
13	♎4	27	♐7	27	♓2	16	18	♋2	20	27	20	28
14	18	♐11	21	♒10	14	28	♊0	15	♍4	♎12	♐5	♑13
15	♏2	24	♑5	23	26	♉10	12	28	19	27	20	28
16	16	♑8	18	♓5	♈8	22	24	♌12	♎3	♏12	♑5	♒12
17	♐0	21	♒0	17	19	♊4	♋7	26	18	27	19	25
18	14	♒3	13	29	♉1	16	20	♍10	♏3	♐12	♒3	♓8
19	28	16	25	♈11	13	28	♌3	24	18	26	17	21
20	♑11	29	♓8	23	25	♋11	17	♎9	♐2	♑10	♓0	♈3
21	24	♓11	20	♉4	♊7	24	♍0	23	16	24	12	15
22	♒7	23	♈2	16	19	♌7	14	♏7	♑0	♒7	25	27
23	20	♈5	14	28	♋2	20	28	22	14	20	♈7	♉9
24	♓3	17	26	♊10	14	♍4	♎12	♐6	27	♓3	19	21
25	15	29	♉7	22	27	17	26	19	♒10	15	♉0	♊3
26	27	♉11	19	♋4	♌10	♎1	♏11	♑3	23	28	12	15
27	♈9	22	♊1	17	23	15	25	17	♓6	♈10	24	27
28	21	♊4	13	♌0	♍7	♏0	♐9	♒0	18	22	♊6	♋9
29	♉3		25	13	21	14	23	14	♈1	♉3	18	21
30	14		♋8	27	♎5	29	♑7	27	13	15	♋0	♌4
31	26		21		20		21	♓9		27		17

1985年（昭和60年）

♈ 牡羊　♉ 牡牛　♊ 双子　♋ 蟹　♌ 獅子　♍ 乙女
♎ 天秤　♏ 蠍　♐ 射手　♑ 山羊　♒ 水瓶　♓ 魚

	日＼月	1月	2月	3月	4月	5月	6月	7月	8月	9月	10月	11月	12月
水星 ☿	1	♐17	♑28	♓18	♈⑯	♈13	♊1	♌1	♌㉔	♌20	♎13	♏29	♐④
	5	21	♒5	25	⑫	17	10	7	㉒	26	20	♐4	⓪
	9	26	11	♈2	⑨	22	19	12	⑳	♍3	26	9	♏㉘
	13	♑1	18	9	⑦	27	27	16	⑯	10	♏2	12	♐0
	17	6	25	14	⑥	♉3	♋6	20	⑭	18	8	14	3
	21	12	♓3	17	7	10	14	23	⑬	25	14	⑭	7
	25	18	10	18	8	17	21	24	14	♎2	20	⑪	12
	28	22		⑱	10	23	26	25	16	8	24	⑧	16
金星 ♀	1	♒25	♓28	♈19	♈⑯	♈6	♈24	♉23	♊28	♌4	♍10	♎18	♏26
	5	♓0	♈2	20	⑬	7	28	28	♋2	8	15	23	♐1
	10	5	6	21	⑩	9	♉2	♊3	8	14	21	29	7
	15	11	10	㉒	⑧	12	7	8	14	20	27	♏6	13
	20	16	13	㉑	⑥	15	12	14	19	26	♉3	12	20
	25	21	17	⑲	⑥	19	17	20	25	♍3	10	18	26
火星 ♂	1	♓4	♓28	♈19	♉11	♊2	♊24	♋14	♌4	♌24	♍13	♎2	♎21
	11	12	♈5	26	18	9	♋0	20	10	♍0	19	8	27
	21	20	13	♉3	25	16	7	27	16	6	25	15	♏3
木星 ♃	1	♑21	♑28	♒4	♒10	♒15	♒16	♒⑮	♒⑫	♒⑧	♒⑦	♒8	♒12
	11	23	♒0	6	12	15	16	⑮	⑪	⑦	7	9	14
	21	26	3	8	13	16	16	⑬	⑩	⑦	7	10	15
♄ 土星	1	♏24	♏27	♏28	♏㉗	♏㉕	♏㉓	♏㉑	♏21	♏22	♏24	♏28	♐1
	16	26	27	㉘	㉖	㉔	㉒	㉑	21	23	26	29	3
♅ 天王星	1	♐15	♐16	♐17	♐⑰	♐⑰	♐⑯	♐⑮	♐⑭	♐13	♐14	♐15	♐17
	16	16	17	17	⑰	⑯	⑮	⑭	⑬	14	15	16	18
♆ 海王星	1	♑1	♑2	♑3	♑3	♑③	♑②	♑②	♑①	♑⓪	♑0	♑1	♑2
♇ 冥王星	1	♏4	♏4	♏④	♏③	♏③	♏②	♏①	♏2	♏2	♏3	♏4	♏5

月 ☽

日＼月	1月	2月	3月	4月	5月	6月	7月	8月	9月	10月	11月	12月
1	♍0	♎21	♏1	♐25	♒3	♓22	♈26	♊10	♋24	♌27	♎16	♏23
2	13	♏5	15	♑9	17	♈5	♉8	22	♌7	♍10	♏0	♐8
3	26	19	♐0	23	♓0	17	20	♋4	19	24	14	23
4	♎10	♐3	14	♒6	13	29	♊2	16	♍2	♎7	29	♑8
5	24	17	28	20	25	♉11	13	28	15	21	♐14	23
6	♏8	♑1	♑12	♓3	♈8	23	25	♌11	29	♏6	29	♒8
7	22	16	26	16	20	♊5	♋7	23	♎12	20	♑14	22
8	♐7	♒0	♒9	28	♉2	17	19	♍6	26	♐4	28	♓6
9	22	14	23	♈11	14	28	♌2	19	♏10	19	♒12	19
10	♑6	27	♓6	23	26	♋10	14	♎2	24	♑3	26	♈2
11	21	♓11	19	♉5	♊8	22	26	16	♐8	17	♓9	15
12	♒5	24	♈2	17	19	♌4	♍9	29	22	♒1	22	27
13	19	♈7	15	29	♋1	17	22	♏13	♑6	15	♈5	♉10
14	♓3	19	27	♊11	13	29	♎5	27	21	29	18	22
15	16	♉1	♉9	23	25	♍12	19	♐11	♒5	♓12	♉0	♊4
16	29	13	21	♋5	♌8	25	♏2	26	19	26	13	16
17	♈11	25	♊3	17	20	♎9	17	♑10	♓3	♈9	25	27
18	23	♊7	15	29	♍3	23	♐1	25	16	21	♊7	♋9
19	♉5	19	26	♌11	16	♏7	16	♒9	♈0	♉4	19	21
20	17	♋1	♋9	24	♎0	22	♑1	24	13	16	♋1	♌3
21	29	13	21	♍8	14	♐7	16	♓8	26	28	12	15
22	♊11	26	♌3	21	28	22	♒1	21	♉8	♊10	24	27
23	23	♌8	16	♎6	♏13	♑7	15	♈5	20	22	♌6	♍9
24	♋5	22	♍0	20	28	22	♓0	18	♊2	♋4	18	22
25	17	♍5	13	♏5	♐14	♒7	13	♉0	14	16	♍1	♎5
26	♌0	19	27	20	29	21	27	12	26	28	13	18
27	13	♎3	♎12	♐5	♑14	♓5	♈10	25	♋8	♌10	26	♏2
28	26	17	26	20	28	18	22	♊6	20	22	♎10	16
29	♍10		♏11	♑5	♒12	♈1	♉4	18	♌2	♍5	23	♐1
30	23		26	19	26	14	16	♋0	15	18	♏8	16
31	♎7		♐10		♓9		28	12		♎2		♑1

1986年（昭和61年）

♈ 牡羊　♉ 牡牛　♊ 双子　♋ 蟹　♌ 獅子　♍ 乙女
♎ 天秤　♏ 蠍　♐ 射手　♑ 山羊　♒ 水瓶　♓ 魚

	日＼月	1月	2月	3月	4月	5月	6月	7月	8月	9月	10月	11月	12月
水星 ☿	1	♐22	♒11	♓27	♓18	♈18	♊20	♌3	♋㉖	♍2	♎25	♏28	♏18
	5	28	18	♈0	19	24	28	5	25	10	♏0	㉘	22
	9	♑4	25	①	21	♉2	♋5	6	27	18	6	㉖	28
	13	10	♓2	♓㉙	24	9	12	⑥	♌0	25	11	㉑	♐3
	17	16	9	㉖	28	17	18	4	5	♎2	16	⑯	9
	21	22	16	㉒	♈3	26	23	②	11	9	21	⑬	15
	25	29	22	⑲	9	♊5	28	♋㉙	19	15	25	13	21
	28	♒4	26	⑱	13	11	♌0	㉗	25	20	27	15	26
金星 ♀	1	♑5	♒14	♓19	♈27	♊4	♋12	♌17	♍22	♎23	♏16	♏⑮	♏5
	5	10	19	24	♉2	9	16	21	26	27	18	⑬	6
	10	16	25	♈0	8	15	22	27	♎1	♏1	19	⑩	8
	15	22	♓1	6	15	21	28	♍3	7	5	20	⑦	10
	20	29	8	13	21	27	♌4	8	12	9	⑳	⑤	14
	25	♒5	14	19	27	♋3	10	14	17	13	⑱	④	17
火星 ♂	1	♏10	♏29	♐15	♑1	♑14	♑22	♑⑳	♑⑫	♑13	♑25	♒13	♓3
	11	16	♐4	20	6	18	23	⑰	⑪	16	♒0	19	9
	21	22	10	26	10	20	22	⑭	11	20	6	26	16
木星 ♃	1	♒18	♒25	♓1	♓9	♓15	♓20	♓22	♓㉒	♓⑲	♓⑮	♓⑬	♓13
	11	20	27	4	11	17	21	22	㉑	⑰	⑭	12	14
	21	22	29	6	13	18	22	㉒	⑳	⑯	⑬	13	15
♄ 土星	1	♐5	♐7	♐9	♐⑨	♐⑧	♐⑥	♐④	♐③	♐3	♐5	♐8	♐11
	16	6	8	9	⑨	⑦	⑤	③	3	4	6	9	13
♅ 天王星	1	♐19	♐21	♐22	♐㉒	♐㉑	♐⑳	♐⑲	♐⑱	♐18	♐18	♐20	♐21
	16	20	21	22	㉒	㉑	⑳	⑲	⑱	18	19	20	22
♆ 海王星	1	♑3	♑4	♑5	♑5	♑⑤	♑⑤	♑④	♑③	♑③	♑3	♑3	♑4
♇ 冥王星	1	♏6	♏7	♏⑦	♏⑥	♏⑤	♏⑤	♏④	♏4	♏5	♏6	♏7	♏8

1987年（昭和62年）

♈ 牡羊　♉ 牡牛　♊ 双子　♋ 蟹　♌ 獅子　♍ 乙女
♎ 天秤　♏ 蠍　♐ 射手　♑ 山羊　♒ 水瓶　♓ 魚

月 ☽

日＼月	1月	2月	3月	4月	5月	6月	7月	8月	9月	10月	11月	12月
1	♑16	♓ 9	♓17	♉ 6	♊ 9	♋23	♌26	♎11	♐ 0	♑ 9	♓ 2	♈10
2	♒ 1	23	♈ 1	18	21	♌ 5	♍ 8	24	14	23	16	24
3	16	♈ 7	15	♊ 1	♋ 3	17	20	♏ 7	28	♒ 7	♈ 0	♉ 7
4	♓ 1	20	28	13	15	29	♎ 2	20	♑13	22	14	20
5	15	♉ 3	♉11	25	27	♍11	15	♐ 4	27	♓ 6	28	♊ 3
6	28	15	23	♋ 7	♌ 9	24	28	19	♒12	21	♉11	16
7	♈12	27	♊ 5	19	21	♎ 6	♏11	♑ 3	27	♈ 5	24	28
8	24	♊ 9	17	♌ 1	♍ 3	19	25	18	♓12	19	♊ 7	♋11
9	♉ 7	21	29	13	15	♏ 3	♐10	♒ 4	27	♉ 3	20	23
10	19	♋ 3	♋11	25	28	17	25	19	♈11	16	♋ 2	♌ 5
11	♊ 1	15	23	♍ 8	♎11	♐ 1	♑10	♈ 3	25	29	15	16
12	13	27	♌ 5	20	25	16	25	17	♉ 8	♊12	27	28
13	24	♌ 9	17	♎ 3	♏ 9	♑ 1	♒10	♉ 0	22	25	♌ 9	♍10
14	♋ 6	21	♍ 0	17	23	16	25	13	♊ 4	♋ 7	20	22
15	18	♍ 3	12	♏ 0	♐ 8	♒ 2	♓10	26	17	19	♍ 2	♎ 4
16	♌ 0	16	25	14	22	16	24	♊ 8	29	♌ 1	14	17
17	12	29	♎ 8	28	♑ 7	♓ 1	♈ 8	20	♋11	13	26	♏ 0
18	24	♎11	21	♐13	22	15	21	♋ 2	23	24	♎ 9	13
19	♍ 7	24	♏ 5	27	♒ 6	28	♉ 4	14	♌ 5	♍ 6	22	27
20	19	♏ 8	18	♑11	21	♈12	17	26	16	19	♏ 5	♐11
21	♎ 2	21	♐ 2	25	♓ 4	25	29	♌ 8	28	♎ 1	19	26
22	14	♐ 5	16	♒10	18	♉ 7	♊11	20	♍10	14	♐ 3	♑11
23	28	19	♑ 0	24	♈ 1	20	23	♍ 2	23	27	17	26
24	♏11	♑ 4	14	♓ 8	15	♊ 2	♋ 5	14	♎ 5	♏10	♑ 2	♒10
25	25	18	29	21	28	14	17	26	18	24	16	25
26	♐ 9	♒ 3	♒13	♈ 5	♉10	26	29	♎ 8	♏ 1	♐ 8	♒ 1	♓10
27	24	18	27	18	23	♋ 8	♌11	21	14	22	15	24
28	♑ 9	♓ 2	♓11	♉ 1	♊ 5	20	23	♏ 4	27	♑ 6	29	♈ 7
29	24		25	14	17	♌ 2	♍ 5	17	♐11	20	♓13	21
30	♒ 9		♈ 9	27	♋ 0	14	17		25	♒ 4	27	♉ 4
31	24		22		11		29			18		17

	日＼月	1月	2月	3月	4月	5月	6月	7月	8月	9月	10月	11月	12月
水星 ☿	1	♑ 2	♒24	♓⑦	♓13	♉ 1	♋ 2	♋⑬	♋19	♍18	♏ 2	♏⓪	♏25
	5	8	♓ 0	③	18	10	6	⑪	25	25	6	㉗	♐ 1
	9	15	6	⓪	23	18	11	⑨	♌ 3	♎ 1	9	27	7
	13	21	11	♒㉙	29	27	14	7	11	7	12	♏ 0	14
	17	28	14	♓ 0	♈ 6	♊ 6	16	7	19	13	13	5	20
	21	♒ 5	⑭	2	12	13	16	8	27	19	⑫	10	26
	25	12	⑪	5	20	21	⑯	11	♍ 5	24	⑧	16	♑ 2
	28	17	⑧	8	25	26	⑮	14	10	28	⑤	20	7
金星 ♀	1	♏23	♐25	♑26	♓ 3	♈ 9	♉17	♊23	♌ 1	♍ 9	♎17	♏25	♑ 3
	5	27	29	♒ 1	8	14	21	28	6	14	22	♐ 0	8
	10	♐ 2	♑ 5	7	14	20	28	♋ 4	12	21	28	7	14
	15	7	10	13	20	26	♊ 4	10	18	27	♏ 4	13	20
	20	12	16	19	26	♉ 2	10	16	25	♎ 3	10	19	26
	25	17	22	25	♈ 2	8	16	23	♍ 1	9	17	25	♒ 2
火星 ♂	1	♓24	♈16	♉ 5	♉26	♊16	♋ 6	♋26	♌15	♍ 5	♍24	♎14	♏ 4
	11	♈ 1	23	12	♊ 3	23	13	♌ 2	22	11	♎ 1	21	10
	21	8	♉ 0	19	9	29	19	8	28	18	7	27	17
木星 ♃	1	♓17	♓23	♓29	♈ 6	♈14	♈20	♈25	♈29	♈㉙	♈㉗	♈㉒	♈⑳
	11	19	25	♈ 1	9	16	22	27	29	㉘	㉕	㉑	⑲
	21	20	27	4	11	18	24	28	29	㉘	㉔	⑳	19
♄ 土星	1	♐15	♐18	♐20	♐21	♐⑳	♐⑱	♐⑯	♐⑭	♐14	♐15	♐18	♐21
	16	16	19	20	⑳	⑲	⑰	15	⑭	15	17	20	23
♅ 天王星	1	♐23	♐25	♐26	♐26	♐㉖	♐㉕	♐㉔	♐㉓	♐㉒	♐23	♐24	♐25
	16	24	25	26	㉖	㉕	㉔	㉓	㉒	22	23	24	26
♆ 海王星	1	♑ 5	♑ 6	♑ 7	♑ 7	♑⑦	♑⑦	♑⑥	♑⑤	♑⑤	♑ 5	♑ 5	♑ 6
♇ 冥王星	1	♏ 9	♏ 9	♏⑨	♏⑨	♏⑧	♏⑦	♏⑦	♏ 7	♏ 7	♏ 8	♏ 9	♏11

1988年（昭和63年）うるう年

♈ 牡羊　♉ 牡牛　♊ 双子　♋ 蟹　♌ 獅子　♍ 乙女
♎ 天秤　♏ 蠍　♐ 射手　♑ 山羊　♒ 水瓶　♓ 魚

月 ☽

日＼月	1月	2月	3月	4月	5月	6月	7月	8月	9月	10月	11月	12月
1	♊ 0	♋16	♌ 7	♍21	♎24	♐12	♑19	♓13	♉ 6	♊12	♋29	♏ 1
2	12	28	19	♎ 3	♏ 7	26	♒ 4	28	20	25	♌11	13
3	25	♌10	♍ 0	15	20	♑10	19	♈12	♊ 3	♋ 8	23	25
4	♋ 7	22	12	28	♐ 3	24	♓ 3	26	16	21	♍ 5	♎ 6
5	19	♍ 3	24	♏10	16	♒ 9	18	♉10	29	♌ 3	17	18
6	♌ 1	15	♎ 6	23	♑ 0	23	♈ 2	24	♋12	15	28	♏ 1
7	13	27	18	♐ 6	14	♓ 7	16	♊ 7	24	27	♎10	13
8	25	♎ 9	♏ 1	20	28	21	♉ 0	20	♌ 6	♍ 8	22	26
9	♍ 7	21	13	♑ 3	♒12	♈ 5	13	♋ 2	18	20	♏ 5	♐ 9
10	18	♏ 4	26	17	26	19	27	15	♍ 0	♎ 2	17	22
11	♎ 0	17	♐ 9	♒ 1	♓10	♉ 3	♊10	27	11	14	♐ 0	♑ 6
12	12	♐ 0	23	15	25	16	23	♌ 9	23	26	13	19
13	25	13	♑ 7	♓ 0	♈ 9	♊ 0	♋ 5	21	♎ 5	♏ 8	26	♒ 3
14	♏ 8	27	21	14	23	13	18	♍ 3	17	21	♑ 9	17
15	21	♑12	♒ 6	29	♉ 7	26	♌ 0	14	29	♐ 3	23	♓ 1
16	♐ 5	27	20	♈14	21	♋ 9	12	26	♏11	16	♒ 7	15
17	19	♒12	♓ 5	28	♊ 4	21	24	♎ 8	24	29	20	29
18	♑ 4	27	20	♉12	18	♌ 4	♍ 6	20	♐ 6	♑12	♓ 4	♈14
19	19	♓12	♈ 5	26	♋ 1	16	18	♏ 2	19	26	19	28
20	♒ 4	27	20	♊ 9	13	27	29	14	♑ 2	♒10	♈ 3	♉12
21	19	♈12	♉ 4	23	26	♍ 9	♎11	27	16	24	17	26
22	♓ 4	26	18	♋ 5	♌ 8	21	23	♐10	♒ 0	♓ 9	♉ 2	♊ 9
23	19	♉10	♊ 2	18	20	♎ 3	♏ 6	23	15	23	16	23
24	♈ 3	23	15	♌ 0	♍ 1	15	18	♑ 7	♓ 0	♈ 8	♊ 1	♋ 6
25	17	♊ 6	27	12	13	27	♐ 1	22	15	23	15	19
26	♉ 1	19	♋10	23	25	♏10	15	♒ 6	♈ 0	♉ 8	28	♌ 2
27	14	♋ 1	22	♍ 5	♎ 7	23	29	21	15	22	♋11	15
28	27	13	♌ 3	17	19	♐ 7	♑13	♓ 6	♉ 0	♊ 7	24	27
29	♊ 9	25	15	29	♏ 2	21	28	22	14	20	♌ 7	♍ 9
30	22		27	♎11	15	♑ 5	♒13	♈ 7	28	♋ 4	19	21
31	♋ 4		♍ 9		28		28	21		16		♎ 2

	日＼月	1月	2月	3月	4月	5月	6月	7月	8月	9月	10月	11月	12月
水星 ☿	1	♑14	♒27	♒14	♓22	♉21	♊26	♊19	♌ 5	♎ 1	♎㉖	♎21	♐ 8
	5	20	㉗	17	29	29	㉖	21	14	6	㉕	26	14
	9	27	㉔	20	♈ 6	♊ 6	㉔	25	22	11	㉛	♏ 3	20
	13	♒ 3	⑲	25	14	12	㉒	♋ 0	29	16	⑯	9	27
	17	10	15	♓ 0	22	17	⑳	6	♍ 7	20	⑫	15	♑ 3
	21	16	⑬	5	♉ 0	21	⑱	13	14	23	⑪	22	9
	25	22	12	11	9	24	⑱	21	20	26	13	28	15
	28	25	13	16	15	26	18	27	25	26	16	♐ 3	20
金星 ♀	1	♒11	♓19	♈23	♉26	♊22	♊㉘	♊⑭	♊25	♋22	♌25	♎ 1	♏ 8
	5	16	24	27	♊ 0	24	㉗	⑬	28	27	♍ 0	6	13
	10	22	♈ 0	♉ 3	5	27	㉔	14	♋ 2	♌ 2	5	12	19
	15	28	6	9	10	29	㉑	15	6	7	11	19	26
	20	♓ 4	11	14	14	♋ 0	⑱	17	11	13	17	25	♐ 2
	25	10	17	19	18	⓪	⑮	20	15	18	23	♏ 1	8
火星 ♂	1	♏24	♐15	♑ 4	♑25	♒15	♓ 5	♓23	♈ 7	♈⑪	♈④	♓29	♈ 6
	11	♐ 1	22	11	♒ 2	22	12	28	9	⑨	①	♈ 1	10
	21	7	28	18	9	28	17	♈ 2	11	⑦	⓪	3	14
木星 ♃	1	♈20	♈23	♈28	♉ 5	♉12	♉19	♉25	♊ 1	♊ 5	♊⑥	♊③	♊⓪
	11	20	24	♉ 0	7	14	21	27	2	5	⑤	②	♉㉘
	21	21	26	2	9	16	23	29	4	6	⑤	①	㉗
♄ 土星	1	♐25	♐28	♑ 1	♑ 2	♑②	♑⓪	♐㉘	♐26	♐25	♐26	♐28	♑ 1
	16	27	♑ 0	1	2	①	♐㉙	㉗	㉖	26	27	♑ 0	3
♅ 天王星	1	♐27	♐29	♑ 0	♑ 1	♑⓪	♐㉙	♐㉘	♐27	♐㉗	♐27	♐28	♐29
	16	28	♑ 0	0	0	⓪	㉙	㉘	㉗	27	27	29	♑ 0
♆ 海王星	1	♑ 7	♑ 8	♑ 9	♑10	♑⑩	♑⑨	♑⑧	♑⑧	♑⑦	♑ 7	♑ 7	♑ 8
♇ 冥王星	1	♏11	♏12	♏⑫	♏⑫	♏①	♏⑩	♏⑨	♏ 9	♏10	♏11	♏12	♏13

	日＼月	1月	2月	3月	4月	5月	6月	7月	8月	9月	10月	11月	12月
月☽	1	♎14	♏29	♐ 7	♑25	♓ 2	♈26	♊ 5	♋25	♍12	♎15	♏29	♑ 3
	2	26	♐12	20	♒ 9	17	♉11	19	♌ 8	24	27	♐11	15
	3	♏ 8	25	♑ 3	23	♈ 1	25	♋ 3	21	♎ 6	♏ 8	23	28
	4	21	♑ 8	16	♓ 8	16	♊10	16	♍ 3	18	20	♑ 6	♒11
	5	♐ 4	22	♒ 0	23	♉ 1	24	♌ 0	16	♏ 0	♐ 2	18	24
	6	17	♒ 7	15	♈ 8	16	♋ 8	13	28	12	14	♒ 1	♓ 7
	7	♑ 1	22	29	23	♊ 1	22	25	♎10	24	27	14	21
	8	14	♓ 6	♓15	♉ 8	16	♌ 5	♍ 8	22	♐ 6	♑ 9	28	♈ 5
	9	29	21	♈ 0	23	♋ 0	17	20	♏ 3	18	22	♓11	20
	10	♒13	♈ 6	15	♊ 8	13	♍ 0	♎ 2	15	♑ 0	♒ 5	26	♉ 4
	11	27	21	♉ 0	22	27	12	14	27	13	19	♈11	19
	12	♓12	♉ 5	14	♋ 5	♌ 9	24	25	♐10	27	♓ 3	26	♊ 4
	13	26	19	29	18	22	♎ 6	♏ 7	22	♒10	17	♉11	19
	14	♈10	♊ 3	♊ 3	♌ 1	♍ 4	17	19	♑ 5	25	♈ 2	26	♋ 4
	15	24	16	26	13	16	29	♐ 2	19	♓ 9	17	♊11	18
	16	♉ 8	29	♋ 9	25	27	♏11	14	♈ 2	24	♉ 3	26	♌ 2
	17	22	♋12	22	♍ 7	♎ 9	24	27	16	♈ 9	18	♋10	15
	18	♊ 6	25	♌ 4	19	21	♐ 6	♑11	♓ 1	24	♊ 3	24	28
	19	19	♌ 7	16	♎ 1	♏ 3	19	24	15	♉ 9	18	♌ 7	♍11
	20	♋ 2	19	28	13	15	♑ 2	♒ 8	♈ 0	24	♋ 2	20	23
	21	15	♍ 1	♍10	24	27	15	22	15	♊ 8	15	♍ 3	♎ 5
	22	28	13	22	♏ 6	♐10	28	♓ 6	29	22	29	15	17
	23	♌10	25	♎ 4	18	23	♒12	20	♉14	♋ 6	♌11	27	29
	24	23	♎ 7	16	♐ 1	♑ 5	26	♈ 4	28	19	24	♎ 9	♏11
	25	♍ 5	19	27	13	18	♓10	19	♊12	♌ 2	♍ 6	21	23
	26	17	♏ 1	♏ 9	26	♒ 2	24	♉ 3	25	14	18	♏ 2	♐ 5
	27	28	12	21	♑ 8	15	♈ 8	17	♋ 9	27	♎ 0	14	17
	28	♎10	25	♐ 4	21	29	22	♊ 1	22	♍ 9	12	26	29
	29	22		16	♒ 5	♓13	♉ 6	15	♌ 5	21	24	♐ 8	♑12
	30	♏ 4		29	18	27	20	29	17	♎ 3	♏ 5	21	25
	31	16		♑12		♈11		♋12	♍ 0		17		♒ 8

1989年（平成元年）

♈ 牡羊　♉ 牡牛　♊ 双子　♋ 蟹　♌ 獅子　♍ 乙女
♎ 天秤　♏ 蠍　♐ 射手　♑ 山羊　♒ 水瓶　♓ 魚

	日＼月	1月	2月	3月	4月	5月	6月	7月	8月	9月	10月	11月	12月
水星☿	1	♑26	♑㉗	♒15	♈ 6	♊ 0	♉㉘	♊20	♌22	♎ 5	♍㉖	♏ 1	♐19
	5	♒ 2	㉖	20	14	4	㉘	27	29	8	25	8	25
	9	7	6	26	23	6	28	♋ 5	♍ 5	10	27	14	♑ 1
	13	10	28	♓ 2	1	6	♊ 0	13	12	10	♎ 1	21	7
	17	⑪	♒ 1	9	♉ 9	⑥	2	22	17	9	7	27	13
	21	⑨	5	16	16	④	6	♌ 0	23	6	13	♐ 3	18
	25	⑤	10	23	23	②	11	8	28	2	20	10	22
	28	①	14	29	27	⓪	15	14	♎ 1	♍29	25	14	24
金星♀	1	♐17	♑26	♓ 1	♈ 9	♉16	♊24	♌ 1	♍ 9	♎16	♏20	♐25	♑23
	5	22	♒ 1	7	14	21	29	6	13	20	25	29	26
	10	28	7	12	20	27	♋ 5	12	19	26	♐ 1	♑ 4	29
	15	♑ 4	13	18	27	♊ 4	12	18	25	♏ 2	6	9	♒ 2
	20	11	19	24	♉ 3	10	18	24	♎ 1	8	12	13	4
	25	17	26	♈ 1	9	16	24	♍ 0	7	14	17	18	5
火星♂	1	♈20	♉ 6	♉23	♊12	♋ 0	♋20	♌ 8	♌28	♍17	♎ 7	♎27	♏17
	11	25	12	29	18	7	26	14	♍ 4	24	13	♏ 4	24
	21	♉ 0	18	♊ 5	24	13	♌ 2	21	10	♎ 0	20	11	♐ 1
木星♃	1	♉㉖	♉26	♉28	♊ 3	♊ 9	♊16	♊23	♋ 0	♋ 5	♋ 9	♋⑩	♋⑨
	11	㉖	26	29	5	11	18	25	2	7	10	⑩	8
	21	㉖	27	♊ 1	7	13	21	27	3	8	10	⑩	6
♄土星	1	♑ 5	♑ 9	♑11	♑13	♑⑬	♑⑫	♑⑩	♑⑧	♑⑦	♑ 7	♑ 9	♑12
	16	7	10	12	13	⑬	⑪	⑨	⑦	7	8	10	13
♅天王星	1	♑ 1	♑ 3	♑ 4	♑ 5	♑⑤	♑④	♑③	♑①	♑①	♑ 1	♑ 2	♑ 3
	16	2	4	5	⑤	④	③	②	①	1	1	3	4
♆海王星	1	♑ 9	♑11	♑11	♑12	♑⑫	♑⑪	♑⑪	♑⑩	♑⑨	♑ 9	♑10	♑10
♇冥王星	1	♏14	♏15	♏⑮	♏⑭	♏⑬	♏⑬	♏⑫	♏12	♏12	♏13	♏14	♏16

	日＼月	1月	2月	3月	4月	5月	6月	7月	8月	9月	10月	11月	12月
月☽	1	♒21	♈13	♈23	♊17	♋24	♍13	♎16	♐ 0	♑14	♒17	♈ 6	♉13
	2	♓ 4	27	♉ 8	♋ 1	♌ 8	25	28	12	26	♓ 0	20	29
	3	18	♉11	22	15	21	♎ 7	♏10	24	♒ 9	14	♉ 5	♊14
	4	♈ 2	25	♊ 6	28	♍ 4	19	22	♑ 6	22	28	21	29
	5	16	♊ 9	20	♌11	16	♏ 1	♐ 4	18	♓ 6	♈12	♊ 6	♋14
	6	♉ 0	23	♋ 4	24	28	13	16	♒ 1	19	27	21	29
	7	14	♋ 7	18	♍ 6	♎10	25	28	14	♈ 3	♉12	♋ 6	♌13
	8	29	21	♌ 1	19	22	♐ 7	♑10	27	18	27	20	27
	9	♊13	♌ 5	14	♎ 1	♏ 4	19	22	♓10	♉ 2	♊11	♌ 4	♍10
	10	28	18	27	13	16	♑ 1	♒ 5	24	16	26	17	23
	11	♋12	♍ 1	♍10	25	28	13	17	♈ 7	♊ 1	♋10	♍ 1	♎ 6
	12	26	14	22	♏ 7	♐10	25	♓ 0	21	15	24	14	18
	13	♌10	26	♎ 5	19	22	♒ 8	13	♉ 5	29	♌ 7	26	♏ 0
	14	23	♎ 9	17	♐ 1	♑ 4	20	27	20	♋13	21	♎ 9	12
	15	♍ 6	21	29	13	16	♓ 3	♈11	♊ 4	27	♍ 4	21	24
	16	19	♏ 3	♏11	25	28	17	24	18	♌10	17	♏ 3	♐ 6
	17	♎ 1	15	23	♑ 7	♒11	♈ 0	♉ 9	♋ 2	24	29	15	18
	18	13	26	♐ 4	19	24	14	23	16	♍ 7	♎12	27	♑ 0
	19	25	♐ 8	16	♒ 2	♓ 7	28	♊ 8	♌ 1	20	24	♐ 9	12
	20	♏ 7	21	28	15	20	♉13	22	14	♎ 3	♏ 6	21	23
	21	19	♑ 3	♑11	28	♈ 5	28	♋ 7	28	16	18	♑ 3	♒ 6
	22	♐ 1	15	23	♓12	19	♊13	21	♍11	28	♐ 0	15	18
	23	13	28	♒ 6	26	♉ 4	28	♌ 6	25	♏10	12	26	♓ 0
	24	25	♒12	20	♈11	19	♋13	20	♎ 7	22	24	♒ 9	13
	25	♑ 8	26	♓ 3	26	♊ 5	27	♍ 3	20	♐ 4	♑ 6	21	26
	26	21	♓10	18	♉11	20	♌12	16	♏ 2	16	18	♓ 3	♈ 9
	27	♒ 4	24	♈ 2	26	♋ 5	25	29	14	28	♒ 0	16	23
	28	17	♈ 8	17	♊11	19	♍ 8	♎12	26	♑10	12	♈ 0	♉ 7
	29	♓ 1		♉ 2	26	♌ 3	21	24	♐ 8	22	25	14	22
	30	15		17	♋10	17	♎ 4	♏ 6	20	♒ 4	♓ 8	28	♊ 7
	31	29		♊ 2		♍ 0		18	♑ 2		22		22

1990年（平成2年）

♈ 牡羊　♉ 牡牛　♊ 双子　♋ 蟹　♌ 獅子　♍ 乙女
♎ 天秤　♏ 蠍　♐ 射手　♑ 山羊　♒ 水瓶　♓ 魚

	日＼月	1月	2月	3月	4月	5月	6月	7月	8月	9月	10月	11月	12月
水星☿	1	♑㉕	♑16	♒24	♈23	♉⑮	♉15	♋ 5	♍ 3	♍㉑	♍21	♏13	♐28
	5	㉓	20	♓ 1	♉ 0	⑫	19	14	8	⑱	28	20	♑ 3
	9	⑲	25	8	6	⑩	24	23	12	⑭	♎ 5	26	7
	13	⑭	♒ 0	15	11	⑧	♊ 0	♌ 1	16	⑪	12	♐ 2	9
	17	⑩	6	23	15	⑦	7	8	20	⑨	19	8	⑨
	21	⑨	12	♈ 1	17	⑧	15	15	22	10	25	14	⑥
	25	10	18	9	⑰	10	23	25	23	13	♏ 2	20	①
	28	12	23	15	⑯	11	29	27	㉓	17	7	24	㉗
金星♀	1	♒⑥	♑㉒	♑27	♒24	♓26	♉ 1	♊ 6	♋13	♌21	♍28	♏ 7	♐15
	5	⑤	㉑	♒ 0	28	♈ 0	6	11	18	26	♎ 3	12	20
	10	③	20	4	♓ 3	6	11	17	24	♍ 2	10	18	26
	15	①	21	8	8	11	17	23	♌ 0	9	16	25	♑ 2
	20	♑㉘	23	12	13	17	23	29	6	15	22	♐ 1	9
	25	㉕	25	17	19	23	29	♋ 5	13	21	28	7	15
火星♂	1	♐ 9	♑ 1	♑21	♒14	♓ 7	♈ 0	♈21	♉12	♊ 0	♊11	♊⑬	♊④
	11	16	8	29	22	14	7	28	18	4	13	⑪	⓪
	21	23	15	♒ 6	29	22	14	♉ 5	24	8	14	⑧	♉㉘
木星♃	1	♋⑤	♋①	♋ 0	♋ 2	♋ 6	♋12	♋19	♋26	♌ 2	♌ 8	♌12	♌13
	11	③	①	1	3	8	14	21	28	4	9	12	⑬
	21	②	⓪	1	5	10	17	23	♌ 0	6	11	13	⑫
♄土星	1	♑15	♑19	♑22	♑24	♑25	♑㉔	♑㉓	♑⑳	♑⑲	♑18	♑19	♑22
	16	17	20	23	25	㉕	㉔	㉑	⑲	⑱	19	20	23
♅天王星	1	♑ 5	♑ 7	♑ 8	♑ 9	♑⑨	♑⑧	♑⑦	♑⑥	♑⑤	♑ 5	♑ 6	♑ 7
	16	6	8	9	⑨	⑨	⑧	⑥	⑤	5	5	7	8
♆海王星	1	♑12	♑13	♑13	♑14	♑⑭	♑⑭	♑⑬	♑⑫	♑⑪	♑11	♑12	♑13
♇冥王星	1	♏17	♏17	♏⑰	♏⑰	♏⑯	♏⑮	♏⑮	♏14	♏15	♏16	♏17	♏18

1991年（平成３年）

♈ 牡羊　♉ 牡牛　♊ 双子　♋ 蟹　♌ 獅子　♍ 乙女
♎ 天秤　♏ 蠍　♐ 射手　♑ 山羊　♒ 水瓶　♓ 魚

月 ☽

日＼月	1月	2月	3月	4月	5月	6月	7月	8月	9月	10月	11月	12月
1	♋ 7	♌29	♍ 7	♎26	♏29	♑13	♒16	♈ 2	♉23	♋ 1	♌24	♎ 2
2	22	♍13	21	♏ 8	♐11	25	28	15	♊ 6	15	♍ 8	16
3	♌ 7	27	♎ 4	21	23	♒ 7	♓10	29	20	♌ 0	22	29
4	21	♎10	18	♐ 3	♑ 5	19	23	♉12	♋ 5	14	♎ 6	♏11
5	♍ 5	23	♏ 0	15	17	♓ 1	♈ 6	26	19	28	19	24
6	19	♏ 5	13	27	29	14	19	♊10	♌ 4	♍12	♏ 2	♐ 6
7	♎ 2	17	25	♑ 9	♒11	27	♉ 2	25	18	26	15	19
8	15	29	♐ 7	21	23	♈10	16	♋ 9	♍ 3	♎10	28	♑ 1
9	27	♐11	19	♒ 3	♓ 5	24	♊ 1	24	17	23	♐10	13
10	♏ 9	23	♑ 1	15	18	♉ 8	16	♌ 9	♎ 1	♏ 7	22	24
11	21	♑ 5	13	27	♈ 1	22	♋ 1	24	15	20	♑ 4	♒ 6
12	♐ 3	17	25	♓10	15	♊ 7	16	♍ 9	29	♐ 2	16	18
13	15	29	♒ 7	23	29	22	♌ 1	23	♏12	14	28	♓ 0
14	27	♒11	19	♈ 7	♉14	♋ 8	16	♎ 7	24	26	♒10	12
15	♑ 8	24	♓ 2	21	29	23	♍ 1	20	♐ 7	♑ 8	22	24
16	20	♓ 6	15	♉ 5	♊14	♌ 7	15	♏ 3	19	20	♓ 4	♈ 7
17	♒ 2	19	29	20	29	22	29	16	♑ 0	♒ 2	16	20
18	15	♈ 3	♈12	♊ 5	♋13	♍ 6	♎12	28	12	14	29	♉ 3
19	27	16	26	19	28	19	25	♐10	24	26	♈12	17
20	♓10	♉ 0	♉10	♋ 3	♌12	♎ 3	♏ 7	22	♒ 6	♓ 8	26	♊ 2
21	23	14	24	18	26	16	20	♑ 4	18	21	♉10	16
22	♈ 6	28	♊ 9	♌ 2	♍10	28	♐ 2	16	♓ 0	♈ 4	24	♋ 1
23	19	♊12	23	16	23	♏11	14	28	13	18	♊ 8	17
24	♉ 3	26	♋ 7	29	♎ 6	23	26	♒10	26	♉ 1	23	♌ 2
25	17	♋10	21	♍13	19	♐ 5	♑ 7	22	♈ 9	15	♋ 8	16
26	♊ 1	25	♌ 5	26	♏ 1	17	19	♓ 4	22	29	22	♍ 1
27	16	♌ 9	19	♎ 9	14	29	♒ 1	17	♉ 6	♊14	♌ 7	15
28	♋ 0	23	♍ 3	2	26	♑10	13	29	19	28	21	29
29	15		16	♏ 4	♐ 8	22	25	♈12	♊ 3	♋12	♍ 5	♎13
30	♌ 0		♎ 0	17	20	♒ 4	♓ 7	26	17	26	19	26
31	15		13		♑ 2		20	♉ 9		♌10		♏ 8

星	日＼月	1月	2月	3月	4月	5月	6月	7月	8月	9月	10月	11月	12月
水星 ☿	1	♐㉔	♑22	♓ 8	♈28	♈18	♉21	♋23	♍ 3	♌㉓	♎ 4	♏24	♐㉓
	5	23	28	15	29	19	29	♌ 0	5	24	11	♐ 0	㉑
	9	25	♒ 4	23	㉘	21	♊ 7	7	⑤	27	18	5	⑯
	13	28	10	♈ 1	㉕	25	17	13	④	♍ 2	25	11	⑩
	17	♑ 2	17	8	㉓	29	24	19	②	9	♏ 1	15	⑧
	21	7	23	15	⑳	♉ 4	♋ 3	23	♌㉙	16	7	19	8
	25	12	♓ 0	21	⑱	10	11	28	㉖	23	14	22	10
	28	16	6	25	⑱	14	17	♍ 0	㉔	29	18	24	13
金星 ♀	1	♑24	♓ 3	♈ 7	♉15	♊20	♋24	♌22	♍ 7	♌㉔	♌26	♍21	♎23
	5	29	7	12	20	24	28	25	⑦	㉒	28	25	28
	10	♒ 5	14	18	26	♋ 0	♌ 3	28	⑥	㉑	♍ 1	♎ 0	♏ 3
	15	11	20	24	♊ 1	6	8	♍ 1	③	21	5	5	9
	20	18	26	♉ 0	7	11	13	4	①	21	9	11	15
	25	24	♈ 2	6	13	17	17	6	♌㉘	23	14	16	21
火星 ♂	1	♉㉗	♊ 2	♊13	♊28	♋15	♌ 2	♌20	♍ 9	♍29	♎19	♏10	♐ 1
	11	28	6	18	♋ 4	20	8	26	16	6	25	17	8
	21	29	10	23	9	26	14	♍ 3	22	12	♏ 2	24	15
木星 ♃	1	♌⑫	♌⑧	♌④	♌ 3	♌ 5	♌ 8	♌14	♌20	♌27	♍ 3	♍ 9	♍13
	11	10	⑥	④	3	6	10	16	22	29	5	10	13
	21	9	⑤	③	4	7	12	18	25	♍ 1	7	12	14
♄ 土星	1	♑25	♑29	♒ 2	♒ 5	♒ 6	♒⑥	♒⑤	♒③	♒①	♒⓪	♒ 0	♒ 2
	16	27	♒ 0	3	6	6	⑥	④	②	⓪	0	1	4
♅ 天王星	1	♑ 9	♑11	♑12	♑13	♑⑬	♑⑬	♑⑪	♑⑩	♑⑨	♑ 9	♑10	♑11
	16	10	12	13	13	⑬	⑫	⑪	⑩	⑨	10	11	12
♆ 海王星	1	♑14	♑15	♑16	♑16	♑⑯	♑⑯	♑⑮	♑⑭	♑⑭	♑14	♑14	♑15
♇ 冥王星	1	♏19	♏20	♏⑳	♏⑲	♏⑲	♏⑱	♏⑰	♏17	♏17	♏18	♏19	♏20

1992年（平成４年）うるう年

♈ 牡羊　♉ 牡牛　♊ 双子　♋ 蟹　♌ 獅子　♍ 乙女
♎ 天秤　♏ 蠍　♐ 射手　♑ 山羊　♒ 水瓶　♓ 魚

月 ☽

日＼月	1月	2月	3月	4月	5月	6月	7月	8月	9月	10月	11月	12月
1	♏21	♑ 6	♑27	♓11	♈14	♊ 3	♋10	♍ 4	♎27	♐ 3	♑19	♒20
2	♐ 3	18	♒ 9	23	27	17	25	19	♏11	16	♒ 1	♓ 2
3	15	♒ 0	20	♉ 6	♉11	♋ 1	♌10	♎ 4	24	28	13	14
4	27	12	♓ 2	19	24	16	25	18	♐ 7	♑11	24	26
5	♑ 9	24	15	♉ 2	♊ 8	♌ 0	♍ 9	♏ 2	20	23	♓ 6	♈ 8
6	21	♓ 6	27	15	22	15	24	15	♑ 2	♒ 4	18	20
7	♒ 3	18	♈ 9	28	♋ 6	29	♎ 8	28	14	16	♈ 0	♉ 3
8	15	♈ 0	22	♊12	20	♍13	22	♐11	26	28	13	16
9	27	12	♉ 5	25	♌ 4	27	♏ 5	23	♒ 8	♓10	25	29
10	♓ 9	25	18	♋ 9	18	♎11	18	♑ 5	20	22	♉ 8	♊13
11	21	♉ 8	♊ 1	23	♍ 2	25	♐ 1	17	♓ 2	♈ 4	21	27
12	♈ 3	21	15	♌ 7	17	♏ 8	13	29	13	17	♊ 4	♋11
13	15	♊ 5	28	22	♎ 1	21	26	♈11	25	29	17	25
14	28	18	♋12	♍ 6	14	♐ 4	♑ 8	23	♈ 8	♉12	♋ 1	♌ 9
15	♉12	♋ 3	27	20	28	17	20	♓ 5	20	25	15	24
16	25	17	♌11	♎ 5	♏12	29	♒ 2	16	♉ 2	♊ 8	29	♍ 8
17	♊10	♌ 2	26	19	25	♑11	14	28	15	21	♌13	22
18	24	18	♍11	♏ 3	♐ 8	23	26	♈10	28	♋ 4	27	♎ 6
19	♋ 9	♍ 3	26	16	21	♒ 5	♓ 8	23	♊11	18	♍11	20
20	24	18	♎10	♐ 0	♑ 3	17	19	♉ 5	24	♌ 2	25	♏ 4
21	♌10	♎ 2	25	13	15	29	♈ 1	18	♋ 8	16	♎10	17
22	25	17	♏ 8	25	27	♓11	14	♊ 1	22	♍ 0	24	♐ 1
23	♍10	♏ 1	22	♑ 7	♒ 9	23	26	14	♌ 6	15	♏ 8	14
24	24	14	♐ 5	19	21	♈ 5	♉ 9	28	21	♎ 0	22	27
25	♎ 8	27	17	♒ 1	♓ 3	18	22	♋12	♍ 6	14	♐ 5	♑ 9
26	22	♐ 9	29	13	15	♉ 0	♊ 5	27	21	29	18	22
27	♏ 5	21	♑11	25	27	13	19	♌12	♎ 6	♏13	♑ 1	♒ 4
28	18	♑ 3	23	♓ 7	♈ 9	27	♋ 4	27	21	27	14	16
29	♐ 0	15	♒ 5	19	22	♊11	18	♍12	♏ 5	♐10	26	28
30	13		17	♈ 1	♉ 5	25	♌ 3	27	19	23	♒ 8	♓10
31	24		29		19		19	♎12		♑ 6		22

星	日＼月	1月	2月	3月	4月	5月	6月	7月	8月	9月	10月	11月	12月
水星 ☿	1	♐17	♒ 2	♓24	♈②	♈14	♊10	♌ 4	♌⑫	♌24	♎19	♐ 1	♏㉒
	5	22	9	♈ 1	♓㉙	19	19	8	⑨	♍ 2	25	5	23
	9	27	16	6	㉘	25	27	12	⑦	10	♏ 1	7	26
	13	♑ 3	23	9	29	♉ 2	♋ 5	15	⑤	17	7	⑧	♐ 0
	17	9	♓ 0	11	♈ 0	9	13	16	6	25	13	⑥	5
	21	15	8	⓪	3	17	20	⑰	9	♎ 2	18	①	10
	25	21	15	⑦	7	25	26	⑯	13	9	24	♏㉖	16
	28	26	20	⑤	10	♊ 1	♌ 0	⑮	18	14	27	㉓	20
金星 ♀	1	♏29	♑ 7	♒13	♓21	♈28	♊ 6	♋13	♌21	♍29	♏ 6	♐14	♑20
	5	♐ 4	12	18	26	♉ 3	11	18	26	♎ 4	11	19	25
	10	10	18	24	♈ 2	9	17	24	♍ 2	10	17	25	♒ 1
	15	16	24	♓ 0	9	15	24	♌ 0	9	17	23	♑ 1	6
	20	23	♒ 1	6	15	22	♋ 0	7	15	23	29	7	12
	25	29	7	13	21	28	6	13	21	29	♐ 5	13	18
火星 ♂	1	♐23	♑16	♒ 8	♓ 2	♓25	♈19	♉11	♊ 3	♊23	♋ 9	♋22	♋㉗
	11	♑ 0	24	16	10	♈ 3	26	18	9	29	14	25	㉖
	21	8	♒ 1	24	18	11	♉ 4	25	16	♋ 4	18	27	㉔
木星 ♃	1	♍⑭	♍⑬	♍⑨	♍⑤	♍④	♍ 6	♍ 9	♍15	♍21	♍27	♎ 4	♎ 9
	11	⑭	⑪	⑧	⑤	4	7	11	17	23	♎ 0	6	11
	21	⑬	⑩	⑦	④	5	8	13	19	25	2	8	12
♄ 土星	1	♒ 5	♒ 9	♒12	♒15	♒17	♒⑱	♒⑰	♒⑮	♒⑬	♒⑫	♒12	♒13
	16	7	11	14	17	18	⑱	⑯	⑭	⑫	⑪	12	14
♅ 天王星	1	♑13	♑15	♑16	♑17	♑⑰	♑⑰	♑⑯	♑⑮	♑⑭	♑14	♑14	♑15
	16	14	16	17	17	17	⑯	⑮	⑭	⑭	14	15	16
♆ 海王星	1	♑16	♑17	♑18	♑18	♑⑱	♑⑱	♑⑰	♑⑰	♑⑯	♑16	♑16	♑17
♇ 冥王星	1	♏22	♏22	♏㉒	♏㉒	♏㉑	♏㉑	♏⑳	♏20	♏20	♏21	♏22	♏23

	日＼月	1月	2月	3月	4月	5月	6月	7月	8月	9月	10月	11月	12月
	1	♈ 4	♉19	♉27	♋16	♌24	♎18	♏26	♑16	♓ 2	♈ 5	♉20	♊24
	2	16	♊ 2	♊10	♌ 0	♍ 9	♏ 2	♐ 0	29	14	17	♊ 2	♋ 6
	3	28	15	23	14	23	17	23	♒11	26	29	14	19
	4	♉11	28	♋ 7	29	♎ 8	♐ 1	♑ 7	24	♈ 8	♉11	27	♌ 3
	5	24	♋13	21	♍14	23	15	20	♓ 6	20	23	♋ 9	16
	6	♊ 7	27	♌ 5	29	♏ 7	28	♒ 3	18	♉ 2	♊ 5	22	♍ 0
	7	21	♌12	20	♎14	22	♑11	15	♈ 0	14	17	♌ 6	14
	8	♋ 5	27	♍ 5	29	♐ 6	24	27	12	26	♋ 0	19	28
	9	19	♍13	21	♏14	20	♒ 7	♓ 9	23	♊ 8	13	♍ 3	♎12
	10	♌ 4	28	♎ 6	28	♑ 3	19	21	♉ 5	21	26	17	26
	11	19	♎12	21	♐12	16	♓ 2	♈ 3	17	♋ 4	♌10	♎ 2	♏11
	12	♍ 4	27	♏ 6	25	29	14	15	♊ 0	17	24	17	25
	13	18	♏11	20	♑ 8	♒11	25	27	12	♌ 1	♍ 8	♏ 2	♐10
	14	♎ 3	24	♐ 4	21	24	♈ 7	♉ 9	25	15	23	17	24
月	15	17	♐ 8	17	♒ 3	♓ 6	19	22	♋ 9	♍ 0	♎ 9	♐ 2	♑ 8
	16	♏ 1	20	♑ 0	15	17	♉ 1	♊ 4	23	15	24	16	22
☽	17	14	♑ 3	12	27	29	14	17	♌ 7	♎ 0	♏ 9	♑ 0	♒ 5
	18	28	15	25	♓ 9	♈11	26	♋ 1	22	16	24	14	18
	19	♐11	27	♒ 7	21	23	♊ 9	14	♍ 7	♏ 1	♐ 8	27	♓ 1
	20	23	♒ 9	19	♈ 3	♉ 5	22	28	22	15	22	♒10	13
	21	♑ 6	21	♓ 0	15	18	♋ 6	♌13	♎ 7	♐ 0	♑ 6	23	25
	22	18	♓ 3	12	27	♊ 0	19	27	21	13	19	♓ 5	♈ 7
	23	♒ 0	15	24	♉ 9	13	♌ 3	♍12	♏ 6	27	♒ 2	17	19
	24	13	27	♈ 6	21	26	17	27	20	♑10	14	29	♉ 0
	25	25	♈ 9	18	♊ 4	♋10	♍ 2	♎11	♐ 4	23	26	♈11	12
	26	♓ 7	21	♉ 0	17	23	16	25	17	♒ 5	♓ 8	22	24
	27	18	♉ 3	12	♋ 0	♌ 7	♎ 0	♏ 9	♑ 0	17	20	♉ 4	♊ 7
	28	♈ 0	15	24	13	21	14	23	13	29	♈ 2	16	19
	29	12		♊ 7	26	♍ 5	29	♐ 7	25	♓11	14	29	♋ 2
	30	24		20	♌10	19	♏13	20	♒ 8	23	26	♊11	15
	31	♉ 6		♋ 3		♎ 3		♑ 3	20		♉ 8		29

	日＼月	1月	2月	3月	4月	5月	6月	7月	8月	9月	10月	11月	12月
	1	♌13	♎ 5	♎15	♐ 8	♑15	♓ 3	♈ 6	♉20	♋ 4	♌ 7	♍27	♏ 4
	2	26	20	♏ 0	22	29	16	18	♊ 1	16	21	♎11	19
	3	♍10	♏ 4	14	♑ 6	♒12	28	♉ 0	13	29	♍ 4	26	♐ 4
	4	24	18	28	19	24	♈10	12	26	♌13	19	♏11	20
	5	♎ 9	♐ 2	♐12	♒ 2	♓ 7	22	23	♋ 8	26	♎ 3	26	♑ 5
	6	23	5	26	15	19	♉ 3	♊ 5	21	♍10	18	♐12	19
	7	♏ 7	29	♑ 9	28	♈ 1	15	18	♌ 4	25	♏ 3	26	♒ 4
	8	21	♑12	22	♓10	13	27	♋ 0	18	♎ 9	18	♑11	18
	9	♐ 5	26	♒ 5	22	25	♊ 9	12	♍ 1	24	♐ 3	25	♓ 1
	10	19	♒ 9	18	♈ 4	♉ 6	21	25	15	♏ 8	17	♒ 9	14
	11	♑ 3	21	♓ 0	16	18	♋ 3	♌ 8	29	23	♑ 1	22	26
	12	16	♓ 4	13	28	♊ 0	16	22	♎14	♐ 7	15	♓ 5	♈ 9
	13	♒ 0	16	26	♉ 9	12	29	♍ 5	28	21	29	17	21
	14	13	29	♈ 7	21	24	♌12	19	♏12	♑ 5	♒12	♈ 0	♉ 2
月	15	26	♈11	19	♊ 3	♋ 6	25	♎ 3	26	18	25	12	14
	16	♓ 8	22	♉ 1	15	19	♍ 8	17	♐10	♈ 2	♓ 8	24	26
☽	17	21	♉ 4	13	27	♌ 2	22	♏ 1	24	15	20	♉ 6	♊ 8
	18	♈ 3	16	24	♋ 9	15	♎ 6	15	♑ 8	28	♈ 3	17	20
	19	15	28	♊ 6	22	28	20	29	22	♓11	15	29	♋ 2
	20	25	♊10	18	♌ 5	♍12	♏ 5	♐14	♒ 5	24	27	♊11	14
	21	♉ 8	22	♋ 1	19	26	19	28	19	♈ 6	♉ 9	23	26
	22	20	♋ 5	13	♍ 2	♎10	♐ 4	♑12	♓ 2	18	20	♋ 5	♌ 9
	23	♊ 2	18	26	17	25	19	26	15	♉ 0	♊ 2	17	21
	24	15	♌ 2	♌10	♎ 2	♏10	♑ 3	♒10	27	12	14	29	♍ 4
	25	27	16	24	17	25	18	23	♈10	24	26	♌12	17
	26	♋10	♍ 0	♍ 8	♏ 2	♐10	♒ 2	♓ 7	22	♊ 6	♋ 8	25	♎ 1
	27	24	15	23	17	25	15	19	♉ 4	17	20	♍ 8	15
	28	♌ 8	♎ 0	♎ 8	♐ 2	♑10	29	♈ 2	16	29	♌ 3	21	29
	29	22		24	17	24	♓11	14	27	♋12	15	♎ 5	♏13
	30	♍ 6		♏ 9	♑ 1	♒ 7	24	26	♊ 9	24	29	19	28
	31	21		24		20		♉ 8	21		♍12		♐13

1993年（平成５年）

♈ 牡羊　♉ 牡牛　♊ 双子　♋ 蟹　♌ 獅子　♍ 乙女
♎ 天秤　♏ 蠍　♐ 射手　♑ 山羊　♒ 水瓶　♓ 魚

	日＼月	1月	2月	3月	4月	5月	6月	7月	8月	9月	10月	11月	12月
水星 ☿	1	♐26	♒17	♓㉔	♓13	♈23	♊27	♋28	♋19	♍10	♎29	♏⑳	♏20
	5	♑ 3	24	㉒	17	♉ 1	♋ 4	㉗	22	17	♏ 4	⑮	26
	9	9	♓ 1	⑲	21	9	10	㉖	27	25	9	⑩	♐ 2
	13	15	8	⑮	26	17	15	㉔	♌ 3	♎ 1	14	⑦	8
	17	22	14	⑫	♈ 1	26	20	㉑	10	8	17	6	14
	21	28	20	⑩	7	♊ 5	23	⑲	18	14	20	8	20
	25	♒ 5	23	10	13	13	26	⑱	26	20	22	12	27
	28	10	24	11	18	19	27	18	♍ 2	25	㉒	16	♑ 1
金星 ♀	1	♒26	♓28	♈17	♈⑫	♈ 4	♈24	♉24	♊28	♌ 4	♍11	♎19	♏27
	5	♓ 0	♈ 1	19	⑨	6	28	28	♋ 3	9	15	24	♐ 2
	10	6	6	19	⑦	8	♉ 3	♊ 3	8	15	22	♏ 0	8
	15	11	9	⑲	⑤	11	7	9	14	21	28	6	14
	20	16	13	⑱	③	15	12	14	20	27	♎ 4	13	20
	25	21	16	⑯	3	18	17	20	26	♍ 3	10	19	27
火星 ♂	1	♋⑳	♋⑩	♋ 9	♋18	♌ 1	♌17	♍ 4	♍22	♎12	♏ 2	♏23	♐15
	11	⑳	⑧	11	22	6	22	10	29	19	9	♐ 0	22
	21	⑫	8	14	26	11	28	16	♎ 5	25	16	8	♑ 0
木星 ♃	1	♎13	♎⑭	♎⑬	♎⑨	♎⑤	♎④	♎ 6	♎ 9	♎15	♎21	♎27	♏ 4
	11	14	⑭	⑫	⑧	⑤	4	6	11	17	23	♏ 0	6
	21	14	⑬	⑪	⑦	④	5	8	13	19	25	2	7
♄ 土星	1	♒16	♒19	♒23	♒26	♒29	♓ 0	♒㉙	♒㉘	♒㉖	♒㉔	♒23	♒24
	16	17	21	24	27	29	0	㉙	㉗	㉕	㉓	23	25
♅ 天王星	1	♑17	♑19	♑20	♑21	♑㉒	♑㉑	♑⑳	♑⑲	♑⑱	♑18	♑18	♑19
	16	18	20	21	22	㉒	㉑	⑳	⑱	⑱	18	19	20
♆ 海王星	1	♑18	♑19	♑20	♑21	♑㉑	♑⑳	♑⑳	♑⑲	♑⑱	♑⑱	♑18	♑19
♇ 冥王星	1	♏24	♏25	♏㉕	♏㉕	♏㉔	♏㉓	♏㉓	♏㉒	♏22	♏23	♏24	♏25

1994年（平成６年）

♈ 牡羊　♉ 牡牛　♊ 双子　♋ 蟹　♌ 獅子　♍ 乙女
♎ 天秤　♏ 蠍　♐ 射手　♑ 山羊　♒ 水瓶　♓ 魚

	日＼月	1月	2月	3月	4月	5月	6月	7月	8月	9月	10月	11月	12月
水星 ☿	1	♑ 8	♒28	♒㉓	♓16	♉10	♋ 2	♋⓪	♋24	♍24	♏ 2	♎21	♐ 0
	5	14	3	㉒	21	18	5	㉙	♌ 2	♎ 0	5	23	6
	9	21	6	23	28	27	7	29	10	6	6	27	13
	13	27	⑦	25	♈ 4	5	8	♋ 0	19	12	⑤	♏ 2	19
	17	♒ 4	⑤	28	12	12	⑦	3	27	17	②	8	25
	21	11	①	♓ 2	19	19	⑥	7	♍ 4	22	♎㉘	14	♑ 2
	25	17	♒㉖	6	27	25	④	12	12	27	㉓	21	8
	28	22	㉔	10	♉ 3	28	②	17	17	♏ 0	㉑	25	14
金星 ♀	1	♑ 6	♒14	♓20	♈28	♊ 5	♋12	♌17	♍22	♎23	♏15	♏⑪	♏ 3
	5	11	20	25	♉ 3	10	17	22	26	27	16	⑨	4
	10	17	26	♈ 1	9	16	23	28	♎ 2	♏ 1	17	⑥	7
	15	23	♓ 2	7	15	22	29	♍ 3	7	5	⑰	④	10
	20	29	8	13	21	28	♌ 5	9	12	9	⑰	②	13
	25	♒ 6	15	19	27	♋ 4	0	14	17	12	⑮	2	17
火星 ♂	1	♑ 8	♒ 2	♒24	♓18	♈12	♉ 5	♉27	♊19	♋ 9	♋27	♌14	♌26
	11	16	10	2	26	19	13	♊ 4	25	15	♌ 3	18	29
	21	24	18	10	♈ 4	27	20	11	♋ 2	21	8	23	1
木星 ♃	1	♏ 9	♏13	♏14	♏⑬	⑨	♏⑥	♏④	♏ 6	♏ 9	♏14	♏21	♏28
	11	11	14	⑭	⑫	⑧	⑤	4	6	11	16	23	♐ 0
	21	12	14	⑭	⑪	⑦	④	5	8	13	19	25	2
♄ 土星	1	♒26	♓ 0	♓ 3	♓ 7	♓10	♓11	♓⑫	♓⑪	♓⑨	♓⑥	♓⑤	♓ 6
	16	28	2	5	8	11	12	⑪	⑩	⑦	⑥	⑤	6
♅ 天王星	1	♑21	♑23	♑24	♑25	♑26	♑㉕	♑㉕	♑㉓	♑㉒	♑㉒	♑22	♑23
	16	22	24	25	26	㉖	㉕	㉔	㉓	㉒	22	23	24
♆ 海王星	1	♑20	♑21	♑22	♑23	♑㉓	♑㉓	♑㉒	♑㉑	♑⑳	♑⑳	♑20	♑21
♇ 冥王星	1	♏27	♏27	♏28	♏㉗	♏㉗	♏㉖	♏㉕	♏㉕	♏25	♏26	♏27	♏28

1995年（平成７年）

♈ 牡羊　♉ 牡牛　♊ 双子　♋ 蟹　♌ 獅子　♍ 乙女
♎ 天秤　♏ 蠍　♐ 射手　♑ 山羊　♒ 水瓶　♓ 魚

	日＼月	1月	2月	3月	4月	5月	6月	7月	8月	9月	10月	11月	12月
水星 ☿	1	♑19	♒⑱	♒12	♓26	♉26	♊⑯	♊16	♌11	♎3	♎⑯	♎23	♐12
	5	26	⑬	16	♈4	♊3	⑭	21	19	8	⑪	♏0	18
	9	♒2	⑨	21	12	8	⑫	26	27	12	⑦	6	24
	13	8	⑥	26	20	12	⑩	♋3	♍4	15	⑤	13	♑0
	17	14	⑤	♓2	28	15	⑨	10	11	18	5	19	6
	21	18	6	8	♉6	17	10	18	17	20	8	26	13
	25	21	9	14	15	18	11	27	23	⑲	13	♐2	19
	28	㉑	11	19	21	⑰	13	♌3	28	⑱	17	7	23
金星 ♀	1	♏23	♐25	♑27	♓4	♈10	♉17	♊24	♌2	♍10	♎17	♏26	♑3
	5	27	29	♒1	8	15	22	29	7	15	22	♐1	8
	10	♐2	♑5	7	14	21	28	♋5	13	21	29	7	14
	15	7	11	13	20	27	♊4	11	19	28	♏5	13	21
	20	12	16	19	26	♉3	10	17	25	♎4	11	20	27
	25	17	22	25	2	9	16	23	♍1	10	17	26	♒3
火星 ♂	1	♍2	♌㉗	♌⑯	♌13	♌20	♍2	♍18	♎6	♎25	♏15	♐7	♑0
	11	②	㉓	⑭	14	23	7	23	12	♏2	22	15	7
	21	⓪	⑲	⑬	17	27	12	29	18	8	29	22	15
木星 ♃	1	♐4	♐10	♐13	♐15	♐⑭	♐⑩	♐⑦	♐⑤	♐6	♐10	♐15	♐22
	11	6	11	14	15	⑬	⑨	⑧	5	7	12	17	24
	21	8	13	15	14	⑫	⑧	⑤	6	8	13	20	26
♄ 土星	1	♓7	♓11	♓14	♓18	♓21	♓23	♓24	♓㉔	♓㉒	♓⑳	♓⑱	♓18
	16	9	12	16	19	22	24	㉔	㉓	㉑	⑲	⑱	18
♅ 天王星	1	♑25	♑27	♑28	♑29	♒0	♒⓪	♑㉙	♑㉘	♑㉗	♑㉖	♑26	♑27
	16	26	28	29	0	0	♑㉙	㉘	㉗	㉖	26	27	28
♆ 海王星	1	♑22	♑23	♑24	♑25	♑㉕	♑㉕	♑㉔	♑㉓	♑㉓	♑㉒	♑22	♑23
♇ 冥王星	1	♏29	♐0	♐0	♐⓪	♏㉙	♏㉘	♏㉘	♏㉗	♏27	♏28	♏29	♐0

	日＼月	1月	2月	3月	4月	5月	6月	7月	8月	9月	10月	11月	12月
月 ☽	1	♐28	♒20	♒28	♈16	♉19	♋3	♌7	♍24	♏14	♐23	♒17	♓24
	2	♑13	♓3	♓12	28	♊1	15	19	♎7	28	♑8	♓0	♈7
	3	27	17	25	♉11	13	27	♍1	20	♐12	22	14	20
	4	♒12	♈0	♈8	23	25	♌9	14	♏4	27	♒6	27	♉2
	5	26	13	20	♊5	♋7	22	27	18	♑11	20	♈10	15
	6	♓9	25	♉3	16	18	♍4	♎10	♐2	25	♓4	23	27
	7	22	♉7	15	28	♌1	17	24	16	♒10	17	♉5	♊9
	8	♈5	19	27	♋10	13	♎0	♏7	♑1	24	♈1	18	21
	9	17	♊1	♊8	22	25	14	22	16	♓8	14	♊0	♋3
	10	29	12	20	♌5	♍8	28	♐6	♒0	22	27	12	14
	11	♉11	24	♋2	17	22	♏13	21	15	♈5	♉9	24	26
	12	23	♋6	14	♍0	♎6	28	♑7	♓0	19	22	♋6	♌8
	13	♊4	19	27	14	20	♐13	22	14	♉1	♊4	18	20
	14	16	♌1	♌9	28	♏4	28	♒7	27	14	16	♌0	♍2
	15	28	14	22	♎12	19	♑13	21	♈11	26	28	12	15
	16	♋10	27	♍6	26	♐5	28	♓6	24	♊8	♋10	24	27
	17	23	♍11	19	♏11	20	♒13	19	♉8	20	22	♍6	♎10
	18	♌5	24	♎3	26	♑5	27	♈3	18	♋2	♌4	19	24
	19	18	♎8	18	♐11	19	♓11	15	♊0	14	16	♎2	♏8
	20	♍1	22	♏2	25	♒4	24	28	12	26	28	16	22
	21	14	♏6	16	♑10	18	♈7	♉10	24	♌8	♍11	♏0	♐7
	22	28	20	♐1	24	♓1	19	22	♋6	20	24	14	22
	23	♎11	♏4	15	♒8	14	♉1	♊4	18	♍3	♎8	29	♑7
	24	25	18	29	21	27	13	16	♌0	16	22	♐14	23
	25	♏9	♑2	♑13	♓5	♈10	25	27	12	♎0	♏6	29	♒8
	26	23	16	27	17	22	♊7	♋9	25	13	20	♑14	22
	27	♐7	♒1	♒11	♈0	♉4	19	21	♍8	27	♐5	29	♓7
	28	22	14	24	13	16	♋1	♌4	21	♏11	20	♒13	21
	29	♑6		♓9	25	28	12	16	♎4	25	♑4	27	♈4
	30	21		21	♎7	♊10	24	28	17	♐9	19	♓11	17
	31	♒5		♈4		22		♍11	♏1		♒3		29

1996年（平成８年）うるう年

♈ 牡羊　♉ 牡牛　♊ 双子　♋ 蟹　♌ 獅子　♍ 乙女
♎ 天秤　♏ 蠍　♐ 射手　♑ 山羊　♒ 水瓶　♓ 魚

	日＼月	1月	2月	3月	4月	5月	6月	7月	8月	9月	10月	11月	12月
水星 ☿	1	♑28	♑19	♒19	♈14	♉28	♉20	♊26	♌28	♎2	♍20	♏7	♐24
	5	♒2	20	25	22	㉘	21	♋4	♍4	3	23	14	♑0
	9	5	23	♓1	♉0	㉗	24	13	10	②	29	20	5
	13	④	27	8	8	㉕	28	22	15	♍⑳	♎5	26	10
	17	⓪	♒1	15	15	㉓	♊3	♌0	20	㉕	12	♐2	15
	21	♑㉕	6	22	20	㉑	8	8	25	㉑	19	9	18
	25	㉑	12	♈0	24	⑳	15	16	28	⑲	25	15	⑲
	28	⑲	16	6	26	⑲	20	21	♎0	19	♏0	19	⑰
金星 ♀	1	♒12	♓19	♈23	♉27	♊21	♊㉕	♊⑪	♊24	♋23	♌25	♎2	♏9
	5	17	24	28	♊0	24	㉓	11	27	27	♍0	7	14
	10	23	♈0	♉3	5	26	⑳	12	♋2	♌2	6	13	20
	15	29	6	9	10	27	⑰	14	6	8	12	19	26
	20	♓5	12	14	14	28	⑭	16	11	13	18	25	♐2
	25	11	18	19	17	㉗	⑫	19	16	19	24	♏1	9
火星 ♂	1	♑23	♒18	♓11	♈5	♈28	♉21	♊12	♋3	♋24	♌12	♍0	♍16
	11	♒1	26	19	13	5	28	19	10	♌0	18	6	20
	21	9	♓4	26	20	13	♊5	26	17	6	24	11	25
木星 ♃	1	♐29	♑6	♑11	♑15	♑17	♑⑯	♑⑬	♑⑨	♑⑦	♑8	♑12	♑18
	11	♑1	8	13	16	⑰	⑮	⑪	⑧	7	9	14	20
	21	3	10	14	17	⑰	⑭	⑩	⑧	8	11	16	22
♄ 土星	1	♓19	♓22	♓25	♓29	♈2	♈5	♈7	♈⑦	♈⑤	♈③	♈①	♈⓪
	16	20	23	27	♈0	4	6	7	⑥	④	②	⓪	0
♅ 天王星	1	♑29	♒1	♒2	♒3	♒4	♒④	♒③	♒②	♒①	♒⓪	♒0	♒1
	16	♒0	1	3	4	④	④	②	①	⓪	0	1	2
♆ 海王星	1	♑24	♑25	♑26	♑27	♑㉗	♑㉗	♑㉖	♑㉖	♑㉕	♑㉕	♑25	♑25
♇ 冥王星	1	♐1	♐2	♐3	♐②	♐③	♐①	♐⓪	♐⓪	♐0	♐1	♐2	♐3

	日＼月	1月	2月	3月	4月	5月	6月	7月	8月	9月	10月	11月	12月
月 ☽	1	♉12	♊26	♋17	♍1	♎4	♏23	♑1	♒25	♈17	♉22	♋8	♌10
	2	24	♋8	29	13	17	♐8	16	♓10	♉1	♊5	20	22
	3	♊6	20	♌11	26	♏1	22	♒1	25	14	18	♌2	♍4
	4	18	♌2	23	♎9	15	♑7	16	♈9	27	♋0	14	16
	5	♋0	14	♍5	22	29	22	♓1	23	♊10	12	26	28
	6	11	26	18	♏6	♐13	♒7	16	♉6	22	24	♍8	♎10
	7	23	♍8	♎0	19	28	22	♈0	19	♋4	♌6	20	23
	8	♌5	21	13	♐3	♑12	♓6	13	♊1	16	18	♎2	♏6
	9	17	♎3	26	17	27	20	26	13	28	♍0	15	19
	10	29	16	♏9	♑2	♒11	♈3	♉9	26	♌10	12	28	♐3
	11	♍11	29	23	16	25	16	22	♋7	22	24	♏11	17
	12	24	♏12	♐7	♒0	♓9	29	♊4	19	♍4	♎7	25	♑2
	13	♎6	26	21	14	23	♉12	16	♌1	16	19	♐8	16
	14	19	♐10	♑5	28	♈6	25	28	13	28	♏2	23	♒1
	15	♏3	24	19	♓12	19	♊7	♋10	25	♎10	15	♑7	16
	16	16	♑9	♒4	26	♉3	19	22	♍7	23	29	21	♓0
	17	♐0	24	18	♈10	15	♋1	♌4	19	♏6	♐12	♒5	14
	18	15	♒9	♓3	23	28	13	16	♎1	19	26	19	28
	19	♑0	24	17	♉7	♊10	25	28	13	♐2	♑10	♓4	♈12
	20	15	♓9	♈1	19	23	♌7	♍10	26	16	24	18	26
	21	♒1	23	15	♊2	♋5	19	22	♏9	29	♒8	♈1	♉9
	22	16	♈7	28	15	17	♍1	♎4	22	♑13	23	15	22
	23	♓1	21	♉12	27	29	13	16	♐5	28	♓7	29	♊5
	24	15	♉4	24	♋9	♌11	25	29	19	♒12	21	♉12	17
	25	29	16	♊7	21	23	♎7	♏12	♑3	27	♈5	25	♋0
	26	♈13	29	19	♌3	♍5	20	26	18	♓12	20	♊9	12
	27	26	♊11	♋1	15	17	♏3	♐10	♒3	27	♉3	21	24
	28	♉8	23	13	27	29	17	24	18	♈11	17	♋4	♌6
	29	21	♋5	25	♍9	♎12	♐1	♑9	♓3	25	♊0	16	18
	30	♊3		♌7	21	25	16	25	18	♉9	13	28	♍0
	31	15		19		♏9		♒10	♈3		26		12

	日＼月	1月	2月	3月	4月	5月	6月	7月	8月	9月	10月	11月	12月
月☽	1	♍24	♏9	♏18	♑8	♒17	♈10	♉18	♋7	♌23	♍25	♏10	♐14
	2	♎6	22	♐1	22	♓1	24	♊1	20	♍5	♎7	22	27
	3	18	♐5	14	♒6	15	♉8	15	♌2	16	19	♐5	♑11
	4	♏1	19	28	21	29	22	28	14	28	♏1	18	24
	5	14	♑3	♑12	♓5	♈14	♊5	♋10	26	♎10	13	♑1	♒8
	6	27	18	26	20	28	19	23	♍8	22	25	14	22
	7	♐11	♒3	♒11	♈5	♉12	♋2	♌5	20	♏4	♐8	27	♓6
	8	25	18	26	20	26	14	17	♎1	16	21	♒11	20
	9	♑10	♓4	♓12	♉4	♊10	27	29	13	28	♑4	25	♈4
	10	25	19	27	18	23	♌9	♍11	25	♐11	17	♓9	18
	11	♒10	♈3	♈12	♊2	♋6	21	23	♏7	24	♒1	24	♉2
	12	25	18	26	15	19	♍3	♎5	20	♑8	15	♈8	17
	13	♓10	♉2	♉10	28	♌1	15	17	♐2	22	29	23	♊1
	14	25	15	24	♋11	13	27	29	15	♒6	♓14	♉8	15
	15	♈9	28	♊7	23	25	♎9	♏11	29	21	29	22	29
	16	22	♊11	20	♌5	♍7	21	24	♑13	♓6	♈14	♊7	♋12
	17	♉6	24	♋3	17	19	♏3	♐7	28	21	29	21	25
	18	19	♋6	15	29	♎1	16	21	♒13	♈6	♉14	♋4	♌8
	19	♊2	18	27	♍11	13	29	♑5	28	21	29	17	20
	20	14	♌0	♌9	23	25	♐13	19	♓13	♉6	♊13	♌0	♍3
	21	27	12	21	♎5	♏8	27	♒4	28	20	26	13	14
	22	♋9	24	♍2	17	21	♑11	19	♈13	♊4	♋9	25	26
	23	21	♍6	14	29	♐4	25	♓4	27	18	22	♍7	♎8
	24	♌3	17	26	♏12	18	♒10	19	♉11	♋1	♌5	18	20
	25	15	29	♎8	25	♑1	24	♈3	25	13	17	♎0	♏2
	26	27	♎11	20	♐8	15	♓8	17	♊8	26	29	12	14
	27	♍9	23	♏3	21	29	23	♉1	21	♌8	♍10	24	27
	28	20	♏6	15	♑5	♒13	♈7	15	♋4	20	22	♏6	♐10
	29	♎2		28	19	28	21	28	17	♍2	♎4	19	23
	30	14		♐11	♒2	♓12	♉4	♊11	29	14	16	♐1	♑6
	31	26		24		26		24	♌11		28		20

1997年（平成9年）

♈ 牡羊　♉ 牡牛　♊ 双子　♋ 蟹　♌ 獅子　♍ 乙女
♎ 天秤　♏ 蠍　♐ 射手　♑ 山羊　♒ 水瓶　♓ 魚

	日＼月	1月	2月	3月	4月	5月	6月	7月	8月	9月	10月	11月	12月
水星☿	1	♑⑬	♑18	♓0	♈28	♉①	♉16	♋14	♍5	♍⑧	♍27	♏19	♐29
	5	⑧	23	7	3	⓪	22	22	9	④	♎4	25	♑2
	9	④	29	15	7	♈㉙	29	♌0	12	②	11	♐1	③
	13	②	♒4	23	9	♉0	♊6	8	15	3	18	7	①
	17	3	11	♈0	⑨	1	14	14	16	5	25	12	♐㉖
	21	6	17	8	⑧	4	22	21	⑮	10	♏1	18	㉑
	25	10	23	16	⑤	9	♋1	26	⑭	16	8	23	⑰
	28	13	29	22	③	11	8	♏0	⑪	21	13	26	⑰
金星♀	1	♐17	♑26	♓1	♈10	♉17	♊25	♌2	♍9	♎16	♏21	♐25	♑22
	5	22	♒1	6	15	22	♋0	7	14	21	25	29	25
	10	29	8	13	21	28	6	13	20	27	♐1	♑4	28
	15	♑5	14	19	27	♊4	12	19	26	♏2	6	9	♒1
	20	11	20	25	♉3	10	18	25	♎2	8	12	13	2
	25	18	26	♈1	10	17	24	♍1	8	14	17	17	3
火星♂	1	♍29	♎5	♎②	♍㉑	♍16	♍22	♎5	♎21	♏10	♐1	♐23	♑16
	11	2	5	♍㉙	⑱	17	26	10	27	17	8	♑1	24
	21	4	4	㉕	⑰	19	♎0	15	♏3	24	15	8	♒1
木星♃	1	♑25	♒2	♒8	♒14	♒19	♒21	♒㉑	♒⑱	♒⑭	♒⑫	♒12	♒16
	11	27	4	10	16	20	21	⑳	⑯	⑬	12	13	18
	21	29	6	12	18	21	21	⑲	⑮	⑫	12	15	19
♄土星	1	♈1	♈3	♈6	♈10	♈14	♈17	♈19	♈20	♈⑲	♈⑰	♈⑮	♈⑬
	16	2	5	8	12	15	18	20	⑳	⑱	⑯	⑭	⑬
♅天王星	1	♒3	♒5	♒6	♒7	♒8	♒⑧	♒⑦	♒⑥	♒⑤	♒④	♒4	♒5
	16	4	5	7	8	⑧	⑧	⑦	⑥	⑤	4	5	6
♆海王星	1	♑26	♑27	♑28	♑29	♑29	♑㉙	♑㉙	♑㉘	♑㉗	♑㉗	♑27	♑27
♇冥王星	1	♐4	♐5	♐5	♐⑤	♐④	♐④	♐③	♐②	♐2	♐3	♐4	♐5

	日＼月	1月	2月	3月	4月	5月	6月	7月	8月	9月	10月	11月	12月
月☽	1	♒4	♓27	♈6	♉29	♋6	♌23	♍25	♏9	♐24	♑27	♓17	♈25
	2	18	♈11	21	♊13	19	♍5	♎7	21	♑6	♒11	♈2	♉10
	3	♓2	26	♉6	27	♌2	17	19	♐3	19	25	17	25
	4	17	♉10	20	♋10	15	29	♏1	16	♒3	♓9	♉2	♊11
	5	♈1	24	♊4	23	27	♎11	13	28	17	24	17	26
	6	15	♊7	18	♌6	♍9	23	25	♑11	♓1	♈9	♊3	♋10
	7	29	21	♋1	18	21	♏5	♐8	25	15	24	18	24
	8	♉13	♋4	14	♍0	♎3	17	20	♒8	♈0	♉9	♋2	♌8
	9	27	17	26	12	15	29	♑3	22	15	24	16	21
	10	♊11	♌0	♌9	24	26	♐12	16	♓7	♉0	♊9	♌0	♍4
	11	24	12	21	♎6	♏8	24	♒0	21	15	23	13	16
	12	♋7	24	♍3	18	20	♑7	13	♈5	29	♋7	26	29
	13	21	♍6	15	♏0	♐3	20	27	20	♊13	21	♍8	♎11
	14	♌3	18	27	11	15	♒3	♓11	♉4	27	♌4	20	22
	15	16	♎0	♎9	23	28	17	25	18	♋11	16	♎2	♏4
	16	28	12	21	♐6	♑10	♓0	♈9	♊3	24	29	14	16
	17	♍10	24	♏3	18	23	14	23	16	♌7	♍11	26	28
	18	22	♏6	14	♑1	♒6	28	♉7	♋0	19	23	♏8	♐10
	19	♎4	18	26	13	20	♈12	22	14	♍2	♎5	19	22
	20	16	♐0	♐9	26	♓3	27	♊6	27	14	17	♐1	♑5
	21	28	13	21	♒10	18	♉11	20	♌10	26	29	13	17
	22	♏10	25	♑4	24	♈2	26	♋4	22	♎8	♏11	26	♒0
	23	22	♑9	17	♓8	16	♊10	17	♍5	20	22	♑8	13
	24	♐5	22	♒1	22	♉1	24	♌1	17	♏2	♐4	20	26
	25	17	♒7	15	♈7	16	♋8	14	29	14	16	♒3	♓9
	26	♑1	21	29	22	♊1	22	27	♎11	25	28	16	23
	27	15	♓6	♓14	♉8	16	♌6	♍9	23	♐7	♑11	29	♈6
	28	29	21	29	23	♋0	18	21	♏5	20	23	♓12	20
	29	♒13		♈14	♊8	14	♍1	♎3	17	♑2	♒6	26	♉5
	30	28		29	22	27	13	15	29	14	19	♈11	19
	31	♓12		♉14		♌11		27	♐11		♓3		♊4

1998年（平成10年）

♈ 牡羊　♉ 牡牛　♊ 双子　♋ 蟹　♌ 獅子　♍ 乙女
♎ 天秤　♏ 蠍　♐ 射手　♑ 山羊　♒ 水瓶　♓ 魚

	日＼月	1月	2月	3月	4月	5月	6月	7月	8月	9月	10月	11月	12月
水星☿	1	♐18	♑26	♓15	♈⑳	♈13	♉28	♋29	♌㉘	♌19	♎11	♏28	♐⑩
	5	21	♒3	22	⑱	17	♊6	♌5	㉗	24	17	♐3	⑤
	9	25	9	♈0	⑮	21	15	11	㉕	♍0	24	8	①
	13	29	16	7	⑫	26	24	16	㉒	8	♏0	12	1
	17	♑5	23	13	⑩	♉2	♋2	20	⑱	15	7	15	3
	21	10	♓0	18	⑨	8	11	24	⑯	22	13	17	6
	25	16	7	20	10	15	18	26	15	♎0	18	⑯	11
	28	20	13	21	11	20	24	27	16	5	23	⑭	15
金星♀	1	♒③	♑⑲	♑27	♒24	♓26	♉1	♊7	♋14	♌22	♍29	♏8	♐16
	5	②	⑱	29	28	♈0	6	12	19	27	4	13	21
	10	⓪	18	♒3	♓3	6	12	17	25	♍3	10	19	27
	15	㉗	19	8	8	12	18	23	♌1	9	17	25	♑3
	20	㉔	21	12	14	18	24	29	7	15	23	♐2	9
	25	㉑	24	17	19	23	♊0	♋6	13	22	29	8	16
火星♂	1	♒10	♓4	♓26	♈20	♉13	♊5	♊26	♋16	♌6	♌25	♍14	♎1
	11	18	12	♈4	28	20	12	♋2	23	13	♍1	20	7
	21	26	20	12	♉5	27	19	9	29	19	7	26	12
木星♃	1	♒22	♒29	♓5	♓13	♓19	♓24	♓27	♓㉗	♓㉕	♓㉑	♓⑱	♓18
	11	24	♓1	8	15	21	25	27	㉗	㉓	⑳	⑱	19
	21	26	3	10	17	23	26	㉘	㉖	㉒	⑲	18	20
♄土星	1	♈13	♈15	♈18	♈21	♈25	♈29	♉1	♉3	♉③	♉①	♈㉙	♈㉗
	16	14	16	19	23	27	0	2	3	②	⓪	㉘	㉖
♅天王星	1	♒7	♒8	♒10	♒11	♒12	♒⑫	♒⑫	♒⑩	♒⑨	♒⑧	♒8	♒9
	16	7	9	11	12	12	⑫	⑪	⑩	⑨	⑧	9	10
♆海王星	1	♑28	♒0	♒1	♒1	♒2	♒①	♒①	♒⓪	♑㉙	♑㉙	♑29	♒0
♇冥王星	1	♐6	♐7	♐8	♐⑦	♐⑦	♐⑥	♐⑤	♐⑤	♐5	♐5	♐6	♐7

	日＼月	1月	2月	3月	4月	5月	6月	7月	8月	9月	10月	11月	12月
	1	♊19	♌10	♌19	♎ 6	♏ 9	♐24	♑27	♓15	♉ 7	♊16	♌ 9	♍15
	2	♋ 4	24	♍ 2	18	21	♑ 6	♒10	28	21	♋ 0	22	28
	3	18	♍ 7	15	♏ 1	♐ 3	18	22	♈12	♊ 5	14	♍ 5	♎11
	4	♌ 2	20	28	13	15	♒ 0	♓ 5	26	19	28	18	23
	5	16	♎ 2	♎10	24	27	13	18	♉10	♋ 4	♌12	♎ 1	♏ 5
	6	29	14	22	♐ 6	♑ 9	25	♈ 2	24	18	25	14	17
	7	♍12	26	♏ 4	18	21	♓ 8	15	♊ 9	♌ 2	♍ 8	26	29
	8	24	♏ 8	16	♑ 0	♒ 3	21	29	23	15	22	♏ 8	♐11
	9	♎ 7	20	28	12	16	♈ 5	♉14	♋ 7	29	♎ 4	20	23
	10	19	♐ 2	♐10	25	29	19	28	22	♍12	17	♐ 2	♑ 5
	11	♏ 1	14	22	♒ 7	♓12	♉ 4	♊13	♌ 6	26	29	14	17
	12	12	26	♑ 4	20	26	19	28	20	♎ 8	♏12	26	29
	13	24	♑ 9	17	♓ 4	♈10	♊ 4	♋13	♍ 4	21	24	♑ 8	♒11
	14	♐ 6	21	29	18	25	19	27	17	♏ 4	♐ 6	20	23
月	15	18	♒ 4	♒12	♈ 2	♉10	♋ 4	♌12	♎ 0	16	18	♒ 2	♓ 5
	16	♑ 1	18	26	17	26	19	26	13	28	29	14	18
☽	17	13	♓ 1	♓10	♉ 2	♊11	♌ 4	♍ 9	26	♐10	♑11	26	♈ 1
	18	26	15	24	17	26	18	22	♏ 8	21	23	♓ 9	14
	19	♒ 9	29	♈ 8	♊ 2	♋11	♍ 1	♎ 5	20	♑ 3	♒ 5	22	28
	20	22	♉14	23	17	25	14	18	♐ 2	15	18	♈ 6	♉13
	21	♓ 6	28	♉ 8	♋ 2	♌ 9	27	♏ 0	14	28	♓ 1	20	28
	22	19	♉12	23	16	22	♎ 9	12	26	♒10	14	♉ 5	♊13
	23	♈ 3	27	♊ 7	29	♍ 5	21	24	♑ 8	23	28	20	28
	24	17	♊11	22	♌13	18	♏ 3	♐ 6	20	♓ 6	♈12	♊ 5	♋14
	25	♉ 1	25	♋ 6	26	♎ 0	15	17	♒ 2	20	27	20	29
	26	16	♋ 9	19	♍ 8	12	27	29	15	♈ 4	♉12	♋ 5	♌13
	27	♊ 0	22	♌ 3	21	24	♐ 9	♑12	28	18	27	20	27
	28	14	♌ 6	16	♎ 3	♏ 6	21	24	♓11	♉ 3	♊12	♌ 5	♍11
	29	28		29	15	18	♑ 3	♒ 6	25	17	26	19	24
	30	♋12		♍11	27	♐ 0	15	19	♈ 9	♊ 2	♋11	♍ 2	♎ 7
	31	26		24		12		♓ 2	23		25		20

	日＼月	1月	2月	3月	4月	5月	6月	7月	8月	9月	10月	11月	12月
	1	♏ 2	♐17	♑ 7	♒21	♓24	♉14	♊22	♌18	♎ 7	♏12	♐28	♒ 0
	2	14	28	18	♓ 3	♈ 7	29	♋ 7	♍ 0	21	25	♑10	12
	3	26	♑10	♒ 0	16	21	♊13	22	15	♏ 4	♐ 8	22	23
	4	♐ 8	22	13	29	♉ 6	29	♌ 7	29	17	20	♒ 4	♓ 5
	5	20	♒ 4	25	♈13	20	♋14	22	♎13	♐ 0	♑ 2	15	17
	6	♑ 2	17	♓ 8	27	♊ 5	28	♍ 6	26	12	14	27	♈ 0
	7	14	29	21	♉11	20	♌13	21	♏ 9	24	26	♓10	13
	8	26	♓12	♈ 4	25	♋ 4	27	♎ 4	22	♑ 6	♒ 8	22	26
	9	♒ 8	24	18	♊10	19	♍11	17	♐ 4	18	20	♈ 5	♉10
	10	20	♈ 8	♉ 1	24	♌ 3	25	♏ 0	16	♒ 0	♓ 2	18	24
	11	♓ 2	21	15	♋ 8	17	♎ 8	13	28	12	14	♉ 2	♊ 8
	12	15	♉ 4	29	22	♍ 1	21	25	♑ 9	24	27	16	23
	13	27	18	♊13	♌ 6	14	♏ 3	♐ 7	21	♓ 6	♈10	♊ 0	♋ 8
	14	♈11	♊ 2	27	20	28	16	19	♒ 3	18	23	14	23
月	15	24	16	♋11	♍ 4	♎11	28	♑ 1	15	♈ 1	♉ 7	29	♌ 7
	16	♉ 8	♋ 1	26	17	24	♐10	13	27	14	21	♋13	22
☽	17	22	15	♌10	♎ 1	♏ 6	22	24	♓ 9	27	♊ 5	28	♍ 6
	18	♊ 7	♌ 0	24	14	19	♑ 4	♒ 6	22	♉11	19	♌12	20
	19	21	15	♍ 8	27	♐ 1	16	18	♈ 4	24	♋ 3	26	♎ 4
	20	♋ 6	29	22	♏10	13	27	♓ 0	17	♊ 8	17	♍10	17
	21	21	♍13	♎ 5	22	25	♒ 9	12	♉ 0	22	♌ 1	23	♏ 0
	22	♌ 6	27	18	♐ 5	♑ 7	21	25	14	♋ 6	15	♎ 7	13
	23	21	♎11	♏ 1	17	19	♓ 3	♈ 7	27	20	29	20	26
	24	♍ 5	24	14	29	♒ 0	15	20	♊11	♌ 4	♍13	♏ 4	♐ 8
	25	19	♏ 6	27	♑10	12	28	♉ 4	25	19	27	16	20
	26	♎ 3	19	♐ 9	22	24	♈11	17	♋10	♍ 3	♎11	29	♑ 3
	27	16	♐ 1	21	♒ 4	♓ 7	24	♊ 1	24	17	24	♐12	14
	28	28	13	♑ 3	16	19	♉ 8	16	♌ 9	♎ 2	♏ 8	24	26
	29	♏11	25	14	28	♈ 2	22	♋ 0	24	16	21	♑ 6	♒ 8
	30	23		26	♓11	16	♊ 7	15	♍ 9	29	♐ 3	18	20
	31	♐ 5		♒ 8		29		♌ 1	23		16		♓ 2

1999年（平成11年）

♈ 牡羊　♉ 牡牛　♊ 双子　♋ 蟹　♌ 獅子　♍ 乙女
♎ 天秤　♏ 蠍　♐ 射手　♑ 山羊　♒ 水瓶　♓ 魚

	日＼月	1月	2月	3月	4月	5月	6月	7月	8月	9月	10月	11月	12月
水星☿	1	♐20	♒ 8	♓27	♓㉑	♈16	♊16	♌ 3	♌⓪	♌29	♎23	♐ 0	♏17
	5	26	15	♈ 1	21	22	25	6	♋㉘	♍ 7	29	1	21
	9	♑ 2	22	3	22	29	♋ 3	8	28	15	♏ 4	⓪	26
	13	8	29	③	25	♉ 6	10	9	♌ 0	22	10	♏㉗	♐ 2
	17	14	♓ 7	①	28	14	16	⑧	4	♎ 0	15	㉒	7
	21	20	14	♓㉗	♈ 2	22	22	⑦	10	7	20	⑰	13
	25	27	21	㉔	7	♊ 1	27	④	16	13	24	⑮	19
	28	♒ 2	25	㉒	12	8	♌ 1	②	22	18	27	16	24
金星♀	1	♑24	♓ 3	♈ 8	♉15	♊20	♋24	♌22	♍⑤	♌⑳	♌25	♍21	♎23
	5	29	8	13	20	25	28	25	④	⑲	27	25	28
	10	♒ 6	14	19	26	♋ 1	♌ 3	28	②	⑱	♍ 1	♎ 0	♏ 4
	15	12	21	25	♊ 2	6	8	♍ 1	⓪	19	5	5	10
	20	18	27	♉ 1	8	12	12	3	♌㉗	20	9	11	16
	25	24	♈ 3	7	14	17	17	4	㉔	22	14	17	28
火星♂	1	♎18	♏ 2	♏10	♏⑪	♏①	♎㉔	♎28	♏11	♏28	♐18	♑10	♒ 3
	11	23	5	11	⑧	♎㉘	24	1	16	4	25	18	11
	21	27	8	⑫	⑤	㉕	26	6	22	11	♑ 2	25	18
木星♃	1	♓21	♓27	♈ 3	♈10	♈18	♈24	♉ 0	♉ 4	♉④	♉②	♈㉘	♈㉕
	11	23	29	5	13	20	26	1	4	④	①	㉗	㉕
	21	25	♈ 1	8	15	22	28	3	4	③	⓪	㉖	㉕
♄土星	1	♈26	♈27	♈29	♉ 3	♉ 7	♉11	♉14	♉16	♉⑰	♉⑯	♉⑭	♉⑪
	16	27	28	♉ 1	5	9	12	15	16	⑯	⑮	⑫	⑩
♅天王星	1	♒10	♒12	♒14	♒15	♒16	♒⑯	♒⑯	♒⑮	♒⑬	♒⑬	♒12	♒13
	16	11	13	15	16	16	⑯	⑮	⑭	⑬	⑫	13	14
♆海王星	1	♒ 1	♒ 2	♒ 3	♒ 4	♒ 4	♒④	♒③	♒②	♒②	♒①	♒ 1	♒ 2
♇冥王星	1	♐ 9	♐10	♐10	♐⓪	♐⑨	♐⑨	♐⑧	♐⑦	♐ 7	♐ 8	♐ 9	♐10

2000年（平成12年）うるう年

♈ 牡羊　♉ 牡牛　♊ 双子　♋ 蟹　♌ 獅子　♍ 乙女
♎ 天秤　♏ 蠍　♐ 射手　♑ 山羊　♒ 水瓶　♓ 魚

	日＼月	1月	2月	3月	4月	5月	6月	7月	8月	9月	10月	11月	12月
水星☿	1	♑ 0	♒21	♓⑫	♓13	♉ 0	♋ 2	♋⑱	♋19	♍17	♏ 2	♏⑤	♏25
	5	6	28	⑧	18	9	7	⑮	25	24	6	1	♐ 1
	9	13	♓ 5	④	23	17	12	⑬	♌ 2	♎ 1	10	♎㉙	7
	13	19	11	③	29	26	15	⑪	10	7	13	♏ 1	13
	17	26	15	2	♈ 5	♊ 4	18	10	18	13	15	5	19
	21	♒ 2	17	4	12	13	19	10	26	19	15	10	26
	25	9	⑯	6	19	20	⑲	12	♍ 4	24	⑬	16	♑ 2
	28	14	⑭	9	25	25	⑲	15	10	28	⑩	20	7
金星♀	1	♐ 0	♑ 8	♒14	♓22	♈29	♊ 7	♋14	♌22	♎ 0	♏ 7	♐14	♑20
	5	5	13	19	27	♉ 4	12	19	27	5	12	19	25
	10	11	19	25	♈ 3	10	18	25	♍ 3	11	18	25	♒ 1
	15	17	25	♓ 1	9	16	24	♌ 1	9	17	24	♑ 1	7
	20	23	♒ 1	7	15	22	♋ 0	7	15	23	♐ 0	7	13
	25	29	7	13	22	28	7	13	21	29	6	13	18
火星♂	1	♒27	♓21	♈13	♉ 6	♉27	♊19	♋ 9	♋29	♌19	♍ 8	♍27	♎16
	11	♓ 5	28	20	13	♊ 4	26	16	♌ 6	25	14	♎ 4	22
	21	12	♈ 6	28	20	11	♋ 2	22	12	♍ 2	21	10	28
木星♃	1	♈25	♈27	♉ 2	♉ 9	♉16	♉23	♊ 0	♊ 5	♊ 9	♊⑪	♊⑨	♊⑤
	11	25	29	4	11	18	25	2	7	10	⑪	⑧	④
	21	26	♉ 0	6	13	20	27	3	8	11	⑩	⑦	③
♄土星	1	♉⑩	♉10	♉12	♉15	♉19	♉23	♉26	♉29	♊ 0	♊⓪	♉㉘	♉㉖
	16	10	11	13	17	21	24	28	♊ 0	0	⓪	㉗	㉕
♅天王星	1	♒14	♒16	♒18	♒19	♒20	♒⑳	♒⑳	♒⑲	♒⑱	♒⑰	♒16	♒17
	16	15	17	18	20	20	20	⑲	⑱	⑰	⑯	17	17
♆海王星	1	♒ 3	♒ 4	♒ 5	♒ 6	♒ 6	♒⑥	♒⑤	♒⑤	♒④	♒③	♒ 3	♒ 4
♇冥王星	1	♐11	♐12	♐12	♐⑫	♐⑫	♐⑪	♐⑩	♐⑩	♐10	♐10	♐11	♐12

	日＼月	1月	2月	3月	4月	5月	6月	7月	8月	9月	10月	11月	12月
	1	♓14	♉ 0	♉10	♋ 0	♌ 9	♎ 2	♏10	♐28	♒13	♓15	♉ 1	♊ 5
	2	26	13	23	14	23	16	23	♑10	25	27	13	18
	3	♈ 8	26	♊ 6	28	♍ 7	♏ 0	♐ 6	22	♓ 7	♈10	26	♋ 2
	4	21	♊10	19	♌12	21	13	18	♒ 4	19	22	♊ 9	16
	5	♉ 4	24	♋ 3	27	♎ 6	26	♑ 1	16	♈ 1	♉ 4	22	♌ 0
	6	17	♋ 9	18	♍11	20	♐ 9	13	28	13	17	♋ 6	14
	7	♊ 1	24	♌ 2	26	♏ 4	22	25	♓10	25	29	19	28
	8	16	♌ 9	17	♎10	17	♑ 4	♒ 7	21	♉ 7	♊12	♌ 3	♍12
	9	♋ 1	24	♍ 2	25	♐ 1	17	19	♈ 3	20	25	17	27
	10	16	♍ 9	17	♏ 9	14	29	♓ 1	16	♊ 2	♋ 9	♍ 1	♎11
	11	♌ 1	24	♎ 2	22	26	♒11	13	28	15	23	16	25
	12	16	♎ 9	17	♐ 6	♑ 9	23	25	♉10	29	♌ 7	♎ 0	♏ 9
	13	♍ 1	23	♏ 1	18	21	♓ 4	♈ 7	23	♋13	21	15	22
	14	16	♏ 6	15	♑ 1	♒ 3	16	19	♊ 6	27	♍ 6	29	♐ 6
月	15	♎ 0	19	28	13	15	28	♉ 1	20	♌12	21	♏13	19
	16	14	♐ 2	♐10	25	27	♈11	14	♋ 4	27	♎ 5	27	♑ 2
☽	17	27	14	23	♒ 7	♓ 8	23	28	18	♍12	20	♐11	15
	18	♏10	27	♑ 5	19	20	♉ 8	♊11	♌ 3	27	♏ 5	24	28
	19	23	♑ 8	17	♓ 0	♈ 3	19	25	18	♎12	19	♑ 7	♒10
	20	♐ 5	20	29	12	15	♊ 3	♋10	♍ 3	27	♐ 3	20	22
	21	18	♒ 2	♒10	25	28	17	25	19	♏11	16	♒ 2	♓ 4
	22	♑ 0	14	22	♈ 7	♉11	♋ 1	♌10	♎ 4	25	29	14	16
	23	11	26	♓ 4	20	25	16	25	18	♐ 8	♑12	26	28
	24	23	♓ 8	16	♉ 3	♊ 9	♌ 1	♍10	♏ 3	21	24	♓ 8	♈10
	25	♒ 5	20	29	16	23	15	25	16	♑ 4	♒ 6	20	22
	26	17	♈ 2	♈11	29	♋ 7	♍ 0	♎ 9	♐ 0	16	18	♈ 2	♉ 4
	27	29	14	24	♊13	21	15	23	12	28	♓ 0	14	17
	28	♓11	27	♉ 7	27	♌ 5	29	♏ 7	25	♒10	12	26	♊ 0
	29	23		20	♋11	20	♎13	20	♑ 7	22	24	♉ 9	13
	30	♈ 5		♊ 3	25	♍ 4	26	♐ 3	19	♓ 4	♈ 6	22	27
	31	17		16		18		15	♒ 1		18		♋11

	日＼月	1月	2月	3月	4月	5月	6月	7月	8月	9月	10月	11月	12月
	1	♋25	♍18	♍27	♏20	♐26	♒13	♓15	♈29	♊13	♋18	♍ 8	♎17
	2	♌10	♎ 3	♎12	♐ 4	♑ 9	25	27	♉11	26	♌ 1	23	♏ 2
	3	24	18	27	18	22	♓ 7	♈ 9	23	♋ 9	15	♎ 8	17
	4	♍ 9	♏ 2	♏12	♑ 1	♒ 5	19	21	♊ 5	23	♍ 0	23	♐ 1
	5	23	16	26	14	17	♈ 1	♉ 3	18	♌ 7	14	♏ 8	16
	6	♎ 8	29	♐ 9	26	29	13	15	♋ 1	21	♎ 0	23	♑ 0
	7	22	♐12	22	♒ 9	♓11	25	27	15	♍ 6	15	♐ 8	14
	8	♏ 5	25	♑ 5	21	23	♉ 7	♊10	29	21	♏ 0	22	28
	9	19	♑ 8	17	♓ 2	♈ 5	19	23	♌13	♎ 6	15	♑ 6	♒11
	10	♐ 2	20	♒ 0	14	17	♊ 2	♋ 6	28	22	♐ 0	20	24
	11	15	♒ 2	12	26	29	15	20	♍12	♏ 6	14	♒ 3	♓ 6
	12	28	15	24	♈ 8	♉11	28	♌ 4	27	21	28	16	19
	13	♑11	27	♓ 5	20	23	♋11	18	♎12	♐ 5	♑11	28	♈ 1
	14	23	♓ 9	17	♉ 2	♊ 6	25	♍ 3	26	19	24	♓10	12
月	15	♒ 6	20	29	14	18	♌ 8	17	♏11	♑ 2	♒ 7	22	24
	16	18	♈ 2	♈11	26	♋ 1	22	♎ 1	25	15	19	♈ 4	♉ 6
☽	17	♓ 0	14	23	♊ 9	14	♍ 6	16	♐ 8	27	♓ 1	16	18
	18	12	26	♉ 5	21	28	20	♏ 0	22	♒10	13	28	♊ 0
	19	24	♉ 8	17	♋ 4	♌12	♎ 5	14	♑ 5	22	25	♉10	12
	20	♈ 6	20	29	18	25	19	28	18	♓ 4	♈ 7	22	25
	21	18	♊ 3	♊12	♌ 1	♍10	♏ 3	♐11	♒ 0	16	19	♊ 4	♋ 8
	22	♉ 0	16	25	15	24	17	25	13	28	♉ 1	16	21
	23	12	29	♋ 8	29	♎ 8	♐ 1	♑ 8	25	♈10	13	29	♌ 4
	24	24	♋12	21	♍14	23	15	21	♓ 8	22	25	♋11	18
	25	♊ 7	27	♌ 5	29	♏ 8	29	♒ 4	20	♉ 4	♊ 7	24	♍ 1
	26	21	♌11	20	♎14	22	♑12	17	♈ 2	16	19	♌ 7	15
	27	♋ 5	26	♍ 5	29	♐ 6	25	29	13	28	♋ 1	21	29
	28	19	♍12	20	♏14	20	♒ 8	♓11	25	♊10	14	♍ 4	♎13
	29	♌ 3		♎ 5	28	♑ 4	21	23	♉ 7	22	27	18	27
	30	18		20	♐12	17	♓ 3	♈ 5	19	♋ 5	♌10	♎ 3	♏12
	31	♍ 3		♏ 5		♒ 0		17	♊ 1		24		26

2001年（平成13年）

♈ 牡羊　♉ 牡牛　♊ 双子　♋ 蟹　♌ 獅子　♍ 乙女
♎ 天秤　♏ 蠍　♐ 射手　♑ 山羊　♒ 水瓶　♓ 魚

	日＼月	1月	2月	3月	4月	5月	6月	7月	8月	9月	10月	11月	12月
水星☿	1	♑13	♒29	♒15	♓20	♉18	♊29	♊21	♌ 2	♍29	♎29	♎20	♐ 6
	5	20	♓⓪	17	27	26	29	22	10	♎ 5	㉙	25	12
	9	26	♒㉘	20	♈ 4	♊ 4	29	25	19	10	㉖	♏ 1	18
	13	♒ 3	㉔	24	11	11	27	29	26	15	㉒	7	24
	17	10	⑳	29	19	17	25	♋ 4	♍ 4	20	⑰	13	♑ 1
	21	16	⑯	♓ 4	27	21	23	11	11	24	⑭	20	7
	25	22	⑮	9	♉ 5	25	21	18	18	27	14	26	13
	28	26	15	14	12	27	21	24	23	28	16	♐ 1	18
金星♀	1	♒26	♓28	♈16	♈⑧	♈ 3	♈24	♉24	♊28	♌ 5	♍11	♎20	♏27
	5	♓ 0	♈ 1	⑰	⑥	5	28	28	♋ 3	10	16	25	♐ 2
	10	6	5	⑰	③	7	♉ 3	♊ 4	9	16	22	♏ 1	9
	15	10	9	⑰	②	10	7	9	15	22	28	7	15
	20	16	12	⑮	①	14	13	15	21	28	♎ 5	13	21
	25	21	14	⑫	1	18	18	21	26	♍ 4	11	20	27
火星♂	1	♏ 4	♏22	♐ 7	♐20	♐28	♐㉖	♐⑰	♐16	♐26	♑12	♒ 2	♒23
	11	10	27	11	23	29	㉓	⑮	18	♑ 0	18	9	♓ 1
	21	16	♐ 2	16	26	㉘	⑳	15	21	6	25	16	8
木星♃	1	♊②	♊ 1	♊ 3	♊ 7	♊13	♊20	♊27	♋ 4	♋ 9	♋13	♋15	♋⑭
	11	①	1	4	9	15	22	29	6	11	14	15	⑬
	21	①	2	5	11	17	24	♋ 1	7	12	15	15	⑫
♄土星	1	♉㉔	♉24	♉25	♉27	♊ 1	♊ 5	♊ 8	♊12	♊14	♊⑭	♊⑬	♊⑪
	16	㉔	24	26	29	3	7	10	13	14	⑭	⑫	⑩
♅天王星	1	♒18	♒20	♒21	♒23	♒24	♒㉔	♒㉔	♒㉓	♒㉒	♒㉑	♒20	♒21
	16	19	21	22	24	24	㉔	㉔	㉒	㉑	㉑	21	21
♆海王星	1	♒ 5	♒ 6	♒ 7	♒ 8	♒ 8	♒⑧	♒⑧	♒⑦	♒⑥	♒⑥	♈ 6	♒ 6
♇冥王星	1	♐13	♐14	♐15	♐⑮	♐⑭	♐⑭	♐⑬	♐⑫	♐12	♐12	♐13	♐14

2002年（平成14年）

♈ 牡羊　♉ 牡牛　♊ 双子　♋ 蟹　♌ 獅子　♍ 乙女
♎ 天秤　♏ 蠍　♐ 射手　♑ 山羊　♒ 水瓶　♓ 魚

	日＼月	1月	2月	3月	4月	5月	6月	7月	8月	9月	10月	11月	12月
水星☿	1	♑25	♒③	♒14	♈ 3	♊ 0	♊③	♊18	♌19	♎ 5	♎①	♎29	♐17
	5	♒ 1	♑㉙	19	11	4	①	24	26	8	♍㉘	♏ 6	23
	9	6	㉘	25	19	7	①	♋ 2	♍ 3	11	28	12	29
	13	11	29	♓ 0	28	9	1	10	10	13	♎ 1	19	♑ 5
	17	14	♒ 1	7	♉ 6	⑨	3	18	16	⑬	5	25	11
	21	⑭	5	13	14	⑨	6	27	22	⑪	11	♐ 1	17
	25	⑪	9	20	21	⑦	10	♌ 5	27	⑦	17	8	22
	28	⑦	12	26	26	⑤	14	11	♎ 0	④	22	12	25
金星♀	1	♑ 6	♒15	♓20	♈29	♊ 5	♋13	♌18	♏22	♎23	♏13	♏⑦	♏ 1
	5	11	20	25	♉ 4	10	17	22	27	27	14	⑤	3
	10	18	26	♈ 1	10	16	23	28	♎ 2	♏ 1	15	②	6
	15	24	♓ 3	8	16	22	29	♍ 4	7	4	⑮	⓪	9
	20	♒ 0	9	14	22	28	♌ 5	9	12	8	⑭	⓪	12
	25	6	15	20	28	♋ 4	11	15	17	11	⑪	0	17
火星♂	1	♓16	♈ 9	♈29	♉21	♊11	♋ 2	♋21	♌11	♍ 1	♍20	♎10	♎29
	11	23	16	♉ 6	27	18	8	28	17	7	26	16	♏ 5
	21	♈ 1	23	13	♊ 4	24	15	♌ 4	24	14	♎ 3	22	12
木星♃	1	♋⑩	♋⑥	♋⑤	♋ 7	♋10	♋16	♋22	♋29	♌ 6	♌12	♌16	♌18
	11	⑨	⑥	5	8	12	18	25	♌ 1	8	13	17	18
	21	⑧	⑤	6	9	14	20	27	4	10	15	17	17
♄土星	1	♊⑨	♊⑧	♊ 8	♊10	♊13	♊17	♊21	♊24	♊27	♊28	♊㉘	♊㉖
	16	⑧	8	9	11	15	19	23	26	28	29	㉗	㉕
♅天王星	1	♒22	♒24	♒25	♒27	♒28	♒28	♒㉘	♒㉗	♒㉖	♒㉕	♒㉔	♒25
	16	23	24	26	27	28	㉘	㉘	㉗	㉕	㉕	24	25
♆海王星	1	♒ 7	♒ 8	♒ 9	♒10	♒10	♒⑩	♒⑩	♒⑨	♒⑧	♒⑧	♒ 8	♒ 8
♇冥王星	1	♐16	♐17	♐17	♐⑰	♐⑰	♐⑯	♐⑮	♐⑮	♐14	♐15	♐16	♐17

2003年（平成15年）

♈ 牡羊　♉ 牡牛　♊ 双子　♋ 蟹　♌ 獅子　♍ 乙女
♎ 天秤　♏ 蠍　♐ 射手　♑ 山羊　♒ 水瓶　♓ 魚

	日＼月	1月	2月	3月	4月	5月	6月	7月	8月	9月	10月	11月	12月
月☽	1	♐10	♒1	♒10	♓27	♉0	♊14	♋18	♍7	♎29	♐8	♒0	♓6
	2	24	14	23	♈9	12	26	♌0	20	♏13	22	14	19
	3	♑8	27	♓6	21	23	♋8	13	♎4	27	♑6	27	♈2
	4	22	♓10	18	♉3	♊5	21	27	18	♐12	20	♓10	14
	5	♒6	22	♈0	15	17	♌4	♍10	♏2	26	♒4	22	26
	6	19	♈4	12	26	29	16	24	16	♑9	17	♈5	♉8
	7	♓2	16	24	♊8	♋11	♍0	♎7	♐1	23	♓0	17	19
	8	14	28	♉6	20	24	13	21	15	♒7	13	29	♊1
	9	26	♉10	18	♋2	♌7	27	♏6	29	20	25	♉11	13
	10	♈8	22	♊0	15	20	♎11	20	♑13	♓3	♈8	22	25
	11	20	♊4	12	27	♍3	25	♐4	27	16	20	♊4	♋7
	12	♉2	16	24	♌11	17	♏10	19	♒11	29	♉2	16	19
	13	14	28	♋6	24	♎1	25	♑4	24	♈11	14	28	♌1
	14	26	♋11	19	♍8	16	♐10	18	♓8	24	26	♋10	14
	15	♊8	24	♌2	23	♏1	25	♒2	21	♉6	♊7	22	26
	16	21	♌8	16	♎8	16	♑9	16	♈3	17	19	♌4	♍9
	17	♋3	22	♍0	23	♐2	24	29	15	29	♋1	17	22
	18	16	♍6	15	♏8	17	♒8	♓12	28	♊11	13	♍0	♎6
	19	♌0	21	♎0	23	♑1	21	25	♉9	23	25	13	20
	20	13	♎6	15	♐8	16	♓4	♈8	21	♋5	♌8	27	♏4
	21	27	20	♏0	23	29	17	20	♊3	17	21	♎11	19
	22	♍12	♏5	15	♑7	♒13	29	♉2	15	♌0	♍5	26	♐4
	23	26	19	29	21	26	♈12	13	27	13	18	♏10	19
	24	♎10	♐3	♐13	♒4	♓9	23	25	♋9	27	♎3	26	♑4
	25	24	17	27	17	21	♉5	♊7	22	♍10	18	♐11	19
	26	♏8	♑1	♑11	29	♈3	17	19	♌5	25	♏3	26	♒4
	27	22	14	24	♓12	15	29	♋1	18	♎9	18	♑11	18
	28	♐6	27	♒7	24	27	♊11	14	♍2	24	♐3	25	♓2
	29	20		20	♈6	♉9	23	27	16	♏9	18	♒10	15
	30	♑4		♓2	18	20	♋5	♌10	♎0	23	♑2	23	28
	31	17		15		♊2		23	15		16		♈10

	日＼月	1月	2月	3月	4月	5月	6月	7月	8月	9月	10月	11月	12月
水星☿	1	♑28	♑16	♒22	♈20	♉⑲	♉15	♋2	♍1	♍㉕	♍19	♏11	♐26
	5	㉘	20	29	28	⑰	19	11	7	㉓	25	18	♓2
	9	㉕	24	♓6	♉5	⑮	23	19	12	⑳	♎2	24	6
	13	⑳	29	13	11	⑬	29	28	16	⑯	9	♐0	10
	17	⑮	♒4	20	15	⑪	♊5	♌6	20	⑬	16	6	12
	21	⑫	10	28	18	⑪	12	13	23	⑫	23	12	⑪
	25	12	16	♈6	20	11	20	20	25	13	♏0	18	⑧
	28	13	21	12	⑳	13	26	25	26	16	5	22	④
金星♀	1	♏23	♐25	♑27	♓4	♈10	♉18	♊24	♌3	♍11	♎18	♏27	♑4
	5	27	♓0	♒2	9	15	23	29	7	16	23	♐2	9
	10	♐2	5	8	15	21	29	♋5	14	22	29	8	15
	15	7	11	14	21	27	♊5	12	20	28	♏6	14	21
	20	12	17	20	27	♉3	11	18	26	♎4	12	20	27
	25	17	23	26	♈3	9	17	24	♍2	11	18	26	♒4
火星♂	1	♏19	♐9	♐27	♑16	♒5	♒22	♓5	♓⑩	♓④	♓0	♓7	♓21
	11	25	15	♑3	23	10	27	7	⑨	①	1	11	26
	21	♐2	22	9	29	16	♓1	9	⑦	⓪	3	15	♈2
木星♃	1	♌⑯	♌⑬	♌⑨	♌⑧	♌9	♌12	♌17	♌24	♍0	♍7	♍13	♍17
	11	⑮	⑫	⑨	8	10	14	19	26	3	9	14	17
	21	⑭	⑩	⑧	8	11	16	21	28	5	11	15	18
♄土星	1	♊㉔	♊㉒	♊22	♊23	♊25	♊29	♋3	♋7	♋10	♋12	♋⑬	♋⑫
	16	㉓	㉒	22	24	27	♋1	5	9	11	13	⑫	⑪
♅天王星	1	♒26	♒27	♒29	♓1	♓2	♓2	♓②	♓①	♓⓪	♒㉙	♒㉘	♒29
	16	26	28	♓0	1	2	②	②	①	♒㉙	㉙	28	29
♆海王星	1	♒9	♒10	♒11	♒12	♒13	♒⑬	♒⑫	♒⑪	♒⑪	♒⑩	♒10	♒10
♇冥王星	1	♐18	♐19	♐19	♐⑲	♐⑲	♐⑱	♐⑱	♐⑰	♐17	♐17	♐18	♐19

2004年（平成16年）うるう年

♈ 牡羊　♉ 牡牛　♊ 双子　♋ 蟹　♌ 獅子　♍ 乙女
♎ 天秤　♏ 蠍　♐ 射手　♑ 山羊　♒ 水瓶　♓ 魚

	日＼月	1月	2月	3月	4月	5月	6月	7月	8月	9月	10月	11月	12月
月☽	1	♈22	♊6	♊26	♌10	♍14	♏4	♐12	♒6	♓28	♉2	♊18	♋20
	2	♉4	18	♋8	23	28	19	28	21	♈11	15	♋0	♌2
	3	16	♋0	20	♍6	♎12	♐4	♑13	♓6	25	27	11	13
	4	28	12	♌2	20	26	19	28	20	♉7	♊10	23	25
	5	♊10	24	15	♎4	♏11	♑4	♒13	♈3	20	22	♌5	♍8
	6	22	♌7	28	18	26	20	27	17	♊2	♋3	17	20
	7	♋4	20	♍12	♏2	♐11	♒4	♓11	29	14	15	29	♎3
	8	16	♍3	25	17	26	19	25	♉12	26	27	♍12	16
	9	28	16	♎9	♐1	♑10	♓3	♈8	24	♋7	♌9	25	♏0
	10	♌11	29	23	16	25	16	21	♊6	19	22	♎8	14
	11	23	♎13	♏7	♑0	♒9	29	♉3	18	♌1	♍4	22	28
	12	♍6	27	21	15	23	♈12	15	29	14	17	♏6	♐13
	13	19	♏10	♐5	29	♓6	24	27	♋1	26	♎0	20	28
	14	♎2	24	20	♒12	19	♉6	♊9	23	♍9	14	♐5	♑14
	15	16	♐9	♑4	26	♈2	18	21	♌5	22	28	20	29
	16	♏0	23	18	♓9	15	♊0	♋3	18	♎5	♏12	♑5	♒14
	17	14	♑7	♒2	22	27	12	15	♍0	18	26	19	28
	18	28	21	16	♈5	♉9	24	27	13	♏2	♐10	♒4	♓12
	19	♐13	♒6	29	18	21	♋6	♌9	26	16	25	18	26
	20	27	20	♓13	♉0	♊3	17	21	♎9	♐0	♑9	♓2	♈9
	21	♑12	♓4	26	12	15	29	♍3	22	14	23	16	22
	22	27	17	♈9	24	27	♌12	16	♏5	28	♒7	29	♉4
	23	♒11	♈1	22	♊6	♋9	24	29	19	♑12	21	♈12	17
	24	26	14	♉4	18	20	♍6	♎12	♐3	26	♓5	25	29
	25	♓10	26	16	♋0	♌2	19	25	17	♒11	19	♉7	♊11
	26	23	♉8	28	12	15	♎2	♏9	♑1	25	♈2	20	23
	27	♈6	20	♊10	24	27	15	22	16	♓9	15	♊2	♋5
	28	18	♊2	22	♌6	♍10	29	♐7	♒1	23	28	14	17
	29	♉1	14	♋4	18	23	♏13	21	15	♈6	♉11	26	28
	30	13		16	♍1	♎6	27	♑6	♓0	20	23	♋8	♌10
	31	24		28		20		21	14		♊6		22

	日＼月	1月	2月	3月	4月	5月	6月	7月	8月	9月	10月	11月	12月
水星☿	1	♐㉙	♑20	♓7	♈29	♈21	♉21	♋22	♍5	♌25	♎3	♏24	♐㉖
	5	㉖	26	14	1	21	28	♌0	7	26	10	♐0	㉕
	9	26	♒2	22	①	23	♊6	6	8	28	17	5	⑳
	13	28	8	♈0	⓪	26	14	13	⑧	♍2	24	11	⑮
	17	♑1	14	8	♈27	♉0	22	19	⑥	8	♏1	16	⑪
	21	6	21	15	24	4	♋1	24	③	15	7	20	10
	25	11	28	21	22	10	10	28	⓪	22	13	24	11
	28	14	♓3	25	21	14	16	♍1	♌27	28	18	26	14
金星♀	1	♒12	♓20	♈24	♉27	♊21	♊㉒	♊9	♊24	♋23	♌26	♎3	♏9
	5	17	25	28	♊0	22	⑳	10	27	27	♍1	7	14
	10	23	♈1	♉4	5	24	⑰	11	♋1	♌2	6	14	21
	15	29	6	9	9	25	⑭	13	6	8	12	20	27
	20	♓5	12	14	13	㉖	⑪	16	11	13	18	26	♐3
	25	12	18	20	17	㉕	⑩	19	16	19	24	♏2	9
火星♂	1	♈8	♈28	♉16	♊6	♊25	♋15	♌4	♌23	♍13	♎2	♎22	♏12
	11	15	♉4	23	12	♋2	21	10	♍0	19	9	29	19
	21	21	10	29	19	8	27	16	6	26	15	♏6	26
木星♃	1	♍18	♍⑰	♍⑭	♍⑩	♍⑧	♍9	♍13	♍18	♍24	♎1	♎7	♎13
	11	⑱	⑯	⑬	⑨	8	10	14	20	26	3	9	14
	21	⑱	⑮	⑪	⑨	9	11	16	22	29	5	11	16
♄土星	1	♋9	♋⑦	♋⑥	♋6	♋8	♋12	♋15	♋19	♋23	♋25	♋27	♋㉖
	16	8	⑥	6	7	10	13	17	21	24	26	㉗	㉖
♅天王星	1	♓0	♓1	♓3	♓4	♓6	♓6	♓⑥	♓⑤	♓④	♓③	♓②	♓3
	16	0	2	4	5	6	⑥	⑥	⑤	④	③	2	3
♆海王星	1	♒11	♒12	♒13	♒14	♒15	♒⑮	♒⑭	♒⑭	♒⑬	♒⑫	♒12	♒12
♇冥王星	1	♐20	♐21	♐22	♐22	♐㉑	♐㉑	♐⑳	♐⑲	♐19	♐19	♐20	♐21

	日＼月	1月	2月	3月	4月	5月	6月	7月	8月	9月	10月	11月	12月
月☽	1	♍ 4	♎21	♏ 1	♐22	♒ 1	♓24	♉ 1	♊18	♌ 3	♍ 6	♎21	♏25
	2	16	♏ 4	14	♑ 6	16	♈ 8	14	♋ 1	15	18	♏ 4	♐ 9
	3	29	17	28	20	♓ 0	21	27	13	27	♎ 0	17	23
	4	♎11	♐ 1	♐11	♒ 5	14	♉ 4	♊ 9	24	♍ 9	12	♐ 0	♑ 7
	5	25	15	25	19	27	17	21	♌ 6	21	25	14	22
	6	♏ 8	♑ 0	♑10	♓ 3	♈11	♊ 0	♋ 3	18	♎ 3	♏ 7	28	♒ 6
	7	22	15	24	17	24	12	15	♍ 0	15	20	♑12	21
	8	♐ 6	♒ 0	♒ 9	♈ 2	♉ 8	25	27	12	28	♐ 4	26	♓ 5
	9	21	15	24	15	21	♋ 7	♌ 9	24	♏11	17	♒10	19
	10	♑ 6	♓ 0	♓ 8	29	♊ 3	19	21	♎ 6	23	♑ 1	24	♈ 3
	11	22	15	23	♉12	16	♌ 1	♍ 3	18	♐ 7	15	♓ 8	17
	12	♒ 7	29	♈ 7	25	28	13	15	♏ 1	20	29	22	♉ 0
	13	22	♈13	21	♊ 8	♋10	24	27	14	♑ 4	♒13	♈ 6	14
	14	♓ 7	27	♉ 4	20	22	♍ 6	♎ 9	27	19	28	20	27
	15	21	♉10	17	♋ 2	♌ 4	18	22	♐10	♒ 3	♓12	♉ 4	♊10
	16	♈ 5	22	♊ 0	14	16	♎ 1	♏ 4	25	18	27	18	23
	17	18	♊ 4	13	26	28	13	18	♑ 9	♓ 3	♈11	♊ 1	♋ 5
	18	♉ 1	16	25	♌ 8	♍10	26	♐ 1	24	18	25	14	18
	19	14	28	♋ 7	20	22	♏ 9	16	♒ 9	♈ 3	♉ 9	27	♌ 0
	20	26	♋10	18	♍ 2	♎ 5	23	♑ 0	24	17	23	♋10	12
	21	♊ 8	22	♌ 0	15	18	♐ 7	16	♓10	♉ 1	♊ 6	22	24
	22	20	♌ 4	12	27	♏ 1	22	♒ 1	25	15	19	♌ 4	♍ 6
	23	♋ 2	16	24	♎10	15	♑ 7	16	♈ 9	28	♋ 2	16	17
	24	13	28	♍ 7	23	29	22	♓ 1	23	♊11	14	28	29
	25	25	♍10	19	♏ 7	♐14	♒ 7	16	♉ 7	24	26	♍10	♎11
	26	♌ 7	23	♎ 2	20	28	22	♈ 0	20	♋ 6	♌ 8	21	24
	27	19	♎ 5	14	♐ 4	♑13	♓ 7	14	♊ 3	18	20	♎ 4	♏ 6
	28	♍ 1	18	28	18	28	21	28	15	♌ 0	♍ 2	16	20
	29	13		♏11	♑ 3	♒12	♈ 5	♉11	27	12	14	29	♐ 3
	30	26		24	17	26	18	24	♋10	24	26	♏12	17
	31	♎ 8		♐ 8		♓11		♊ 6	21		♎ 8		♑ 2

2005年（平成17年）

♈ 牡羊　♉ 牡牛　♊ 双子　♋ 蟹　♌ 獅子　♍ 乙女
♎ 天秤　♏ 蠍　♐ 射手　♑ 山羊　♒ 水瓶　♓ 魚

	日＼月	1月	2月	3月	4月	5月	6月	7月	8月	9月	10月	11月	12月
水星☿	1	♐17	♒ 2	♓22	♈⑦	♈13	♊ 6	♌ 3	♌⑰	♌22	♎17	♐ 1	♏㉕
	5	22	8	29	④	18	15	8	⑭	29	23	5	24
	9	27	15	♈ 5	②	24	24	12	⑪	♍ 7	29	8	26
	13	♑ 3	22	10	1	♉ 0	♋ 2	16	⑨	14	♏ 5	10	29
	17	9	29	13	2	7	10	18	8	22	11	⑩	♐ 4
	21	15	♓ 7	⑭	4	14	17	20	9	29	17	⑦	9
	25	21	14	⑫	7	22	24	⑳	13	♎ 6	22	②	14
	28	25	20	⑩	10	28	29	⑲	16	12	26	♏28	19
金星♀	1	♐18	♑27	♓ 2	♈11	♉18	♊26	♌ 2	♍10	♎17	♏21	♐25	♑21
	5	23	♒ 2	7	16	23	♋ 1	7	15	21	26	29	24
	10	29	8	13	22	29	7	13	21	27	♐ 1	♑ 4	27
	15	♑ 6	14	19	28	♊ 5	13	19	27	♏ 3	7	8	29
	20	12	21	26	♉ 4	11	19	25	♎ 2	9	12	13	♒ 1
	25	18	27	♈ 2	10	17	25	♍ 1	8	14	17	17	①
火星♂	1	♐ 4	♐25	♑15	♒ 7	♒29	♓21	♈12	♉ 1	♉16	♉23	♉⑰	♉⑧
	11	11	♑ 2	22	15	♓ 6	28	19	7	20	㉒	⑬	8
	21	17	9	29	22	14	♈ 5	25	12	22	⑳	⑩	8
木星♃	1	♎17	♎18	♎⑰	♎⑭	♎⑩	♎⑧	♎ 9	♎13	♎18	♎24	♏ 1	♏ 7
	11	18	⑱	⑯	⑬	⑨	8	10	14	20	26	3	9
	21	18	⑱	⑮	⑪	⑨	9	11	16	22	28	5	11
♄土星	1	♋㉔	♋㉒	♋⑳	♋20	♋21	♋24	♋27	♌ 1	♌ 5	♌ 8	♌10	♌⑪
	16	㉓	㉑	⑳	20	22	26	29	3	7	10	11	⑩
♅天王星	1	♓ 3	♓ 5	♓ 6	♓ 8	♓ 9	♓10	♓⑩	♓⑨	♓⑧	♓⑦	♓ 6	♓ 6
	16	4	6	7	9	10	⑩	⑩	⑨	⑧	⑦	6	7
♆海王星	1	♒13	♒14	♒15	♒16	♒17	♒⑰	♒⑰	♒⑯	♒⑮	♒⑮	♒14	♒15
♇冥王星	1	♐22	♐23	♐24	♐㉔	♐24	♐㉓	♐㉒	♐㉒	♐㉑	♐22	♐22	♐23

	日＼月	1月	2月	3月	4月	5月	6月	7月	8月	9月	10月	11月	12月
月☽	1	♑16	♓10	♓18	♉10	♊16	♌ 3	♍ 5	♎18	♐ 4	♑ 9	♓ 0	♈ 9
	2	♒ 1	25	♈ 3	24	29	15	17	♏ 0	17	22	14	23
	3	16	♈ 9	18	♊ 8	♋12	27	28	13	♑ 0	♒ 6	29	♉ 8
	4	♓ 1	23	♉ 2	21	25	♍ 9	♎10	25	13	21	♈14	22
	5	15	♉ 7	16	♋ 4	♌ 7	21	22	♐ 8	28	♓ 5	29	♊ 7
	6	♈ 0	20	♊ 0	17	19	♎ 2	♏ 5	21	♒12	20	♉14	21
	7	14	♊ 3	13	29	♍ 1	14	17	♑ 5	27	♈ 5	28	♋ 5
	8	27	16	26	♌11	13	27	♐ 0	19	♓12	21	♊13	18
	9	♉10	29	♋ 8	23	24	♏ 9	13	♒ 4	27	♉ 6	27	♌ 1
	10	24	♋11	20	♍ 4	♎ 6	22	27	19	♈12	20	♋10	14
	11	♊ 6	23	♌ 2	16	19	♐ 5	♑11	♓ 4	27	♊ 5	23	26
	12	19	♌ 5	14	28	♏ 1	18	25	19	♉12	19	♌ 6	♍ 8
	13	♋ 2	17	26	♎10	13	2	♒10	♈ 4	26	♋ 2	18	20
	14	14	29	♍ 8	22	26	16	25	18	♊10	15	♍ 0	♎ 2
	15	26	♍11	19	♏ 5	♐ 9	♒ 0	♓ 9	♉ 2	23	28	12	14
	16	♌ 8	23	♎ 1	17	23	15	24	16	♋ 6	♌10	24	26
	17	20	♎ 4	13	♐ 0	♑ 6	29	♈ 8	♊ 0	19	22	♎ 6	♏ 8
	18	♍ 2	16	25	13	20	♓13	22	13	♌ 1	♍ 4	18	20
	19	14	28	♏ 8	26	♒ 4	27	♉ 6	26	13	16	♏ 0	♐ 3
	20	26	♏11	20	♑ 9	18	♈11	20	♋ 9	25	27	12	15
	21	♎ 8	23	♐ 3	23	♓ 2	25	♊ 3	21	♍ 7	♎ 9	24	29
	22	20	♐ 6	16	♒ 7	16	♉ 9	16	♌ 4	19	21	♐ 7	♑12
	23	♏ 2	20	29	21	♈ 0	23	29	16	♎ 0	♏ 3	20	26
	24	14	♑ 3	♑13	♓ 6	15	♊ 6	♋12	28	12	15	♑ 3	♒ 9
	25	27	18	27	20	29	20	25	♍10	24	27	16	23
	26	♐11	♒ 2	♒11	♈ 5	♉13	♋ 3	♌ 7	22	♏ 6	♐10	29	♓ 7
	27	25	17	26	20	27	16	19	♎ 3	18	23	♒13	21
	28	♑ 9	♓ 3	♓11	♉ 4	♊11	28	♍ 1	15	♐ 0	♑ 6	26	♈ 5
	29	24		26	18	24	♌11	13	27	13	19	♓10	19
	30	♒10		♈11	♊ 2	♋ 7	23	25	♏ 9	26	♒ 2	24	♉ 4
	31	25		26		20		♎ 7	21		16		18

2006年（平成18年）

♈ 牡羊　♉ 牡牛　♊ 双子　♋ 蟹　♌ 獅子　♍ 乙女
♎ 天秤　♏ 蠍　♐ 射手　♑ 山羊　♒ 水瓶　♓ 魚

	日＼月	1月	2月	3月	4月	5月	6月	7月	8月	9月	10月	11月	12月
水星☿	1	♐25	♒14	♓26	♓14	♈21	♊24	♌ 0	♋21	♍ 7	♎27	♏㉔	♏19
	5	♑ 1	22	㉖	17	28	♋ 2	①	23	15	3	㉑	24
	9	7	29	㉔	20	♉ 6	8	⓪	26	22	8	⑯	♐ 0
	13	13	♓ 6	⑳	25	14	14	♋㉙	♌ 2	29	13	⑪	6
	17	19	13	⑰	♈ 0	22	19	㉖	8	♎ 6	17	⑨	12
	21	26	19	⑭	5	♊ 1	24	㉔	15	12	21	9	18
	25	♒ 2	23	13	11	10	27	㉑	23	18	24	12	24
	28	8	26	13	16	16	29	㉑	29	23	24	15	29
金星♀	1	♒⓪	♑⑯	♑26	♒24	♓26	♉ 2	♊ 7	♋15	♌23	♎ 0	♏ 9	♐16
	5	♑㉘	16	29	28	♈ 1	7	12	19	27	5	14	21
	10	㉖	16	♒ 3	♓ 3	7	12	18	26	♍ 4	11	20	27
	15	㉓	18	7	9	12	18	24	♌ 2	10	17	26	♑ 4
	20	⑳	20	12	14	18	24	♋ 0	8	16	23	♐ 2	10
	25	⑰	23	17	20	24	♊ 0	6	14	22	♏ 0	9	16
火星♂	1	♉10	♉21	♊ 5	♊22	♋ 9	♋28	♌16	♍ 5	♍25	♎14	♏ 5	♏26
	11	13	26	10	28	15	♌ 4	22	11	♎ 1	21	12	♐ 3
	21	17	♊ 1	16	♋ 3	21	10	28	18	8	27	19	10
木星♃	1	♏13	♏17	♏18	♏⑰	♏⑭	♏⑩	♏⑨	♏ 9	♏13	♏18	♏24	♐ 1
	11	14	18	⑱	⑯	⑬	⑨	9	10	14	20	26	3
	21	16	18	⑱	⑮	⑫	⑨	9	11	16	22	29	5
♄土星	1	♌⑨	♌⑦	♌⑤	♌④	♌ 4	♌ 7	♌10	♌13	♌17	♌21	♌23	♌25
	16	⑧	⑥	④	4	5	8	11	15	19	22	24	㉔
♅天王星	1	♓ 7	♓ 9	♓10	♓12	♓13	♓14	♓⑭	♓⑭	♓⑫	♓⑪	♓⑩	♓10
	16	8	9	11	13	14	14	⑭	⑬	⑫	⑪	⑩	11
♆海王星	1	♒15	♒17	♒18	♒19	♒19	♒⑲	♒⑲	♒⑱	♒⑰	♒⑰	♒17	♒17
♇冥王星	1	♐24	♐25	♐26	♐㉖	♐26	♐㉕	♐㉕	♐㉔	♐㉔	♐24	♐24	♐25

	日＼月	1月	2月	3月	4月	5月	6月	7月	8月	9月	10月	11月	12月
	1	♊ 2	♋22	♌ 1	♍17	♎20	♐ 5	♑ 9	♒28	♈21	♊ 0	♋22	♌27
	2	16	♌ 5	14	29	♏ 2	17	22	♓12	♉ 5	14	♌ 5	♍10
	3	29	17	26	♎11	14	29	♒ 5	26	20	28	18	22
	4	♋13	♍ 0	♍ 8	23	26	♑12	18	♈10	♊ 4	♋12	♍ 1	♎ 4
	5	26	12	20	♏ 5	♐ 8	25	♓ 2	25	18	25	13	16
	6	♌ 9	24	♎ 2	17	20	♒ 8	16	♉ 9	♋ 2	♌ 8	25	28
	7	22	♎ 6	14	29	♑ 2	21	♈ 0	23	15	21	♎ 7	♏10
	8	♍ 4	18	26	♐11	15	♓ 5	14	♊ 7	28	♍ 4	19	21
	9	16	29	♏ 8	23	28	19	28	21	♌11	16	♏ 1	♐ 3
	10	28	♏11	20	♑ 5	♒11	♈ 3	♉12	♋ 5	24	28	13	15
	11	♎10	23	♐ 2	18	25	17	26	18	♍ 7	♎10	25	28
	12	22	♐ 6	14	♒ 2	♓ 8	♉ 2	♊11	♌ 2	19	22	♐ 6	♑10
	13	♏ 3	18	27	15	23	16	25	15	♎ 1	♏ 4	18	22
	14	15	♑ 1	♑ 9	29	♈ 7	♊ 1	♋ 9	28	13	16	♑ 0	♒ 5
月	15	28	15	23	♓14	22	16	23	♍10	25	28	13	17
	16	♐10	29	♒ 7	28	♉ 7	♋ 0	♌ 6	23	♏ 7	♐ 9	25	♓ 0
☽	17	24	♒13	21	♈13	22	14	20	♎ 5	19	21	♒ 8	14
	18	♑ 7	27	♓ 5	29	♊ 7	28	♍ 2	17	♐ 1	♑ 4	21	27
	19	21	♓12	20	♉14	22	♌11	15	29	13	16	♓ 4	♈11
	20	♒ 5	27	♈ 5	29	♋ 6	24	27	♏11	25	28	18	25
	21	19	♈12	21	♊14	20	♍ 7	♎ 9	23	♑ 7	♒11	♈ 2	♉10
	22	♓ 3	26	♉ 6	28	♌ 3	19	21	♐ 5	20	25	16	25
	23	18	♉11	20	♋12	16	♎ 1	♏ 3	17	♒ 3	♓ 9	♉ 1	♊10
	24	♈ 2	25	♊ 5	25	29	13	15	29	17	23	16	25
	25	16	♊ 9	19	♌ 8	♍11	25	27	♑12	♓ 1	♈ 8	♊ 2	♋10
	26	♉ 0	22	♋ 2	20	23	♏ 7	♐ 9	25	15	23	17	24
	27	14	♋ 6	16	♍ 2	♎ 5	19	21	♒ 9	♈ 0	♉ 8	♋ 2	♌ 8
	28	28	19	28	14	17	♐ 1	♑ 4	23	15	24	16	22
	29	♊12		♌11	26	28	13	17	♓ 7	♉ 0	♊ 9	♌ 0	♍ 5
	30	25		23	♎ 8	♏10	26	♒ 0	21	15	24	14	18
	31	♋ 9		♍ 5		22		14	♈ 6		♋ 8		♎ 0

	日＼月	1月	2月	3月	4月	5月	6月	7月	8月	9月	10月	11月	12月
	1	♎12	♏26	♐16	♒ 0	♓ 4	♈25	♊ 4	♋27	♍18	♎22	♐ 8	♑10
	2	24	♐ 8	28	13	18	♉10	19	♌12	♎ 1	♏ 5	20	22
	3	♏ 6	20	♑10	26	♈ 2	25	♋ 4	26	14	17	♑ 1	♒ 4
	4	18	♑ 2	22	♓10	16	♊10	19	♍10	27	29	13	16
	5	♐ 0	15	♒ 5	24	♉ 1	26	♌ 4	23	♏ 9	♐11	25	28
	6	12	27	18	♈ 8	17	♋11	18	♎ 6	21	23	♒ 7	♓10
	7	24	♒10	♓ 2	23	♊ 2	25	♍ 2	19	♐ 3	♑ 5	19	23
	8	♑ 6	23	16	♉ 8	17	♌10	15	♏ 1	15	17	♓ 2	♈ 6
	9	19	♓ 7	♈ 0	23	♋ 2	23	28	13	27	29	15	20
	10	♒ 2	21	14	♊ 8	16	♍ 7	♎11	25	♑ 9	♒11	28	♉ 4
	11	14	♈ 5	29	22	♌ 1	20	23	♐ 7	21	24	♈12	19
	12	27	19	♉13	♋ 7	14	♎ 2	♏ 5	19	♒ 3	♓ 7	26	♊ 4
	13	♓11	♉ 3	28	21	27	14	17	♑ 1	16	20	♉11	19
	14	24	17	♊12	♌ 4	♍10	27	29	13	29	♈ 4	26	♋ 5
月	15	♈ 8	♊ 1	26	18	23	♏ 9	♐11	25	♓12	18	♊11	20
	16	22	15	♋10	♍ 1	♎ 5	20	23	♒ 8	26	♉ 3	26	♌ 5
☽	17	♉ 6	29	24	13	17	♐ 2	♑ 5	20	♈10	18	♋11	19
	18	20	♋13	♌ 7	26	29	14	17	♓ 3	24	♊ 2	26	♍ 3
	19	♊ 5	27	21	♎ 8	♏11	26	29	17	♉ 8	17	♌10	17
	20	19	♌11	♍ 4	20	23	♑ 8	♒12	♈ 0	22	♋ 1	24	♎ 0
	21	♋ 4	24	16	♏ 3	♐ 5	20	24	14	♊ 6	16	♍ 7	13
	22	18	♍ 8	29	15	17	♒ 2	♓ 7	27	21	♌ 0	20	25
	23	♌ 2	21	♎12	26	29	15	20	♉11	♋ 5	13	♎ 3	♏ 7
	24	16	♎ 3	24	♐ 8	♑11	27	♈ 3	25	19	27	16	19
	25	♍ 0	16	♏ 6	20	23	♓10	17	♊10	♌ 3	♍10	28	♐ 1
	26	13	28	18	♑ 2	♒ 5	23	♉ 1	24	17	23	♏10	13
	27	26	♏10	♐ 0	14	18	♈ 6	15	♋ 8	♍ 0	♎ 6	22	25
	28	♎ 8	22	12	26	♓ 0	20	29	22	14	19	♐ 4	♑ 7
	29	20	♐ 4	24	♒ 9	13	♉ 4	♊13	♌ 7	27	♏ 1	16	19
	30	♏ 2		♑ 6	21	27	19	28	21	♎10	13	28	♒ 1
	31	14		18		♈11		♋13	♍ 4		26		13

2007年（平成19年）

♈ 牡羊　♉ 牡牛　♊ 双子　♋ 蟹　♌ 獅子　♍ 乙女
♎ 天秤　♏ 蠍　♐ 射手　♑ 山羊　♒ 水瓶　♓ 魚

	日＼月	1月	2月	3月	4月	5月	6月	7月	8月	9月	10月	11月	12月
水星☿	1	♑ 5	♒27	♒㉘	♓14	♉ 6	♋ 2	♋⑤	♋22	♍22	♏ 2	♎㉓	♏28
	5	12	♓ 3	㉖	20	15	6	③	29	28	6	23	♐ 4
	9	18	7	25	26	24	9	②	♌ 7	♎ 4	8	26	11
	13	25	10	26	♈ 2	♊ 2	11	2	16	10	⑨	♏ 1	17
	17	♒ 2	⑨	28	9	10	⑪	4	24	16	⑦	7	23
	21	8	⑥	♓ 1	16	17	⑩	7	2	21	④	13	♑ 0
	25	15	②	6	24	24	⑨	11	9	26	♎㉙	19	6
	28	20	♒29	9	♉ 0	28	⑦	15	15	29	㉖	23	11
金星♀	1	♑25	♓ 4	♈ 8	♉16	♊21	♋24	♌21	♍②	♌⑰	♌24	♍21	♎24
	5	♒ 0	9	13	21	25	28	24	①	⑯	27	25	28
	10	6	15	19	27	♋ 1	♌ 3	27	♌㉙	16	♍ 1	♎ 0	♏ 4
	15	13	21	26	♊ 2	6	8	29	㉗	17	5	6	10
	20	19	27	♉ 2	8	12	12	♍ 1	㉓	18	9	11	16
	25	25	♈ 4	8	14	17	17	2	⑳	21	14	17	22
火星♂	1	♐18	♑10	♒ 1	♒25	♓18	♈12	♉ 4	♉25	♊15	♋ 0	♋11	♋⑩
	11	25	18	9	♓ 3	26	19	11	♊ 2	20	4	12	⑦
	21	♑ 2	25	17	10	♈ 3	26	18	8	25	8	⑫	④
木星♃	1	♐ 8	♐13	♐17	♐19	♐⑱	♐⑮	♐⑪	♐⑨	♐10	♐14	♐19	♐25
	11	10	15	18	⑲	⑰	⑭	⑪	9	11	15	21	28
	21	12	16	19	⑲	⑯	⑬	⑩	10	12	17	23	♑ 0
♄土星	1	♌㉔	♌㉒	♌⑳	♌⑱	♌18	♌19	♌22	♌25	♌29	♍ 3	♍ 6	♍ 8
	16	㉓	㉑	⑲	⑱	18	20	23	27	♍ 1	4	7	8
♅天王星	1	♓11	♓12	♓14	♓16	♓17	♓18	♓⑱	♓⑱	♓⑰	♓⑮	♓⑮	♓14
	16	12	13	15	16	18	18	⑱	⑰	⑯	⑮	⑭	14
♆海王星	1	♒18	♒19	♒20	♒21	♒21	♒㉒	♒㉑	♒⑳	♒⑳	♒⑲	♒19	♒19
♇冥王星	1	♐27	♐28	♐28	♐㉘	♐㉘	♐㉘	♐㉗	♐㉖	♐㉖	♐26	♐27	♐27

2008年（平成20年）うるう年

♈ 牡羊　♉ 牡牛　♊ 双子　♋ 蟹　♌ 獅子　♍ 乙女
♎ 天秤　♏ 蠍　♐ 射手　♑ 山羊　♒ 水瓶　♓ 魚

	日＼月	1月	2月	3月	4月	5月	6月	7月	8月	9月	10月	11月	12月
水星☿	1	♑17	♒㉓	♒13	♓26	♉26	♊⑳	♊17	♌10	♎ 3	♎⑳	♎23	♐11
	5	24	⑲	17	♈ 3	♊ 2	⑱	21	18	8	⑯	29	17
	9	♒ 0	⑮	21	11	8	⑯	26	26	12	⑪	♏ 6	24
	13	7	⑩	26	19	13	⑭	♋ 2	♍ 3	16	⑧	12	♑ 0
	17	13	⑧	♓ 2	27	17	⑬	9	10	20	7	19	6
	21	18	8	8	♉ 5	20	13	17	17	22	9	25	12
	25	22	9	14	14	21	13	26	23	㉒	13	♐ 2	18
	28	23	11	19	20	㉑	15	♌ 2	27	㉒	17	6	23
金星♀	1	♐ 1	♑ 8	♒14	♓23	♉ 0	♊ 8	♋15	♌23	♎ 1	♏ 7	♐15	♑21
	5	5	13	19	28	4	13	19	28	6	12	20	26
	10	11	20	25	♈ 4	11	19	26	♍ 4	12	18	26	♒ 1
	15	18	26	♓ 2	10	17	25	♌ 2	10	18	24	♑ 2	7
	20	24	♒ 2	8	16	23	♋ 1	8	16	24	♐ 1	8	13
	25	♑ 0	8	14	22	29	7	14	22	♏ 0	7	14	19
火星♂	1	♋⓪	♊24	♊28	♋10	♋25	♌11	♌29	♍18	♎ 7	♎27	♏18	♐10
	11	♊㉖	24	♋ 2	15	♌ 0	17	♍ 5	24	14	♏ 4	25	17
	21	㉔	26	5	20	5	23	11	♎ 0	20	11	♐ 3	25
木星♃	1	♑ 2	♑ 9	♑15	♑20	♑22	♑㉑	♑⑱	♑⑭	♑⑫	♑13	♑16	♑22
	11	5	11	17	21	㉒	⑳	⑰	⑬	12	14	18	24
	21	7	13	18	21	㉒	⑲	⑯	⑬	12	15	20	26
♄土星	1	♍⑧	♍⑥	♍④	♍②	♍①	♍ 2	♍ 4	♍ 7	♍11	♍15	♍18	♍20
	16	⑦	⑤	③	①	1	3	5	9	13	16	19	21
♅天王星	1	♓15	♓16	♓18	♓19	♓21	♓22	♓㉒	♓㉒	♓㉑	♓⑲	♓⑲	♓18
	16	15	17	19	20	21	22	㉒	㉑	⑳	⑲	⑱	18
♆海王星	1	♒20	♒21	♒22	♒23	♒24	♒㉔	♒㉓	♒㉓	♒㉒	♒㉑	♒㉑	♒21
♇冥王星	1	♐29	♑ 0	♑ 0	♑ 1	♑⓪	♑⓪	♐㉙	♐㉘	♐㉘	♐28	♐29	♑ 0

2009年（平成21年）

♈ 牡羊　♉ 牡牛　♊ 双子　♋ 蟹　♌ 獅子　♍ 乙女
♎ 天秤　♏ 蠍　♐ 射手　♑ 山羊　♒ 水瓶　♓ 魚

	日＼月	1月	2月	3月	4月	5月	6月	7月	8月	9月	10月	11月	12月
水星☿	1	♑28	♑21	♒17	♈11	♉29	♉22	♊23	♌26	♎4	♍21	♏5	♐22
	5	♒3	22	23	19	1	23	♋1	♍2	5	23	11	28
	9	6	24	29	28	①	25	10	8	⑥	27	18	♑4
	13	⑦	27	♓6	♉5	⓪	28	18	14	④	♎3	24	9
	17	⑤	♒2	13	13	㉘	♊2	27	19	①	10	♐0	14
	21	⓪	6	20	19	㉖	7	♌5	24	♍㉗	16	7	18
	25	♑25	12	27	24	㉔	13	13	28	㉓	23	13	21
	28	23	16	♈3	27	㉓	18	18	♎1	㉑	28	17	㉑
金星♀	1	♒26	♓27	♈14	♈④	♈2	♈24	♉24	♊29	♌5	♍12	♎20	♏28
	5	♓1	♈1	15	②	4	28	29	♋4	10	17	25	♐3
	10	6	5	⑮	⓪	7	♉3	♊4	9	16	23	♏2	9
	15	11	8	⑭	♓㉙	10	8	10	15	22	29	8	15
	20	16	11	⑫	29	14	13	15	21	28	♎5	14	22
	25	21	13	⑨	♈0	18	18	21	27	♍4	12	20	28
火星♂	1	♑3	♑26	♒18	♓12	♈6	♈29	♉21	♊13	♋3	♋21	♌7	♌17
	11	10	♒4	26	20	13	♉7	28	20	9	26	11	19
	21	18	12	♓4	28	21	14	♊5	26	15	♌1	14	⑲
木星♃	1	♑28	♒6	♒12	♒19	♒23	♒26	♒㉖	♒㉓	♒⑲	♒⑰	♒17	♒20
	11	♒1	8	14	20	25	26	㉖	㉒	⑱	⑰	18	22
	21	3	10	16	22	25	㉖	㉕	㉑	⑰	17	19	24
土星♄	1	♍㉑	♍⑳	♍⑲	♍⑯	♍⑮	♍15	♍16	♍19	♍22	♍26	♎0	♎2
	16	㉑	⑳	⑰	⑮	⑭	15	17	20	24	28	1	3
天王星♅	1	♓19	♓20	♓21	♓23	♓25	♓26	♓㉖	♓㉖	♓㉕	♓㉔	♓㉓	♓㉒
	16	19	21	22	24	25	26	㉖	㉕	㉔	㉓	㉒	22
海王星♆	1	♒22	♒23	♒24	♒25	♒26	♒㉖	♒㉖	♒㉕	♒㉔	♒㉔	♈㉓	♒23
冥王星♇	1	♑1	♑2	♑2	♑3	♑③	♑②	♑①	♑①	♑⓪	♑0	♑1	♑2

	日＼月	1月	2月	3月	4月	5月	6月	7月	8月	9月	10月	11月	12月
月☽	1	♒25	♈12	♈22	♊14	♋24	♍16	♎22	♐9	♑23	♒25	♈11	♉16
	2	♓7	25	♉6	29	♌8	29	♏5	21	♒5	♓7	24	♊0
	3	19	♉9	20	♋13	22	♎12	18	♑3	17	20	♉8	14
	4	♈2	23	♊4	27	♍5	25	♐0	15	29	♈3	21	29
	5	15	♊7	18	♌11	19	♏8	12	26	♓11	15	♊5	♋14
	6	29	22	♋2	25	♎2	21	24	♒8	24	29	20	28
	7	♉13	♋6	16	♍9	16	♐3	♑6	20	♈6	♉12	♋4	♌13
	8	28	21	♌0	22	29	15	18	♓2	19	26	18	27
	9	♊12	♌6	15	♎6	♏11	27	29	14	♉2	♊9	♌2	♍11
	10	27	21	29	19	24	♑9	♒11	27	15	23	16	25
	11	♋13	♍5	♍13	♏3	♐6	21	23	♈9	29	♋7	♍0	♎9
	12	28	19	27	15	18	♒2	♓5	22	♊12	21	14	22
	13	♌13	♎3	♎11	28	♑0	14	17	♉5	26	♌5	28	♏5
	14	27	17	24	♐10	12	26	♈0	18	♋11	20	♎12	18
	15	♍12	♏0	♏7	22	24	♓8	12	♊2	25	♍4	25	♐1
	16	25	12	20	♑4	♒6	21	25	16	♌9	18	♏9	13
	17	♎9	24	♐2	16	18	♈3	♉9	♋1	24	♎2	22	26
	18	21	♐7	14	28	♓0	16	23	15	♍9	16	♐5	♑8
	19	♏4	18	26	♒10	12	♉0	♊7	♌0	23	♏0	17	20
	20	16	♑0	♑8	22	25	14	22	15	♎8	13	29	♒2
	21	28	12	20	♓4	♈8	28	♋6	♍0	22	26	♑12	13
	22	♐10	24	♒2	17	22	♊13	22	15	♏5	♐9	23	25
	23	22	♒6	14	♈0	♉6	28	♌7	29	18	22	♒5	♓7
	24	♑4	18	26	13	20	♋13	22	♎13	♐1	♑4	17	19
	25	16	♓1	♓9	27	♊5	28	♍7	27	14	16	29	♈1
	26	28	13	22	♉11	20	♌13	21	♏10	26	27	♓11	14
	27	♒10	26	♈5	26	♋4	28	♎5	23	♑8	♒9	23	27
	28	22	♈9	19	♊10	19	♍12	19	♐6	20	21	♈6	♉10
	29	♓4		♉2	25	♌4	26	♏2	18	♒1	♓3	19	24
	30	17		16	♋9	18	♎9	14	♑0	13	15	♉2	♊8
	31	29		♊0		♍2		27	11		28		22

2010年（平成22年）

♈ 牡羊　♉ 牡牛　♊ 双子　♋ 蟹　♌ 獅子　♍ 乙女
♎ 天秤　♏ 蠍　♐ 射手　♑ 山羊　♒ 水瓶　♓ 魚

	日＼月	1月	2月	3月	4月	5月	6月	7月	8月	9月	10月	11月	12月
水星☿	1	♑⑲	♑17	♒28	♈26	♉⑦	♉15	♋11	♍4	♍⑬	♍24	♏17	♐29
	5	⑭	22	♓5	♉3	④	21	19	9	⑨	♎1	23	♑3
	9	⑨	27	12	7	③	27	27	13	⑥	8	29	5
	13	⑥	♒3	20	11	2	♊4	♌5	16	5	15	♐5	⑤
	17	5	9	27	12	3	11	12	18	6	22	11	②
	21	7	15	♈5	⑫	5	19	19	⑲	9	29	16	♐㉗
	25	9	21	13	⑩	8	28	25	⑱	14	♏6	22	㉒
	28	12	26	19	⑧	11	♋4	29	⑯	19	10	26	⑳
金星♀	1	♑7	♒16	♓21	♈29	♊6	♋13	♌18	♍23	♎23	♏12	♏③	♏0
	5	12	21	26	♉4	11	18	23	27	26	12	①	2
	10	18	27	♈2	10	17	24	29	♎2	♏0	⑬	♎㉙	5
	15	24	♓3	8	17	23	♌0	♍4	7	4	⑫	㉘	8
	20	♒1	10	15	23	29	6	10	12	7	⑩	27	12
	25	7	16	21	29	♋5	11	15	17	9	⑧	28	16
火星♂	1	♌⑱	♌⑨	♑⓪	♌2	♌12	♌26	♍12	♎0	♎20	♏10	♐2	♐24
	11	⑯	⑤	0	5	16	♍1	18	7	27	17	9	♑1
	21	⑬	②	0	8	21	7	24	13	♏3	24	17	9
木星♃	1	♒26	♓3	♓9	♓17	♓23	♓29	♈2	♈③	♈①	♓㉗	♓㉔	♓23
	11	28	5	12	19	25	♈0	3	②	♓㉙	㉕	㉓	24
	21	♓0	7	14	21	27	1	3	②	㉘	㉔	23	25
土星♄	1	♎4	♎④	♎②	♎⓪	♍㉘	♍27	♍28	♎0	♎4	♎7	♎11	♎14
	16	④	③	①	♍㉙	㉘	28	29	2	5	9	13	15
天王星♅	1	♓23	♓24	♓25	♓27	♓28	♈0	♈0	♈⓪	♓㉙	♓㉘	♓㉗	♓㉖
	16	23	24	26	28	29	0	⓪	㉙	㉘	㉗	㉖	26
海王星♆	1	♒24	♒25	♒26	♒27	♒28	♒㉘	♒㉘	♒㉗	♒㉖	♒㉖	♒㉕	♒26
冥王星♇	1	♑3	♑4	♑5	♑5	♑⑤	♑④	♑③	♑③	♑②	♑②	♑3	♑4

	日＼月	1月	2月	3月	4月	5月	6月	7月	8月	9月	10月	11月	12月
月☽	1	♋7	♍1	♍8	♏1	♐6	♑22	♒24	♈9	♉25	♋0	♌22	♎1
	2	22	16	24	15	19	♒4	♓6	21	♊7	14	♍6	15
	3	♌7	♎0	♎8	28	♑2	16	18	♉3	21	28	21	♏0
	4	22	15	23	♐12	14	28	♈0	16	♋4	♌12	♎5	14
	5	♍7	28	♏7	24	27	♓10	12	28	18	26	20	28
	6	21	♏12	20	♑7	♒8	22	25	♊12	♌3	♍11	♏5	♐11
	7	♎5	25	♐3	19	20	♈4	♉7	25	18	26	19	25
	8	19	♐7	16	♒1	♓2	16	20	♋10	♍3	♎12	♐3	♑8
	9	♏2	20	28	12	14	29	♊4	24	18	26	17	21
	10	15	♑2	♑10	24	26	♉12	17	♌9	♎3	♏11	♑0	♒3
	11	28	14	22	♓6	♈8	25	♋2	24	18	25	13	16
	12	♐10	25	♒4	18	21	♊9	16	♍10	♏3	♐9	26	28
	13	22	♒7	16	♈0	♉4	23	♌1	25	17	22	♒8	♓10
	14	♑5	19	28	13	17	♋7	16	♎10	♐1	♑5	20	21
	15	17	♓1	♓10	25	♊0	22	♍1	24	14	18	♓2	♈3
	16	28	13	22	♉8	14	♌6	15	♏8	27	♒0	14	15
	17	♒10	25	♈4	21	28	21	♎0	21	♑9	12	26	28
	18	22	♈7	16	♊4	♋12	♍5	14	♐5	21	24	♈8	♉10
	19	♓4	19	29	18	26	19	28	17	♒3	♓5	20	23
	20	16	♉2	♉11	♋1	♌10	♎3	♏11	♑0	15	17	♉2	♊6
	21	28	14	24	15	24	17	25	12	27	29	15	19
	22	♈10	27	♊7	29	♍8	♏1	♐8	24	♓9	♈11	27	♋3
	23	22	♊11	21	♌13	23	15	20	♒6	21	24	♊11	17
	24	♉5	25	♋4	27	♎7	28	♑3	18	♈3	♉6	24	♌1
	25	18	♋9	18	♍12	21	♐11	15	♓0	15	18	♋7	15
	26	♊2	23	♌3	26	♏5	24	27	12	27	♊1	21	29
	27	16	♌8	17	♎11	18	♑6	♒9	24	♉9	14	♌5	♍14
	28	♋0	23	♍2	25	♐2	18	21	♈6	22	27	19	28
	29	15		17	♏9	15	♒1	♓3	18	♊4	♋10	♍3	♎12
	30	♌0		♎2	23	28	13	15	♉0	17	24	17	26
	31	15		16		♑10		27	12		♌8		♏10

	日＼月	1月	2月	3月	4月	5月	6月	7月	8月	9月	10月	11月	12月
月☽	1	♏24	♑13	♑22	♓ 8	♈10	♉25	♊29	♌19	♎12	♏21	♑12	♒17
	2	♐ 7	25	♒ 4	19	22	♊ 7	♋12	♍ 3	27	♐ 6	26	♓ 0
	3	20	♒ 8	17	♈ 1	♉ 4	20	26	18	♏12	20	♒ 9	12
	4	♑ 3	20	29	13	16	♋ 3	♌ 9	♎ 2	26	♑ 3	21	24
	5	16	♓ 2	♓11	25	28	16	23	17	♐10	16	♓ 3	♈ 6
	6	29	14	22	♉ 7	♊11	29	♍ 8	♏ 1	23	29	16	18
	7	♒11	26	♈ 4	19	23	♌13	22	15	♑ 7	♒12	27	♉ 0
	8	23	♈ 8	16	♊ 1	♋ 6	27	♎ 6	29	20	24	♈ 9	12
	9	♓ 6	19	28	14	19	♍11	20	♐13	♒ 2	♓ 6	21	24
	10	17	♉ 1	♉10	26	♌ 3	25	♏ 4	26	15	19	♉ 3	♊ 6
	11	29	13	22	♋ 9	16	♎ 9	19	♑10	27	♈ 1	15	18
	12	♈11	26	♊ 4	22	♍ 0	24	♐ 3	23	♓ 9	12	27	♋ 0
	13	23	♊ 8	17	♌ 6	14	♏ 8	16	♒ 5	22	24	♊ 9	13
	14	♉ 5	21	♋ 0	20	29	23	♑ 0	18	♈ 4	♉ 6	21	26
	15	18	♋ 5	13	♍ 5	♎14	♐ 7	13	♓ 1	15	18	♋ 3	♌ 9
	16	♊ 0	19	27	19	29	21	27	13	27	♊ 0	16	22
	17	13	♌ 3	♌11	♎ 5	♏13	♑ 5	♒ 9	25	♉ 9	12	29	♍ 6
	18	27	18	26	20	28	18	22	♈ 7	21	24	♌12	20
	19	♋11	♍ 3	♍11	♏ 5	♐12	♒ 1	♓ 5	19	♊ 3	♋ 6	25	♎ 4
	20	25	18	26	20	26	14	17	♉ 1	15	19	♍ 9	18
	21	♌10	♎ 3	♎12	♐ 4	♑10	27	29	13	27	♌ 2	23	♏ 2
	22	24	18	27	18	23	♓ 9	♈11	25	♋10	16	♎ 8	17
	23	♍ 9	♏ 3	♏12	♑ 2	♒ 6	21	23	♊ 7	23	♍ 0	23	♐ 1
	24	24	17	26	15	19	♈ 3	♉ 4	19	♌ 7	14	♏ 8	16
	25	♎ 9	♐ 1	♐10	28	♓ 1	15	16	♋ 2	21	29	23	♑ 0
	26	23	14	23	♒10	13	27	29	15	♍ 6	♎14	♐ 8	14
	27	♏ 7	27	♑ 7	23	25	♉ 9	♊11	29	21	29	22	28
	28	21	♑10	19	♓ 4	♈ 7	21	24	♌13	♎ 6	♏15	♑ 7	♒12
	29	♐ 4		♒ 2	16	19	♊ 3	♋ 7	28	21	♐ 0	20	25
	30	17		14	28	♉ 0	16	21	♍12	♏ 6	14	♒ 4	♓ 8
	31	♑ 0		26		13		♌ 5	27		29		20

2011年（平成23年）

♈ 牡羊　♉ 牡牛　♊ 双子　♋ 蟹　♌ 獅子　♍ 乙女
♎ 天秤　♏ 蠍　♐ 射手　♑ 山羊　♒ 水瓶　♓ 魚

	日＼月	1月	2月	3月	4月	5月	6月	7月	8月	9月	10月	11月	12月
水星☿	1	♐19	♑24	♓12	♈㉔	♈14	♉25	♋27	♍ 0	♌20	♎ 8	♏27	♐⑯
	5	21	♒ 1	20	㉓	17	♊ 3	♌ 3	①	23	15	♐ 2	⑪
	9	24	7	27	⑳	21	12	9	♌㉙	29	22	7	⑥
	13	29	13	♈ 5	⑰	25	20	15	㉗	♍ 5	28	12	④
	17	♑ 3	20	12	⑭	♉ 0	29	20	㉔	12	♏ 4	16	4
	21	9	27	17	⑬	6	♋ 8	24	㉑	20	11	19	6
	25	14	♓ 5	21	12	13	16	27	⑲	27	17	⑳	10
	28	18	10	23	13	18	21	29	18	♎ 3	21	⑲	14
金星♀	1	♏23	♐25	♑28	♓ 5	♈11	♉19	♊25	♌ 3	♍12	♎19	♏27	♑ 5
	5	27	♑ 0	♒ 2	10	16	23	♋ 0	8	16	24	♐ 2	10
	10	♐ 2	6	8	16	22	♊ 0	6	14	23	♏ 0	9	16
	15	7	11	14	22	28	6	12	20	29	6	15	22
	20	12	17	20	28	♉ 4	12	18	27	♎ 5	12	21	28
	25	18	23	26	♈ 4	10	18	25	♍ 3	11	19	27	♒ 4
火星♂	1	♑18	♒12	♓ 4	♓28	♈21	♉15	♊ 6	♊28	♋18	♌ 6	♌24	♍ 9
	11	25	20	12	♈ 6	29	22	13	♋ 4	24	12	29	13
	21	♒ 3	28	20	14	♉ 6	29	20	11	♌ 0	18	♍ 4	16
木星♃	1	♓26	♈ 1	♈ 7	♈15	♈22	♈29	♉ 4	♉ 8	♉⑩	♉⑧	♉④	♉①
	11	27	3	9	17	24	♉ 1	6	9	⑩	⑦	③	⓪
	21	29	5	12	19	26	3	7	10	⑨	⑥	②	⓪
♄土星	1	♎16	♎⑰	♎⑯	♎⑭	♎⑪	♎⑩	♎10	♎12	♎15	♎18	♎22	♎25
	16	17	⑯	⑮	⑫	⑪	10	11	13	16	20	24	27
♅天王星	1	♓26	♓27	♓29	♈ 1	♈ 2	♈ 3	♈ 4	♈④	♈③	♈②	♈①	♈⓪
	16	27	28	♈ 0	1	3	4	④	④	②	①	⓪	0
♆海王星	1	♒26	♒27	♒28	♒29	♓ 0	♓ 0	♓⓪	♓⓪	♒㉙	♒㉘	♒㉘	♒28
♇冥王星	1	♑ 5	♑ 6	♑ 7	♑ 7	♑⑦	♑⑥	♑⑥	♑⑤	♑④	♑ 4	♑ 5	♑ 6

	日＼月	1月	2月	3月	4月	5月	6月	7月	8月	9月	10月	11月	12月
月☽	1	♈ 2	♉16	♊ 5	♋20	♌25	♎16	♏25	♑18	♓ 9	♈13	♉28	♋ 0
	2	14	27	17	♌ 3	♍ 9	♏ 1	♐10	♒ 2	22	25	♊ 9	12
	3	26	♊ 9	29	16	23	16	25	16	♈ 4	♉ 7	21	24
	4	♉ 8	22	♋12	♍ 0	♎ 7	♐ 1	♑ 9	♓ 0	17	19	♋ 3	♌ 6
	5	20	♋ 4	25	14	22	16	24	13	29	♊ 1	15	19
	6	♊ 2	17	♌ 8	29	♏ 8	♑ 1	♒ 8	26	♉11	13	27	♍ 1
	7	14	♌ 0	22	♎14	23	16	22	♈ 9	23	25	♌ 9	14
	8	26	14	♍ 6	29	♐ 8	♒ 0	♓ 5	21	♊ 5	♋ 7	22	27
	9	♋ 9	28	21	♏14	23	14	18	♉ 3	17	19	♍ 5	♎11
	10	22	♍12	♎ 6	29	♑ 7	27	♈ 1	15	29	♌ 1	19	25
	11	♌ 5	27	21	♐14	21	♓10	13	27	♋11	14	♎ 3	♏10
	12	19	♎11	♏ 5	28	♒ 5	23	25	♊ 9	23	27	17	25
	13	♍ 3	25	20	♑12	18	♈ 5	♉ 7	21	♌ 6	♍11	♏ 2	♐10
	14	16	♏10	♐ 4	26	♓ 1	17	19	♋ 3	19	25	17	25
	15	♎ 0	24	18	♒ 9	14	29	♊ 1	15	♍ 3	♎ 9	♐ 2	♑10
	16	14	♐ 8	♑ 2	22	26	♉11	13	28	17	24	17	25
	17	29	21	16	♓ 4	♈ 8	22	25	♌11	♎ 1	♏ 9	♑ 2	♒10
	18	♏13	♑ 5	29	17	20	♊ 4	♋ 7	24	15	24	17	24
	19	27	19	♒12	29	♉ 2	16	19	♍ 8	♏ 0	♐ 8	♒ 1	♓ 7
	20	♐11	♒ 2	25	♈11	14	28	♌ 2	21	14	23	15	21
	21	25	15	♓ 7	23	26	♋10	15	♎ 5	29	♑ 7	28	♈ 3
	22	♑ 9	28	20	♉ 5	♊ 7	23	28	20	♐13	21	♓11	16
	23	23	♓11	♈ 2	17	19	♌ 5	♍12	♏ 4	27	♒ 5	24	28
	24	♒ 6	23	14	28	♋ 1	18	25	18	♑11	19	♈ 7	♉10
	25	20	♈ 6	26	♊10	13	♍ 1	♎ 9	♐ 2	25	♓ 2	19	22
	26	♓ 3	18	♉ 8	22	26	15	23	16	♒ 8	15	♉ 1	♊ 3
	27	15	♉ 0	20	♋ 4	♌ 8	28	♏ 7	♑ 0	22	27	13	15
	28	28	12	♊ 2	16	21	♎12	21	14	♓ 5	♈10	25	27
	29	♈10	23	13	29	♍ 4	26	♐ 5	28	18	22	♊ 6	♋ 9
	30	22		25	♌12	18	♏11	20	♒12	♈ 0	♉ 4	18	21
	31	♉ 4		♋ 8		♎ 2		♑ 4	25		16		♌ 3

2012年（平成24年）うるう年

♈ 牡羊　♉ 牡牛　♊ 双子　♋ 蟹　♌ 獅子　♍ 乙女
♎ 天秤　♏ 蠍　♐ 射手　♑ 山羊　♒ 水瓶　♓ 魚

	日＼月	1月	2月	3月	4月	5月	6月	7月	8月	9月	10月	11月	12月
水星☿	1	♐19	♒ 6	♓27	♓㉔	♈16	♊15	♌ 4	♌④	♌29	♎22	♐ 1	♏19
	5	24	13	♈ 2	23	22	24	8	②	♍ 6	28	3	22
	9	♑ 0	20	5	24	28	♋ 2	10	1	14	4	④	26
	13	6	27	⑥	26	♉ 6	9	12	2	22	10	①	♐ 2
	17	12	♓ 4	⑤	29	13	16	⑫	5	29	15	♏㉗	7
	21	18	12	②	♈ 3	21	22	⑪	10	♎ 6	20	㉑	13
	25	24	19	♓㉙	8	♊ 0	28	⑨	16	13	25	⑱	19
	28	29	24	㉖	12	6	♌ 1	⑦	21	17	28	18	23
金星♀	1	♒13	♓20	♈24	♉27	♊20	♊⑲	♊ 7	♊24	♋23	♌26	♎ 3	♏10
	5	18	25	29	♊ 0	21	⑯	8	27	27	1	8	15
	10	24	♈ 1	♉ 4	5	23	⑬	10	♋ 1	♌ 3	7	14	21
	15	♓ 0	7	9	9	㉓	⑩	12	6	8	13	20	28
	20	6	13	15	13	㉓	⑧	15	11	14	19	26	♐ 4
	25	12	18	20	16	㉒	⑦	18	16	20	25	♏ 3	10
火星♂	1	♍20	♍㉒	♍⑭	♍④	♍ 5	♍14	♍28	♎15	♏ 5	♏25	♐17	♑10
	11	22	㉑	⑪	③	7	18	♎ 3	21	11	2	25	17
	21	23	⑱	⑦	3	10	23	9	28	18	9	♑ 2	25
木星♃	1	♉ 0	♉ 2	♉ 6	♉13	♉20	♉27	♊ 4	♊10	♊14	♊16	♊⑮	♊⑪
	11	0	3	8	15	22	29	6	11	15	16	⑭	⑩
	21	1	5	10	17	24	♊ 2	8	13	16	15	⑫	⑨
♄土星	1	♎28	♎29	♎㉙	♎㉗	♎㉕	♎㉓	♎22	♎23	♎26	♎29	♏ 3	♏ 6
	16	29	㉙	㉘	㉖	㉔	㉒	23	24	27	1	4	8
♅天王星	1	♈ 0	♈ 1	♈ 3	♈ 4	♈ 6	♈ 7	♈ 8	♈⑧	♈⑦	♈ 6	♈⑤	♈④
	16	1	2	3	5	7	8	⑧	⑧	⑦	5	④	4
♆海王星	1	♒28	♒29	♓ 0	♓ 2	♓ 2	♓ 3	♓②	♓②	♓①	♓ 0	♓⓪	♓ 0
♇冥王星	1	♑ 7	♑ 8	♑ 9	♑ 9	♑⑨	♑⑧	♑⑧	♑⑦	♑⑦	♑ 6	♑ 7	♑ 8

	日＼月	1月	2月	3月	4月	5月	6月	7月	8月	9月	10月	11月	12月
	1	♌16	♎ 4	♎14	♐ 7	♑16	♓ 8	♈13	♉29	♋13	♌15	♎ 1	♏ 6
	2	28	18	28	21	♒ 0	21	26	♊11	25	27	14	20
	3	♍11	♏ 1	♏12	♑ 5	14	♈ 4	♉ 8	23	♌ 7	♍10	28	♐ 5
	4	24	15	26	19	28	17	20	♋ 5	19	23	♏12	20
	5	♎ 7	29	♐10	♒ 3	♓11	29	♊ 2	17	♍ 2	♎ 6	26	♑ 5
	6	21	♐13	24	17	24	♉11	14	29	14	20	♐11	20
	7	♏ 5	28	♑ 8	♓ 1	♈ 7	23	26	♌11	27	♏ 3	25	♒ 4
	8	19	♑12	22	14	20	♊ 5	♋ 8	23	♎10	17	♑10	19
	9	♐ 3	27	♒ 7	27	♉ 2	17	20	♍ 5	24	♐ 1	24	♓ 3
	10	18	♒11	21	♈10	14	29	♌ 2	18	♏ 7	15	♒ 9	17
	11	♑ 3	26	♓ 4	23	26	♋11	14	♎ 0	21	29	23	♈ 1
	12	18	♓10	18	♉ 6	♊ 8	23	26	13	♐ 4	♑14	♓ 7	14
	13	♒ 3	23	♈ 2	18	20	♌ 4	♍ 8	27	18	28	20	26
	14	18	♈ 7	15	♊ 0	♋ 2	17	21	♏10	♑ 2	♒12	♈ 4	♉ 9
	15	♓ 2	20	27	12	14	29	♎ 3	24	17	26	17	21
月 ☽	16	16	♉ 2	♉10	24	26	♍11	16	♐ 8	♒ 1	♓10	♉ 0	♊ 4
	17	29	14	22	♋ 5	♌ 8	24	♏ 0	22	16	24	12	16
	18	♈12	26	♊ 4	17	20	♎ 7	14	♑ 7	♓ 0	♈ 7	25	28
	19	24	♊ 8	16	29	♍ 2	20	28	21	14	21	♊ 7	♋10
	20	♉ 6	20	28	♌12	15	♏ 4	♐12	♒ 6	28	♉ 4	19	22
	21	18	♋ 2	♋ 9	24	28	19	27	21	♈12	16	♋ 1	♌ 4
	22	♊ 0	14	21	♍ 7	♎12	♐ 4	♑12	♓ 6	25	29	13	15
	23	12	26	♌ 4	20	26	19	28	20	♉ 8	♊11	25	27
	24	24	♌ 8	16	♎ 4	♏10	♑ 4	♒13	♈ 4	21	23	♌ 7	♍ 9
	25	♋ 5	21	29	18	25	19	27	17	♊ 3	♋ 5	19	22
	26	18	♍ 4	♍12	♏ 2	♐10	♒ 4	♓12	♉ 0	15	17	♍ 1	♎ 4
	27	♌ 0	17	26	17	25	19	26	13	27	29	13	17
	28	12	♎ 1	♎10	♐ 2	♑10	♓ 3	♈ 9	25	♋ 9	♌11	26	♏ 0
	29	25		24	16	25	17	22	♊ 7	21	23	♎ 9	14
	30	♍ 8		♏ 8	♑ 1	♒10	♈ 1	♉ 5	19	♌ 3	♍ 5	22	28
	31	21		22		24		17	♋ 1		18		♐13

2013年（平成25年）

♈ 牡羊　♉ 牡牛　♊ 双子　♋ 蟹　♌ 獅子　♍ 乙女
♎ 天秤　♏ 蠍　♐ 射手　♑ 山羊　♒ 水瓶　♓ 魚

	日＼月	1月	2月	3月	4月	5月	6月	7月	8月	9月	10月	11月	12月
水星 ☿	1	♑ 0	♒21	♓⑰	♓13	♈28	♋ 0	♋㉒	♋19	♍14	♏ 1	♏⑪	♏23
	5	6	28	⑭	17	♉ 5	6	⑳	23	21	6	⑥	29
	9	12	♓ 5	⑩	22	14	11	⑱	♌ 0	28	10	②	♐ 5
	13	18	11	⑦	27	22	16	⑮	7	♎ 5	14	2	11
	17	25	16	⑤	♈ 3	♊ 1	19	⑭	15	11	17	5	17
	21	♒ 2	19	6	10	10	21	13	23	17	⑱	9	24
	25	9	⑲	7	16	18	22	14	♍ 1	23	⑰	14	♑ 0
	28	14	⑱	9	22	23	㉓	15	7	27	⑮	18	5
金星 ♀	1	♐19	♑28	♓ 3	♈11	♉18	♊26	♌ 3	♍10	♎17	♏22	♐25	♑21
	5	24	♒ 3	8	16	23	♋ 1	8	15	22	26	29	23
	10	♑ 0	9	14	22	29	7	14	21	28	♐ 2	♑ 4	26
	15	6	15	20	29	♊ 6	14	20	27	♏ 3	7	8	27
	20	13	21	26	♉ 5	12	20	26	♎ 3	9	12	12	28
	25	19	28	♈ 3	11	18	26	♍ 2	9	15	18	16	㉘
火星 ♂	1	♒ 4	♒28	♓20	♈14	♉ 7	♊ 0	♊21	♋12	♌ 2	♌21	♍ 9	♍26
	11	12	♓ 6	28	22	14	7	28	18	8	27	15	♎ 1
	21	20	14	♈ 6	♉ 0	22	14	♋ 4	25	14	♍ 3	20	6
木星 ♃	1	♊⑦	♊ 6	♊ 7	♊11	♊17	♊24	♋ 1	♋ 7	♋13	♋18	♋20	♋⑲
	11	⑥	6	8	13	19	26	3	9	15	19	⑳	⑱
	21	⑥	7	10	15	21	28	5	11	17	20	⑳	⑰
♄ 土星	1	♏ 9	♏11	♏⑪	♏⑩	♏⑧	♏⑤	♏④	♏ 5	♏ 7	♏ 9	♏13	♏17
	16	10	11	⑪	⑨	⑥	⑤	4	5	8	11	15	18
♅ 天王星	1	♈ 4	♈ 5	♈ 6	♈ 8	♈10	♈11	♈12	♈⑫	♈⑪	♈⑩	♈⑨	♈⑧
	16	5	6	7	9	11	12	12	⑫	⑪	⑩	⑨	⑧
♆ 海王星	1	♓ 1	♓ 2	♓ 3	♓ 4	♓ 4	♓ 5	♓⑤	♓④	♓③	♓③	♓②	♓ 2
♇ 冥王星	1	♑ 9	♑10	♑11	♑11	♑⑪	♑⑪	♑⑩	♑⑨	♑⑨	♑ 9	♑ 9	♑10

	日＼月	1月	2月	3月	4月	5月	6月	7月	8月	9月	10月	11月	12月
	1	♐28	♒21	♓ 0	♈21	♉26	♋12	♌14	♍29	♏15	♐22	♒14	♓24
	2	♑13	♓ 7	14	♉ 5	♊ 9	24	26	♎11	28	♑ 5	29	♈ 7
	3	28	21	29	18	22	♌ 6	♍ 8	23	♐12	19	♓13	21
	4	♒13	♈ 5	♈13	♊ 1	♋ 4	18	20	♏ 6	25	♒ 4	27	♉ 5
	5	28	19	27	14	16	♍ 0	♎ 2	19	♑ 9	18	♈11	19
	6	♓13	♉ 2	♉10	26	28	12	14	♐ 2	24	♓ 3	26	♊ 2
	7	27	15	23	♋ 8	♌10	24	27	16	♒ 9	18	♉10	15
	8	♈10	28	♊ 6	20	22	♎ 6	♏10	♑ 0	24	♈ 2	23	28
	9	23	♊10	18	♌ 2	♍ 4	19	24	15	♓ 9	17	♊ 7	♋11
	10	♉ 6	22	♋ 0	14	16	♏ 2	♐ 7	♒ 0	24	♉ 1	20	23
	11	19	♋ 4	12	26	28	15	22	16	♈ 9	15	♋ 3	♌ 5
	12	♊ 1	16	24	♍ 8	♎11	29	♑ 7	♓ 1	23	29	15	17
	13	13	27	♌ 6	20	24	♐14	22	16	♉ 7	♊12	28	29
	14	25	♌ 9	18	♎ 3	♏ 7	28	♒ 7	♈ 1	21	25	♌10	♍11
	15	♋ 7	21	♍ 0	16	21	♑13	22	15	♊ 4	♋ 8	22	23
月 ☽	16	19	♍ 3	12	29	♐ 5	28	♓ 7	29	17	20	♍ 3	♎ 5
	17	♌ 0	15	24	♏12	19	♒13	22	♉12	29	♌ 2	15	17
	18	12	28	♎ 7	26	♑ 4	27	♈ 6	25	♋11	14	27	♏ 0
	19	24	♎10	20	♐ 9	18	♓12	20	♊ 8	23	25	♎ 9	12
	20	♍ 6	23	♏ 3	23	♒ 3	26	♉ 3	20	♌ 5	♍ 7	22	26
	21	18	♏ 6	16	♑ 7	17	♈ 9	16	♋ 3	17	19	♏ 5	♐ 9
	22	♎ 1	19	29	22	♓ 1	23	29	15	29	♎ 1	18	23
	23	13	♐ 2	♐13	♒ 6	15	♉ 6	♊11	27	♍11	14	♐ 1	♑ 8
	24	26	16	27	20	29	19	23	♌ 8	23	26	15	22
	25	♏ 9	♑ 0	♑11	♓ 4	♈13	♊ 2	♋ 6	20	♎ 5	♏ 9	29	♒ 7
	26	22	15	25	18	26	14	18	♍ 2	17	22	♑13	22
	27	♐ 6	♒ 0	♒ 9	♈ 2	♉ 9	26	♌ 0	14	♏ 0	♐ 5	27	♓ 6
	28	21	15	24	16	22	♋ 9	11	26	12	19	♒11	20
	29	♑ 6		♓ 8	♉ 0	♊ 5	21	23	♎ 8	25	♑ 2	25	♈ 4
	30	21		23	13	17	♌ 3	♍ 5	20	♐ 8	16	♓ 9	18
	31	♒ 6		♈ 7		♋ 0		17	♏ 3		♒ 0		♉ 2

2014年（平成26年）

♈ 牡羊　♉ 牡牛　♊ 双子　♋ 蟹　♌ 獅子　♍ 乙女
♎ 天秤　♏ 蠍　♐ 射手　♑ 山羊　♒ 水瓶　♓ 魚

	日＼月	1月	2月	3月	4月	5月	6月	7月	8月	9月	10月	11月	12月
水星 ☿	1	♑11	♓ 0	♒18	♓18	♉15	♋ 1	♊24	♋29	♍27	♏ 1	♎19	♐ 3
	5	17	2	18	24	23	2	24	♌ 7	♎ 3	②	24	10
	9	24	③	21	♈ 1	♊ 1	③	26	15	9	①	29	16
	13	♒ 1	⓪	24	8	9	②	29	24	14	♎㉘	♏ 5	22
	17	7	♒㉖	28	16	15	⓪	♋ 3	♍ 1	19	㉓	11	29
	21	14	㉑	♓ 3	24	21	♊㉘	9	9	23	⑲	18	♑ 5
	25	20	⑲	8	♉ 2	25	㉖	15	16	27	⑯	24	11
	28	25	18	12	9	28	㉔	21	21	29	17	29	16
金星 ♀	1	♑㉗	♑13	♑25	♒24	♓27	♉ 2	♊ 8	♋15	♌23	♎ 0	♏ 9	♐17
	5	㉕	13	28	28	♈ 1	7	13	20	28	5	14	22
	10	㉒	15	♒ 3	♓ 4	7	13	19	26	♍ 4	12	21	28
	15	⑲	16	7	9	13	19	25	♌ 2	11	18	27	♑ 4
	20	⑯	19	12	14	19	25	♋ 1	8	17	24	♐ 3	11
	25	⑭	22	17	20	24	♊ 1	7	15	23	♏ 0	9	17
火星 ♂	1	♎11	♎23	♎27	♎㉑	♎⑪	♎ 9	♎18	♏ 2	♏21	♐11	♑ 3	♑26
	11	15	25	㉗	⑱	⑨	11	22	8	27	18	11	♒ 4
	21	19	27	㉕	⑭	9	14	27	14	♐ 4	25	18	12
木星 ♃	1	♋⑯	♋⑫	♋⑩	♋11	♋14	♋20	♋26	♌ 3	♌10	♌15	♌20	♌22
	11	⑭	⑪	10	12	16	22	28	5	12	17	21	㉒
	21	⑬	⑩	10	13	18	24	♌ 0	7	14	18	22	㉒
♄ 土星	1	♏20	♏22	♏23	♏㉒	♏⑳	♏⑱	♏⑯	♏16	♏18	♏20	♏23	♏27
	16	21	23	㉓	㉑	⑲	⑰	⑯	17	19	22	25	29
♅ 天王星	1	♈ 8	♈ 9	♈10	♈12	♈14	♈15	♈16	♈⑯	♈⑮	♈⑭	♈⑬	♈⑫
	16	8	10	11	13	14	15	16	⑯	⑮	⑭	⑬	⑫
♆ 海王星	1	♓ 3	♓ 4	♓ 5	♓ 6	♓ 7	♓ 7	♓⑦	♓⑥	♓⑥	♓⑤	♓④	♓ 4
♇ 冥王星	1	♑11	♑12	♑13	♑13	♑⑬	♑⑬	♑⑫	♑⑪	♑⑪	♑11	♑11	♑12

	日＼月	1月	2月	3月	4月	5月	6月	7月	8月	9月	10月	11月	12月
月☽	1	♉15	♋ 4	♋13	♌28	♎ 0	♏15	♐19	♒10	♈ 4	♉12	♋ 3	♌ 7
	2	28	16	25	♍10	12	28	♑ 3	25	18	26	16	20
	3	♊11	28	♌ 7	22	24	♐11	17	♓10	♉ 3	♊11	29	♍ 2
	4	24	♌10	19	♎ 3	♏ 6	24	♒ 1	24	17	24	♌12	14
	5	♋ 7	22	♍ 1	15	19	♑ 8	15	♈ 9	♊ 1	♋ 8	24	26
	6	19	♍ 4	13	27	♐ 2	21	♓ 0	23	15	20	♍ 6	♎ 8
	7	♌ 2	16	25	♏10	14	♒ 5	14	♉ 7	28	♌ 3	18	19
	8	14	28	♎ 6	22	28	19	29	21	♋11	15	29	♏ 1
	9	26	♎ 9	18	♐ 5	♑11	♓ 3	♈13	♊ 5	23	27	♎11	13
	10	♍ 7	21	♏ 0	18	25	18	27	18	♌ 6	♍ 9	23	26
	11	19	♏ 4	13	♑ 1	♒ 9	♈ 2	♉11	♋ 1	18	21	♏ 5	♐ 8
	12	♎ 1	16	25	14	22	16	24	14	♍ 0	♎ 3	17	21
	13	13	29	♐ 8	28	♓ 7	♉ 0	♊ 8	26	12	14	29	♑ 4
	14	25	♐12	21	♒12	21	14	21	♌ 9	24	26	♐12	17
	15	♏ 7	25	♑ 4	26	♈ 5	28	♋ 4	21	♎ 6	♏ 8	25	♒ 1
	16	20	♑ 9	18	♓11	20	♊12	17	♍ 3	17	20	♑ 7	14
	17	♐ 3	24	♒ 2	26	♉ 4	25	♌ 0	15	29	♐ 2	20	28
	18	17	♒ 9	17	♈11	19	♋ 8	12	27	♏11	15	♒ 4	♓12
	19	♑ 1	24	♓ 2	25	♊ 3	21	25	♎ 9	23	27	17	26
	20	16	♓ 9	17	♉10	17	♌ 4	♍ 7	20	♐ 5	♑10	♓ 1	♈10
	21	♒ 1	24	♈ 2	25	♋ 0	16	18	♏ 2	18	24	15	24
	22	16	♈ 9	17	♊ 9	13	28	♎ 0	14	♑ 1	♒ 7	29	♉ 8
	23	♓ 1	24	♉ 2	22	26	♍10	12	27	14	21	♈14	23
	24	16	♉ 8	16	♋ 5	♌ 8	22	24	♐ 9	28	♓ 5	29	♊ 7
	25	♈ 0	22	♊ 0	18	21	♎ 4	♏ 6	22	♒12	20	♉13	21
	26	15	♊ 5	14	♌ 0	♍ 3	16	18	♑ 5	27	♈ 5	28	♋ 5
	27	29	18	27	13	14	28	♐ 1	19	♓11	20	♊13	19
	28	♉12	♋ 1	♋10	24	26	♏10	14	♒ 4	27	♉ 5	27	♌ 2
	29	25		22	♍ 6	♎ 8	23	27	18	♈12	20	♋11	15
	30	♊ 8		♌ 4	18	20	♐ 6	♑11	♓ 3	27	♊ 5	24	27
	31	21		16		♏ 2		25	18		19		♍10

2015年（平成27年）

♈ 牡羊　♉ 牡牛　♊ 双子　♋ 蟹　♌ 獅子　♍ 乙女

♎ 天秤　♏ 蠍　♐ 射手　♑ 山羊　♒ 水瓶　♓ 魚

	日＼月	1月	2月	3月	4月	5月	6月	7月	8月	9月	10月	11月	12月
水星☿	1	♑23	♒⑨	♒13	♈ 1	♉29	♊⑧	♊17	♌16	♎ 4	♎⑦	♎27	♐15
	5	29	④	18	8	♊ 4	⑥	23	24	8	③	♏ 3	21
	9	♒ 5	①	23	16	8	④	29	♍ 1	12	0	10	27
	13	10	1	29	25	11	4	♋ 7	8	14	1	16	♑ 3
	17	14	2	♓ 5	♉ 3	12	5	15	14	15	4	23	9
	21	16	5	11	11	⑬	7	23	20	⑮	9	29	15
	25	⑯	8	18	19	⑫	10	♌ 2	26	⑬	15	♐ 5	21
	28	⑬	12	23	24	⑩	13	8	29	⑩	20	10	25
金星♀	1	♑26	♓ 4	♈ 9	♉17	♊21	♋25	♌21	♍⓪	♌⑮	♌23	♍21	♎24
	5	♒ 1	9	14	21	26	29	23	♌㉘	⑭	26	25	29
	10	7	16	20	27	♋ 1	♌ 3	26	㉖	14	♍ 0	♎ 1	♏ 5
	15	13	22	26	♊ 3	7	8	28	㉓	15	5	6	11
	20	20	28	♉ 2	9	12	12	♍ 0	⑳	17	9	12	17
	25	26	♈ 4	8	15	17	16	⓪	⑰	20	14	17	23
火星♂	1	♒20	♓14	♈ 6	♈29	♉21	♊13	♋ 4	♋24	♌14	♍ 3	♍22	♎10
	11	28	22	14	♉ 7	28	20	10	♌ 1	20	9	28	16
	21	♓ 6	♈ 0	21	14	♊ 5	27	17	7	27	15	♎ 4	22
木星♃	1	♌㉑	♌⑱	♌⑭	♌⑫	♌13	♌16	♌21	♌27	♍ 4	♍10	♍16	♍20
	11	⑳	⑰	⑬	12	14	18	23	29	6	12	18	21
	21	⑲	⑮	⑬	12	15	19	25	♍ 1	8	14	19	22
♄土星	1	♐ 0	♐ 3	♐ 4	♐④	♐③	♐①	♏㉙	♏㉘	♏28	♐ 0	♐ 4	♐ 7
	16	2	4	④	④	②	♏㉙	㉘	28	29	2	5	9
♅天王星	1	♈12	♈13	♈14	♈16	♈17	♈19	♈20	♈⑳	♈⑲	♈⑱	♈⑰	♈⑯
	16	12	13	15	16	18	19	20	⑳	⑲	⑱	⑰	⑯
♆海王星	1	♓ 5	♓ 6	♓ 7	♓ 8	♓ 9	♓ 9	♓⑨	♓⑨	♓⑧	♓⑦	♓⑦	♓ 7
♇冥王星	1	♑13	♑14	♑14	♑15	♑15	♑⑮	♑⑭	♑⑬	♑⑬	♑12	♑13	♑14

年月日	星座	度
1961年 8月11日19：46	獅子座	18度
1962年 2月 5日 9：12	水瓶座	15度
7月31日21：24	獅子座	7度
1963年 1月25日22：36	水瓶座	4度
7月21日 5：35	蟹　座	27度
1964年 1月15日 5：29	山羊座	23度
6月10日13：33	双子座	19度
7月 9日20：31	蟹　座	17度
12月 4日10：31	射手座	11度
1965年 5月31日 6：16	双子座	9度
11月23日13：14	射手座	0度
1966年 5月20日18：38	牡牛座	28度
11月12日23：22	蠍　座	19度
1967年 5月 9日23：42	牡牛座	18度
11月 2日14：38	蠍　座	9度
1968年 3月29日 7：59	牡羊座	8度
9月22日20：18	乙女座	29度
1969年 3月18日13：54	双子座	27度
9月12日 4：58	乙女座	18度
1970年 3月 8日 2：37	双子座	16度
9月 1日 6：54	乙女座	8度
1971年 2月25日18：37	魚　座	6度
7月22日18：31	蟹　座	28度
8月21日 7：38	獅子座	27度
1972年 1月16日20：02	山羊座	25度
7月11日 4：45	蟹　座	18度
1973年 1月 5日 0：45	山羊座	14度
6月30日20：37	蟹　座	8度
12月25日 0：02	山羊座	2度
1974年 6月20日13：47	双子座	28度
12月14日 1：12	射手座	21度
1975年 5月11日16：16	牡牛座	19度
11月 3日22：15	蠍　座	10度
1976年 4月29日19：23	牡牛座	9度
10月23日14：12	天秤座	29度
1977年 4月18日19：30	牡羊座	28度
10月13日 5：26	天秤座	19度
1978年 4月 8日 0：02	牡羊座	17度
10月 2日15：27	天秤座	8度
1979年 2月27日 1：54	魚　座	7度

日　蝕		
年月日	星座	度
1944年 1月26日 0：26	水瓶座	4度
7月20日14：42	蟹　座	27度
1945年 1月14日14：01	山羊座	23度
7月 9日22：27	蟹　座	16度
1946年 1月 3日21：15	山羊座	12度
5月31日 5：59	双子座	8度
6月29日12：51	蟹　座	6度
11月24日 2：36	射手座	0度
1947年 5月20日22：47	牡牛座	28度
11月13日 5：05	蠍　座	19度
1948年 5月 9日11：25	蟹　座	18度
11月 1日14：58	蠍　座	8度
1949年 4月28日16：48	牡牛座	7度
10月22日 6：12	天秤座	28度
1950年 3月19日 0：31	魚　座	27度
9月12日12：38	乙女座	18度
1951年 3月 8日 5：53	魚　座	16度
9月 1日21：51	乙女座	8度
1952年 2月25日18：11	魚　座	5度
8月21日 0：13	獅子座	27度
1953年 2月14日 9：58	水瓶座	25度
7月11日11：43	蟹　座	18度
8月10日 0：54	獅子座	16度
1954年 1月 5日11：31	山羊座	14度
6月30日21：32	蟹　座	8度
12月25日16：36	山羊座	2度
1955年 6月20日13：10	双子座	28度
12月14日16：01	射手座	21度
1956年 6月 9日 6：20	双子座	18度
12月 2日17：00	射手座	10度
1957年 4月30日 9：04	牡牛座	9度
10月23日13：53	天秤座	29度
1958年 4月19日12：26	牡羊座	28度
10月13日 5：54	天秤座	19度
1959年 4月 8日12：23	牡羊座	17度
10月 2日21：26	天秤座	8度
1960年 3月27日16：24	牡羊座	6度
9月21日 7：59	乙女座	27度
1961年 2月15日17：19	水瓶座	26度

年月日	星座	度
1998年 2月27日 2：28	魚　座	7度
8月22日11：06	獅子座	28度
1999年 2月16日15：33	水瓶座	27度
8月11日20：03	獅子座	18度
2000年 2月 5日21：49	水瓶座	16度
7月 2日 4：32	蟹　座	10度
7月31日11：13	獅子座	8度
12月26日 2：34	山羊座	4度
2001年 6月21日21：04	蟹　座	0度
12月15日 5：53	射手座	22度
2002年 6月11日 8：45	双子座	19度
12月 4日16：32	射手座	11度
2003年 5月31日13：09	双子座	9度
11月24日 7：50	射手座	1度
2004年 4月19日22：35	牡羊座	29度
10月14日12：00	天秤座	21度
2005年 4月 9日 5：36	牡羊座	19度
10月 3日19：32	天秤座	10度
2006年 3月29日19：12	牡羊座	8度
10月22日20：41	蠍　座	29度
2007年 3月19日11：32	魚　座	28度
9月11日21：32	乙女座	18度
2008年 2月 7日12：56	水瓶座	17度
8月 1日19：22	獅子座	9度
2009年 1月26日16：59	水瓶座	6度
7月22日11：36	蟹　座	29度
2010年 1月15日16：07	山羊座	25度
7月12日 4：34	蟹　座	19度
2011年 1月 4日17：51	山羊座	13度
6月 2日 6：17	双子座	11度
7月 1日17：39	蟹　座	9度
11月25日15：21	射手座	2度
2012年 5月21日 8：53	双子座	0度
11月14日 7：12	蠍　座	21度
2013年 5月10日 9：26	牡牛座	19度
11月 3日21：47	蠍　座	11度
2014年 4月29日15：04	牡牛座	8度
10月24日 6：45	蠍　座	0度
2015年 3月20日18：46	魚　座	29度
9月13日15：55	蠍　座	20度

年月日	星座	度
1979年 8月23日 2：21	獅子座	29度
1980年 2月16日17：53	水瓶座	26度
8月11日 4：11	獅子座	18度
1981年 2月 5日 7：08	水瓶座	16度
7月31日12：45	獅子座	7度
1982年 1月25日13：41	水瓶座	4度
6月21日21：03	双子座	29度
7月21日 3：43	蟹　座	27度
12月15日18：31	射手座	23度
1983年 6月11日13：42	双子座	19度
12月 4日21：30	射手座	11度
1984年 5月31日 1：44	双子座	9度
11月23日 7：53	射手座	0度
1985年 5月20日 6：28	牡牛座	28度
11月12日23：10	蠍　座	20度
1986年 4月 9日15：20	牡羊座	19度
10月 4日 4：05	天秤座	10度
1987年 3月29日21：48	牡羊座	8度
9月23日12：11	蠍　座	29度
1988年 3月18日10：58	魚　座	27度
9月11日13：43	蠍　座	18度
1989年 3月 8日 3：07	魚　座	17度
8月31日14：30	乙女座	7度
1990年 1月27日 4：30	水瓶座	6度
7月22日12：02	蟹　座	29度
1991年 1月16日 8：52	山羊座	25度
7月12日 4：06	蟹　座	18度
1992年 1月 5日 8：04	山羊座	13度
6月30日21：10	蟹　座	8度
12月24日 9：30	山羊座	2度
1993年 5月21日23：19	双子座	0度
11月14日 6：44	蠍　座	21度
1994年 5月11日 2：11	牡牛座	19度
11月 3日22：39	蠍　座	10度
1995年 4月30日 2：32	牡牛座	8度
10月24日13：32	蠍　座	0度
1996年 4月18日 7：37	牡羊座	28度
10月12日23：02	天秤座	19度
1997年 3月 9日10：23	双子座	18度
9月 2日 9：03	蠍　座	9度

年月日	星座	度
1961年 3月 2日22：28	乙女座	11度
8月26日12：08	魚　座	2度
1962年 2月19日22：03	乙女座	0度
7月17日20：54	山羊座	24度
8月16日 4：57	水瓶座	22度
1963年 1月10日 8：19	蟹　座	18度
7月 7日 7：02	山羊座	14度
12月30日20：07	蟹　座	8度
1964年 6月25日10：06	山羊座	3度
12月19日11：37	双子座	27度
1965年 6月14日10：49	射手座	22度
12月 9日 2：10	双子座	16度
1966年 5月 5日 6：11	蠍　座	13度
10月29日19：12	牡牛座	5度
1967年 4月24日21：06	蠍　座	3度
10月18日19：15	牡羊座	24度
1968年 4月13日13：47	天秤座	23度
10月 6日20：42	牡羊座	13度
1969年 4月 3日 3：32	天秤座	12度
8月27日19：48	魚　座	3度
9月26日 5：10	牡羊座	2度
1970年 2月21日17：30	乙女座	2度
8月17日12：23	水瓶座	23度
1971年 2月10日16：45	獅子座	20度
8月 7日 4：43	水瓶座	13度
1972年 1月30日19：53	獅子座	9度
7月26日16：16	水瓶座	3度
1973年 1月19日 6：17	蟹　座	28度
6月16日 5：50	射手座	24度
7月15日20：39	山羊座	22度
12月10日10：44	双子座	17度
1974年 6月 5日 7：16	射手座	13度
11月30日 0：13	双子座	7度
1975年 5月25日14：48	射手座	3度
11月19日 7：23	牡牛座	25度
1976年 5月14日 4：54	蠍　座	23度
11月 7日 8：01	牡牛座	14度
1977年 4月 4日13：18	天秤座	14度
9月27日17：29	牡羊座	4度
1978年 3月25日 1：22	天秤座	3度

月　蝕		
年月日	星座	度
1944年 2月 9日14：14	獅子座	19度
7月 6日13：40	山羊座	13度
8月 4日21：26	水瓶座	11度
12月29日23：49	蟹　座	7度
1945年 6月26日 0：14	山羊座	3度
12月19日11：20	双子座	26度
1946年 6月15日 3：39	射手座	23度
12月 9日 2：48	双子座	16度
1947年 6月 4日 4：15	射手座	12度
11月28日17：34	双子座	5度
1948年 4月23日22：39	蠍　座	3度
10月18日11：35	牡羊座	24度
1949年 4月13日13：11	天秤座	22度
10月 7日11：56	牡羊座	13度
1950年 4月 3日 5：44	天秤座	12度
9月26日13：17	牡羊座	2度
1951年 3月23日19：37	天秤座	2度
8月17日12：14	水瓶座	23度
9月15日21：27	魚　座	21度
1952年 2月11日 9：39	獅子座	21度
8月 6日 4：47	水瓶座	13度
1953年 1月30日 8：47	獅子座	9度
7月26日21：21	水瓶座	3度
1954年 1月19日11：32	蟹　座	28度
7月16日 9：20	山羊座	22度
1955年 1月 8日21：33	蟹　座	17度
6月 5日23：23	射手座	14度
11月30日 1：59	双子座	6度
1956年 5月25日 0：31	射手座	3度
11月18日15：48	牡牛座	25度
1957年 5月14日 7：31	蠍　座	22度
11月 7日23：27	牡牛座	14度
1958年 4月 4日12：59	天秤座	13度
5月 3日21：13	蠍　座	12度
10月28日 0：27	牡牛座	3度
1959年 3月25日 5：11	天秤座	3度
9月17日10：03	魚　座	23度
1960年 3月13日17：28	乙女座	22度
9月 5日20：21	魚　座	12度

年月日	星座	度
1996年 4月 4日 9：10	天秤座	14度
9月27日11：54	牡羊座	4度
1997年 3月24日13：39	天秤座	3度
9月17日 3：47	魚　座	23度
1998年 3月13日13：20	乙女座	22度
8月 8日11：25	水瓶座	15度
9月 6日20：10	魚　座	13度
1999年 2月 1日 1：17	獅子座	11度
7月28日20：34	水瓶座	4度
2000年 1月21日13：43	獅子座	0度
7月16日22：56	山羊座	24度
2001年 1月10日 5：22	蟹　座	19度
7月 6日23：56	山羊座	13度
12月30日19：30	蟹　座	8度
2002年 5月26日21：04	射手座	5度
6月25日 6：28	山羊座	3度
11月20日10：48	牡牛座	27度
2003年 5月16日12：41	蠍　座	24度
11月 9日10：20	牡牛座	16度
2004年 5月 5日 5：31	蠍　座	14度
10月28日12：05	牡牛座	5度
2005年 4月24日18：56	蠍　座	4度
10月17日21：04	牡羊座	24度
2006年 3月15日 8：49	乙女座	24度
9月 8日 3：52	魚　座	15度
2007年 3月 4日 8：22	乙女座	12度
8月28日19：38	魚　座	4度
2008年 2月21日12：27	乙女座	1度
8月17日 6：11	水瓶座	24度
2009年 2月 9日23：39	獅子座	20度
7月 7日18：40	山羊座	15度
8月 6日 9：40	水瓶座	13度
2010年 1月 1日 4：24	蟹　座	10度
6月26日20：40	山羊座	4度
12月21日17：18	双子座	29度
2011年 6月16日 5：14	射手座	24度
12月10日23：33	双子座	18度
2012年 6月 4日20：04	射手座	14度
11月28日23：34	双子座	6度
2013年 4月26日 5：09	蠍　座	5度

年月日	星座	度
1978年 9月17日 4：04	魚　座	23度
1979年 3月14日 6：08	乙女座	22度
9月 6日19：54	魚　座	13度
1980年 3月 2日 5：45	乙女座	11度
7月28日 4：08	水瓶座	4度
8月26日12：30	魚　座	3度
1981年 1月20日16：50	獅子座	0度
7月17日13：47	山羊座	24度
1982年 1月10日 4：56	蟹　座	19度
7月 6日16：31	山羊座	13度
12月30日20：29	蟹　座	8度
1983年 6月25日17：22	山羊座	3度
12月20日10：49	双子座	27度
1984年 5月15日13：40	蠍　座	24度
6月13日23：26	射手座	22度
11月 9日 2：55	牡牛座	16度
1985年 5月 5日 4：56	蠍　座	14度
10月29日 2：42	牡牛座	5度
1986年 4月24日21：43	蠍　座	4度
10月18日 4：18	牡羊座	24度
1987年 4月14日11：19	天秤座	23度
10月 7日13：02	牡羊座	13度
1988年 3月 4日 1：13	乙女座	13度
8月27日20：05	魚　座	4度
1989年 2月21日 0：35	乙女座	1度
8月17日12：08	水瓶座	24度
1990年 2月10日 4：11	獅子座	20度
8月 6日23：12	水瓶座	13度
1991年 1月30日14：59	獅子座	9度
6月27日12：15	山羊座	4度
7月27日 3：08	水瓶座	3度
12月21日19：33	双子座	29度
1992年 6月15日13：57	射手座	24度
12月10日 8：44	双子座	18度
1993年 6月 4日22：00	射手座	13度
11月29日15：26	双子座	7度
1994年 5月25日12：30	射手座	3度
11月18日15：44	牡牛座	25度
1995年 4月15日21：18	天秤座	25度
10月 9日 1：04	牡羊座	14度

年月日	星座	度
2013年 5月25日13：11	射手座	4度
10月19日 8：51	牡羊座	25度
2014年 4月15日16：47	天秤座	25度
10月 8日19：56	牡羊座	15度
2015年 4月 4日21：01	天秤座	14度
9月28日11：48	牡羊座	4度

あなたのバースチャートを作りましょう

ここでは日本語版の読者のためにバースチャートの作り方を説明します。

資料を調べたり計算もあり、多少手間はかかりますが、計算自体はそう難しいものではありません。楽しみながら作ってみてください。なお、ここでご紹介するのは、簡易的な手計算の方法ですので、コンピュータで割り出すバースチャートのデータとは、星座・ハウスの度数が1～2度ずれる場合があります。しかし、本文に示されている内容を見るのに問題はありません。

494ページに書き込み用シートを用意しました。こちらをコピーしてお使いいただくと便利です。

1．ハウスの区分表を作る

①基本データを記入する

バースチャートの作成には、あなたの生年月日、出生時刻、出生地のデータが必要になります。

出生時刻は母子手帳を調べるか、家族に聞いてみましょう。

出生時刻がわからないときは、まったくわからなければ12時、朝方なら6時、夕方なら18時、夜中なら0時というように、近いと思われる時刻を決めて作成します。

ここでは1975年5月12日11時45分、東京生まれの方を例として使用します。

【基本のデータ表】

（例）

生年月日	1975年５月12日
出生時刻	11時45分
出生地	東　　京

②地方恒星時を割り出す

計算式Aに以下の情報を入れて計算してください。

【計算式A】

(a)**平均恒星時** ＋ (b)**出生時刻** －12：00＋ (c)**地方時差** ＝ (d)

〔平均恒星時表〕(494ページ）で誕生日の平均恒星時を探して書き込みます。

5月12日　……　03：20（a）

出生時刻を書き込みます。

11時45分　……　11：45（b）

日＼月	1月	2月	3月	4月	5月	6月
1	18:43	20:45	22:36	00:38	02:36	04:39
2	18:47	20:49	22:40	00:42	02:40	04:43
3	18:51	20:53	22:44	00:46	02:44	04:47
4	18:55	20:57	22:48	00:50	02:48	04:51
5	18:59	21:01	22:52	00:54	02:52	04:54
6	19:03	21:05	22:56	00:58	02:56	04:58
7	19:07	21:09	23:00	01:02	03:00	05:02
8	19:11	21:13	23:03	01:06	03:04	05:06
9	19:15	21:17	23:07	01:10	03:08	05:10
10	19:19	21:21	23:11	01:14	03:12	05:14
11	19:23	21:25	23:15	01:18	03:16	05:18
12	19:26	21:29	23:19	01:22	03:20	05:22
13	19:31	21:33	23:23	01:26	03:24	05:26

〔時間差表〕(494ページ）から出生地の地方時差を探し書き込みます。

東京　＋19分　……　00：19（c）

都市	時差(分)	都市	時差(分)
秋田	＋20	銚子	＋23
山形	＋21	千葉	＋20
仙台	＋23	東京	＋19
福島	＋22	八王子	＋17
郡山	＋22	横浜	＋19

平均恒星時　　**出生時刻**　　**地方時差**

(a) **03：20** ＋ (b) **11：45** － 12：00 ＋ (c) **00：19** ＝ (d) **2：84**

＝ (d) **3：24**

：の左右（時間：分）は別々に計算をしていきます。

左が　03 ＋ 11 － 12 ＋ 00 ＝ 02

右が　20 ＋ 45 － 00 ＋ 19 ＝ 84

右（分）の数が60を超えた場合には、60を引いて左（時間）の数に１を足します。

この場合は（d）が２：84になったので、３：24になります。

また、左の数字が－（マイナス）になった場合には24を足し、24を超えた場合は24を引きます。

③12室の境界線の星座とその度数を調べる

〔アセンダント区分表〕（495ページ）から（d）の数値を探します。同じ時間がない場合はもっとも近い時間を探します。例の場合は3：24ですが、3：24はないので最も近い3：22のデータを使用します。アセンダント区分表で第10、11、12、1、2、3ハウスの星座と度数がわかりますので、その情報をハウス表に書き写します。第4、5、6、7、8、9ハウスは〔ハウス表〕で隣り合ったハウスの星座から〔対向星座表〕を使って調べます。たとえば第4ハウスはハウス表の同じ段、左隣の第10ハウスの牡牛座から、その同一対向線上の真向かいの星座の蠍座となり、度数は第10ハウスと同じ23度になります。第5ハウスは第11ハウスの双子座の向かいの射手座で度数は同じ27度となります。同様にして第6ハウスは第12ハウスから、第7ハウスは第1ハウスから、第8ハウスは第2ハウスから、第9ハウスは第3ハウスからというように同じ段の星座で調べていきます。

恒星時 時：分	第10 ハウス	第11 ハウス	第12 ハウス	第1 ハウス 上昇宮	第2 ハウス	第3 ハウス
02:50	♉15	♊19	♋22	♌21	♍14	♎12
02:54	16	20	23	22	15	13
02:58	17	21	24	22	16	14
02:02	18	22	24	23	17	15
02:06	19	23	25	24	18	16
03:10	20	24	26	25	19	17
03:14	21	25	27	26	20	18
03:18	22	26	28	27	21	19
03:22	23	27	29	27	21	20
03:26	24	28	♌ 0	28	22	21
03:31	25	29	1	29	23	22
03:35	26	♋ 0	1	♍ 0	24	23
03:39	27	1	2	0	25	24
03:43	28	2	3	2	26	25
03:47	29	3	4	3	27	26
03:51	0	4	5	3	28	27
03:55	1	4	6	4	29	28
03:00	2	5	7	5	♎ 0	29
03:04	3	6	8	6	1	♏ 0
04:08	4	7	9	7	2	1

【対向星座表】

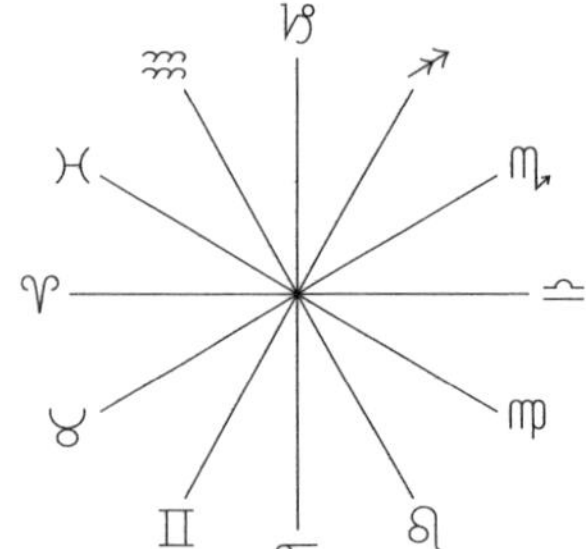

【ハウス表】

地方恒星時　3：22			
第10ハウス	牡牛座　23度	第4ハウス	蠍　座　23度
第11ハウス	双子座　27度	第5ハウス	射手座　27度
第12ハウス	蟹　座　29度	第6ハウス	山羊座　29度
第1ハウス	獅子座　27度	第7ハウス	水瓶座　27度
第2ハウス	乙女座　21度	第8ハウス	魚　座　21度
第3ハウス	天秤座　20度	第9ハウス	牡羊座　20度

ハウス表が完成したら、それを〔バースチャート〕の境界線に書き込んでいきましょう。

例では第12ハウスと第1ハウスの境界線が獅子座の27度になり、以下同様に乙女座の21度、天秤座の20度と続きます。

第1ハウスには、星座とその度数が獅子座の27度から29度までと乙女座の0度から20度までとなります。同様に第2ハウスには、乙女座の21度から29度までと天秤座の0度から19度までとなります。

このようにハウスは同一星座ごとになっていない点に、ご注意下さい。

【バースチャート】

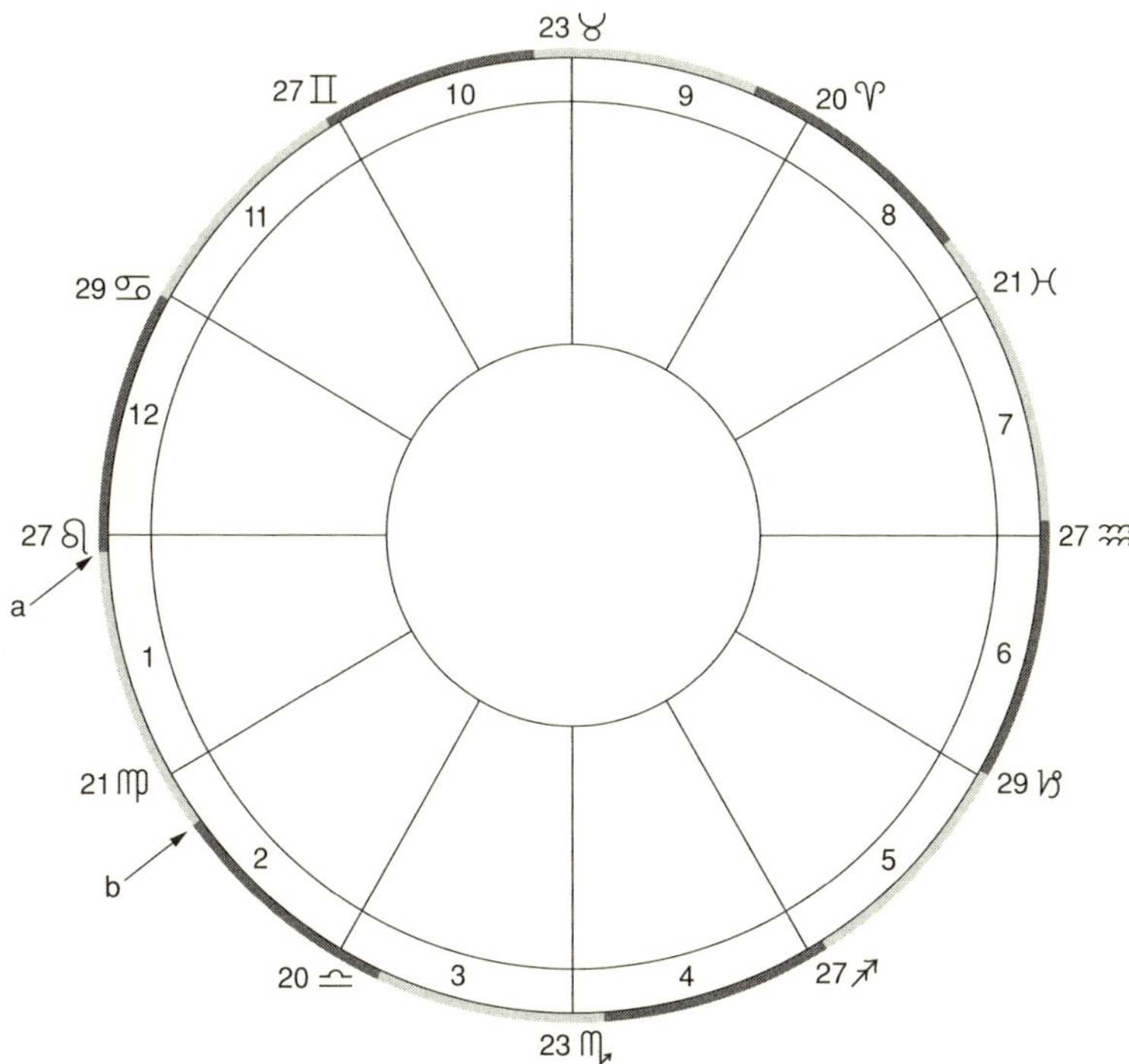

ハウスの区切りは星座の区切りとは一致していません。外枠の色の変わり目が星座の区切りとなります。点ａは乙女座の０度で、点ｂが乙女座の29度になっています。星座は０度から29度で、次の星座に移ります。

2. 出生時の各惑星の位置を調べる

①太陽

〔太陽の天文暦〕（438ページ）から自分の誕生日の欄を見て、星座と度数を調べます。太陽の場合は各年共通です。

日＼月	1月	2月	3月	4月	5月	6月
1	♑10	♒12	♓10	♈11	♉10	♊10
2	11	13	11	12	11	11
3	12	14	12	13	12	12
4	13	15	13	14	13	13
5	14	16	14	15	14	14
6	15	17	15	16	15	15
7	16	18	16	17	16	16
8	17	19	17	18	17	17
9	18	20	18	19	18	18
10	19	21	19	20	19	19
11	20	22	20	21	20	20
12	21	23	21	22	21	21
13	22	24	22	23	22	22

例では５月12日の太陽は
牡牛座21度です。

②月

まず、〔月の天文暦〕（443ページ以降）の自分の生年月日の欄から星座と度数を調べます。

星座と度数がわかったら、以下の**計算式B**にあてはめて、計算を行ってください。

【計算式Ｂ】

月 ☽	日＼月	1月	2月	3月	4月	5月	6月
	1	♌13	♎ 7	♎15	♐ 6	♑10	♒24
	2	28	21	♏ 0	19	22	♓ 6
	3	♍13	♏ 5	14	♑ 2	♒ 4	18
	4	27	18	27	14	16	♈ 0
	5	♎11	♐ 1	♐10	26	28	12
	6	25	14	23	♒ 8	♓10	24
	7	♏ 8	26	♑ 5	20	22	♉ 7
	8	21	♑ 8	17	♓ 2	♈ 4	19
	9	♐ 4	20	29	14	16	♊ 2
	10	17	♒ 2	♒11	26	28	16
	11	29	14	23	♈ 8	♉11	29
	12	♑11	26	♓ 5	20	24	♋13
	13	23	♓ 8	17	♉ 2	♊ 7	27

出生時刻 ÷２＋ **(a)星座の度数** ＝ **あなたの月の星座の度数**

このとき出生時刻は29分以下は切り捨て、30分以上は切り上げてください。また、２で割った数が小数になった場合、小数点以下は切り捨てとなります。出生時刻は11時45分で、45分は30分以上なので切り上げて、12時となります。1975年５月12日の月の星座と度数は牡牛座の24度で（a）は24となります。

12 ÷２＋ 24 ＝ 30

【計算式Ｂ】から、牡牛座の30度となりますが、ここで出てきた値が30を超えた場合は、30をマイナスした数が度数となり、次の星座に移行します。この例では月は双子座の０度となります。

③水星、金星、火星、木星

この四つの惑星は同じ計算式で求めます。〔各惑星の天文暦〕（439ページ以降）の表の中から自分の生年月日を探しますが、ここからは天文暦に、すべての日にちの掲載があるわけではないので、生年月日をはさむ前後の日にちの星座とその度数を、以下の**計算式C、D、E**にあてはめて算出してください。このとき、生年月日が表の中にあれば計算をせずにそのまま使うことができます。また、計算をするときに星座を度数に変換する必要がありますので、星座度数表を参考にしてください。

【星座度数表】

星　座	度　数
牡羊座	0度
牡牛座	30度
双子座	60度
蟹　座	90度
獅子座	120度
乙女座	150度
天秤座	180度
蠍　座	210度
射手座	240度
山羊座	270度
水瓶座	300度
魚　座	330度

まず、**水星**を調べます。

◆水星

【計算式C】

生年月日直後の惑星の星座と度数

（ **星座を変換した度数** ＋ **星座の度数** ）－

生年月日直前の惑星の星座と度数

（ **星座を変換した度数** ＋ **星座の度数** ）＝（c）

水星☿ 日＼月	1月	2月	3月	4月	5月	6月
1	♑16	♒㉕	♒12	♓23	♉22	♊㉓
5	22	㉓	16	♈ 0	♊ 0	㉒
9	29	⑱	20	7	6	⑳
13	♒ 6	⑭	25	15	12	⑧
17	12	⑪	♓ 0	23	17	⑯
21	8	⑨	5	♉ 1	20	⑮
25	22	10	11	10	22	15
28	24	12	16	16	23	15

例の1975年５月12日をもとに、水星の天文暦を調べると直前９日が双子座の６度、直後13日が双子座の12度となっています。双子座は〔星座度数表〕で変換すると60度になりますので、以下のような計算式になります。また、天文暦の度数の数字が○で囲んである場合は逆行を示していますが、気にせず、そのまま計算してください。

（ 60(双子座)〔13日〕 ＋ 12 ）－（ 60(双子座)〔9日〕 ＋ 6 ）＝ 6 ……（c）

【計算式 D】

(c) × **表の直前日から生年月日までの日数** ÷ **表の直前日から直後日までの日数** = (d)

次に計算式Cの答えである (c) に、直前の日から生年月日までの日数をかけ、さらに直前の日から直後の日までの日数で割ります。

6 × **3**(9日から12日までの日数) ÷ **4**(9日から13日までの日数) = **4.5** …… (d)

日数を数えるとき、月をまたぐ場合は月によって日数が違うことに注意してください(1・3・5・7・8・10・12月は31日。4・6・9・11月は30日。2月は通常28日ですがうるう年は29日です)。

【計算式 E】

直前の星座の度数 ＋ **(d)** ＝ (e)

直前9日は双子座の6度なので、

6 ＋ 4.5 ＝ **10.5**

小数点以下は小数第1位を四捨五入して11

水星は双子座の11度となります。

同様に金星、火星、木星も調べて見ましょう。

金星♀	日＼月	1月	2月	3月	4月	5月	6月
	1	♑22	♓ 1	♈ 6	♉14	♊19	♋23
	5	27	6	11	18	24	28
	10	♒ 4	12	17	24	29	♌ 3
	15	10	19	23	♊ 0	♋ 5	8
	20	16	25	29	6	10	13
	25	22	♈ 1	♉ 5	12	16	17

◆金星

【計算式 C】

(**90**(蟹座)〔15日〕 ＋ **5**) − (**60**(双子座)〔10日〕 ＋ **29**) ＝ **6**

【計算式 D】

6 × **2**(10日から12日までの日数) ÷ **5**(10日から15日までの日数) ＝ **2.4**

【計算式 E】

29 ＋ 2.4 ＝ 31.4 → 31

計算の答えは双子座の31.4ですが、30度を超えたので、次の星座に移行して金星は蟹座の１度となります。

◆火星

火星♂ 日＼月	1月	2月	3月	4月	5月	6月
1	♐14	♑ 7	♑28	♒21	♓14	♈ 7
11	21	14	♒ 5	29	21	15
21	29	22	13	♓ 6	29	22

【計算式 C】

（ 330（魚座）［21日］ ＋ 29 ）－（ 330（魚座）［10日］ ＋ 21 ）＝ 8

【計算式 D】

8 × 1（11日から12日までの日数） ÷ 10（11日から21日までの日数） ＝ 0.8

【計算式 E】

21 ＋ 0.8 ＝ 21.8 → 22

火星は魚座の22度となります。

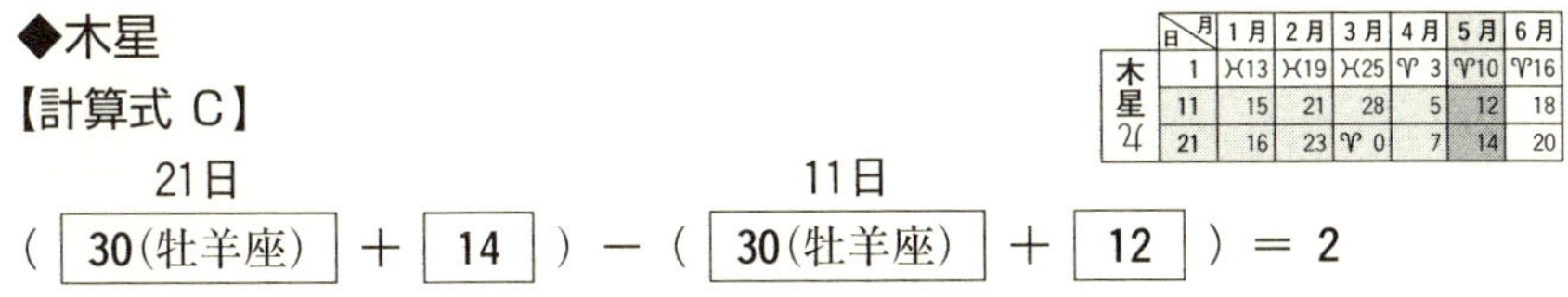

◆木星

木星♃ 日＼月	1月	2月	3月	4月	5月	6月
1	♓13	♓19	♓25	♈ 3	♈10	♈16
11	15	21	28	5	12	18
21	16	23	♈ 0	7	14	20

【計算式 C】

（ 30（牡羊座）［21日］ ＋ 14 ）－（ 30（牡羊座）［11日］ ＋ 12 ）＝ 2

【計算式 D】

2 × 1（11日から12日までの日数） ÷ 10（11日から21日までの日数） ＝ 0.2

【計算式 E】

12 ＋ 0.2 ＝ 12.2 → 12

木星は牡羊座の12度となります。

④土星、天王星、海王星、冥王星

この四つの惑星は、動きが遅いので生年月日に最も近いものをそのまま使います。

	日＼月	1月	2月	3月	4月	5月	6月
♄土星	1	♋⑮	♋⑬	♋⑫	♋12	♋13	♋16
	16	⑭	⑫	11	12	15	19
♅天王星	1	♏ 2	♏ 3	♏③	♏②	♏⓪	♎28
	16	3	③	②	①	♎㉙	28
♆海王星	1	♐10	♐11	♐11	♐⑪	♐⑪	♐⑩
♇冥王星	1	♎ 9	♎⑨	♎⑧	♎⑦	♎⑦	♎⑥

◆土星

5月16日の欄から**蟹座の15度**となります。

◆天王星

5月16日の欄から**天秤座の29度**となります。

◆海王星

5月1日の欄から**射手座の11度**となります。

◆冥王星

5月1日の欄から**天秤座の7度**となります。

これで10惑星の星座と度数がわかりました。「1．ハウスの区分表を作る」で作ったバースチャートのハウス区分の該当する場所に、惑星と星座を書き込んでいきましょう。書き込まれた位置で惑星のハウスがわかります。

惑星	星座
太陽	牡牛座 21度
月	双子座 0度
水星	双子座 11度
金星	蟹座 1度
火星	魚座 22度
木星	牡羊座 12度
土星	蟹座 15度
天王星	天秤座 29度
海王星	射手座 11度
冥王星	天秤座 7度

【バースチャート】

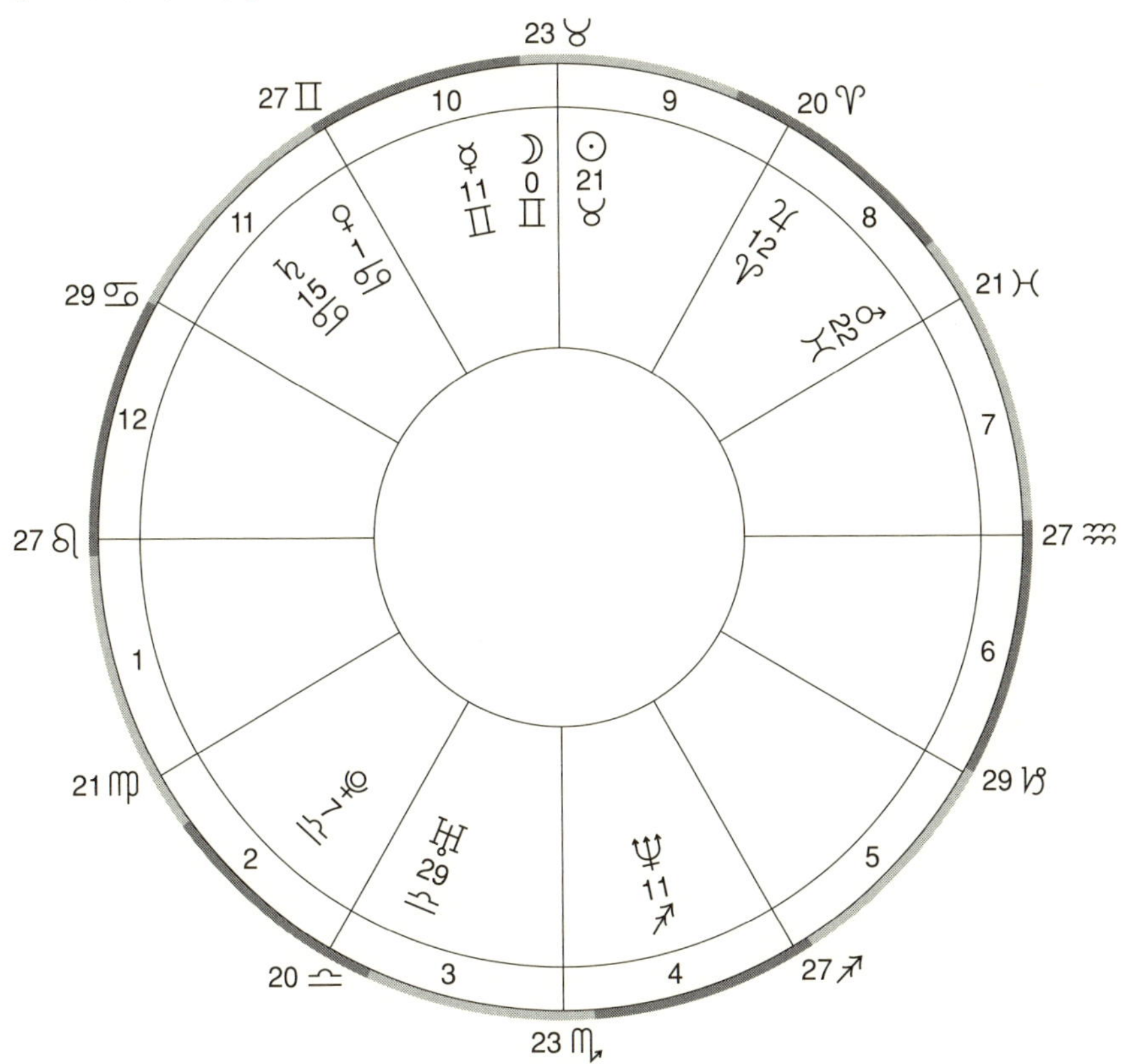

太陽は牡牛座の21度なので、牡羊座の20度から牡牛座の22度までの第９ハウスに入ります。

以下同様に月以降の惑星も該当するハウスに入ります。

バースチャートの完成です。

ハウスの区分表を作る

【基本のデータ表】

生年月日		…
出生時刻		…
出 生 地		…

【地方恒星時を割り出す】

平均恒星時	… (a)
出 生 時 刻	… (b)
地 方 時 差	… (c)

〔計算式 A〕

(a) ＋ (b) − 12：00 ＋ (c) ＝ (d)
＝ (d)

【ハウス表】

地方恒星時			
第10ハウス		第４ハウス	
第11ハウス		第５ハウス	
第12ハウス		第６ハウス	
第１ハウス		第７ハウス	
第２ハウス		第８ハウス	
第３ハウス		第９ハウス	

出生時刻の各惑星の位置を調べる

【太陽】　［　　　　座　　　度］

【月】

〔計算式 B〕

［　　　］÷ 2 ＋［(a)　　　］＝［　　　］…［　　　座　　　度］

【水星】

〔計算式 C〕

　［　　　日］　　　　　　［　　　日］

(［　　　］＋［　　］) − (［　　　］＋［　　］) ＝［　　］…… (c)

〔計算式 D〕

［(c)　　　］×［　　　］÷［　　　］＝［　　　］……　(d)

〔計算式 E〕

［　　　］＋［(d)　　　］＝［　　　］………［　　　座　　　度］

【金星】

〔計算式 C〕

　［　　　日］　　　　　　［　　　日］

(［　　　］＋［　　］) − (［　　　］＋［　　］) ＝［　　］…… (c)

〔計算式 D〕

［(c)　　　］×［　　　］÷［　　　］＝［　　　］……　(d)

〔計算式 E〕

［　　　］＋［(d)　　　］＝［　　　］………［　　　座　　　度］

【火星】

〔計算式C〕

〔計算式D〕

〔計算式E〕

【木星】

〔計算式C〕

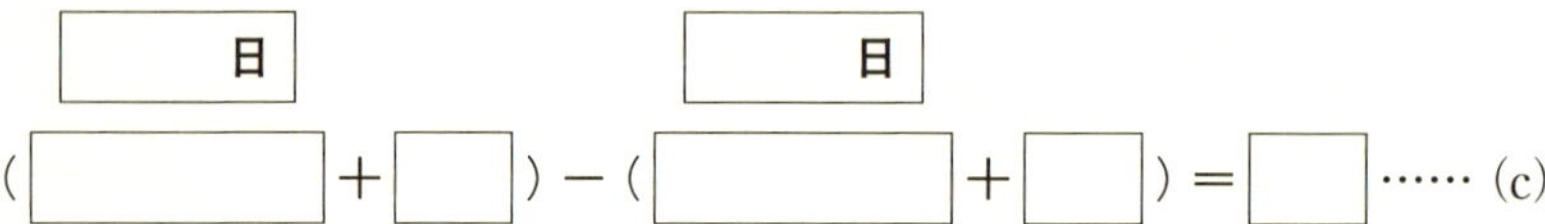

〔計算式D〕

〔計算式E〕

【土星】 座 度

【天王星】 座 度

【海王星】 座 度

【冥王星】 座 度

惑　星	星座と度数	惑　星	星座と度数
太　陽		木　星	
月		土　星	
水　星		天王星	
金　星		海王星	
火　星		冥王星	

【バースチャート】

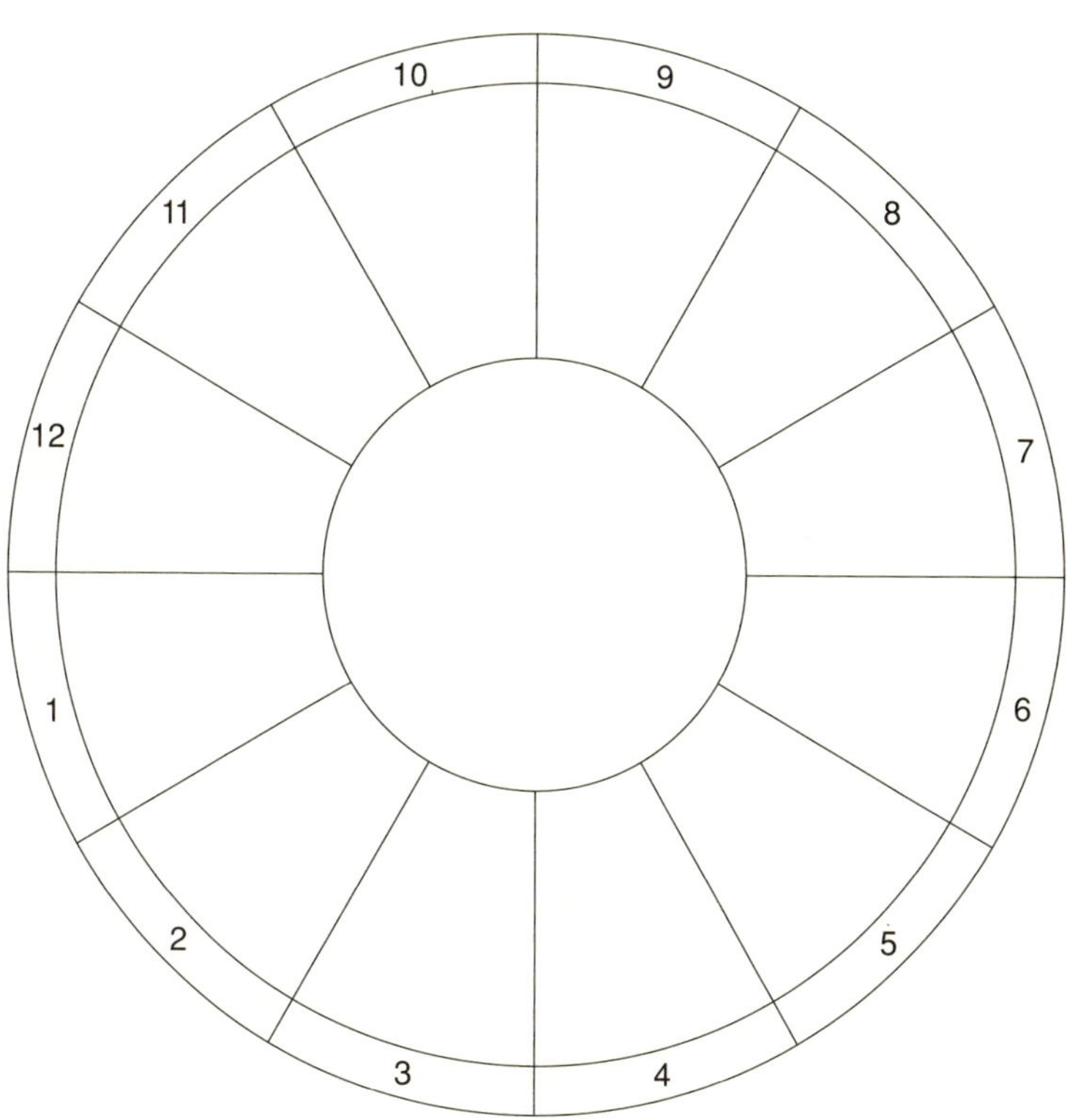

平均恒星時表

日＼月	1月	2月	3月	4月	5月	6月	7月	8月	9月	10月	11月	12月	月／日
1	18:43	20:45	22:36	00:38	02:36	04:39	06:37	08:39	10:42	12:40	14:42	16:40	1
2	18:47	20:49	22:40	00:42	02:40	04:43	06:41	08:43	10:45	12:44	14:46	16:44	2
3	18:51	20:53	22:44	00:46	02:44	04:47	06:45	08:47	10:49	12:48	14:50	16:48	3
4	18:55	20:57	22:48	00:50	02:48	04:51	06:49	08:51	10:53	12:52	14:54	16:52	4
5	18:59	21:01	22:52	00:54	02:52	04:54	06:53	08:55	10:57	12:55	14:58	16:56	5
6	19:03	21:05	22:56	00:58	02:56	04:58	06:57	08:59	11:01	12:59	15:02	17:00	6
7	19:07	21:09	23:00	01:02	03:00	05:02	07:01	09:03	11:05	13:03	15:06	17:04	7
8	19:11	21:13	23:03	01:06	03:04	05:06	07:05	09:07	11:09	13:07	15:10	17:08	8
9	19:15	21:17	23:07	01:10	03:08	05:10	07:09	09:11	11:13	13:11	15:13	17:12	9
10	19:19	21:21	23:11	01:14	03:12	05:14	07:12	09:15	11:17	13:15	15:17	17:16	10
11	19:23	21:25	23:15	01:18	03:16	05:18	07:16	09:19	11:21	13:19	15:21	17:20	11
12	19:26	21:29	23:19	01:22	03:20	05:22	07:20	09:23	11:25	13:23	15:25	17:24	12
13	19:31	21:33	23:23	01:26	03:24	05:26	07:24	09:27	11:29	13:27	15:29	17:28	13
14	19:35	21:37	23:27	01:29	03:28	05:30	07:28	09:30	11:33	13:31	15:33	17:31	14
15	19:39	21:41	23:31	01:33	03:32	05:34	07:32	09:34	11:37	13:35	15:37	17:35	15
16	19:43	21:45	23:35	01:37	03:36	05:38	07:36	09:38	11:41	13:39	15:41	17:39	16
17	19:46	21:49	23:39	01:41	03:40	05:42	07:40	09:42	11:45	13:43	15:45	17:43	17
18	19:50	21:53	23:44	01:45	03:44	05:46	07:44	09:46	11:48	13:47	15:49	17:47	18
19	19:54	21:57	23:48	01:49	03:47	05:50	07:48	09:50	11:52	13:51	15:53	17:51	19
20	19:58	22:01	23:52	01:53	03:51	05:54	07:52	09:54	11:56	13:55	15:57	17:55	20
21	20:02	22:04	23:56	01:57	03:55	05:58	07:56	09:58	12:00	13:59	16:01	17:59	21
22	20:06	22:08	23:59	02:01	03:59	06:02	08:00	10:02	12:04	14:03	16:05	18:03	22
23	20:10	22:12	00:02	02:05	04:03	06:05	08:04	10:06	12:08	14:06	16:09	18:07	23
24	20:14	22:16	00:06	02:09	04:07	06:09	08:08	10:10	12:12	14:10	16:13	18:11	24
25	20:18	22:20	00:10	02:13	04:11	06:13	08:12	10:14	12:16	14:14	16:17	18:15	25
26	20:22	22:24	00:14	02:17	04:15	06:17	08:16	10:18	12:20	14:18	16:20	18:19	26
27	20:26	22:28	00:18	02:21	04:19	06:21	08:20	10:22	12:24	14:22	16:24	18:23	27
28	20:30	22:32	00:22	02:25	04:23	06:25	08:23	10:26	12:28	14:26	16:28	18:27	28
29	20:34	22:33	00:25	02:29	04:27	06:29	08:27	10:30	12:32	14:30	16:32	18:31	29
30	20:38		00:30	02:33	04:31	06:33	08:31	10:34	12:36	14:34	16:36	18:35	30
31	20:42		00:34		04:35		08:35	10:38		14:38		18:38	31

明石から日本主要都市までの時間差表

都市	時差(分)	都市	時差(分)	都市	時差(分)	都市	時差(分)	都市	時差(分)	都市	時差(分)	都市	時差(分)	都市	時差(分)
根室	+42	秋田	+20	銚子	+23	高崎	+16	静岡	+14	大阪	+2	山口	−14	佐賀	−19
釧路	+38	山形	+21	千葉	+20	甲府	+14	浜松	+11	和歌山	+1	下関	−16	長崎	−21
帯広	+33	仙台	+23	東京	+19	新潟	+16	名古屋	+8	神戸	+1	徳島	±0	五島列島	−24
旭川	+30	福島	+22	八王子	+17	長野	+13	岐阜	+7	明石	±0	高松	−4	熊本	−17
札幌	+25	郡山	+22	横浜	+19	松本	+15	四日市	+5	姫路	−1	高知	−6	大分	−14
小樽	+24	水戸	+22	横須賀	+19	富山	+9	津	+6	岡山	−4	松山	−9	宮崎	−14
函館	+23	宇都宮	+20	小田原	+17	金沢	+7	大津	+3	鳥取	−3	宇和島	−10	鹿児島	−18
青森	+23	前橋	+16	伊豆大島	+17	福井	+5	京都	+3	松江	−8	小倉	−17	那覇	−29
盛岡	+25	浦和	+19	小笠原	+29	沼津	+15	奈良	+3	広島	−10	福岡	−18	石垣	−43

アセンダント区分表

恒星時 時：分	第10 ハウス	第11 ハウス	第12 ハウス	第1 ハウス 上昇宮	第2 ハウス	第3 ハウス
02:50	♉15	♊19	♋22	♌21	♍14	♎12
02:54	16	20	23	22	15	13
02:58	17	21	24	22	16	14
03:02	18	22	24	23	17	15
03:06	19	23	25	24	18	16
03:10	20	24	26	25	19	17
03:14	21	25	27	26	20	18
03:18	22	26	28	27	21	19
03:22	23	27	29	27	21	20
03:26	24	28	♌ 0	28	22	21
03:31	25	29	1	29	23	22
03:35	26	♋ 0	1	♍ 0	24	23
03:39	27	1	2	0	25	24
03:43	28	2	3	2	26	25
03:47	29	3	4	3	27	26
03:51	♊ 0	4	5	3	28	27
03:55	1	4	6	4	29	28
04:00	2	5	7	5	♎ 0	29
04:04	3	6	8	6	1	♏ 0
04:08	4	7	9	7	2	1
04:12	5	8	10	8	3	2
04:16	6	9	10	9	4	3
04:21	7	10	11	9	5	4
04:25	8	11	12	10	6	5
04:29	9	12	13	11	6	6
04:33	10	13	14	12	7	7
04:37	11	14	15	13	8	8
04:42	12	15	16	14	9	9
04:46	13	16	17	15	10	10
04:51	14	17	18	16	11	11
04:55	15	18	19	16	12	12
04:59	16	19	20	17	13	13
05:03	17	20	21	18	14	14
05:08	18	21	22	19	15	15
05:12	19	22	23	20	16	16
05:16	20	23	23	21	17	17
05:21	21	24	24	22	18	18
05:25	22	25	25	23	19	19
05:29	23	26	26	24	20	20
05:34	24	27	27	25	21	21
05:38	25	28	28	25	22	22
05:43	26	29	29	26	23	23
05:47	27	♌ 0	♍ 0	27	24	24
05:51	28	1	1	28	25	25
05:56	29	2	2	29	26	26

恒星時 時：分	第10 ハウス	第11 ハウス	第12 ハウス	第1 ハウス 上昇宮	第2 ハウス	第3 ハウス
00:00	♈ 0	♉ 6	♊13	♋16	♌ 7	♍ 1
00:04	1	7	14	17	8	2
00:07	2	8	15	17	8	2
00:11	3	9	16	18	9	3
00:15	4	10	17	19	10	4
00:18	5	11	17	20	11	5
00:22	6	12	18	21	12	6
00:26	7	13	19	21	12	7
00:29	8	14	20	22	13	8
00:33	9	15	21	23	14	9
00:37	10	16	22	24	15	10
00:40	11	17	23	24	16	10
00:44	12	18	24	25	16	11
00:48	13	19	24	26	17	12
00:52	14	20	25	27	18	13
00:55	15	21	26	27	19	14
00:59	16	22	27	28	20	15
01:03	17	23	28	29	21	16
01:06	18	24	29	29	21	17
01:10	19	25	♋ 0	♌ 0	22	18
01:14	20	26	0	1	23	19
01:18	21	27	1	2	24	20
01:21	22	28	2	3	25	20
01:25	23	29	3	4	25	21
01:29	24	♊ 0	4	4	26	22
01:33	25	0	5	5	27	23
01:36	26	1	6	6	28	24
01:40	27	2	6	7	29	25
01:44	28	3	7	7	♍ 0	26
01:48	29	4	8	8	0	27
01:52	♉ 0	5	9	9	1	28
01:55	1	6	10	10	2	29
01:59	2	7	11	11	3	♎ 0
02:03	3	8	12	11	4	1
02:07	4	9	12	12	5	2
02:11	5	10	13	13	6	3
02:15	6	11	14	14	6	4
02:19	7	12	15	14	7	5
02:23	8	13	16	15	8	6
02:26	9	14	17	16	9	6
02:30	10	15	17	17	10	7
02:34	11	16	18	18	11	8
02:38	12	17	19	18	12	9
02:42	13	18	20	19	12	10
02:46	14	18	21	20	13	11

恒星時 時：分	第10 ハウス	第11 ハウス	第12 ハウス	第1 ハウス 上昇宮	第2 ハウス	第3 ハウス
09:10	♌15	♍18	♎16	♏ 9	♐ 8	♑11
09:14	16	19	17	10	9	12
09:18	17	20	18	11	10	12
09:22	18	21	18	12	11	13
09:26	19	22	19	12	12	14
09:30	20	23	20	13	13	15
09:34	21	24	21	14	13	16
09:37	22	24	22	15	14	17
09:41	23	25	23	16	15	18
09:45	24	26	24	16	16	19
09:49	25	27	24	17	17	20
09:53	26	28	25	18	18	21
09:57	27	29	26	19	18	22
10:01	28	♎ 0	27	19	19	23
10:05	29	1	28	20	20	24
10:08	♍ 0	2	29	21	21	25
10:12	1	3	♏ 0	22	22	26
10:16	2	4	0	23	23	27
10:20	3	5	1	23	24	28
10:24	4	6	2	24	24	29
10:27	5	7	3	25	25	♒ 0
10:31	6	8	4	26	26	0
10:35	7	9	5	26	27	1
10:39	8	10	5	27	28	2
10:42	9	10	6	28	29	3
10:46	10	11	7	29	♑ 0	4
10:50	11	12	8	29	0	5
10:54	12	13	9	♐ 0	1	6
10:57	13	14	9	1	2	7
11:01	14	15	10	2	3	8
11:05	15	16	11	3	4	9
11:08	16	17	12	3	5	10
11:12	17	18	13	4	6	11
11:16	18	19	14	5	6	12
11:20	19	20	14	6	7	13
11:23	20	20	15	6	8	14
11:27	21	21	16	7	9	15
11:31	22	22	17	8	10	16
11:34	23	23	18	9	11	17
11:38	24	24	18	9	12	18
11:42	25	25	19	10	13	19
11:45	26	26	20	11	13	20
11:49	27	27	21	12	14	21
11:53	28	28	22	13	15	22
11:56	29	28	22	13	16	23

恒星時 時：分	第10 ハウス	第11 ハウス	第12 ハウス	第1 ハウス 上昇宮	第2 ハウス	第3 ハウス
06:00	♋ 0	♌ 3	♍ 3	♎ 0	♎27	♏27
06:04	1	4	4	1	28	28
06:09	2	5	5	2	29	29
06:13	3	6	6	3	♏ 0	♐ 0
06:17	4	7	7	4	1	1
06:22	5	8	8	5	2	2
06:26	6	9	9	5	3	3
06:31	7	10	10	6	4	4
06:35	8	11	11	7	5	5
06:39	9	12	12	8	6	6
06:44	10	13	13	9	7	7
06:48	11	14	14	10	7	8
06:52	12	15	15	11	8	9
06:57	13	16	16	12	9	10
07:01	14	17	17	13	10	11
07:05	15	18	18	14	11	12
07:09	16	19	19	14	12	13
07:14	17	20	20	15	13	14
07:18	18	21	21	16	14	15
07:22	19	22	22	17	15	16
07:27	20	23	23	18	16	17
07:31	21	24	24	19	17	18
07:35	22	25	24	20	18	19
07:39	23	26	25	21	19	20
07:44	24	27	26	21	20	21
07:48	25	28	27	22	20	22
07:52	26	29	28	23	21	23
07:56	27	♍ 0	29	24	22	24
08:00	28	1	♎ 0	25	23	25
08:05	29	2	1	26	24	26
08:09	♌ 0	3	2	27	25	26
08:13	1	4	3	27	26	27
08:17	2	5	4	28	27	28
08:21	3	6	5	29	28	29
08:25	4	7	6	♏ 0	29	♑ 0
08:29	5	8	7	1	29	1
08:34	6	9	8	2	♐ 0	2
08:38	7	10	9	3	1	3
08:42	8	11	9	3	2	4
08:46	9	12	10	4	3	5
08:50	10	13	11	5	4	6
08:54	11	14	12	6	5	7
08:58	12	15	13	7	6	8
09:02	13	16	14	8	6	9
09:06	14	17	15	8	7	10

恒星時 時：分	第10 ハウス	第11 ハウス	第12 ハウス	第1 ハウス 上昇宮	第2 ハウス	第3 ハウス
14:50	♏15	♐ 9	♑ 0	♑24	♓ 6	♈15
14:54	16	10	1	26	8	16
14:58	17	10	2	27	9	18
15:02	18	11	3	28	10	19
15:06	19	12	4	29	12	20
15:10	20	13	5	♒ 0	13	21
15:14	21	14	6	1	14	22
15:18	22	15	7	3	16	24
15:22	23	16	8	4	17	25
15:26	24	17	9	5	19	26
15:31	25	18	10	6	20	27
15:35	26	19	11	7	21	28
15:39	27	20	12	9	23	♉ 0
15:43	28	21	13	10	24	1
15:47	29	22	14	11	26	2
15:51	♐ 0	22	15	13	27	3
15:55	1	23	16	14	28	4
16:00	2	24	17	15	♈ 0	5
16:04	3	25	18	17	1	7
16:08	4	26	19	18	3	8
16:12	5	27	20	20	4	9
16:16	6	28	21	21	6	10
16:21	7	29	22	23	7	11
16:25	8	♑ 0	23	24	9	13
16:29	9	1	25	25	10	14
16:33	10	2	26	27	11	15
16:38	11	3	27	29	13	16
16:42	12	4	28	♓ 0	14	17
16:46	13	5	29	2	16	18
16:51	14	6	♒ 0	3	17	20
16:55	15	7	1	5	19	21
16:59	16	8	3	6	20	22
17:03	17	9	4	8	22	23
17:08	18	10	5	10	23	24
17:12	19	11	6	12	24	25
17:16	20	12	7	13	26	26
17:21	21	13	9	15	27	27
17:25	22	14	10	16	29	29
17:30	23	15	11	18	♉ 0	♊ 0
17:34	24	16	12	20	1	1
17:38	25	17	14	21	3	2
17:43	26	18	15	23	4	3
17:47	27	19	16	25	6	4
17:51	28	21	18	27	7	5
17:56	29	22	19	28	8	6

恒星時 時：分	第10 ハウス	第11 ハウス	第12 ハウス	第1 ハウス 上昇宮	第2 ハウス	第3 ハウス
12:00	♎ 0	♎29	♏23	♐14	♑17	♒24
12:04	1	♏ 0	24	15	18	25
12:07	2	1	25	16	19	26
12:11	3	2	25	16	20	28
12:15	4	3	26	17	21	29
12:18	5	4	27	18	22	♓ 0
12:22	6	5	28	19	23	1
12:26	7	5	29	20	24	2
12:29	8	6	♐ 0	20	25	3
12:33	9	7	0	21	26	4
12:37	10	8	1	22	27	5
12:40	11	9	2	23	28	6
12:44	12	10	3	24	29	7
12:48	13	11	3	24	♒ 0	8
12:52	14	12	4	25	1	9
12:55	15	12	5	26	2	10
12:59	16	13	6	27	3	12
13:03	17	14	7	28	4	13
13:06	18	15	7	29	5	14
13:10	19	16	8	29	6	15
13:14	20	17	9	♑ 0	7	16
13:18	21	18	10	1	8	17
13:21	22	18	11	2	9	18
13:25	23	19	11	3	10	19
13:29	24	20	12	4	11	21
13:33	25	21	13	5	12	22
13:36	26	22	14	6	13	23
13:40	27	23	15	7	14	24
13:44	28	24	16	7	15	25
13:48	29	25	16	8	17	26
13:52	♏ 0	25	17	9	18	27
13:55	1	26	18	10	19	29
13:59	2	27	19	11	20	♈ 0
14:03	3	28	20	12	21	1
14:07	4	29	21	13	22	2
14:11	5	♐ 0	22	14	24	3
14:15	6	1	22	15	25	4
14:19	7	2	23	16	26	6
14:23	8	2	24	17	27	7
14:26	9	3	25	18	29	8
14:30	10	4	26	19	♓ 0	9
14:34	11	5	27	20	1	10
14:38	12	6	28	21	2	12
14:42	13	7	29	22	4	13
14:46	14	8	♑ 0	23	5	14

恒星時 時：分	第10 ハウス	第11 ハウス	第12 ハウス	第1 ハウス 上昇宮	第2 ハウス	第3 ハウス
21:10	♒15	♓15	♈24	♊ 6	♋ 0	♋21
21:14	16	16	25	7	0	22
21:18	17	17	26	8	1	23
21:22	18	18	28	9	2	24
21:26	19	20	29	10	3	25
21:30	20	21	♉ 0	11	4	26
21:34	21	22	1	12	5	27
21:37	22	23	3	13	6	28
21:41	23	24	4	14	7	28
21:45	24	26	5	15	8	29
21:49	25	27	6	16	8	♌ 0
21:53	26	28	8	17	9	1
21:57	27	29	9	18	10	2
22:01	28	♈ 0	10	19	11	3
22:05	29	1	11	20	12	4
22:08	♓ 0	3	12	21	13	5
22:12	1	4	13	22	14	5
22:16	2	5	15	23	14	6
22:20	3	6	16	23	15	7
22:24	4	7	17	24	16	8
22:27	5	8	18	25	17	9
22:31	6	9	19	26	18	10
22:35	7	11	20	27	19	11
22:39	8	12	21	28	19	12
22:42	9	13	22	29	20	12
22:46	10	14	23	♋ 0	21	13
22:50	11	15	24	0	22	14
22:54	12	16	25	1	23	15
22:57	13	17	26	2	23	16
23:01	14	18	27	3	24	17
23:05	15	20	28	4	25	18
23:08	16	21	29	5	26	18
23:12	17	22	♊ 0	6	27	19
23:16	18	23	1	6	27	20
23:20	19	24	2	7	28	21
23:23	20	25	3	8	29	22
23:27	21	26	4	9	♌ 0	23
23:31	22	27	5	10	0	24
23:34	23	28	6	10	1	25
23:38	24	29	7	11	2	25
23:42	25	♉ 0	8	12	3	26
23:45	26	1	9	13	4	27
23:49	27	2	10	14	5	28
23:53	28	4	11	14	5	29
23:56	29	5	12	15	6	♍ 0

恒星時 時：分	第10 ハウス	第11 ハウス	第12 ハウス	第1 ハウス 上昇宮	第2 ハウス	第3 ハウス
18:00	♑ 0	♑23	♒20	♈ 0	♉10	♊ 7
18:04	1	24	22	2	11	8
18:09	2	25	23	3	12	9
18:13	3	26	24	5	14	11
18:17	4	27	26	7	15	12
18:22	5	28	27	9	16	13
18:26	6	29	28	10	18	14
18:31	7	♒ 0	♓ 0	12	19	15
18:35	8	1	1	14	20	16
18:39	9	3	3	15	21	17
18:44	10	4	4	17	23	18
18:48	11	5	6	19	24	19
18:52	12	6	7	20	25	20
18:57	13	7	8	22	26	21
19:01	14	8	10	24	27	22
19:05	15	9	11	25	29	23
19:09	16	10	13	27	♊ 0	24
19:14	17	12	14	28	1	25
19:18	18	13	16	♉ 0	2	26
19:22	19	14	17	1	3	27
19:27	20	15	19	3	4	28
19:31	21	16	20	5	5	29
19:35	22	17	21	6	7	♋ 0
19:39	23	19	23	8	8	1
19:44	24	20	24	9	9	2
19:48	25	21	26	10	10	3
19:52	26	22	27	12	11	4
19:56	27	23	29	13	12	5
20:00	28	25	♈ 0	15	13	6
20:05	29	26	1	16	14	7
20:09	♒ 0	27	3	17	15	8
20:13	1	28	4	19	16	8
20:17	2	29	6	20	17	9
20:21	3	♓ 0	7	21	18	10
20:25	4	2	9	23	19	11
20:29	5	3	10	24	20	12
20:34	6	4	11	25	21	13
20:38	7	5	13	26	22	14
20:42	8	6	14	28	23	15
20:46	9	8	16	29	24	16
20:50	10	9	17	♊ 0	25	17
20:54	11	10	18	1	26	18
20:58	12	11	20	2	27	19
21:02	13	12	21	3	28	20
21:06	14	14	22	5	29	20

◆著者紹介
ジャン・スピラー(Jan Spiller)

全米占星術界の中で最も信頼のおける重鎮の一人。複数の雑誌に占星術のコラムを連載しているほか、ニューエイジや占星術の講座で教えている。テレビやラジオの出演も多い。日本でも『前世ソウルリーディング』『〔魂の願い〕新月のソウルメイキング』(いずれも徳間書店)がベストセラーになっている。また、インターネット上の占星術サイト「ジャン・スピラーの魂を知る占い」を複数のプロバイダーより多様なコンテンツで配信、携帯電話占いサイトも好評展開中。2006年マガジンハウス雑誌『Hanako』にてスピリチュアル占いを担当した。
Web サイト(http://www.janspiller.com)

カレン・マッコイ(Karen McCoy)

アメリカで有数のカルマ占星術家。ジャン・スピラーとの共著による本書『スピリチュアル占星術』は全米で14版を数えるベストセラーとなり、世界各地で出版されている。本書第二部は、カレン・マッコイの4年間にも及ぶ、日蝕、月蝕が人生に与える影響を調査した画期的な研究の集大成である。

◆訳者紹介
東川 恭子(ひがしかわ・きょうこ)

翻訳家、退行催眠療法セラピスト。ハワイ大学卒業、ボストン大学大学院国際関係学部修了。メタフィジカル、スピリチュアル分野の探求、調和とヒーリングが主なテーマ。翻訳書は『前世ソウルリーディング』『〔魂の目的〕ソウルナビゲーション』『〔魂の願い〕新月のソウルメイキング』(徳間書店)、『最先端のタイムトラベル理論を身につけてあなたは「時空飛行士」になる』(竹内薫氏と共訳、ヒカルランド)、『あなたという習慣を断つ』(ナチュラルスピリット)など多数。
Web サイト(http://cynthiacrescentia.wixsite.com/yuchikuan)

Published by arrangement with the original publisher, Fireside, an Imprint of Simon & Schuster, Inc. through Japan UNI Agency, Inc., Tokyo.

スピリチュアル占星術

初　刷　2006年4月30日
8　刷　2018年5月10日

著　者　ジャン・スピラー
カレン・マッコイ
訳　者　東川恭子

発行者　平野健一
発行所　㈱徳間書店
〒141-8202 東京都品川区上大崎3-1-1
目黒セントラルスクエア
電話　編集 03-5403-4344
販売 048-451-5960
振替00140-0-44392
印刷所　本郷印刷株式会社
真生印刷株式会社
製本所　株式会社宮本製本所

ISBN978-4-19-862109-4